Open

# ANDRE AGASSI

# Open

BIOGRAPHIE

*Traduit de l'anglais (États-Unis)*
*par Suzy Borello et Gérard Meudal*

*Titre original :*
OPEN, AN AUTOBIOGRAPHY

*Éditeur original :*
Alfred A. Knopf, a division of Random House, Inc.


© 2009 by AKA Publishing, LLC

*Pour la traduction française :*
© Plon, 2009

*Pour Stefanie, Jaden et Jaz.*

« On ne saurait toujours dire ce que c'est qui enferme, ce qui mure, ce qui semble enterrer, mais on sent pourtant je ne sais quelles barres, quelles grilles, des murs. Tout cela est-ce imaginaire, fantaisie ? Je ne le pense pas ; et puis on se demande : mon Dieu est-ce pour longtemps, est-ce pour toujours, est-ce pour l'éternité ? Sais-tu ce qui fait disparaître la prison, c'est toute affection profonde, sérieuse. Être amis, être frères, aimer, cela ouvre la prison par puissance souveraine, par charme très puissant. Mais celui qui n'a pas cela demeure dans la mort. »

Vincent Van Gogh, *Lettres*.

# La fin

J'ouvre les yeux et je ne sais plus où je me trouve, ni qui je suis. Rien d'exceptionnel à cela, j'ai passé la moitié de ma vie dans l'ignorance. Pourtant, cette fois l'impression est différente. La sensation de trouble est plus angoissante. Plus totale.

Je lève les yeux. Je suis étendu par terre à côté du lit. À présent je me souviens. J'ai quitté le lit pour m'allonger sur le sol au milieu de la nuit. Je le fais presque toujours. C'est meilleur pour mon dos. Dormir trop longtemps sur un matelas moelleux me cause des douleurs insupportables. Je compte jusqu'à trois et entreprends la manœuvre longue et difficile qui consiste à me mettre debout. Je tousse, je grogne, je me roule sur le côté puis me recroqueville en position fœtale. Je bascule enfin pour m'allonger à plat ventre. Maintenant, j'attends patiemment que mon sang se remette à circuler.

Je suis un homme relativement jeune, si l'on peut dire. J'ai trente-six ans. Mais quand je m'éveille, j'ai l'impression d'en avoir quatre-vingt-seize. Après trente années passées à courir, à s'arrêter brutalement, à sauter très haut et à retomber durement au sol, mon corps n'est plus ce qu'il était, surtout le matin. Et mon esprit s'en ressent. Quand j'ouvre les yeux, je me sens étranger à moi-même et, encore une fois, si la sensation n'est pas nouvelle, elle est plus vive le matin. Je passe rapidement sur les éléments de base. Je m'appelle Andre

Agassi. Ma femme s'appelle Stefanie Graf. Nous avons deux enfants, un garçon et une fille, âgés de cinq et trois ans. Nous habitons Las Vegas, dans le Nevada, mais nous occupons actuellement une suite de l'hôtel Four Seasons à New York, parce que je participe à l'US Open 2006. Mon dernier US Open. En fait, c'est mon tout dernier tournoi. Je suis joueur de tennis professionnel bien que je déteste le tennis, que je lui voue une haine obscure et secrète, et ce depuis toujours. Tandis que ce dernier trait de mon caractère complète le tableau, je me mets à genoux d'un mouvement glissant et j'attends.

Je murmure dans un souffle :

— Que tout cela finisse.

Puis :

— Je ne suis pas prêt à ce que tout cela finisse.

À présent, j'entends dans la pièce à côté Stefanie et les enfants. Ils prennent le petit déjeuner au milieu des bavardages et des rires. Le désir de les voir et de les toucher me submerge. Ajouté à une forte envie de caféine, il me donne l'élan dont j'ai besoin pour me relever, pour adopter la station debout en me servant du lit comme appui. C'est toujours la même chose, la haine me fait tomber à genoux, l'amour me remet sur pied.

Je jette un coup d'œil au réveil : sept heures et demie. Stefanie m'a laissé dormir. Ces derniers jours m'ont terriblement fatigué. En plus de la tension physique, le flot d'émotions libérées par ma retraite toute proche me donne l'air abattu. Et à présent, surgie du cœur de cette fatigue, survient la première vague de douleur. Je me tiens le dos. Mon dos est bloqué. J'ai l'impression que quelqu'un s'est glissé en douce jusqu'à moi pendant la nuit et m'a attaché à la colonne vertébrale une de ces barres antivol qu'on fixe sur le volant. Comment pourrai-je jouer l'US Open avec le dos cadenassé ? Vais-je devoir déclarer forfait pour le dernier match de ma carrière ?

Je souffre depuis ma naissance de spondylolisthésis, ce qui signifie que ma dernière vertèbre est séparée des autres, qu'elle est placée à l'écart, rebelle. C'est ce qui explique que je marche avec les pieds tournés vers l'intérieur. Cette vertèbre mal alignée réduit la place dont disposent les nerfs qui partent de ma moelle épinière. Au plus léger mouvement, ils se sentent complètement compressés. Entre les deux disques herniaires et un os qui ne cesse de se développer dans un effort dérisoire pour protéger toute cette zone sensible, mes nerfs se sentent atteints de claustrophobie. Quand ils protestent parce qu'ils sont coincés dans un espace aussi réduit, quand ils envoient des signaux de détresse, une telle douleur me parcourt la jambe que j'en perds le souffle. J'ai envie de hurler. Dans ces moments-là, le seul remède pour me soulager est de m'allonger et d'attendre. Mais il arrive que l'élancement se produise au beau milieu d'un match. La seule solution est alors de changer mon jeu, de lancer la balle différemment, de courir différemment, de tout faire d'une manière différente. C'est alors que mes muscles sont pris de spasmes. Tout le monde déteste le changement, les muscles ne le supportent pas. Quand on leur demande de changer, ils se joignent à la rébellion de ma moelle épinière et c'est bientôt mon corps tout entier qui est en guerre contre lui-même.

Gil, mon entraîneur, mon ami, mon sauveur, mon père de substitution, explique ainsi le phénomène :

— Ton corps te dit qu'il ne veut plus faire ce que tu lui demandes.

Je lui réponds que c'est ce que mon corps dit depuis longtemps, depuis presque aussi longtemps que moi.

Mais depuis le mois de janvier, mon corps s'est mis à hurler. Mon corps ne veut pas que je prenne ma retraite, en fait il l'a déjà prise. Mon corps s'est retiré en Floride, il a acheté un appartement et des chaussures blanches. J'en suis donc à négocier avec mon corps, lui demandant de sortir de sa retraite pour quelques

11

heures par-ci, quelques heures par-là. La négociation tourne largement autour du coup de fouet, une injection de cortisone qui calme momentanément la douleur. Mais avant que le coup de fouet fasse effet, il provoque lui aussi ses propres souffrances.

J'ai reçu une de ces piqûres il y a quelques jours, je serai donc capable de jouer ce soir. C'était la troisième injection cette année, la treizième de ma carrière et de loin la plus inquiétante. Pour commencer, le médecin qui n'était pas mon médecin habituel m'a demandé de me mettre en position. Je me suis allongé sur sa table et son infirmière a baissé mon caleçon. Le médecin m'a expliqué qu'il devait introduire son aiguille de sept pouces de long le plus près possible des nerfs enflammés. Mais il ne pouvait pas la faire pénétrer directement à cause de mes hernies discales et de la saillie osseuse qui bloquaient le passage. Ses tentatives pour les contourner et débloquer mon cadenas antivol m'ont fait bondir au plafond. Il a d'abord introduit l'aiguille, ensuite il a positionné au-dessus de mon dos un gros appareil de radiographie pour observer à quelle distance du nerf se trouvait l'aiguille. Il fallait que l'aiguille déverse son liquide presque contre le nerf, m'a-t-il expliqué, mais sans le toucher. S'il égratignait le nerf, même s'il ne faisait que l'effleurer, la douleur serait insupportable et m'empêcherait de participer au tournoi. Il s'est donc appliqué à enfoncer et à ressortir l'aiguille un peu partout, jusqu'à ce que j'aie les yeux pleins de larmes.

Il a fini par trouver le bon endroit, l'œil du taureau, comme il dit.

La cortisone s'est répandue. La sensation de brûlure m'a obligé à me mordre les lèvres. Puis est venue la sensation de pression. Je me suis senti infusé, embaumé. Le minuscule espace dans mon dos où sont abrités les nerfs m'a donné l'impression d'être comprimé, sous vide. La pression s'est accrue au point que j'ai eu l'impression que mon dos allait éclater.

— La pression, c'est ce qui fait tout fonctionner dans la vie, a déclaré le médecin.

— Voilà de quoi méditer, Doc.

La douleur s'est bientôt transformée en une sensation étrange, presque agréable, parce que c'est la sorte de douleur dont on sait qu'elle précède le soulagement. Mais, à bien y réfléchir, c'est peut-être le cas de toutes les douleurs.


Ma famille fait de plus en plus de bruit. Je boitille jusqu'à la salle de séjour de notre suite. Mon fils Jaden et ma fille Jaz s'écrient en me voyant : « Papa ! Papa ! » Ils bondissent autour de moi et veulent me sauter dans les bras. Je m'immobilise et serre les bras autour de mon torse dans la position d'un mime qui imiterait un arbre en hiver. Ils s'arrêtent dans leur élan au moment de sauter parce qu'ils savent que Papa est fragile ces jours-ci. Papa risque de se briser en morceaux s'ils le bousculent trop fort. Je leur caresse le visage et les embrasse sur la joue avant de m'attabler avec eux devant le petit déjeuner.

Jaden me demande si c'est aujourd'hui le grand jour.

— Oui.

— Tu vas jouer ?

— Oui.

— Et après, tu prends ta retraite ?

C'est un nouveau mot que lui et sa petite sœur viennent d'apprendre. *La retraite*. Quand ils le prononcent ils font toujours traîner la dernière syllabe. Pour eux la retraite est une sorte d'état permanent, qui ne cesse d'exister au présent. Peut-être savent-ils quelque chose que j'ignore.

— Pas si je gagne, fiston. Si je gagne ce soir, je continue de jouer.

— Mais si tu perds, on pourra avoir un chien ?

Pour les enfants, la retraite est synonyme d'animal domestique. Nous leur avons promis, Stefanie et moi, que lorsque je cesserai l'entraînement et que nous ne courrons plus à travers le monde, on achètera un chien. On pourrait peut-être l'appeler Cortisone.

— Oui, bonhomme, si je perds on achète un chien.

Il sourit. Il espère bien que Papa va perdre. Il souhaite que Papa connaisse la pire des déceptions. Il ne comprend pas, et comment pourrais-je le lui expliquer, la souffrance de la défaite, la souffrance du jeu. J'ai mis moi-même près de trente ans pour en prendre conscience, pour dissoudre les caillots de mon propre psychisme, pour déchiffrer le code de mes contradictions.

Je demande à Jaden ce qu'il a prévu de faire aujourd'hui.

Il va voir les os.

J'interroge Stefanie du regard. Elle me rappelle qu'elle les emmène au Muséum d'histoire naturelle, voir les dinosaures. Je pense à mes vertèbres de travers. J'imagine mon squelette exposé au musée au milieu de tous les autres dinosaures. Tennisaurus Rex.

Jaz interrompt le cours de ma rêverie. Elle me tend son muffin. Avant de le manger, elle veut que j'en retire toutes les myrtilles. C'est notre rituel matinal. Chaque myrtille doit être extraite de manière chirurgicale, ce qui exige précision et concentration. On enfonce le couteau, on opère un mouvement circulaire et on retire la myrtille sans la toucher. Je me concentre sur son muffin et c'est un soulagement de penser à autre chose qu'au tennis. Mais en lui tendant son muffin, je ne peux pas ne pas remarquer qu'il ressemble à une balle de tennis et je sens les muscles de mon dos se tendre d'appréhension. Le moment approche.

Le petit déjeuner achevé, après que Stefanie et les enfants m'ont embrassé avant de filer au musée, je reste tranquillement assis à table et je laisse mon regard errer dans l'appartement. Il ressemble à toutes les suites que j'ai déjà habitées mais à un degré supérieur. Propre, chic, confortable. On est au Four Seasons, tout est donc beau, mais ce n'est qu'un exemple de plus de ce que je ne peux pas appeler une maison. Ce no man's land où nous vivons, nous les athlètes. Je ferme les yeux et m'efforce de penser à ce soir, mais mon esprit me ramène en arrière. Il a tendance ces jours-ci à se retourner naturellement vers le passé. Si je le laisse faire, il revient spontanément à mes débuts, sans doute parce que je suis si proche de la fin. Mais je ne peux pas le laisser faire. Pas encore. Je ne peux me permettre la moindre évocation du passé. Je me lève, contourne la table pour tester mon équilibre. Quand je me sens bien dans mon assiette, je me dirige avec précaution vers la douche.

Je grogne et je crie sous le jet d'eau chaude. Je me penche doucement pour toucher mes cuisses. Je me sens revivre. Mes muscles s'assouplissent. Ma peau exulte. Mes pores se débouchent. Du sang chaud s'élance dans mes veines. J'ai l'espoir que quelque chose commence à s'éveiller en moi. Pour l'instant je n'ose aucun mouvement brusque ou exagéré. Je ne veux rien faire qui puisse effrayer mon dos. Je laisse ma colonne vertébrale dormir tranquille.

Debout devant le miroir de la salle de bains, j'observe mon visage tout en m'essuyant. Des yeux rouges, une barbe grise, un visage qui est bien différent de celui que j'avais à mes débuts. Mais qui n'est plus le même non plus que celui que j'ai pu voir dans ce même miroir il y a un an. Qui que je sois, je ne suis plus le gamin qui a entrepris cette odyssée. Je ne suis même plus l'homme qui a annoncé il y a trois mois qu'il allait mettre un terme à sa carrière. Je suis comme une raquette de tennis dont on a changé quatre fois le manche et sept fois les cordes. Est-il correct, est-il légitime d'affirmer qu'il s'agit de la même raquette ? Quelque part dans ces yeux, j'aperçois encore le gamin qui ne voulait pas au début jouer au tennis, le gamin qui avait envie d'abandonner, le gamin qui, de fait, abandonna souvent. Je revois le gamin qui détestait le tennis, et je me demande quelle image ce garçon aux cheveux blonds doit se faire de cet homme chauve qui déteste toujours le tennis et continue cependant de le pratiquer. Est-il choqué, amusé, fier ? La question me laisse sans forces, somnolent – et il n'est que midi.

Faites que tout cela finisse.

Je ne suis pas prêt à ce que tout cela finisse.

La dernière ligne droite à la fin d'une carrière n'est pas très différente de la dernière ligne droite à la fin d'une partie. L'objectif est d'arriver en vue de cette dernière ligne droite car elle libère une sorte de force magnétique. Quand on est proche de cette ligne, on sent cette force qui nous soulève et qu'on peut mettre à profit. Mais juste au moment d'atteindre cette ressource, ou juste après, on sent une autre force, tout aussi puissante, qui nous repousse. C'est inexplicable, d'ordre mystique, ces forces jumelles, pourtant, elles existent bel et bien. J'en sais quelque chose puisque j'ai passé la plus grande partie de ma vie à rechercher l'une et à combattre l'autre. Il m'est arrivé parfois de rester bloqué, en suspens, ballotté entre ces deux forces comme une balle de tennis.

Je pense qu'il va me falloir une discipline de fer pour résister aux éventuels accès de découragement que je pourrais avoir aujourd'hui. Le mal de dos, les coups ratés, le mauvais temps, le dégoût de soi. Cette pensée qui me revient à l'esprit est un souci supplémentaire mais aussi une occasion de méditer. S'il y a une chose que j'ai apprise en vingt-neuf ans de pratique du tennis, c'est que la vie ne cesse de vous jeter dans les jambes toutes sortes d'obstacles et que votre boulot est de les éviter. Si vous les laissez vous arrêter ou vous distraire, vous ne faites pas correctement votre travail. Et faillir à votre tâche vous causera des regrets qui vous paralyseront plus sûrement qu'un mal de dos.

Je suis allongé sur le lit et je lis, un verre d'eau posé à côté de moi. Quand mes yeux fatiguent, j'allume la télévision. Reportage sur le tournoi. *Ce soir. Deuxième tour de l'US Open ! Va-t-on assister aux adieux d'Agassi ?* Mon visage apparaît brusquement à l'écran. Il est différent de celui que me renvoie mon miroir. Mon visage de joueur. J'étudie cet autre visage, ce nouveau reflet de moi-même, dans le miroir faussé que constitue la télévision et mon anxiété monte d'un cran ou deux. S'agissait-il du dernier reportage ? Je ne peux échapper à l'impression que je suis sur le point de mourir.

Ce n'est pas par hasard, je pense, que le tennis emploie le même vocabulaire que la vie. Avantage, service, faute, break, love, les éléments de base du tennis sont les mêmes que ceux de la vie courante parce que chaque match est le résumé d'une existence en miniature. La structure même du tennis, la façon dont ses différents éléments s'imbriquent les uns dans les autres à la manière des poupées russes, reproduit fidèlement l'organisation de nos vies. Les points deviennent des jeux qui deviennent des sets qui deviennent des tournois, et le tout est si intimement lié que chaque point peut devenir le point décisif. Cela me fait penser aux secondes qui se transforment en minutes puis en heures, et chaque heure peut être notre meilleur moment, ou le pire. À nous de choisir.

Mais si le tennis est semblable à la vie, alors ce qui vient après doit être le vide insondable. Une pensée qui me fait grimacer.

Stefanie déboule dans la pièce avec les enfants. Ils s'assoient sur le lit et mon fils me demande comment je me sens.

— Bien, bien. Comment étaient les os ?

Stefanie leur donne des sandwichs et du jus de fruits et les remmène avec elle. Ils ont rendez-vous, me dit-elle, pour aller jouer.

N'est-ce pas notre cas à tous ?

À présent je peux faire un petit somme. À trente-six ans, le seul moyen qui me permette de jouer en fin de journée un match qui peut se prolonger jusqu'à minuit passé est de faire une petite sieste à l'avance. Aussi, maintenant que je me connais à peu près, je veux fermer les yeux et oublier tout cela. Quand je les rouvre, une heure s'est écoulée. Il est temps d'y aller, dis-je à haute voix. Plus question de se défiler ; je retourne sous la douche mais cette douche-ci est différente de celle du matin. La douche de l'après-midi est toujours plus longue, elle dure très exactement vingt-deux minutes et n'est pas destinée à se réveiller ou à se laver. La douche de l'après-midi me sert à m'encourager, à me reprendre en main.

Le tennis est le sport dans lequel on se parle à soi-même. Aucun sportif ne parle tout seul autant que les joueurs de tennis. Si les lanceurs au base-ball, les golfeurs, les gardiens de but bien sûr se parlent à eux-mêmes à voix basse, non seulement les joueurs de tennis parlent tout seuls, mais ils se répondent. Dans la chaleur d'un match, ils ont l'air de fous dans un jardin public : ils déclament, jurent et mènent de graves discussions politiques avec leur alter ego. Pourquoi ? Parce que le tennis est un sport tellement solitaire. Il n'y a que les boxeurs pour comprendre la solitude des joueurs de tennis, et encore les boxeurs ont-ils leurs soigneurs et leurs managers. Même l'adversaire constitue pour le boxeur une sorte de compagnon, quelqu'un qu'il peut empoigner et contre qui il peut grogner. Au tennis, on se tient face à l'adversaire, on échange des coups avec lui mais on ne le touche jamais, on ne lui parle jamais, ni à lui ni à personne d'autre. Le règlement interdit même à un joueur de tennis de parler à son coach pendant qu'il est sur le court.

Certains comparent notre solitude à celle d'un coureur de fond, mais je trouve cela ridicule. Le coureur de fond peut éprouver la présence et même sentir l'odeur de ses adversaires. Ils ne sont qu'à quelques centimètres de distance. Au tennis, on est sur une île. De tous les sports que pratiquent les hommes et les femmes, le tennis est ce qui se rapproche le plus de la réclusion solitaire, ce qui entraîne inévitablement l'habitude de se parler à soi-même. Pour moi, cette manie commence en ce moment même, pendant la douche de l'après-midi. C'est le moment où je me mets à me dire des choses bizarres et à me les répéter jusqu'à ce que je finisse par y croire. Comme par exemple qu'un quasi-invalide peut participer à l'US Open, qu'un homme de trente-six ans peut battre un adversaire qui arrive pour la première fois dans le tournoi. J'ai gagné 869 matchs au cours de ma carrière, suis classé cinquième des meilleurs joueurs de l'histoire, et j'ai remporté beaucoup de ces matchs pendant ma douche de l'après-midi.

Tandis que le bruit de l'eau gronde à mes oreilles, ce qui ressemble assez à la clameur de vingt mille supporters, je repense à certaines victoires en particulier. Pas celles que retiendront mes fans, mais des victoires dont le souvenir me réveille encore la nuit. Contre Squillari à Paris, Pete en Australie, Blake à New York. J'en savoure les détails et puis je pense à certaines défaites. Je hoche la tête en évoquant les déceptions. Je me dis que ce soir je vais passer un examen auquel je me prépare depuis vingt-neuf ans. Quoi qu'il puisse arriver aujourd'hui, j'en ai déjà fait l'expérience au moins une fois par le passé. Si c'est une épreuve physique et une épreuve mentale, en tout cas ce n'est pas nouveau.

Faites que tout cela se termine.

Je ne suis pas prêt à ce que tout cela se termine.

Je me mets à pleurer. Je m'appuie contre la cloison de la douche et je me laisse aller.


Je me donne des instructions très strictes tout en me rasant : Occupe-toi de chaque point l'un après l'autre. Oblige ton adversaire à se démener à chaque coup.

Quoi qu'il arrive garde la tête haute. Et par pitié profites-en, ou du moins essaie de profiter de certains moments du match, même de la douleur, même de l'échec si c'est là ce qui t'attend.

Je pense à mon adversaire, Marcos Baghdatis, et je me demande ce qu'il est en train de faire en ce moment. C'est la première fois qu'il participe à ce tournoi, mais ce n'est pas le débutant classique. Il est classé numéro 8 mondial. C'est un Grec grand et costaud, originaire de Chypre, à mi-parcours d'une année où il enchaîne les succès. Il a atteint la finale de l'Open d'Australie et les demi-finales de Wimbledon. Je le connais très bien. Durant l'US Open de l'an dernier, j'ai joué un match d'entraînement avec lui. En règle générale je ne m'entraîne jamais avec d'autres joueurs pendant un grand tournoi, mais Baghdatis me l'avait demandé avec une gentillesse désarmante. Une chaîne de télévision chypriote réalisait un reportage sur lui, et Baghdatis m'avait demandé si ça ne me dérangeait pas qu'ils nous filment à l'entraînement. D'accord, avais-je répondu, pourquoi pas ? Je remportai le set 6-2 et il était tout sourire. J'avais compris que c'était le genre de type qui sourit quand il est content ou mal à l'aise, sans qu'on puisse savoir ce qu'il éprouve vraiment. Il me faisait penser à quelqu'un, mais je ne me rappelais plus qui.

J'avais fait remarquer à Baghdatis que son jeu ressemblait un peu au mien et il m'avait répondu que ce n'était pas un hasard. Il avait grandi dans une chambre ornée de photos de moi et avait calqué son jeu sur le mien. En d'autres termes, je vais affronter mon propre reflet ce soir. Il va jouer depuis le fond du court, rattrapera la balle très tôt, la renverra sur les côtés, exactement comme moi. C'est un match qu'il va falloir disputer pied à pied, où chacun tentera d'imposer sa volonté en espérant saisir l'occasion d'envoyer un revers au ras du filet. Il n'a pas un service très puissant, moi non plus, ce qui veut dire des coups très longs, beaucoup de déplacements, une grande dépense de temps et d'énergie. Je rassemble mes forces en prévision de la tension et de la tactique pour un tennis d'usure, la forme de sport la plus brutale.

Évidemment, la grande différence entre Baghdatis et moi est physique. Nous avons des corps différents. Il a le physique que j'avais autrefois. Il est souple, rapide et vif. Je vais devoir battre une version jeune de mon propre double si je veux que le modèle ancien reste dans le circuit. Je ferme les yeux et dis : « Contrôle ce que tu peux contrôler. »

Je le répète à voix haute. De le dire tout haut me donne du courage.

Je coupe la douche et reste là, frissonnant. Comme il est facile de se sentir fort sous un jet d'eau chaude. Mais je me dis que se sentir brave sous la douche, ce n'est pas le vrai courage. Ce que l'on ressent en fin de compte ne sert à rien, ce sont les actes qui font de vous un homme courageux.

Stefanie et les enfants viennent de rentrer. C'est l'heure de l'Eau de Gil.

Je transpire énormément, plus que la plupart des joueurs, et je dois donc commencer à m'hydrater plusieurs heures avant un match. J'avale des litres d'un élixir magique inventé à mon intention par Gil, mon entraîneur depuis dix-sept ans. L'Eau de Gil est un mélange de glucides, d'électrolytes, de sel, de vitamines et de quelques autres ingrédients dont Gil garde jalousement le secret. Il a mis vingt ans à perfectionner sa recette. Il commence généralement à me gaver de son Eau de Gil la veille d'un match et continue à m'en faire ingurgiter jusqu'au moment de jouer. Je continue à en siroter pendant le déroulement du match. Selon les stades, j'en avale des formules différentes et chacune a sa couleur. La rose c'est pour l'énergie, la rouge pour la récupération et la brune pour refaire le plein.

Les enfants adorent m'aider à préparer l'Eau de Gil. Ils se disputent pour savoir qui va sortir les poudres, qui va tenir l'entonnoir, qui va verser la préparation dans des bouteilles d'eau en plastique. De toute façon, c'est moi et moi seul qui peux les ranger dans mon sac, avec mes vêtements, mes serviettes, mes livres, mes visières et mes bracelets en éponge (mes raquettes, comme toujours, suivent plus tard). Il n'y a que moi qui touche mon sac de sport, et quand il est enfin prêt, il reste posé près de la porte comme le matériel d'un assassin, le signe que la journée s'est dangereusement rapprochée de l'heure fatidique.

À cinq heures, Gil téléphone depuis la réception.

Il dit :

— Tu es prêt, il est temps de descendre. C'est parti, Andre, *c'est parti*.

Aujourd'hui tout le monde le dit, *c'est parti*. Mais Gil le fait depuis des années et personne ne peut le dire comme lui. Quand Gil dit *c'est parti*, je sens que mes fusées de décollage crachent le feu et que l'adrénaline jaillit de mes glandes à pleins geysers. Je me sens capable de soulever une voiture à bout de bras.

Stefanie amène les enfants sur le seuil de la porte et leur explique qu'il est l'heure de partir pour Papa. Et qu'est-ce que vous lui dites ?

— Botte-lui le cul, Papa, crie Jaden.

— Botte-lui le cul, dit Jaz en imitant son frère.

Stefanie me donne un baiser mais ne dit rien parce qu'il n'y a rien à dire.

Dans la voiture, Gil s'assoit à l'avant, tiré à quatre épingles. Chemise noire, cravate noire, veste noire. Il s'habille pour chaque match comme s'il se rendait à un premier rendez-vous ou à une réception. De temps en temps, il vérifie dans la vitre ou dans le rétroviseur que ses longs cheveux noirs sont bien coiffés. Je suis assis à l'arrière avec Darren, mon coach, un Australien qui se promène toujours avec un bronzage hollywoodien et le sourire d'un gars qui vient de gagner au Loto. Pendant quelques minutes, personne ne parle. Puis Gil se met à chanter les paroles d'une de nos chansons favorites, une vieille ballade de Roy Clark, et sa voix de basse emplit la voiture.

*We're drinking from an empty cup,*
*Just going through the motions and pretending*
*We have something left to gain*[1].

Il me regarde, attendant la suite, et je dis :

*Though we didn't drink our fill,*
*We can't build a fire in the rain*[2].

Il rit. Je ris aussi. Pendant un instant j'oublie les pensées anxieuses qui m'assaillent comme des papillons.

Ce sont de drôles de papillons. Il y a des jours où ils vous donnent envie de courir aux toilettes. D'autres fois, ils vous donnent l'impression d'être irrésistible. Il y a des jours où ils vous donnent le sourire et l'envie d'en découdre. Déterminer le genre de papillons auxquels on a affaire (monarques ou papillons de nuit) est la toute première chose à faire pendant qu'on se dirige vers l'arène. Se représenter ces papillons, interpréter ce qu'ils nous disent sur notre état mental et physique, est le premier pas pour les apprivoiser et faire en sorte qu'ils nous soient favorables. C'est une des mille leçons que j'ai apprises auprès de Gil.

Je demande à Darren ce qu'il pense de Baghdatis. De quel degré d'agressivité devrai-je faire preuve ce soir ? Le tennis repose sur le dosage de l'agressivité. Il faut en manifester suffisamment pour s'assurer un point, mais pas trop car on risque alors de perdre son propre contrôle et de s'exposer à des risques inutiles. En clair,

---

1. « Nous buvons dans une tasse vide / Faisons mine de faire semblant / Qu'il nous reste quelque chose à gagner. »
2. « On n'a pu se désaltérer / Mais comment faire un feu sous la pluie ? »

ce que je voudrais savoir au sujet de Baghdatis c'est : comment va-t-il faire pour me mettre en difficulté ? Si j'envoie un revers long pour commencer un point, il y a des joueurs qui patientent. D'autres au contraire contre-attaquent immédiatement, renvoient la balle comme un boulet et montent résolument au filet. Je n'ai jamais joué contre Baghdatis à l'exception d'un match d'entraînement, je veux donc savoir comment il va réagir à un jeu classique, va-t-il bondir et abandonner les échanges de routine ou va-t-il rester en retrait et attendre le bon moment ?

— Mon pote, dit Darren, si tu adoptes un jeu trop classique, tu peux être sûr que le gars va te sauter dessus et t'en faire voir avec son coup droit.

— Je vois.

— Si tu t'aperçois qu'il expédie ses revers sur la ligne, cela veut dire que tu ne mets pas assez d'ardeur dans tes coups longs.

— Est-ce qu'il bouge bien ?

— Oui, il est très mobile. Mais il n'est pas aussi à l'aise quand il est sur la défensive. Il se déplace mieux en attaque qu'en défense.

— Hum.

Nous arrivons au stade. Les fans sont très nombreux. Je signe quelques autographes et je me baisse pour passer une petite porte. Je suis un long couloir et débouche dans les vestiaires. Gil sort pour discuter avec les gars de la sécurité. Il tient toujours à les informer précisément du moment où nous entrerons sur le court pour l'entraînement et du moment où nous en sortirons. Darren et moi posons les sacs et filons directement à la salle de préparation. Je m'allonge sur une table et demande au premier masseur qui passe par là de venir me masser le dos. Darren sort et revient cinq minutes plus tard en apportant huit raquettes qui viennent d'être cordées. Il les pose sur mon sac. Il sait que je tiens à les y ranger moi-même.

Je suis maniaque au sujet de mon sac. Je le remplis toujours avec un soin méticuleux et je me fiche de savoir si cela tient de la régression au stade anal. Ce sac est à la fois mon porte-documents, ma valise, ma boîte à outils, mon panier pour le casse-croûte et ma palette. Ce sac est ce que j'emporte sur le court et ce que j'en rapporte, deux instants où j'ai les sens si aiguisés que je ressens chaque gramme de son poids. Si quelqu'un y glissait une paire de socquettes en fil d'Écosse, je m'en apercevrais au poids. Le sac de tennis c'est comme le cœur, vous devez savoir en permanence ce qu'il y a dedans.

C'est aussi une question pratique. Il faut que mes huit raquettes soient rangées dans mon sac par ordre chronologique, celle qui a été le plus récemment cordée au fond et la plus ancienne sur le dessus, parce que, avec le temps, la raquette perd de sa tension. Je commence toujours un match en utilisant la raquette qui a été cordée la première parce que je sais qu'elle est la moins tendue.

Mon préparateur de raquettes est de la vieille école, du « monde ancien », c'est un artiste tchèque nommé Roman. C'est le meilleur et il faut qu'il le soit : une raquette plus ou moins bien préparée peut faire la différence lors d'un match, et un match peut faire la différence dans une carrière, et une carrière peut avoir bien des conséquences sur d'innombrables vies. Quand je sors une nouvelle raquette de mon sac et que j'entame mon service, la tension des cordes peut valoir des centaines de milliers de dollars. Parce que je joue pour ma famille, ma fondation, mon école, chaque corde devient comme une pièce de moteur d'avion. Étant donné tout ce que j'ai sous ma responsabilité, je suis obsédé par le peu de choses que je peux contrôler. La tension de la raquette en est une.

Le rôle de Roman est tellement vital pour mon jeu que je l'emmène dans mes déplacements. Normalement, il habite New York, mais quand je joue à Wimbledon il s'installe à Londres, et quand je participe aux Internationaux de France il devient parisien. Parfois, lorsque je me sens seul et perdu dans quelque ville étrangère, je m'assois auprès de Roman et je le regarde préparer quelques raquettes. Non parce que je ne lui fais pas confiance. Au contraire. Cela m'apaise, me ressource, m'inspire de regarder un artisan à l'œuvre. Cela me rappelle l'importance particulière d'un travail bien fait dans ce monde.

Les raquettes nues parviennent à Roman dans un énorme colis en provenance directe de l'usine, et elles sont toujours complètement mélangées. À l'œil nu, elles ont l'air semblables, mais pour Roman elles sont aussi différentes que des visages dans une foule. Il les retourne dans tous les sens, fronce les sourcils et débute par des calculs. Enfin, il se met au travail. Il commence par enlever le manche issu de l'usine pour le remplacer par le mien, celui que j'utilise depuis que j'ai quatorze ans. Ce manche est aussi personnel que mes empreintes digitales, sa forme est le résultat non seulement de la forme de ma main et de la longueur de mes doigts, mais aussi de la taille de mes cals et de la force de ma poigne. Roman possède un moulage de ce manche et l'adapte à ma raquette. Puis il entoure ce moulage de cuir de veau qu'il étire de plus en plus finement, jusqu'à obtenir l'épaisseur exacte qu'il désire. Vers la fin d'un match de quatre heures, une différence de un millimètre peut être aussi agaçante et gênante qu'un caillou dans une chaussure.

Quand le manche est prêt, Roman lace les cordes synthétiques. Il les tend, les relâche, les retend, les règle aussi méticuleusement que les cordes d'un alto. Puis il les teinte et agite vigoureusement la raquette en l'air pour faire sécher le produit. Il y a des préparateurs qui teintent les raquettes juste avant le match. Je trouve cela totalement déplacé et très peu professionnel. La couleur déteint sur les balles, et il n'y a rien de pire que de jouer contre un type qui a de la peinture rouge et noire sur ses balles. J'aime l'ordre et la propreté, et je ne supporte donc pas les balles tachées de peinture. Le désordre est une source de distraction, et la moindre distraction sur le court peut avoir des conséquences radicales.

Darren ouvre deux boîtes de balles et en fourre deux dans sa poche. J'avale une gorgée d'Eau de Gil et vais pisser une dernière fois avant l'échauffement. James, le garde du corps, nous emmène dans le tunnel. Il est comme d'habitude engoncé dans un gilet de sécurité jaune, très serré, et il me fait un clin d'œil comme pour dire : nous, les membres de la sécurité, nous sommes en principe impartiaux, mais je suis de votre côté.

James fréquente l'US Open depuis pratiquement aussi longtemps que moi. Il m'a accompagné dans ce tunnel avant et après de glorieuses victoires et d'horribles défaites.

Costaud, gentil, avec des cicatrices de dur à cuire qu'il exhibe fièrement, James est un peu comme Gil. C'est comme s'il prenait la place de Gil pendant ces quelques heures passées sur le court où je suis hors de la sphère d'influence de Gil. Il y a des gens que l'on s'attend à voir à l'US Open, des organisateurs, des ramasseurs de balles, des soigneurs, et leur présence est toujours rassurante. Ils vous aident à vous rappeler où vous êtes et qui vous êtes. James figure en tête de cette liste. C'est l'un des premiers que je cherche quand je pénètre dans le stade Arthur-Ashe. Quand je le vois, je sais que je suis de retour à New York, entre de bonnes mains.

Depuis qu'à Hambourg, en 1993, un spectateur s'est précipité sur le court et a poignardé Monica Seles en plein match, l'US Open a fait installer un garde du corps derrière le siège de chaque joueur, pendant toutes les pauses et les changements de côté. James s'arrange toujours pour être derrière moi. Son incapacité à demeurer impartial est charmante. Souvent, pendant un match particulièrement éprouvant, j'aperçois le regard préoccupé de James et je murmure : « Vous en faites pas, James, je vais l'avoir ce crétin. » Ça le fait toujours rigoler.

À présent, tandis que nous nous dirigeons vers les courts d'entraînement, il ne rigole pas. Il sait bien que c'est peut-être notre dernière soirée ensemble. Pourtant, il ne change rien à notre rituel d'avant le match. Il dit la même chose que d'habitude.

— Laissez-moi vous aider à porter votre sac.

— Non, James, personne d'autre que moi ne porte ce sac.

J'ai raconté un jour à James que quand j'avais sept ans j'avais vu Jimmy Connors faire porter son sac comme s'il se prenait pour Jules César. Je m'étais alors juré que je porterais toujours le mien moi-même.

— OK, dit James en souriant. Je sais. Je sais. Je m'en souviens. C'était juste pour aider.

Puis je lui dis :

— James, c'est vous qui êtes placé derrière moi aujourd'hui ?

— Bien sûr mon gars, j'ai eu la place. Ne vous inquiétez de rien. Occupez-vous seulement du jeu.

Nous émergeons dans l'atmosphère crépusculaire d'un soir de septembre. Le ciel est obstrué par un brouillard teinté d'orange et de violet. Je m'avance vers les tribunes, serre les mains de quelques fans et signe encore quelques autographes avant de commencer l'entraînement. Quatre courts sont réservés pour ça, et James sait que je préfère le plus éloigné de la foule, là où Darren et moi nous pouvons avoir une certaine intimité et discuter de stratégie.

Je pousse un grognement en frappant le premier revers en direction du coup droit de Darren.

— Ne fais pas cela ce soir, dit-il. Baghdatis te mettrait aussitôt en difficulté.

— Vraiment ?

— Crois-moi, mon pote.

— Et tu dis qu'il bouge bien ?

— Oui, très bien.

Nous jouons pendant vingt-huit minutes. Je ne sais pas pourquoi j'enregistre de tels détails, la durée de la douche de l'après-midi, celle d'une séance d'entraînement. Je ne le fais pas exprès mais je le remarque quand même. Ma mémoire n'est pas à l'image de mon sac de sport. Je n'ai aucune maîtrise sur son contenu. Il semble que tout y entre et que rien n'en sorte jamais.

Mon dos va bien. Une certaine raideur normale mais la douleur atroce a disparu. La cortisone fait son effet. Je me sens en forme, même si ce que j'appelle être en forme a bien changé ces dernières années. En tout cas je me sens mieux que ce matin, quand j'ai ouvert les yeux et que j'envisageais de déclarer forfait. Je devrais y arriver. Demain, évidemment, les conséquences physiques seront rudes. Mais ce n'est pas le moment de penser ni à la veille, ni au lendemain.

De retour au vestiaire, j'enlève mes vêtements tachés de sueur et fonce sous la douche. Ma troisième douche de la journée est brève et simplement utilitaire. Je n'ai plus le temps de penser à la stratégie ou de pleurer. J'enfile un short sec et un T-shirt, et vais me relaxer dans la salle de massage. Je bois de l'Eau de Gil, autant que je peux parce qu'il est six heures et demie et que le match commence dans presque une heure.

Il y a un poste de télévision au-dessus de la table de massage, j'essaie de regarder les infos mais je n'y arrive pas. Je me rends dans les bureaux et regarde les secrétaires et les responsables de l'US Open. Ils sont très affairés. Ils n'ont pas le temps de bavarder. Je franchis une petite porte. Stefanie et les enfants sont arrivés. Ils sont dans une petite cour devant les vestiaires. Jaden et Jaz jouent à tour de rôle sur les balançoires. Stefanie est heureuse, je le sais bien, d'avoir les enfants pour la distraire. Elle est encore plus tendue que moi. Elle semble presque en colère. Ses sourcils froncés disent clairement : *Cela devrait déjà avoir commencé ! Dépêche-toi !* J'adore le côté combatif de ma femme…

Je bavarde avec elle et les enfants pendant quelques minutes, mais je n'entends pas un traître mot de ce qu'ils disent. J'ai l'esprit ailleurs. Stefanie s'en aperçoit. Elle le sent. On ne gagne pas vingt-deux grands tournois sans avoir une intuition particulièrement développée. D'ailleurs, elle aussi était comme cela avant de jouer. Elle me renvoie au vestiaire. Vas-y. Nous serons là. Fais ce que tu as à faire.

Elle ne suivra pas le match depuis les premiers rangs. Elle va s'installer avec les enfants sur un gradin éloigné où elle pourra faire les cent pas, prier et se cacher les yeux.


Pete, un des plus anciens soigneurs, entre. Je sais déjà lequel des plateaux m'est destiné. Celui sur lequel reposent deux énormes tas de mousse et deux dizaines de pansements prédécoupés. Je m'allonge sur une des six tables de massage. Pete s'assoit à côté de mes pieds. C'est un boulot salissant de préparer les chiens pour le combat, aussi place-t-il une poubelle sous eux... J'apprécie que Pete soit propre et méticuleux, le Roman des durillons. Il commence par prendre un long coton-tige et applique une sorte d'encre gluante qui rend ma peau collante et colore mon cou de pied en rouge. C'est une encre indélébile. Je ne m'en suis jamais débarrassé depuis l'époque où Reagan était président. À présent, Pete vaporise un produit destiné à durcir la peau. Il le laisse sécher avant d'appliquer une grosse masse de mousse sur chaque cal. Ensuite vient le tour des bandes qui ressemblent à du papier de riz. Elles s'intègrent instantanément à ma peau. Il enveloppe chacun de mes gros orteils jusqu'à ce qu'il ressemble à une bougie de moteur. Pour finir, il recouvre d'adhésifs mes cous-de-pied. Il connaît parfaitement mes points de pression, là où je porte le poids de mon corps et où j'ai besoin d'un rembourrage plus épais.

Je le remercie, enfile mes chaussures sans les lacer. À présent que tout commence à ralentir, la rumeur du stade gagne en puissance. Il y a un moment tout était calme, maintenant c'est le vacarme. L'air est plein de rumeurs, de bourdonnements, le bruit de tous les fans qui se précipitent à leur place, se dépêchant de s'installer pour ne pas manquer une minute de ce qui va venir.

Je me mets debout, agite les jambes.

Je ne vais pas me rasseoir.

Je fais quelques foulées dans le couloir. Le dos tient le coup. Tout fonctionne.

À l'autre bout du vestiaire, je vois Baghdatis. Il est tout équipé et s'applique à se coiffer devant un miroir. Il secoue ses cheveux, les peigne, les tire en arrière. Il en a tellement ! À présent il place son serre-tête, un bandeau indien blanc. Il le dispose à la perfection puis met la touche finale à sa queue-de-cheval. C'est décidément un rituel préparatoire bien plus chic que le fait de faire soigner ses pieds calleux. Je me souviens des problèmes de cheveux que j'avais au début de ma carrière. J'éprouve une pointe de jalousie et je regrette mes cheveux. Puis je passe une main sur mon crâne chauve et suis content de constater que, parmi tous les soucis qui me préoccupent, au moins il n'y a plus la question des cheveux.

Baghdatis s'étire, se courbe à partir de la taille. Il se tient debout sur une jambe et lève son genou à hauteur de la poitrine. Il n'y a rien de plus déstabilisant que de voir son adversaire faire des mouvements de yoga, de tai-chi, quand on est à peine capable de faire une révérence. À présent, il bouge ses hanches d'une façon que je n'ai même pas osé tenter depuis l'âge de sept ans.

Et pourtant il en fait trop. Il est nerveux. J'entends presque le bruit qu'émet son système nerveux central, quelque chose comme la rumeur du stade. J'observe les échanges entre lui et ses coaches, eux aussi sont anxieux. Leur visage, leur langage corporel, leur teint, tout me fait comprendre qu'ils ont le sentiment de s'engager dans un combat de rue, et ils ne sont pas certains d'en avoir envie. Cela me plaît toujours que mon adversaire et son équipe manifestent une telle fébrilité. C'est un bon présage mais aussi une marque de respect.

Baghdatis m'aperçoit et m'adresse un sourire. Je me remémore le fait que lorsqu'il sourit, qu'il soit heureux ou angoissé, on ne sait jamais ce qu'il éprouve vraiment. Ce trait me rappelle de nouveau quelqu'un, je ne sais toujours pas qui.

Je lève la main. Bonne chance.

Il en fait autant. Ceux qui vont mourir...

Je m'enfonce dans le tunnel pour un dernier échange avec Gil. Il s'est planté dans un coin où il peut être seul tout en gardant un œil sur ce qui l'entoure. Il passe ses bras autour de mes épaules, me dit qu'il m'aime, qu'il est fier de moi. Je retrouve Stefanie et lui fais une dernière bise. Elle ne tient pas en place, fait de grands gestes, tape du pied. Elle donnerait n'importe quoi pour enfiler une jupe, attraper une raquette et venir me rejoindre sur le court. Ma femme si combative. Elle tente un sourire qui se termine en grimace. Je lis sur son visage tout ce qu'elle voudrait me dire sans oser se le permettre. J'entends chacun des mots qu'elle refuse de prononcer : Profites-en, savoure, vis chaque instant intensément, note le moindre détail, parce que cela pourrait être ton dernier match, et même si tu détestes le tennis, il pourrait bien te manquer.

Voilà ce qu'elle voudrait me dire, mais au lieu de cela elle me donne un baiser et me dit ce qu'elle me dit toujours quand j'entre sur le court, ces mots qui me sont devenus aussi indispensables que l'air que je respire ou l'Eau de Gil.

— Vas-y, botte-lui le cul.


Un officiel de l'US Open, vêtu d'un costume et brandissant un talkie-walkie long comme mon avant-bras, se dirige vers moi. Ce doit être le responsable de la surveillance du tournoi et de la sécurité sur les courts, mais il se comporte comme s'il était responsable de tout, même des arrivées et des décollages à La Guardia. « Dans cinq minutes », dit-il.

Je me retourne pour demander :

— Quelle heure est-il ?

— L'heure d'y aller, me répondent-ils tous.

— Non, je veux dire, à l'instant même ? Sept heures et demie, sept heures vingt ? Je ne sais plus, et tout à coup cela me paraît capital. Mais il n'y a aucune pendule ici.

Darren et moi nous regardons. Je vois sa pomme d'Adam monter et descendre.

— Mon gars, tu as bien fait tes devoirs. Tu es prêt.

Je hoche la tête.

Il m'envoie un léger coup de poing. Un seul. Parce que c'est ce que nous avons fait, un peu plus tôt dans la semaine, avant ma victoire au premier tour. Nous sommes tous les deux superstitieux, et quelle que soit la manière dont nous entamons un tournoi, c'est toujours notre dernier geste. Je regarde le poing de Darren, lui flanque à mon tour un bon coup de poing, mais je ne lève pas le regard pour voir son expression. Je sais que Darren a les larmes aux yeux et je sais aussi l'effet qu'un tel spectacle aurait sur moi.

Dernier détail : je lace mes chaussures. J'enfile mes poignets. Je le fais toujours moi-même, depuis que je me suis blessé en 1993. Je noue mes lacets.

Faites que tout cela s'arrête.

Je ne suis pas prêt à ce que tout cela s'arrête.

— Monsieur Agassi, c'est l'heure.

— Je suis prêt.

Je m'avance dans le tunnel, trois pas derrière Baghdatis. C'est James, une fois de plus, qui ouvre la marche. Nous nous arrêtons dans l'attente d'un signal. La rumeur autour de nous devient de plus en plus forte. Le tunnel est aussi glacial qu'une chambre froide. Je connais ce tunnel aussi bien que la salle de séjour de ma maison, et pourtant, ce soir, j'ai l'impression que la température y a baissé de vingt degrés et qu'il est plus long qu'un terrain de football. Je regarde la cloison. On y voit les photos des champions qui ont gagné ici, Navratilova, Lendl, McEnroe, Stefanie, moi-même. Les portraits ont trois pieds de haut et sont disposés de manière régulière, trop régulière. On dirait des arbres plantés dans un nouveau lotissement. Je me dis : Arrête donc de remarquer de tels détails. Il est temps de concentrer toute ton attention sur un point, tout comme ce tunnel focalise ton champ de vision.

Le chef de la sécurité crie :

— C'est bon, tout le monde, c'est le moment.

Nous avançons.

Avant le match, j'ai veillé à ce que Baghdatis marche trois pas devant moi au moment où nous avancerons vers la lumière. Soudain, une deuxième lumière, aveuglante et immatérielle, nous frappe en plein visage. Une caméra de télévision. Un journaliste demande à Baghdatis comment il se sent. Il répond quelque chose que je n'entends pas.

La caméra s'approche à présent de mon visage et j'entends le journaliste me poser la même question.

— Cela pourrait être votre dernier match. Que ressentez-vous ?

Je réponds sans avoir la moindre idée de ce que je dis. Mais avec les années, j'ai acquis une sorte d'entraînement dans l'art de répondre exactement ce qu'il veut entendre, ce qu'il veut me faire dire. Puis je me remets à marcher et j'ai l'impression que mes jambes ne m'appartiennent pas.

La température s'élève de manière dramatique à mesure que nous approchons de l'entrée du court. La rumeur devient assourdissante. Baghdatis sort le premier. Il sait que l'annonce de ma retraite possible a suscité une émotion considérable. Il a lu les journaux. Il s'attend à jouer ce soir le rôle du méchant. Il pense qu'il y est préparé. Je le laisse aller de l'avant pour qu'il entende la rumeur se transformer en exclamations. Je lui laisse croire que la foule manifeste son enthousiasme pour nous deux. Puis je m'avance à mon tour. Les cris de joie triplent de volume. Baghdatis se retourne et comprend que la première salve d'acclamations lui était destinée mais que celle-ci s'adresse à moi et à moi seulement, ce qui l'oblige à revoir ses espérances et à reconsidérer ce qui l'attend. Avant même d'avoir frappé la moindre balle, j'ai fait un très sérieux accroc à son sentiment de bien-être. Une astuce de pro. Un tour de vieux renard.

Les vivats de la foule augmentent encore tandis que nous gagnons nos chaises. Ils sont plus forts que ce à quoi je m'attendais, plus forts que tous ceux que j'aie jamais entendus à New York. Je garde les yeux baissés, je laisse la rumeur déferler sur moi. Ils aiment cet instant, ils aiment le tennis. Je me demande ce qu'ils penseraient s'ils connaissaient mon secret. Je regarde fixement le court. Même s'il a toujours représenté la part la plus anormale de ma vie, le court est en ce moment le seul espace de normalité au sein de ce tourbillon. Le court, où je me suis senti si solitaire et tellement menacé, est à présent le lieu où je veux trouver refuge face à cet instant d'émotion intense.

Je passe sans problèmes le premier set que je gagne 6-4. La balle semble obéir à mes moindres volontés. Mon dos aussi. J'ai la sensation que mon corps est chaud, liquide. Cortisone plus adrénaline fonctionnent à l'unisson. Je remporte le deuxième set 6-4. Je commence à apercevoir la dernière ligne droite.

Au troisième set, la fatigue se fait sentir. Je perds ma concentration et mon contrôle. À ce moment, Baghdatis change de tactique. Il joue avec la rage du désespoir, une drogue bien plus puissante que la cortisone. Il s'applique à vivre l'instant présent. Il prend des risques et chaque prise de risque lui réussit. La balle s'est mise à me désobéir et à conspirer avec lui. Elle rebondit à son avantage, ce qui lui fait reprendre confiance. Je vois la confiance briller dans ses yeux. Son désespoir initial s'est transformé en espérance. Non, en colère. Il ne m'admire plus à présent. Il me hait et je le hais, et nous voici maintenant en train de ricaner et de grogner en tentant de nous arracher la balle l'un à l'autre. La foule se nourrit de notre colère, elle pousse des cris, elle tape du pied après chaque point. Ils n'applaudissent plus, ils frappent violemment des mains dans une sorte de rite primitif et tribal.

Il remporte le set, 6-3.

Je suis impuissant à ralentir les attaques de Baghdatis. Au contraire, cela empire. Après tout, il a vingt et un ans et n'a fait que s'échauffer. Il a trouvé son rythme, sa raison d'être, son droit d'être ici, alors que j'ai épuisé mon second souffle et que je ressens douloureusement le fonctionnement de ma propre horloge biologique. Je ne veux pas d'un cinquième set. Je ne serai pas capable de le supporter. Mon épuisement devient un facteur crucial et je commence à prendre des risques. Je parviens à arracher une avance de 4-0. J'ai deux breaks d'avance. J'entrevois de nouveau la dernière ligne droite à ma portée. Je sens cette force magnétique qui me tire en avant.

C'est alors que je ressens l'autre force, celle qui me repousse. Baghdatis joue le meilleur tennis qu'il ait joué cette année. Il vient de se rappeler qu'il est classé numéro 8 mondial. Il décoche des coups que je ne lui connaissais pas. J'ai pratiqué un jeu périlleux, de haut niveau, mais à présent il parvient à m'égaler et même à me dépasser. Il revient à 4-1, puis gagne son service et remonte à 4-2.

C'est alors que commence le jeu le plus important du match. Si je le gagne, je reprends les commandes du set et je rétablis dans son esprit comme dans le mien l'idée que c'est par chance qu'il a pu faire le break dans un jeu précédent. Si je perds, le score sera de 4-3 et ce sera reparti pour un tour. C'est tout le match qui recommencera. Bien que nous nous soyons mutuellement matraqués pendant dix rounds, si je perds cette manche, le combat repart de zéro. Nous jouons à un rythme féroce. Il tente le tout pour le tout, se donne tout entier pour remporter ce jeu.

Il est en train de gagner le set. Il est prêt à mourir plutôt que de le perdre. Je le sais, il le sait, et tous les spectateurs du stade le savent aussi. Il y a vingt minutes, j'étais à deux jeux de la victoire et je ne cessais de gagner du terrain. À présent, je suis sur le point de m'écrouler.

Il gagne le set 7-5.

Le cinquième set commence. Je suis au service, je tremble, je ne suis pas sûr que mon corps tienne le coup pendant dix minutes supplémentaires et j'affronte un gamin qui semble gagner en force et en jeunesse à chaque point. Je me dis : « Ne laisse pas les choses se terminer ainsi. De tous les résultats possibles, il faut éviter celui-là, ne pas avoir mené deux sets à rien pour rien. » Baghdatis lui aussi soliloque, il essaie de se donner du courage. Nous nous lançons dans un échange de coups extrêmement énergique. Il fait une faute. Je lui renvoie la balle. Il frappe très fort, je frappe encore plus fort. Je sers à égalité et nous jouons un point frénétique qui s'achève où moment où il m'envoie un revers que j'expédie dans le filet. Je hurle de dépit. Avantage Baghdatis. Je suis mené pour la première fois de la soirée.

Secoue-toi. Contrôle ce que tu es capable de contrôler, Andre.

Je gagne le point suivant. Égalité de nouveau. Sentiment d'exaltation.

Je lui concède le point suivant. Revers dans le filet. Avantage Baghdatis. Sentiment de dépression.

Il gagne le point suivant et remporte le jeu, break à 1-0.

Nous regagnons nos sièges. J'entends la foule murmurer les premiers éloges d'Agassi. Je prends une gorgée d'Eau de Gil, je me sens dépité, je me sens vieux. Je regarde dans la direction de Baghdatis et me demande s'il est fier de lui. Au lieu de cela, je le vois appeler un soigneur pour lui masser les jambes. Il demande une pause médicale. Il a une crampe à la cuisse gauche. Il a réussi à me faire cela avec une crampe à la cuisse ?

La foule met la pause à profit pour entonner des chants. Vas-y Andre ! Vas-y Andre ! Ils se mettent à faire la ola. Ils brandissent des pancartes affichant mon nom.

*Merci pour les souvenirs, Andre ! Tu es ici chez toi, Andre !* Finalement Baghdatis est prêt à reprendre. Il est au service. Il vient de me devancer et il mène la partie, il devrait donc écumer d'enthousiasme. Mais on dirait au contraire que les chants d'encouragement ont cassé son rythme. Je lui reprends son service.

Pendant les six jeux suivants, chacun de nous tient bon. Nous jouons alors une manche qui semble durer une semaine, une des plus épuisantes et des plus surréalistes de ma carrière. Bloqués à 4 partout, je suis au service. Nous grognons comme des animaux, frappons comme des gladiateurs, son coup droit, mon revers. La foule tout entière retient sa respiration dans le stade. Même le vent est tombé. Les drapeaux pendent mollement à leurs poteaux. À 40-30, Baghdatis envoie un vif coup droit qui me déséquilibre. J'ai tout juste le temps de le rattraper du bout de ma raquette. Je renvoie la balle par-dessus le filet en criant de douleur et il me renvoie un nouveau coup violent sur mon revers. Je fonce dans la direction opposée – oh mon dos ! – et atteins la balle juste à temps. Mais je me suis détruit la colonne vertébrale. J'ai la moelle épinière bloquée, à l'intérieur les nerfs sont à vif. Adieu, cortisone. Baghdatis expédie une balle gagnante le long de la ligne. En la voyant arriver, je comprends que les exploits sont derrière moi pour le reste de la soirée. Tous les efforts que je ferai à partir de ce jeu seront limités, compromis, et ne feront qu'entamer davantage ma santé et ma mobilité.

Je regarde au-delà du filet pour voir si Baghdatis s'est aperçu de ma souffrance, mais il boitille. Il boitille ? Il est pris d'une violente crampe. Il tombe au sol en se tenant la jambe. Il souffre plus que moi. Je préfère encore des problèmes dorsaux congénitaux à de soudaines crampes à la jambe. Tandis qu'il se tord au sol, je comprends qu'il me reste une seule chose à faire : tenir debout, expédier cette foutue balle juste un peu plus loin et laisser ses crampes effectuer le reste du travail.

J'abandonne toute idée de subtilité et de stratégie. J'en reviens aux règles fondamentales. Quand votre adversaire est blessé, tout repose sur l'instinct de base et les réactions. Cela ne sera plus du tennis mais une lutte sauvage entre deux volontés. Fini les coups droits, les feintes et le travail des pieds. Rien que des lobs et des coups droits.

Baghdatis lui aussi a renoncé à toute stratégie, il a cessé de penser et cela le rend plus dangereux. Je ne peux plus deviner ce qu'il va faire. Il est fou de douleur et personne ne peut prédire ce qu'engendre la folie, sur un court de tennis moins encore qu'ailleurs. À égalité, je rate mon premier service puis lui envoie un deuxième service lent et facile à environ 120 kilomètres à l'heure, sur lequel il marque. Gagnant. Avantage Baghdatis.

Merde, je titube en avant. Ce gars-là n'est plus capable de bouger et il écrase encore mon service ?

Maintenant ça recommence. Je suis juste à un tout petit point d'être mené 4-5, ce qui donnerait un avantage décisif à Baghdatis. Je ferme les yeux. Je rate de nouveau mon premier service. Je fais une deuxième tentative juste pour continuer le jeu, et il rate un revers facile. Égalité, de nouveau.

Quand vous êtes au bord de l'effondrement physique et mental, un point facilement gagné est comme un don du ciel. Je suis pourtant à deux doigts de gâcher cette aubaine. Je rate mon premier service. Je sers une deuxième fois et il le renvoie d'un coup trop long. Un nouveau cadeau. Avantage Agassi.

Cette fois c'est moi qui suis à un point de mener 5-4. Baghdatis grimace. Il fonce. Il ne veut pas céder. Il marque le point. Égalité pour la troisième fois.

Je me fais le serment de ne pas perdre l'avantage si j'arrive à le reprendre.

À présent, Baghdatis ne souffre pas seulement de crampes, il est pratiquement infirme. Il est carrément cassé en deux en attendant mon service. Je n'arrive pas à comprendre comment il parvient à rester sur le court, sans parler du jeu qu'il m'oppose. Ce gars a autant de courage que de cheveux. J'éprouve de la sympathie pour lui, mais en même temps je me dis que je ne dois pas lui faire de cadeau. Je sers, il renvoie, et dans mon désir d'envoyer une balle longue, je l'envoie beaucoup trop loin. *Out*. Catastrophe. Une véritable catastrophe. Avantage Baghdatis.

Il ne parvient cependant pas à en tirer profit. Sur le point suivant, il envoie un revers plusieurs centimètres au-delà de la ligne. Égalité pour la quatrième fois.

Nous avons un long échange qui s'achève quand je lui envoie un coup long sur son coup droit et qu'il le rate. Avantage Agassi, une fois de plus. Je m'étais juré de ne pas rater une telle occasion si elle se représentait, et nous y sommes. Mais Baghdatis m'empêche de tenir ma promesse. Il marque rapidement le point suivant. Égalité pour la cinquième fois.

S'ensuit un échange d'une longueur absurde. Chaque balle qu'il frappe en grommelant touche un bout de la ligne. Chaque balle que je frappe en criant parvient à passer le filet. Revers, coup droit, coup court, coup plongeant, enfin il envoie une balle qui entaille la ligne et fait un léger rebond de côté. Je la rattrape à la volée et la renvoie six mètres au-dessus de lui et de la ligne. Avantage Baghdatis.

« Restes-en aux fondamentaux, Andre. Il est mal en point, contente-toi de le faire bouger. » Je sers, il renvoie mollement. Je l'envoie courir d'un côté à l'autre jusqu'à ce qu'il hurle de douleur et renvoie la balle dans le filet. Égalité pour la sixième fois.

En attendant mon prochain service, Baghdatis s'appuie sur sa raquette, il l'emploie comme un vieillard se sert d'une canne. Quand je rate mon premier service, il parvient pourtant à se traîner en avant comme un crabe et avec sa canne il retourne mon service très loin de mon revers. Avantage Baghdatis.

Sa quatrième balle de break de la manche. J'expédie un premier service, si dérisoire et si mou que même à sept ans j'en aurais eu honte. Pourtant Baghdatis le retourne énergiquement. Je frappe son revers. Il renvoie la balle dans le filet. Égalité pour la septième fois.

Je fais un nouveau service. Il effleure la balle de sa raquette mais ne parvient pas à la renvoyer par-dessus le filet. Avantage Agassi.

Je sers de nouveau pour le gain du jeu. Je repense à cette promesse que j'ai rompue deux fois. C'est à présent ma dernière chance. Mon dos m'élance horriblement. C'est à peine si je peux me tourner, je me contente de frapper la balle et de l'expédier à toute vitesse. Je rate mon premier service, évidemment. Je veux tenter un deuxième service violent, être agressif, mais je n'y arrive pas. Physiquement je n'en suis plus capable. Je me dis, une balle de trois quarts rapide, envoie-la par-dessus son épaule et fais-le courir d'un côté à l'autre jusqu'à ce qu'il crache son sang, évite seulement la double faute.

Plus facile à dire qu'à faire. J'ai l'impression que le court rétrécit. Je le vois rapetisser progressivement. Est-ce que les autres aussi s'en aperçoivent ? Il est à présent de la taille d'une carte à jouer. Si petit que je ne suis même pas sûr d'avoir la place d'y poser la balle.

Je sers avec une force herculéenne. *Out*. Évidemment. Double faute. Égalité pour la huitième fois.

La foule hurle sa déception.

Je parviens à assurer le premier service, Baghdatis me le renvoie parfaitement. Comme les trois quarts de son terrain sont à découvert, j'envoie une balle en direction de son revers, à dix pieds de lui. Il fonce, agite mollement sa raquette et rate la balle. Avantage Agassi.

Sur le vingt-deuxième point du jeu, après une brève course, Baghdatis expédie un revers dans le filet. Jeu Agassi.

Pendant le changement de côté, je vois que Baghdatis s'assoit. Grossière erreur. Erreur de débutant. Il ne faut jamais s'asseoir quand on a une crampe. Ne jamais dire à son corps que c'est le moment de se reposer, pour lui annoncer aussitôt après que c'était une blague. Notre corps est un peu comme le gouvernement fédéral. Il vous dit : « Faites ce que vous voulez, mais si vous vous faites attraper, ne venez pas me mentir. » Je pense qu'il ne va plus être capable de jouer. Il ne va même pas pouvoir se lever de sa chaise.

Et pourtant, il se relève et sert.

Qu'est-ce qui fait tenir ce type ?

— Ah oui, c'est vrai. La jeunesse !

À 5 partout, nous jouons un jeu syncopé. Il fait une faute, se met en danger. Je contre-attaque et marque, je mène 6-5.

Il est au service. Il arrive à 40-15. Il n'est plus qu'à un point de recoller au score et de m'obliger à jouer un tie-break.

J'arrive à revenir à égalité.

Puis je marque le point suivant et à présent j'ai la balle de match.

Un échange vif, méchant. Il frappe un coup droit féroce, et au moment où sa balle quitte sa raquette je comprends qu'elle est *out*. Je sais que j'ai gagné le match et au même moment je comprends que je n'aurai plus l'énergie d'un coup de plus.

Je vais rejoindre Baghdatis au filet, je lui prends la main, elle tremble. Je quitte le court en vitesse. Je n'ose pas m'arrêter. *Je dois continuer à bouger.* Je longe le tunnel en titubant, mon sac jeté sur l'épaule gauche, et j'ai l'impression qu'il repose sur mon épaule droite tellement mon corps est tordu. Quand j'atteins le vestiaire, je ne suis plus capable de mettre un pied devant l'autre. Je ne suis plus capable de rester debout. Je tombe à terre et reste au sol. Darren et Gil accourent, me retirent mon sac et m'étendent sur une table de massage. L'équipe de Baghdatis le dépose lui aussi sur la table voisine.

— Darren, qu'est-ce qui ne va pas chez moi ?

— Allonge-toi, mon pote, détends-toi.

— Je ne peux pas. Je ne peux pas.

— Où as-tu mal ? C'est une crampe ?

— Non, c'est comme une paralysie. Je ne peux plus *respirer.*

— Quoi ?

— Je n'y arrive pas, Darren, je ne peux plus *respirer.*

Darren aide un autre type à me mettre de la glace sur le corps, à me faire bouger les bras, à appeler les médecins. Il me supplie de me détendre, de m'étirer.

— Relaxe-toi, mec. Décroche. Ton corps est complètement coincé. Laisse-toi aller, mec, laisse-toi aller.

Mais je ne peux pas. C'est bien là tout le problème, non ? Je suis incapable de me laisser aller.


Je vois tout un kaléidoscope de visages se pencher sur moi. Gil me serre le bras et me tend une boisson réconfortante. Je t'aime, Gil. Stefanie m'embrasse sur le front en souriant, est-elle heureuse, est-elle inquiète, je ne sais pas. *Mais oui, bien sûr, c'est ce fameux sourire que j'ai déjà vu si souvent.* Un soigneur me dit que les médecins vont arriver. Il allume la télévision accrochée au-dessus de la table. De quoi vous occuper en attendant, dit-il.

J'essaie de la regarder. J'entends des grognements à ma gauche. Je tourne lentement la tête et vois Baghdatis allongé sur la table voisine. Son équipe s'occupe de lui. Ils lui étirent les cuisses, les tendons du jarret, puis le jarret et à nouveau les cuisses. Il essaie de se détendre malgré sa crampe à l'aine. Il se recroqueville en boule et leur demande de le laisser seul. Tout le monde quitte le vestiaire. Il ne reste plus que nous deux. Je reporte mon attention sur l'écran.

Un instant plus tard, quelque chose m'incite à me tourner vers Baghdatis. Il me sourit. Est-il heureux ? Est-il inquiet ? Peut-être les deux à la fois. Je lui rends son sourire.

J'entends mon nom à la télévision. Je tourne la tête. Des extraits du match. Les deux premiers sets qui m'ont paru à tort si faciles. Le troisième où Baghdatis reprend confiance. Le quatrième, un combat de chevaliers. Le cinquième, ce neuvième jeu qui n'en finit pas. Un des meilleurs jeux que j'aie jamais joués. Un des meilleurs que j'aie jamais vus. Le journaliste le qualifie de classique.

Du coin de l'œil, je détecte un léger mouvement. Je me tourne et vois que Baghdatis me tend la main. Son visage a l'air de dire : C'est nous qui avons fait cela. Je tends la main à mon tour, saisis la sienne, et nous restons ainsi tous les deux tandis que la télévision diffuse des extraits de notre noble combat.

Finalement, je laisse mon esprit vagabonder librement. Je ne peux plus l'en empêcher. Même en le lui demandant poliment, il se replonge dans le passé. Et comme il a l'habitude d'enregistrer les moindres détails, je revois tout dans une clarté absolue, les déboires, les victoires, les rivalités, les colères, les aventures amoureuses, les trahisons, les journalistes, ma femme, mes enfants, mon équipement, les lettres de mes fans, les matchs joués à contrecœur et les crises de larmes. Comme si un autre écran de télévision placé devant moi montrait des moments choisis des vingt-neuf dernières années, tout cela défile dans un tourbillon criant de vérité.

Les gens me demandent souvent à quoi ressemble la vie d'un joueur de tennis, et je n'arrive jamais à l'expliquer. Mais c'est ce mot-là qui s'approche le plus de la vérité. Plus que tout, il s'agit d'un tourbillon épuisant, passionnant, horrible, merveilleux. Il exerce une légère force centrifuge, que je m'efforce de combattre depuis presque trente ans. À présent, allongé dans ce stade Arthur Ashe, tenant dans ma main la main de l'adversaire que j'ai battu, tandis que nous attendons tous deux que quelqu'un nous vienne en aide, je fais la seule chose dont je sois encore capable, je cesse de lutter. Je ferme les yeux et j'observe.

# 1

J'ai sept ans et je parle tout seul parce que je suis effrayé et parce que je suis le seul qui veuille bien m'écouter. Je murmure entre mes dents. Abandonne, Andre, laisse tomber. Pose ta raquette et va-t'en de ce court, immédiatement. Rentre à la maison et cherche-toi quelque chose de bon à manger. Va jouer avec Rita, Philly ou Tami. Assieds-toi auprès de Maman pendant qu'elle tricote ou qu'elle fait ses puzzles. Est-ce que ce n'est pas une bonne idée ? Est-ce que ça ne ressemble-rait pas au paradis, Andre ? De laisser tomber ? De ne plus jamais jouer au tennis ?

Mais c'est impossible. Non seulement mon père me poursuivrait dans toute la maison avec ma raquette, mais quelque chose dans mes tripes, une sorte de muscle profondément caché, m'en empêcherait. Je déteste le tennis, je le hais de tout mon cœur, et cependant je continue de jouer, je continue de frapper des balles toute la matinée, tout l'après-midi, parce que je n'ai pas le choix. Quel que soit mon désir d'arrêter, je continue. Je me supplie moi-même d'arrêter et je continue de jouer, et ce fossé, cette contradiction entre ce que je souhaite et ce que je fais en réalité ressemble au cœur même de mon existence.

En ce moment ma haine à l'égard du tennis se concentre sur le dragon, un lanceur de balles bricolé par mon cracheur de feu de père. Noir comme la nuit, monté sur de grandes roues en caoutchouc, portant le mot PRINCE en majuscules blanches sur son socle, le dragon, à première vue, ressemble à n'importe quelle machine à balles que l'on voit dans tous les country-clubs en Amérique. Mais c'est en réalité une créature vivante et qui respire, sortie tout droit de mes bandes dessinées. Le dragon a un cerveau, une volonté, un cœur méchant et une voix horrible. Quand il engloutit les balles l'une après l'autre dans son ventre, il émet une série de bruits écœurants. La pression monte le long de sa gorge, il grogne. Une balle monte lentement jusqu'à sa gueule, il pousse un cri. L'espace d'un instant, le dragon semble aussi cinglé que la machine à chocolat mou qui avale Augustus Gloop dans *Charlie et la chocolaterie*. Mais lorsque le dragon ajuste vers moi son tir mortel et m'expédie une balle à 160 kilomètres à l'heure, le bruit qu'il émet est un rugissement à vous glacer le sang. J'en frémis chaque fois.

Mon père a fait exprès de rendre le dragon terrifiant. Il lui a ajouté un long cou en tube d'aluminium et une petite tête du même métal, qui se déplie comme un fouet chaque fois que le dragon crache. Il a aussi installé le dragon sur un socle de plusieurs pieds de haut et a disposé son tir face au filet, de sorte que le dragon me domine. À sept ans, je suis plutôt petit pour mon âge (et j'ai l'air encore plus petit à cause de ma grimace permanente et de la coupe au bol que mon père m'inflige deux fois par mois). Mais quand je me tiens face au dragon, j'ai l'air minuscule. Je me sens minuscule. Désemparé.

Si mon père veut que le dragon me domine de toute sa hauteur, ce n'est pas seulement pour forcer mon attention et mon respect. Il veut que la balle qui jaillit de sa gueule atterrisse à mes pieds comme si elle tombait d'un avion. La trajectoire est telle que la balle est presque impossible à renvoyer de manière traditionnelle. Je dois rattraper chaque balle à la volée, sinon elle rebondit au-dessus de ma tête. Mais cela ne suffit pas à mon père. « Frappe plus tôt, hurle-t-il. Frappe plus tôt. »

Mon père crie toujours ses ordres deux fois, parfois trois, parfois dix. « Plus fort, dit-il, plus fort. » Mais à quoi bon, j'ai beau frapper aussi fort et aussi vite que je peux, la balle revient. Chaque balle que je renvoie par-dessus le filet va rejoindre les milliers de balles qui recouvrent le court. Pas des centaines. Des milliers. Elles roulent vers moi en vagues incessantes. Je n'ai pas la place de me retourner, d'avancer un pied, de pivoter. Je ne peux pas faire un pas sans marcher sur une balle. Et pourtant je ne peux pas marcher sur une balle, mon père ne le supporterait pas. Si je pose un pied sur une des balles de mon père, il se met à hurler comme si j'avais marché sur la prunelle de ses yeux.

Le dragon expédie une balle sur quatre droit au sol, ce qui provoque un rebond imprévisible de côté. J'ajuste mon coup à la dernière seconde, je frappe la balle très tôt et la renvoie parfaitement par-dessus le filet. Je sais bien que ce n'est pas là un réflexe ordinaire. Je sais que très peu d'enfants dans le monde seraient capables de voir cette balle et encore moins de la rattraper. Mais je ne tire aucune gloire de mes réflexes, ni aucun avantage. Je ne fais que ce qu'on attend de moi. Chaque coup réussi est normal, chaque coup raté provoque une crise.

D'après mon père, si je frappe 2 500 balles tous les jours, cela fera 17 500 balles par semaine, et au bout d'un an j'aurai frappé environ un million de balles. Il croit aux mathématiques. Les chiffres, dit-il, ne mentent jamais. Un gamin qui frappe un million de balles par an sera forcément imbattable.

— Frappe plus tôt, hurle mon père. Bon Dieu, Andre, frappe plus tôt. Attaque la balle. Attaque la balle.

Pour l'instant c'est lui qui m'attaque. Il hurle directement dans mes oreilles. Ce n'est pas suffisant de rattraper toutes les balles que le dragon crache sur moi, mon père veut que je frappe plus fort et plus vite que le dragon. Il veut que je batte le dragon. Cette idée me remplit de panique. Je me dis que le dragon est impossible à battre. Comment peut-on battre quelque chose qui ne s'arrête jamais ? Quand j'y pense, je trouve que le dragon ressemble beaucoup à mon père. Mais mon père est bien pire. Le dragon se tient devant moi, là où je peux le voir. Mon père, lui, se tient derrière moi et je le vois rarement. Je l'entends seulement, jour et nuit, hurler à mon oreille.

— Plus de coups liftés ! Frappe plus fort ! Frappe plus fort. Pas dans le filet ! Bon Dieu, Andre. Jamais dans le filet !

Rien ne met mon père plus en rage que lorsque j'envoie une balle dans le filet. Il n'apprécie pas quand j'envoie une balle sur le côté, il hurle quand je frappe une balle trop longue, mais quand j'expédie une balle dans le filet, il écume. Les erreurs c'est une chose, le filet c'en est une autre. Mon père répète à l'infini :

— Le filet est ton pire ennemi.

Mon père a installé l'ennemi quinze centimètres plus haut que dans le règlement, pour qu'il soit beaucoup plus difficile à éviter. Il s'imagine que si je parviens à passer ce filet trop haut, je n'aurai aucun mal un jour à passer celui de Wimbledon. Le fait que je n'aie aucune envie de jouer à Wimbledon lui est égal. Ce que je désire n'entre pas en ligne de compte. Il m'arrive parfois de regarder Wimbledon à la télévision en compagnie de mon père, et nous sommes tous les deux des supporters de Björn Borg parce qu'il est le meilleur, il ne s'arrête jamais, il est celui qui ressemble le plus au dragon. Mais je ne veux pas être Borg. J'admire son talent, son énergie, son style, sa capacité à s'immerger dans le jeu, mais si par hasard j'arrivais à acquérir ces qualités-là, je préférerais les appliquer à autre chose qu'à Wimbledon. À un but que j'aurais choisi.

— Frappe plus fort, crie mon père, frappe plus fort. Et maintenant des revers. Des revers.

J'ai l'impression que mon bras va se détacher. Je voudrais demander : « Ça va encore durer longtemps, Papa ? » Mais je ne dis rien. Je fais ce qu'on m'a dit. Je frappe de toutes mes forces, et progressivement de plus en plus fort. Sur un swing, je suis moi-même surpris de la force de mon coup, de sa netteté. Bien que je déteste le tennis, j'aime ce sentiment de frapper une balle absolument parfaite. C'est mon seul moment de paix. Quand je parviens à faire quelque chose à la perfection, je jouis d'un quart de seconde de bien-être et de calme.

Mais le dragon répond à cette perfection en me tirant la balle suivante encore plus vite.

— Plus court, l'élan, dit mon père. Plus court, c'est ça. Effleure la balle, effleure la balle.

À table, mon père me fait parfois une démonstration. « Glisse ta raquette sous la balle et effleure, effleure. » Il fait le mouvement d'un peintre caressant doucement une toile. C'est probablement la seule chose que j'aie vu mon père faire avec douceur.

— Travaille tes volées, hurle-t-il – ou du moins essaie-t-il de hurler. Arménien né en Iran, mon père parle cinq langues, toutes très mal, et l'anglais avec un fort accent. Il confond les « V » et les « F », et cela donne : « Trafaille tes folées. » De tous ses conseils, c'est celui qu'il préfère. Il le hurle jusqu'à ce que je l'entende même dans mes rêves. « Trafaille tes folées, trafaille tes folées ! »

J'ai tellement travaillé mes volées que je ne vois même plus le court, il ne reste plus le moindre recoin de ciment vert sous les balles jaunes. Je fais un pas de côté, traînant les pieds comme un vieillard. Mon père finit tout de même par admettre qu'il y a trop de balles. C'est contre-productif. Si je ne peux plus bouger, nous n'atteindrons pas notre quota de 2 500 balles par jour. Il met en marche la souffleuse, la machine géante destinée à faire sécher le court après la pluie. Bien sûr, il ne pleut jamais là où nous vivons, à Las Vegas dans le

Nevada. Mon père se sert donc de la souffleuse pour rassembler les balles de tennis. Comme pour le lanceur de balles, mon père a bricolé une souffleuse normale pour en faire une autre créature diabolique. C'est un de mes plus anciens souvenirs, on m'arrache au jardin d'enfants pour que j'accompagne mon père au magasin de soudure, et je le vois fabriquer cette machine insensée, ressemblant vaguement à une tondeuse à gazon, et capable de déplacer des centaines de balles de tennis à la fois.

À présent, je le regarde pousser la souffleuse, je vois les balles de tennis qui prennent la fuite et j'ai de la sympathie pour elles. Si le dragon et la souffleuse sont des êtres vivants, peut-être que les balles le sont aussi, après tout. Elles font peut-être ce que je ferais volontiers si j'en étais capable : fuir, loin de mon père. Après avoir repoussé toutes les balles dans un coin, mon père attrape une pelle à déneiger et les fourre dans une rangée de poubelles en métal, autant de seaux à pâtée pour nourrir le dragon.

Il se retourne et voit que je l'observe.

— Qu'est-ce que tu as donc à regarder ? Continue à taper ! Continue à taper !

J'ai mal à l'épaule. Je suis incapable de frapper une balle de plus.

J'en frappe encore trois.

Je ne peux plus jouer une minute de plus.

Je joue encore dix minutes.

Il me vient une idée. Feignant un accident, j'envoie une balle haute par-dessus la clôture : je réussis à la rattraper sur le cadre en bois de la raquette et le bruit fait donc croire à une erreur. Je le fais quand j'ai besoin d'une pause et je me dis, l'espace d'un instant, que je dois être sacrément bon pour être capable de frapper une mauvaise balle quand je le veux.

Mon père entend la balle frapper le bois et lève les yeux. Il voit la balle s'envoler du court. Il jure, mais il a bien entendu le bruit de la balle sur le bois. Il sait donc que c'est un accident. Et puis, au moins, la balle n'a pas touché le filet. Il sort de la cour d'un pas lourd et s'avance dans le désert. Je dispose à présent de quatre minutes et demie pour reprendre mon souffle et observer les faucons qui décrivent paresseusement des cercles dans le ciel.

Mon père adore tirer les faucons au fusil. Notre maison est recouverte de ses victimes, la couche d'oiseaux morts sur le toit est aussi épaisse que les balles de tennis sur le court. Mon père dit qu'il n'aime pas les faucons parce qu'ils fondent sur les souris et les autres petites créatures sans défense du désert. Il ne supporte pas qu'une créature forte s'attaque à une plus faible qu'elle (c'est également vrai quand il va à la pêche. S'il attrape un poisson, quel qu'il soit, il embrasse sa petite tête écailleuse et le remet à l'eau). Naturellement, il n'a aucun scrupule à jouer au prédateur avec moi, à me regarder me débattre en étouffant au bout de son hameçon. Il ne voit pas la contradiction. Il se fiche bien des contradictions. Il ne voit même pas que de toutes les créatures sans défense je suis la plus faible dans ce désert perdu. S'il en prenait conscience, je me demande s'il me traiterait différemment.

Le voilà qui revient à pas lourds dans la cour. Il flanque la balle dans une poubelle et voit que je contemple les faucons. Il me lance un regard furieux. Bon Dieu, qu'est-ce que tu fiches ? Arrête de penser. Je ne veux pas d'un foutu penseur.

Le filet est le pire ennemi, mais penser est le péché capital. Penser, selon mon père, est la source de tous les maux, parce que c'est le contraire d'agir. Quand mon père me surprend en train de penser, de rêvasser sur le court, il réagit comme si j'étais en train de voler de l'argent dans son portefeuille. Je réfléchis souvent à la manière dont je pourrais m'arrêter de penser. Je me demande si mon père me crie dessus pour que j'arrête de penser parce que au fond de lui il sait que je suis un rêveur par nature. Ou bien si ce sont ses cris qui ont fait de moi un rêveur. Mes pensées qui s'aventurent vers d'autres sujets que le tennis ne sont-elles pas un acte de résistance ?

Je me plais à le croire.

Notre maison est une baraque qui a été démesurément agrandie au fil des ans. Construite dans les années 1970, dans un stuc blanc qui s'écaille en pelures noires aux angles. Les fenêtres sont garnies de barreaux. Le toit, sous sa couche de faucons morts, est fait de bardeaux de bois dont un grand nombre tiennent à peine en place, s'ils ne sont déjà tombés. À la porte, il y a une cloche qui résonne chaque fois que quelqu'un entre ou sort, comme la cloche qui marque le coup d'envoi d'un match de boxe.

Mon père a peint le haut mur de ciment qui entoure la maison d'un vert forêt très vif. Pourquoi ? Parce que le vert est la couleur d'un court de tennis. Mon père trouve aussi très pratique d'indiquer le chemin de notre maison avec ces mots : « Tournez à gauche, suivez un pâté de maisons et repérez le grand mur vert. »

Pourtant, on ne reçoit pas tellement de visites.

Autour de la maison, de tous côtés, c'est le désert et toujours ce désert qui est pour moi synonyme de mort. Plein de buissons épineux, d'herbes folles et de crotales enroulés sur eux-mêmes, le désert autour de notre maison semble n'avoir d'autre raison d'exister que de fournir aux gens un endroit pour se débarrasser de ce dont ils ne veulent plus. Des matelas, des pneus, d'autres gens. Vegas, ses casinos, ses hôtels, son Strip, se dresse au loin tel un mirage étincelant. Mon père fait tous les jours le voyage jusqu'au mirage. Il travaille dans un casino, mais il refuse de vivre sur place. On s'est installés ici au milieu de nulle part, au cœur du néant, parce qu'il n'y a qu'ici que mon père pouvait s'offrir une maison avec une cour assez grande pour son court de tennis idéal.

C'est un autre de mes plus anciens souvenirs, je roule en voiture aux alentours de Vegas avec mon père et un agent immobilier. Cela aurait pu être amusant si cela n'avait pas été effrayant. Maison après maison, avant même que l'agent ait complètement arrêté la voiture, mon père en jaillit d'un bond et arpente le devant de la maison. L'agent le suit de près en débitant son boniment sur les écoles locales, le taux de criminalité, les traites, mais mon père ne l'écoute pas. Regardant droit devant lui, il fonce dans la maison, traverse le salon puis la cuisine et sort derrière, dans la cour. Là, il déploie d'un coup sec son mètre et se met à calculer, 23,77 mètres sur 10,97, les dimensions d'un court de tennis. Chaque fois il crie : « Ça ne va pas ! Viens ! On s'en va ! » Mon père franchit en trombe le salon, la cuisine puis l'entrée, avec l'agent immobilier qui peine à le suivre.

Nous avions découvert une maison que ma sœur aînée, Tami, adorait. Elle avait supplié mon père de l'acheter parce qu'elle était en forme de T, et que T est la première lettre de Tami. Mon père avait failli l'acheter, probablement parce que T est aussi la lettre initiale de tennis. J'aimais beaucoup cette maison. Ma mère aussi l'aimait. Mais il manquait quelques centimètres à la cour :

— Ça ne colle pas ! Allons-nous-en !

Nous avons fini par trouver la maison idéale, sa cour était si vaste que mon père n'eut même pas besoin de la mesurer. Il s'est contenté de rester au milieu de celle-ci, regardant tranquillement autour de lui, observant, souriant, imaginant déjà l'avenir.

— Marché conclu, avait-il doucement annoncé.

On n'avait pas fini d'y apporter le dernier carton que mon père entamait déjà les travaux pour construire son court de rêve. Je ne comprends toujours pas comment il y est arrivé. Il n'avait jamais travaillé dans le bâtiment. Il ignorait tout du béton, de l'asphalte, des drainages. Il n'avait lu aucun livre, consulté aucun spécialiste. Il avait juste une image en tête et il s'employa à la transformer en réalité. Comme dans bien d'autres domaines, il fit exister ce court à force de volonté, d'entêtement et d'énergie. Je me dis qu'il a fait à peu près la même chose avec moi.

Naturellement, il avait besoin de se faire aider. Travailler le béton est un sacré boulot. Tous les matins, il m'emmenait en voiture au Sambo, un restaurant bon marché sur le Strip, et il y embauchait quelques vieux routards parmi la bande qui traînait sur le parking. Mon préféré était Rudy. Balafré, avec un torse comme un tonneau, il me regardait toujours avec un demi-sourire comme s'il savait que je ne comprenais pas qui j'étais, ni où je me trouvais. Rudy et sa bande nous suivaient jusqu'à la maison, et là mon père leur expliquait ce qu'il fallait faire. Trois heures après, mon père et moi foncions au McDo acheter d'énormes paquets de Big Mac et de frites. Au retour, mon père me laissait sonner la cloche et appeler les ouvriers à table. J'aimais bien récompenser Rudy. J'adorais le voir dévorer comme un loup. J'aimais bien l'idée qu'un dur labeur donne droit à une délicieuse récompense, sauf si ce dur labeur consiste à taper dans des balles de tennis.

L'époque de Rudy et des Big Mac est passée très vite. Tout à coup, mon père a eu son court de tennis derrière la maison, et moi ma prison. J'ai aidé à nourrir l'équipe qui a construit ma cellule. J'ai aidé à prendre les mesures et à peindre les lignes blanches qui allaient servir à m'enfermer. Pourquoi ai-je fait cela ? Je n'avais pas le choix. C'est toujours le motif qui me fait agir.

Personne ne m'a jamais demandé si j'avais envie de jouer au tennis, encore moins si je voulais devenir joueur professionnel. Ma mère croyait que j'étais destiné à devenir prédicateur. Mais elle m'a raconté que mon père avait décidé, bien avant ma naissance, que je serais joueur de tennis professionnel. Quand j'avais un an, a-t-elle ajouté, je lui ai fourni la preuve qu'il avait raison. En regardant une partie de ping-pong, je n'avais bougé que les yeux, jamais la tête. Mon père a alors appelé ma mère.

— Regarde, dit-il, il bouge seulement les yeux. Il a un don inné.

Elle m'a raconté que quand j'étais encore au berceau, mon père a accroché au-dessus de ma tête un mobile fait de balles de tennis, et m'a incité à les frapper à l'aide d'une raquette de ping-pong qu'il m'avait fourrée dans la main. Quand j'avais trois ans, il m'a donné une raquette au manche scié et m'a dit que je pouvais taper dans tout ce que je voulais. Je me suis spécialisé dans les salières, j'aimais bien les expédier à travers les carreaux. Je tapais sur le chien. Mon père ne se mettait jamais en colère. Il y a beaucoup de choses qui le mettaient en colère, mais jamais le fait de me voir frapper n'importe quoi de toutes mes forces avec une raquette.

Quand j'avais quatre ans, il me fit jouer avec des champions de tennis qui passaient par la ville, à commencer par Jimmy Connors. Mon père me dit que Connors était un des meilleurs joueurs de tous les temps. Ce qui m'impressionnait le plus, c'est que Connors avait la même coupe au bol que moi. Après que nous eûmes joué, Connors dit à mon père qu'il était sûr que je deviendrais très bon.

— Je le sais déjà, dit mon père, d'un air blasé. Très bon ? Il va devenir le numéro 1 mondial.

Il n'attendait pas une confirmation de Connors. Il cherchait quelqu'un avec qui je puisse m'entraîner.

Chaque fois que Connors vient à Vegas, c'est mon père qui corde ses raquettes. C'est un maître dans ce domaine. (Qui mieux que mon vieux peut créer et maintenir la tension nécessaire ?) C'est toujours le même scénario. Connors confie à mon père une boîte de raquettes, et huit heures plus tard mon père et moi le retrouvons dans un restaurant du Strip. Je demande au maître d'hôtel s'il peut me conduire à la table de M. Connors. Il m'emmène dans un coin écarté où Connors est installé avec son entourage. Il se tient au centre, dos au mur. Je lui tends ses raquettes, avec précaution, sans dire un mot. À table, la conversation s'arrête et tout le monde m'observe. Connors prend les raquettes sans cérémonie et les dépose sur une chaise. L'espace d'un instant, je me sens important, comme si je livrais des épées fraîchement aiguisées à l'un des Trois Mousquetaires. Puis Connors m'ébouriffe les cheveux et fait une remarque sarcastique à propos de moi et de mon père, et toute la tablée s'esclaffe.

Plus je progresse au tennis, moins je suis bon à l'école, ce qui me fait de la peine. J'aime les livres, mais ils me dépassent. J'aime mes professeurs, mais je ne comprends pas grand-chose à ce qu'ils disent. Il semblerait que je n'apprenne pas, ou que je ne traite pas les faits comme les autres gamins. J'ai une excellente mémoire mais des troubles de concentration. J'ai besoin qu'on m'explique les choses deux fois, trois fois. (C'est peut-être pour cette raison que mon père hurle toujours ses ordres deux fois ?) Par ailleurs, je sais bien que mon père déplore chaque instant que je passe à l'école, puisque c'est au détriment de l'entraînement sur le court. Ne pas aimer l'école ou avoir de mauvais résultats semble donc une forme de loyauté à l'égard de Papa.

Certains jours, alors qu'il me conduit avec mon frère et mes sœurs à l'école, mon père sourit et dit :

— Je vous propose un marché. Au lieu de vous emmener à l'école, qu'est-ce que vous diriez si je vous déposais au Cambridge Racquet Club ? Vous pourriez passer la matinée à taper des balles. Qu'est-ce que vous en dites ?

Nous connaissons très bien la réponse qu'il veut entendre. Aussi disons-nous :

— Hourra !

— Mais pas un mot à votre mère, dit mon père.

Le Cambridge Racquet Club est un long bâtiment au toit bas situé à l'est du Strip. Il est équipé de dix courts en dur, et noyé dans des relents minables de poussière, de liniment et aussi de quelque chose d'aigre, comme un produit qui aurait dépassé la date de péremption et que je ne suis jamais parvenu à identifier. Mon père considère le Cambridge comme une sorte d'extension de notre maison. Il va rejoindre le propriétaire, M. Fong, et ils nous observent attentivement pour être bien sûrs que nous jouons au lieu de perdre notre temps à bavarder ou à rire. À la fin, mon père donne un petit coup de sifflet, un son que je reconnaîtrais entre mille. Il met ses doigts dans sa bouche et souffle fort. Cela veut dire, jeu, set et match, arrêtez de taper et regagnez la voiture immédiatement.

Mes frère et sœurs s'arrêtent toujours avant moi. Rita l'aînée, Philly mon grand frère, et Tami sont tous de bons joueurs de tennis. Nous sommes les von Trapp du tennis. Mais c'est moi, le plus jeune, le petit dernier, qui suis le meilleur. C'est ce que me dit mon père, il le dit aussi à mon frère et à mes sœurs, il le dit à M. Fong : Andre est l'élu. C'est la raison pour laquelle mon père me consacre toute son attention. Je suis le dernier grand espoir du clan Agassi. Par moments, j'apprécie ce supplément d'attention que m'accorde mon père. Parfois, j'aimerais mieux être invisible parce que mon père peut être effrayant. Mon père fait de drôles de choses.

Par exemple, il se fourre souvent le pouce et l'index dans les narines et, se raidissant contre la douleur qui lui fait venir les larmes aux yeux, il s'arrache une grosse touffe de poils noirs. Voilà comment il se traite lui-même. Ou alors, il se rase sans employer ni savon, ni crème à raser. Il se contente de frotter un rasoir jetable, à sec, sur ses joues et sa mâchoire, en s'écorchant la peau. Puis il laisse le sang tomber de son visage goutte après goutte, jusqu'à ce qu'il sèche.

Quand il est stressé ou distrait, mon père regarde le ciel en murmurant : « Je t'aime, Margaret. » Un jour j'ai demandé à ma mère :

— À qui Papa parle-t-il ? Qui est Margaret ?

Ma mère m'a raconté que, quand mon père avait mon âge, il faisait du patin sur une mare gelée et la glace a cédé. Il est tombé à l'eau et s'est noyé, en tout cas il a cessé de respirer pendant un long moment. Il a été sorti de l'eau et ramené à la vie par une femme nommée Margaret. Il ne l'avait jamais vue auparavant et ne l'a plus jamais revue depuis. Mais il la revoit régulièrement dans son imagination et lui parle alors, la remerciant de sa voix la plus douce. Il dit que la vision de Margaret lui tombe dessus comme une attaque. Il n'en est pas conscient quand cela se produit et n'en garde ensuite qu'un faible souvenir.

De nature violente, mon père est toujours prêt à la bagarre. Il n'arrête pas de boxer contre des ombres. Il a toujours un manche de hache dans sa voiture. Il ne sort jamais de la maison sans cacher une poignée de sel et de poivre dans chacune de ses poches, au cas où il se retrouverait impliqué dans une bagarre de rue et devrait aveugler quelqu'un. Ses bagarres les plus violentes sont dirigées contre lui-même. Il souffre de raideur chronique dans le cou, et est constamment en train d'essayer d'assouplir ses articulations en tournant avec fureur la tête de côté, ou en la secouant de haut en bas. Quand cela ne suffit pas, il se secoue comme un chien, balançant la tête de droite à gauche, jusqu'à ce que son cou fasse le bruit du pop-corn qui éclate. Quand ce traitement s'avère aussi inefficace que les autres, il se tourne vers le lourd sac de frappe qui est pendu à un harnais, devant la maison. Mon père monte sur une chaise, décroche le sac et glisse son cou dans le harnais. Il renverse alors la chaise et donne des coups de pied en l'air tandis que son élan est fermement entravé par le harnais. La première fois que je l'ai vu faire cela, je me promenais tranquillement dans la maison quand j'ai levé les yeux. J'ai vu mon père renverser la chaise d'un coup de pied, pendu par le cou, les chaussures à presque un mètre du sol. J'étais certain qu'il venait de se tuer. J'ai couru vers lui, complètement hystérique, prêt à le délivrer.

En voyant l'expression de panique sur mon visage, il a aboyé :

— Mais qu'est-ce qui t'arrive, nom de Dieu ?

De tous les traits de caractère difficiles de mon père, la fureur est le plus inquiétant. Il est toujours sur le point de perdre son sang-froid, mais cela se produit généralement aux moments les plus inattendus. Pendant son sommeil, par exemple. Il boxe en rêvant et attrape ma mère endormie pour lui flanquer un coup de poing. En voiture, c'est la même chose. Il y a peu de choses que mon père aime autant que de conduire son Oldsmobile diesel verte, en reprenant les airs de sa cassette de Laura Branigan. Mais si un autre automobiliste l'énerve, s'il lui coupe la route ou s'il ose protester parce que mon père lui a coupé la route, alors ça se gâte.

Un jour que je suis en voiture avec lui, en route vers le Cambridge, il commence à s'engueuler avec un autre conducteur. Mon père arrête la voiture, descend, ordonne au type d'en faire autant. Comme mon père brandit son manche de hache, le type refuse. Mon père balance alors des coups de manche dans les phares et dans les feux arrière du type, éparpillant du verre cassé un peu partout.

Une autre fois, mon père se penche par-dessus moi pour pointer son revolver sur un autre automobiliste. Il vise en faisant reposer le canon de l'arme sur mon nez. Je regarde droit devant moi. Je ne bouge pas, je ne sais pas ce que l'autre conducteur a fait de mal, mais en tout cas cela semble aussi grave que d'envoyer la balle dans le filet. Je sens le doigt de mon père tendu sur la détente. Puis j'entends l'autre automobiliste partir à toute vitesse et ensuite, un bruit que j'ai rarement entendu : le rire de mon père. Il pète un câble. Je me dis que je n'oublierai jamais cet instant, mon père se tordant de rire en tenant un revolver sous mon nez, même si je devais vivre cent ans.

Après avoir remis l'arme dans la boîte à gants, mon père redémarre et se tourne vers moi en m'ordonnant : « Pas un mot à ta mère ! »

Je ne comprends pas pourquoi il dit cela. Que ferait ma mère si on lui racontait la scène ? Elle n'avance jamais la moindre protestation. Peut-être mon père pense-t-il qu'il y a une première fois à tout.

Par un des rares jours de pluie de Vegas, mon père m'emmène chercher ma mère à la sortie de son bureau. Je suis au bout de la banquette, en train de faire l'imbécile et de chanter. Mon père prend la voie de gauche pour tourner. Un camionneur klaxonne furieusement. Mon père a manifestement oublié de mettre son clignotant. Il fait un doigt d'honneur au camionneur. Il dresse si brusquement la main qu'il manque de me frapper au visage. Le camionneur gueule quelque chose. Mon père l'abreuve d'un torrent d'insultes. Le camionneur pile, ouvre sa portière. Mon père s'arrête à son tour et bondit de la voiture.

Je rampe sur le siège arrière et suis la scène par la lunette. La pluie tombe de plus en plus dru. Mon père s'approche du camionneur qui lui envoie un coup de poing. Mon père se penche, dévie le coup du sommet de sa tête et expédie alors à son adversaire une série de coups incroyablement rapides, qui finit par un upper-cut. Le camionneur est allongé au sol. Il est mort, j'en suis sûr. En tout cas, cela ne va tarder puisqu'il est au milieu de la route et que quelqu'un va lui rouler dessus. Mon père regagne la voiture et nous décampons. Je reste derrière et regarde le camionneur par la lunette arrière, je vois la pluie tomber à verse sur son visage inanimé. Je me retourne pour regarder mon père, qui grommelle et lance des invectives à son volant. Juste avant de récupérer ma mère, il regarde ses mains, ouvre et ferme les poings pour s'assurer que les articulations ne sont pas cassées. Puis il me regarde sur le siège arrière, droit dans les yeux, comme s'il venait de voir Margaret. Et d'une voix étrangement douce, il me dit : « Pas un mot à ta mère ! »

C'est à ces moments-là et à bien d'autres que je repense quand il me prend l'envie de dire à mon père que je ne veux pas jouer au tennis. Outre le fait que j'aime mon père et que je veux lui plaire, je ne veux pas l'énerver. Je n'ose pas. Il arrive des catastrophes quand mon père est énervé. S'il dit que je vais jouer au tennis, s'il dit que je vais devenir numéro 1 mondial, c'est que tel est mon destin, et je n'ai pas d'autre choix que d'approuver et d'obéir. Je ferais bien d'avertir Jimmy Connors ou n'importe qui d'autre d'en faire autant.


La route qui mène au numéro 1 mondial passe par le Hoover Dam[1]. Alors que j'atteins tout juste mes huit ans, mon père décide qu'il est temps d'abandonner les séances d'entraînement dans la cour avec le dragon ou les parties disputées au Cambridge, pour passer à de vrais tournois contre des gamins bien réels dans tout le Nevada, l'Arizona et la Californie. Tous les week-ends, la famille entière s'entasse dans la voiture et on s'en va. Soit en direction du nord, sur la 95, vers Reno, soit en direction du sud en passant par Henderson, le Hoover Dam, et le désert, vers Phoenix, Scottsdale ou Tucson. L'endroit où je déteste le plus me trouver, hormis un court de tennis, c'est dans une voiture avec mon père. Mais tout est réglé d'avance. Je suis condamné à passer mon enfance partagé entre ces deux boîtes.

---

1. Barrage sur le fleuve Colorado, à la frontière du Nevada et de l'Arizona.

Je gagne mes sept premiers tournois dans la catégorie des dix ans et moins. Mon père ne s'en réjouit pas. Je fais simplement ce que je suis supposé faire. Sur le chemin du retour, alors que la voiture passe sur le Hoover Dam, je regarde toute cette masse d'eau coincée derrière le barrage massif. Je lis cette inscription à la base du mât du drapeau : *En l'honneur de ces hommes qui ont rendu fertile cette terre désolée…* Je retourne cette phrase dans ma tête. Des terres désolées. Existe-t-il une terre plus désolée que notre maison dans le désert ? Je pense à toute cette rage enfermée à l'intérieur de mon père, comme le Colorado derrière le Hoover Dam. Ce n'est qu'une question de temps avant que tout cela explose. On ne peut rien faire pour l'empêcher, si ce n'est s'efforcer de grimper un peu plus haut.

Pour moi, cela veut dire gagner. Toujours gagner.

Nous allons à Morley Field, à San Diego. Je joue contre un gamin nommé Jeff Tarango, qui n'est pas tout à fait à mon niveau. Il gagne pourtant le premier set 6-4. Je suis sonné, effrayé. Mon père va me tuer. Je fonce, remporte le deuxième set 6-0. Au début du troisième set, Tarango se tord une cheville. Je me mets à lui envoyer des amorties pour l'obliger à courir sur sa cheville douloureuse. En fait, il simulait. Sa cheville va très bien. Il bondit en avant, écrase toutes mes amorties et gagne tous les points.

Mon père, depuis les tribunes, me crie :

— Arrête les amorties ! Arrête les amorties !

Mais je ne peux pas m'en empêcher, j'ai une stratégie. Je m'y tiens.

Nous arrivons au tie-break, qui se joue en neuf points. Nous marquons tour à tour jusqu'à parvenir au score de 4 partout. Nous y sommes. Mort subite. Un point va décider de tout le match. Je n'ai encore jamais perdu et je n'ose pas imaginer la réaction de mon père si cela m'arrive.

Je joue comme si ma vie en dépendait, ce qui est le cas. Tarango doit avoir un père dans le genre du mien parce qu'il joue exactement comme moi.

Je me concentre et expédie un revers croisé fulgurant. Je frappe de manière à en faire un coup long, mais il part de ma raquette plus fort et plus vite que je ne pensais. C'est un formidable coup gagnant, à un mètre de la ligne mais bien hors de portée de Tarango. Je pousse un cri de triomphe. Tarango, debout au milieu du court, baisse la tête et se met à pleurer. Il s'avance lentement vers le filet.

Le voilà qui s'arrête. Tout à coup il se retourne vers l'endroit où la balle est tombée. Il réfléchit. Il sourit.

— *Out*, dit-il.

Je me fige.

— La balle était *out*, hurle Tarango.

C'est la règle chez les juniors. Ce sont les joueurs eux-mêmes qui servent de juges de ligne. Ils décident eux-mêmes si une balle est bonne ou pas et il n'y a pas d'appel. Tarango s'est dit qu'il valait mieux mentir que perdre, et il sait très bien que personne ne peut l'en empêcher. Il lève les bras en signe de victoire.

Je me mets à pleurer.

Un chahut éclate dans les tribunes, les parents se disputent, crient, en viennent presque aux mains. Ce n'est pas juste, ce n'est pas correct, mais c'est la réalité. Tarango est le vainqueur, je refuse de lui serrer la main. Je m'enfuis en courant dans Balboa Park. Quand je reviens, une demi-heure plus tard, épuisé d'avoir tant pleuré, mon père est furieux. Non parce que je suis parti, mais parce que je n'ai pas tenu compte de ses conseils pendant le match.

— Pourquoi tu ne m'as pas écouté ? Pourquoi tu as continué à envoyer des amorties ?

Pour une fois, je n'ai pas peur de mon père. Peu importe qu'il soit en colère contre moi. Je le suis encore plus. Je suis furieux contre Tarango, contre Dieu, contre moi-même. Même si Tarango a triché, je n'aurais pas dû lui donner la possibilité de le faire. Je n'aurais pas dû laisser le match en arriver là. À cause de cela, je compte désormais une défaite à mon actif, et pour toujours. On ne pourra jamais rien y changer. Cette idée m'est insupportable mais je ne peux y échapper : je suis faillible. Déshonoré, imparfait. Un million de balles frappées contre le dragon, et pour quel résultat ?

Après des années passées à écouter mon père fulminer contre mes défauts, une défaite a suffi pour que je reprenne à mon compte ses récriminations. J'ai intériorisé mon père, son impatience, son perfectionnisme, sa rage, au point que sa voix n'est plus très différente de la mienne, je l'ai faite mienne, à présent. Je n'ai plus besoin que mon père me torture. À partir de ce jour, je vais m'en charger moi-même.

# 2

La mère de mon père vit avec nous. C'est une méchante vieille femme originaire d'Iran, qui a sur le bout du nez une verrue de la taille d'une noix. Par moments, on ne comprend pas un mot de ce qu'elle dit parce qu'on ne peut pas détacher ses yeux de cette verrue. Cela n'a d'ailleurs aucune importance puisqu'elle est sûrement en train de répéter les mêmes méchancetés qu'elle a dites hier et avant-hier, et qu'elle les adresse probablement à mon père. C'est, semble-t-il, la raison pour laquelle Grandma est sur terre : harceler mon père. Il raconte qu'elle n'arrêtait pas de le tourmenter quand il était gamin, et qu'elle le battait souvent. Quand il avait fait une bêtise, elle l'obligeait à aller à l'école vêtu de vieilles frusques de fille. C'est pour cela qu'il a appris à se battre.

Quand elle n'est pas en train de chicaner mon père, la vieille femme braille à propos de son vieux pays et soupire au souvenir de tous les amis qu'elle y a laissés. Ma mère dit que Grandma a le mal du pays, qu'elle est nostalgique de sa maison. La première fois que j'ai entendu cela, je me suis demandé comment le fait de ne pas être à la maison pouvait rendre malade. La maison, c'est là où vit le dragon. La maison c'est l'endroit où on doit jouer au tennis.

Si Grandma veut rentrer chez elle, je suis entièrement d'accord. Je n'ai que huit ans mais je suis prêt à la conduire moi-même en voiture à l'aéroport. Elle provoque trop de tensions dans une maison qui en connaît déjà bien assez comme ça. Elle rend mon père malheureux, elle n'arrête pas de nous donner des ordres, à mes frère et sœurs et à moi, et elle s'est lancée dans une étrange compétition avec ma mère. Celle-ci m'a raconté que lorsque j'étais bébé, elle est entrée un jour dans la cuisine et a trouvé Grandma en train de me donner le sein. Depuis ce jour, les rapports entre les deux femmes n'ont plus jamais été simples.

Il y a tout de même un aspect positif dans le fait que Grandma vive avec nous. Elle raconte des histoires sur mon père, sur son enfance, et parfois cela éveille des souvenirs chez mon père et l'amène à s'épanouir un peu. Sans Grandma, nous ne saurions pas grand-chose du passé de mon père qui fut triste et solitaire, et qui permet de comprendre un peu sa conduite étrange et ses accès de fureur – d'une certaine façon.

— Oh ! fait Grandma en soupirant, nous étions pauvres. Vous ne pouvez pas imaginer à quel point. Et nous avions faim, dit-elle en se frottant l'estomac. Nous n'avions rien à manger, pas d'eau courante ni d'électricité. Et pas le moindre meuble.

— Où est-ce que vous dormiez ?

— Par terre, dans la poussière ! Tous entassés dans une pièce minuscule. Dans un vieil immeuble construit autour d'une cour pleine de saletés. Avec, dans un coin de la cour, un trou qui servait de toilettes pour tous les habitants.

Mon père intervient :

— Les choses se sont améliorées après la guerre. Toutes les nuits, les rues étaient pleines de soldats américains et britanniques. Je les aimais bien.

— Pourquoi aimais-tu les soldats ?

— Ils me donnaient des bonbons et des chaussures.

Ils lui ont aussi fait cadeau de l'anglais. Le premier mot que mon père a appris des GI fut « Victoire ». Ils en parlaient sans cesse, dit-il, de la Fictoire.

— Waouh ! qu'est-ce qu'ils étaient grands, ajoute-t-il, et forts ! Je les suivais partout, je les observais, je les étudiais, et un jour je les ai suivis jusqu'à l'endroit où ils passaient tout leur temps libre, un parc dans les bois avec deux courts de tennis en terre battue.

Il n'y avait pas de clôture autour des courts, et les balles se perdaient sans arrêt. Mon père courait après et les rapportait aux soldats comme un chien dressé, jusqu'au jour où ils ont fait de lui leur ramasseur de balles officiel. Et, plus tard, leur gardien de court attitré.

— Tous les jours, je balayais, j'arrosais les courts et j'y passais un lourd rouleau. Je repeignais les lignes blanches. Quel boulot ! J'utilisais de la craie diluée, raconte mon père.

— Combien est-ce qu'ils te payaient ?

— Payer ? Rien du tout ! Ils m'avaient offert une raquette de tennis. Bonne pour le rebut. Un vieux truc en bois tendu de cordes d'acier. Mais je l'aimais bien. Je passais des heures avec cette raquette à renvoyer une balle contre un mur de briques, tout seul.

— Pourquoi tout seul ?

— Personne d'autre ne jouait au tennis, en Iran.

*Mon père, Mike, poids coq de dix-huit ans.*

Le seul sport qui pouvait offrir à mon père des adversaires en quantité était la boxe. Il commença par tester son coup de poing dans d'innombrables bagarres de rue, puis à l'adolescence il entra dans un club et se forma aux techniques classiques de la boxe. Un talent inné, disaient de lui les entraîneurs. Rapide des mains, agile sur ses jambes et ayant un compte à régler avec le monde. Sa rage, si pénible à supporter pour nous, était un atout sur le ring. Il décrocha une place au sein de l'équipe olympique iranienne, dans la catégorie des poids coq, et participa aux Jeux de 1948 à Londres. Quatre ans plus tard, il prenait part aux Jeux d'Helsinki. Il ne brilla ni aux uns ni aux autres.

— Les arbitres, marmonnait-il. Tous des vendus. Tout était décidé, réglé. Le monde en avait contre l'Iran. Mais, bonhomme, ajoutait-il, ils vont peut-être remettre le tennis dans la liste des sports olympiques. Et alors mon fils gagnera une médaille d'or, et tout rentrera dans l'ordre.

Une pression supplémentaire à rajouter à mon lot de pressions quotidiennes.

Après avoir découvert quelques aspects du vaste monde, après avoir participé aux jeux Olympiques, mon père ne pouvait pas regagner cette petite pièce unique au sol poussiéreux, aussi quitta-t-il l'Iran en douce. Il falsifia son passeport et prit un vol pour New York sous un faux nom. Il passa seize jours à Ellis Island puis monta dans un bus pour Chicago, où il américanisa son nom. Emmanuel devint Mike. Le jour, il travaillait comme garçon d'ascenseur dans un des grands hôtels de la ville. La nuit, il boxait.

Son entraîneur à Chicago était Tony Zale, célèbre pour le rôle qu'il avait joué dans l'une des rivalités les plus sanglantes de l'histoire de la boxe, une saga en trois combats qui l'avait opposé à Rocky Graziano. Zale faisait beaucoup de compliments à mon père, il lui disait qu'il avait du talent brut à revendre, mais il l'engageait à frapper plus fort. « Frappe plus fort, criait Zale à mon père tandis qu'il martelait de coups le sac d'entraînement. Frappe plus fort. Chaque coup que tu donnes, donne-le de toutes tes forces. »

Avec Zale au coin du ring, mon père remporta les Golden Gloves de Chicago, puis il gagna le droit de participer à un combat d'ouverture au Madison Square Garden. Son heure de gloire. Mais le soir du combat, l'adversaire de mon père tomba malade. Les organisateurs se démenèrent pour tenter de lui trouver un remplaçant. Ils en dénichèrent un, parfait, un bien meilleur boxeur et surtout un poids welter. Mon père donna son accord pour le combat, mais peu de temps avant que la cloche sonne le début du match, il eut la frousse. Il se faufila dans les toilettes, se glissa par la fenêtre en grimpant sur la lunette et reprit le train pour Chicago.

Filer en douce d'Iran, filer en douce du Madison Square Garden. Monsieur mon père est un roi de l'esquive. Mais il n'y a pas moyen de lui échapper.

Mon père disait que quand il boxait, il voulait toujours encaisser le meilleur coup de son adversaire. Il me l'expliqua un jour sur le court :

— Quand tu sais que tu viens d'encaisser le meilleur coup de ton adversaire, que tu tiens toujours debout et que l'autre gars le sait aussi, tu lui fais perdre tout son courage. Au tennis, ajouta-t-il, c'est la même chose. Attaque l'autre sur son point fort. Si c'est un serveur, retire-lui son service. S'il joue tout en puissance, frappe plus fort que lui. S'il est fier de son long revers, pousse-le dans cette voie jusqu'à ce qu'il haïsse son revers.

Mon père avait un terme spécial pour désigner cette stratégie d'opposition frontale. Il appelait cela provoquer une cloque dans le cerveau de l'adversaire. Avec ce genre de stratégie et cette philosophie brutale, il m'a marqué pour la vie. Il a fait de moi un boxeur équipé d'une raquette de tennis. Bien plus : dans la mesure où la plupart des joueurs sont fiers de leur service, mon père, lui, a fait de moi un retourneur, un renvoyeur de balles.

De temps en temps, mon père lui aussi a le mal du pays. C'est surtout son frère aîné, Isar, qui lui manque. Un jour, promet-il, votre oncle Isar s'évadera d'Iran tout comme je l'ai fait.

Mais d'abord, Isar doit faire sortir discrètement son argent. L'Iran est en train de s'écrouler, explique mon père. La révolution menace. Le gouvernement chancelle. C'est pour cela qu'ils surveillent tout le monde. Pour s'assurer que les gens ne vident pas leur compte en banque en prévision de leur départ. Oncle Isar a donc secrètement entrepris de convertir petit à petit son argent en bijoux, qu'il cache ensuite dans des paquets à notre intention. On dirait que c'est Noël chaque fois qu'un colis enveloppé de papier brun de l'oncle Isar arrive à la maison. On s'assoit sur le plancher du salon, on coupe la ficelle, on déchire le papier et on pousse des cris quand on découvre, dissimulés sous une pile de biscuits ou cachés à l'intérieur d'un cake aux fruits, des diamants, des émeraudes et des rubis. Les colis de l'oncle Isar nous parviennent régulièrement, à quelques semaines d'intervalle, jusqu'à l'arrivée d'un très gros paquet : l'oncle Isar, en personne. Il est là sur le seuil de la porte, tout souriant.

— Tu dois être Andre.

— Oui.

— Je suis ton oncle.

Il tend la main et m'effleure la joue.

Il est le portrait craché de mon père mais sa personnalité est l'exact opposé de celle de ce dernier. Mon père est véhément, austère et toujours plein de rage. Oncle Isar parle d'une voix douce, il est patient et drôle. En plus c'est un génie, il était ingénieur en Iran. Il m'aide tous les soirs à faire mes devoirs. Quel soulagement par rapport aux pénibles séances sous la direction de mon père. La façon qu'a mon père d'enseigner quelque chose consiste à l'expliquer une fois, puis une seconde fois, puis à gueuler en vous traitant d'idiot de ne pas avoir compris du premier coup. Oncle Isar explique une première fois, puis il sourit et il attend. Si on ne comprend pas, aucun problème. Il recommence encore plus lentement. Il a tout son temps.

J'observe oncle Isar tandis qu'il se déplace dans les pièces et les couloirs de notre maison. Je le suis tout comme mon père suivait les soldats américains et britanniques. Je me familiarise avec oncle Isar et j'apprends à le connaître. J'adore m'accrocher à ses épaules et me balancer à son bras. Lui aussi aime ça. Il aime se bagarrer, être attaqué ou chatouillé par ses neveux et nièces. Tous les soirs, je me cache derrière la porte d'entrée et je bondis au moment où oncle Isar rentre à la maison, parce que ça le fait rire. Ses éclats de rire sont exactement le contraire des bruits qui sortent du dragon.

Un jour, oncle Isar se rend au magasin pour acheter quelques bricoles. Je compte les minutes. Enfin la barrière s'ouvre et se referme avec un claquement, ce qui veut dire qu'il me reste exactement douze secondes avant qu'oncle Isar franchisse la porte. C'est toujours le temps que ça prend, douze secondes, pour aller de la barrière jusqu'à la porte. Je rampe, je compte jusqu'à douze et quand la porte s'ouvre, je bondis.

*Bouh !*

Ce n'est pas oncle Isar. C'est mon père. Surpris, il gueule, fait un pas en arrière et balance un coup de poing. Même s'il n'y a mis qu'une petite partie de sa force, son crochet du gauche frappe ma joue rouge de honte et m'envoie valdinguer. Il y a un instant, j'étais tout excité et joyeux, l'instant d'après me voici étalé au sol.

Mon père se dresse devant moi, furibond.

— Putain, qu'est-ce qui ne va pas chez toi ? File dans ta chambre.

Je cours dans ma chambre et me jette sur mon lit. Je reste allongé là, tout tremblant. Je ne sais pas combien de temps. Une heure ? Trois ? À la fin, la porte s'ouvre et j'entends mon père.

— Attrape ta raquette. Viens sur le court.

Il est l'heure de combattre le dragon.

Je tape des balles pendant une demi-heure. J'ai mal à la tête et les yeux pleins de larmes.

— Frappe plus fort, dit mon père. Mais bon Dieu, frappe plus fort. Et pas dans ce foutu filet.

Je me retourne et regarde mon père en face. La nouvelle balle que m'envoie le dragon, je la frappe de toutes mes forces et l'expédie très haut, par-dessus la clôture. Je vise les faucons et je ne cherche même pas à faire croire que c'est par accident. Mon père me jette un regard noir. Il fait un pas vers moi, l'air menaçant. Il va me balancer moi aussi par-dessus la clôture. Mais tout à coup il s'arrête, m'insulte et me prévient que j'ai intérêt à disparaître de sa vue.

Je cours dans la maison et trouve ma mère allongée sur son lit en train de lire un roman d'amour, ses chiens couchés à ses pieds. Elle adore les animaux et notre maison ressemble à la salle d'attente du Dr Dolittle. Des chiens, des oiseaux, des chats, des lézards, et même un rat miteux répondant au nom de Lady Butt. J'attrape un des chiens et le balance à travers la pièce, sans tenir compte de ses jappements indignés, puis je cache ma tête contre le bras de ma mère.

— Pourquoi Papa est-il si méchant ?

— Qu'est-ce qui s'est passé ?

Je lui raconte. Elle me caresse les cheveux en me disant que mon père ne sait pas faire autrement.

— Pa a ses façons bien à lui, dit-elle. D'étranges façons. Ce que nous devons retenir, c'est que Pa veut toujours le meilleur pour nous, d'accord ?

Une partie de moi est reconnaissante envers ma mère pour son calme imperturbable. Mais une autre partie de moi, dont je répugne à reconnaître l'existence, se sent trahie. Le calme signifie parfois la faiblesse. Elle ne s'oppose jamais, ne résiste jamais, elle ne s'interpose jamais entre nous, les enfants, et notre père. Elle devrait lui dire de se calmer, de prendre les choses plus à la légère, lui faire comprendre que le tennis n'est pas la vie.

Mais ce n'est pas dans sa nature. Mon père dérange le calme, ma mère le maintient. Tous les matins, elle se rend à son bureau, elle travaille pour l'État du Nevada, dans son tailleur-pantalon fonctionnel, et tous les soirs elle rentre à la maison à six heures, épuisée, sans jamais émettre la moindre plainte. Avec sa dernière parcelle d'énergie, elle prépare le dîner. Puis elle va s'allonger avec ses animaux et un livre, ou bien, ce qu'elle préfère par-dessus tout, un puzzle.

Parfois, mais c'est vraiment exceptionnel, elle perd patience, et quand cela lui arrive, c'est grandiose. Un jour, mon père lui a fait remarquer que la maison était mal tenue. Ma mère est allée vers le placard, elle en a sorti deux paquets de céréales et les a agités à bout de bras comme des drapeaux, éparpillant des corn flakes et des graines un peu partout. Elle criait :

— Tu veux que le ménage soit bien fait ? Fais-le toi-même !

L'instant d'après, elle se consacrait calmement à un de ses puzzles.

Ce qu'elle aime particulièrement, ce sont les puzzles de Norman Rockwell. On trouve toujours sur la table de la cuisine une de ses scènes idylliques de la vie familiale, à moitié achevée. Je ne comprends pas le plaisir que ma mère trouve dans ces puzzles. Un tel désordre en miettes, tout ce chaos, comment cela peut-il être synonyme de détente ? Cela me fait penser que ma mère et moi avons des caractères opposés. Et pourtant, tout ce que j'ai de tendre en moi, tout l'amour ou la compassion que j'ai pour les gens doit me venir de ma mère.

Allongé contre elle tandis qu'elle continue de me caresser les cheveux, je me dis qu'il y a tant de choses chez elle que je ne parviens pas à comprendre, et que tout cela semble découler du mari qu'elle a choisi. Je lui demande comment, pour commencer, elle s'est retrouvée avec un type comme mon père. Elle a un petit rire las.

— C'était il y a bien longtemps, dit-elle. À Chicago. Un ami d'ami avait dit à ton père : « Tu devrais rencontrer Betty Dudley. Elle est tout à fait ton genre. Et réciproquement. » Un soir, ton père m'a donc téléphoné au Girls Club où je louais une chambre meublée. Nous avons parlé longtemps, très longtemps, et ton père m'a semblé très doux.

— Doux ?

— Je sais, je sais. Mais c'était pourtant le cas. J'ai donc accepté de le rencontrer. Il est arrivé le lendemain au volant d'une superbe Volkswagen flambant neuve. Il m'a emmenée faire un tour en dehors de la ville, dans aucun endroit en particulier, on a simplement roulé au hasard et il m'a raconté son histoire. Puis on s'est arrêté pour manger un morceau et à mon tour je lui ai raconté la mienne.

Ma mère a raconté à mon père son enfance à Danville dans l'Illinois, à cent vingt kilomètres de Chicago, la petite ville où Gene Hackman, Donald O'Connor et Dick Van Dike avaient grandi. Elle lui a expliqué ce que c'était que d'avoir une sœur jumelle. Elle lui a parlé de son père, un professeur d'anglais grognon, maniaque de la perfection de la langue. Avec son anglais approximatif, mon père a dû se sentir mal. Mais le plus probable, c'est qu'il n'a même pas entendu. J'imagine mon père incapable d'écouter ce que disait ma mère lors de leur premier rendez-vous. Il devait être hypnotisé par sa flamboyante chevelure auburn et ses yeux bleus. J'ai vu des photos. Ma mère était d'une beauté exceptionnelle. Je me demande s'il était fasciné par ses cheveux parce qu'ils étaient de la couleur d'un court de tennis en terre battue. Ou peut-être l'était-il par sa taille. Elle mesurait quelques centimètres de plus que lui. J'imagine qu'il a vu là une sorte de défi.

Ma mère raconte qu'au bout de huit semaines de bonheur seulement mon père est parvenu à la convaincre qu'ils devaient unir leurs destins. Ils se sont éloignés du père grognon et de la sœur jumelle pour se marier. Ensuite, ils ont continué à fuir. Mon père l'a d'abord emmenée à Los Angeles, puis, quand ils ont eu du mal à trouver du travail, il lui a fait traverser le désert en direction d'une nouvelle ville de jeux en pleine expansion. Ma mère a décroché un emploi auprès du gouvernement de l'État, et mon père a été engagé au Tropicana Hotel pour donner des leçons de tennis. Cela ne rapportait pas suffisamment et il a été obligé de trouver un deuxième boulot comme maître d'hôtel au Landmark Hotel. Puis il a dégoté au Grand Casino MGM un travail qui lui a pris tellement de temps qu'il a dû abandonner ses deux autres boulots.

*Mes parents, Mike et Betty Agassi, jeunes mariés à Chicago en 1959.*

Pendant les dix premières années de leur mariage, mes parents ont eu trois enfants.

Puis, en 1969, ma mère a dû être hospitalisée à cause de violentes douleurs d'estomac. Le docteur a affirmé qu'il fallait pratiquer une hystérectomie. Mais une deuxième série d'examens a démontré qu'elle était enceinte. De moi. Je suis né le 29 avril 1970 au Sunrise Hospital, à trois kilomètres du Strip. Mon père m'a prénommé Andre Kirk Agassi, d'après le nom de ses patrons au casino. Étaient-ils amis ? Est-ce qu'il les admirait ? Leur devait-il de l'argent ? Ma mère n'en sait rien. Et ce n'est pas le genre de question qu'on peut poser directement à mon père. On ne peut rien lui demander directement. J'ai donc classé cette affaire avec les autres choses que j'ignore à propos de mes parents, toutes ces pièces qui manquent toujours au puzzle que constitue mon existence.

Mon père travaille dur, il passe de longues heures à bosser la nuit au casino, mais sa vie c'est le tennis, c'est ce qui le pousse à se lever le matin. Où qu'on soit dans la maison, on peut voir un peu partout des signes manifestes de son obsession. À part la cour et le dragon, il y a aussi le laboratoire de mon père, accessoirement notre cuisine. La machine à corder de mon père et ses outils y occupent la moitié de la table. (Le dernier puzzle de Norman Rockwell auquel travaille ma mère en occupe l'autre moitié, deux obsessions rivalisant pour l'espace de cette pièce encombrée.) Sur le plan de travail, on trouve des tas de raquettes dont certaines ont été sciées en deux pour que mon père puisse en étudier les boyaux. Il veut tout savoir sur le tennis, absolument tout, ce qui revient à en disséquer les divers éléments. Il est toujours en train de tenter une expérience sur telle ou telle pièce de l'équipement. Récemment, par exemple, il s'est mis à utiliser de vieilles balles de tennis pour prolonger la vie de nos souliers. Quand la semelle commence à être usée, mon père coupe une balle de tennis en deux et en fixe une moitié sous chaque chaussure.

Je dis à Philly :

— Ce n'est pas assez de vivre dans un laboratoire voué au tennis, il faut en plus qu'on porte des balles de tennis aux pieds ?

Je me demande pourquoi mon père aime le tennis. Encore une question que je ne peux pas lui poser directement. Et pourtant, il laisse deviner quelques indices. Il parle souvent de la beauté du jeu, c'est un équilibre parfait entre puissance et stratégie. En dépit de sa vie imparfaite, ou peut-être justement à cause de cela, mon père aspire à la perfection. La géométrie et les mathématiques sont ce qui permet aux hommes de se rapprocher le plus de la perfection, et le tennis est uniquement une question d'angles et de chiffres. Étendu dans son lit, mon père imagine un court de tennis dessiné au plafond. Il affirme qu'il le voit vraiment et que sur ce plafond il joue d'innombrables matchs imaginaires. On se demande comment il lui reste encore assez d'énergie pour aller au travail.

Au casino, le travail de mon père consiste à placer les clients lors des spectacles. Par ici, Monsieur Johnson. Ravi de vous revoir, Mademoiselle Jones. La MGM lui donne un petit salaire mais il gagne le reste en pourboires. Nous vivons de ces pourboires, ce qui rend notre vie imprévisible. Il y a des soirs où mon père rentre à la maison les poches gonflées de billets. D'autres fois, ses poches sont parfaitement plates. De toute façon, quoi qu'il en sorte, si peu que ce soit, c'est soigneusement compté, empilé et rangé dans le coffre familial. C'est éprouvant de ne jamais savoir à l'avance le montant de ce que Papa va être capable de mettre dans le coffre.

Mon père adore l'argent et ne cherche pas à le cacher, il affirme qu'on peut en gagner beaucoup grâce au tennis. C'est manifestement une des principales raisons de son amour pour ce sport. C'est, selon lui, ce qui permet d'accéder le plus rapidement possible au rêve américain. Il m'emmène à l'Alan King Tennis Classic et nous admirons une superbe femme déguisée en

Cléopâtre, portée jusqu'au court central par quatre athlètes à moitié nus, revêtus d'une courte toge et suivis d'un homme habillé en César qui pousse une brouette pleine de dollars d'argent. C'est le premier prix destiné au vainqueur du tournoi. Mon père, comme ivre, contemple l'éclat argenté qui brille au soleil de Vegas. C'est cela qu'il veut. C'est ce qu'il veut que je gagne.

Peu après ce jour fatidique, alors que j'ai presque neuf ans, il parvient en resquillant à me faire inscrire comme ramasseur de balles au tournoi Alan King. Mais je me moque bien de ses dollars d'argent, ce que je veux c'est une Cléopâtre miniature. Elle s'appelle Wendi. Elle fait partie des ramasseuses de balles, elle a environ mon âge et c'est une véritable apparition, dans son uniforme bleu. Je l'aime dès le premier instant, de tout mon cœur et de manière très romantique. La nuit, je reste éveillé à contempler son image au plafond.

Au cours des matchs, tandis que nous nous croisons en courant le long du filet, je lui adresse mon plus beau sourire et essaie d'attirer les siens. À la pause, je lui achète des Cocas et je m'efforce de l'impressionner par mes connaissances en tennis.

Le tournoi Alan King attire beaucoup de vedettes et mon père essaie de convaincre la plupart d'entre elles d'échanger quelques balles avec moi. Certains se font moins prier que d'autres. Borg fait comme s'il était ravi d'accepter. Connors a manifestement envie de refuser, mais ne peut pas le faire parce que mon père est son cordeur. Ilie Nastase essaie de refuser, mais mon père fait semblant d'être sourd. Vainqueur de Wimbledon et de Roland-Garros, numéro 1 mondial, Nastase a mieux à faire mais il découvre rapidement qu'il est pratiquement impossible de refuser quelque chose à mon père. L'homme est implacable.

Tandis que nous échangeons des balles, Nastase et moi, Wendi nous observe, placée près du filet. Je suis nerveux et Nastase s'ennuie manifestement, jusqu'au moment où il remarque Wendi.

*À huit ans, j'échange quelques balles*
*avec mon idole Björn Borg.*

— Hé, dit-il. C'est ta petite amie, Snoopy ? Est-ce que cette jolie petite personne est ton amoureuse ?

Je m'arrête. Je dévisage Nastase. Je veux frapper ce gros Roumain stupide sur le nez, même s'il fait soixante centimètres de plus que moi et cinquante kilos de plus. C'est déjà assez désagréable qu'il m'appelle Snoopy, mais s'il se permet en plus de parler de Wendi de manière aussi cavalière ! Des spectateurs se sont massés autour de nous, au moins deux cents personnes. Nastase se met à blaguer avec la foule, il ne cesse de m'appeler Snoopy et de me taquiner à propos de Wendi. Et moi qui croyais que mon père était implacable. Le moins que je puisse souhaiter, c'est d'avoir le courage de dire : « Monsieur Nastase, vous m'embarrassez, arrêtez s'il vous plaît. » Mais la seule chose dont je sois capable, c'est de taper toujours plus fort. Frappe

81

plus fort. Puis Nastase fait une nouvelle remarque moqueuse à propos de Wendi et je craque, je n'en peux plus. Je lâche ma raquette et m'enfuis du court. Va te faire voir, Nastase.

Mon père contemple la scène, bouche bée. Il n'est pas fâché, il n'est pas embarrassé – il est incapable d'être embarrassé. Il reconnaît là ses propres gènes qui agissent en moi. Je ne pense pas l'avoir jamais vu plus fier qu'à ce moment-là.

En plus des matchs d'exhibition avec des joueurs classés, mes démonstrations publiques relèvent pour la plupart de l'arnaque. J'ai une technique très au point pour duper les nigauds. Pour commencer, je choisis un court très en vue où je commence tout seul à envoyer des balles. Quand un jeune joueur culotté ou un type un peu éméché passe par là, je l'invite à jouer avec moi. Puis je me laisse battre à plate couture. Sur un ton pitoyable, je lui propose alors de jouer pour un dollar. Ou cinq peut-être ? Avant qu'il comprenne ce qui lui arrive, j'en suis à la balle de match et je rafle vingt dollars. De quoi offrir des Coca à Wendi pendant un mois.

C'est Philly qui m'a appris cela. Il donne des leçons de tennis et pousse souvent ses élèves à mettre en jeu le prix de la leçon, puis à doubler la mise. « Mais toi, Andre, me dit-il, avec ta taille et ton jeune âge, tu devrais ramasser du fric à la pelle. » Il m'aide à mettre au point ma tactique et à la roder. De temps en temps, je me dis que je suis le seul à penser que je triche, que les gens sont contents de casquer pour le spectacle. Plus tard, ils pourront se vanter auprès de leurs amis d'avoir vu un phénomène de neuf ans qui ne perd jamais.

Je ne parle pas à mon père de mes affaires parallèles. Non pas qu'il trouverait cela mal. Il adore une bonne arnaque. C'est juste que je n'ai pas envie de parler de tennis avec mon père plus qu'il n'est nécessaire. Mais un beau jour, mon père se lance dans sa propre arnaque. Cela se passe au Cambridge. Alors que nous entrons, mon père me montre un homme en train de parler avec M. Fong.

— C'est Jim Brown, me murmure mon père. Le meilleur joueur de football de tous les temps.

C'est un énorme bloc de muscles, qui porte des tennis blanches et des chaussettes montantes. Je l'ai déjà vu au Cambridge. Quand il ne joue pas au tennis pour de l'argent, il joue au backgammon ou aux dés, toujours moyennant finance. Tout comme mon père, M. Brown ne cesse de parler d'argent. Pour le moment, il se plaint auprès de M. Fong à propos d'un match rétribué qui a été annulé. Il devait jouer contre un adversaire qui ne s'est pas présenté. M. Brown en fait toute une histoire à M. Fong.

— Je suis venu pour jouer, dit-il, et je veux jouer.

Mon père s'avance.

— Vous cherchez un adversaire ?

— Ouais.

— Mon fils Andre va jouer contre vous.

M. Brown se retourne. Il me regarde puis, s'adressant à mon père :

— Je ne joue pas contre un gosse de huit ans.

— Neuf.

— Neuf ? Oh ! Très bien. Je ne m'en étais pas aperçu.

M. Brown éclate de rire. Quelques personnes qui ont entendu rigolent aussi.

Je vois bien que M. Brown ne prend pas mon père au sérieux. Grossière erreur. Allez donc demander au camionneur étendu au milieu de la route. Je ferme les yeux et je le revois, le visage dégoulinant de pluie.

— Écoutez, dit M. Brown, je ne joue pas pour m'amuser, OK, je joue pour de l'argent.

— Mon fils va jouer pour de l'argent.

Je sens un flot de sueur m'envahir les aisselles.

— Ah ouais ? Combien ?

Mon père rit et déclare :

— Je mets en jeu ma putain de maison.

— Je n'ai pas besoin de votre maison, répond monsieur Brown. J'en ai déjà une. Disons plutôt dix mille dollars.

— D'accord, dit mon père.

Je me dirige vers le court.

— Doucement, dit M. Brown, je voudrais d'abord voir l'argent.

— Je vais à la maison et je le rapporte, dit mon père, je n'en ai pas pour longtemps.

Mon père se rue vers la sortie. Je m'assois et je me l'imagine en train d'ouvrir son coffre, d'en sortir des liasses de billets, tous ces pourboires que je l'ai vu recompter pendant des années, toutes ces nuits de travail pénible. Et il est en train de tout miser sur moi. Je sens un poids dans ma poitrine. Je suis fier, bien sûr, de penser que mon père a une telle confiance en moi. Mais surtout je suis effrayé. Que va-t-il m'arriver si je perds, que va-t-il arriver à mon père, à ma mère, à mon frère et mes sœurs, sans parler de Grandma et de l'oncle Isar ?

Il m'est déjà arrivé de jouer sous une telle pression lorsque mon père, sans prévenir, me choisissait un adversaire et m'ordonnait de le battre. Mais il s'agissait toujours d'un autre gamin et il n'y avait pas d'argent en jeu.

Ce genre de situation se produit généralement en plein milieu de l'après-midi. Mon père me tire de ma sieste et hurle : « Attrape ta raquette. Il y a quelqu'un que tu dois battre. » Il ne s'est jamais dit que j'étais épuisé après une matinée passée à me battre contre le dragon, que les gamins de neuf ans ne font généralement pas la sieste. Je frotte mes yeux tout ensommeillés, je sors et je découvre un étrange gamin, quelque prodige venu de Floride ou de Californie, qui est de passage en ville. Ils sont toujours plus âgés et plus grands que moi, comme ce punk qui vient de débarquer à Vegas, qui a entendu parler de moi et est venu sonner à notre porte. Il a une Rossignol blanche et la tête comme une citrouille. Il a au moins trois ans de plus que moi et il sourit d'un air dédaigneux quand il me voit sortir de la maison, parce que j'ai l'air si petit. Même après l'avoir battu, même après avoir balayé ce sourire de son visage, il m'a fallu des heures pour me calmer, pour me débarrasser de l'impression que je venais de marcher sur une corde raide tendue au-dessus du Hoover Dam.

Mais avec M. Brown, c'est une tout autre affaire, et pas seulement parce que les économies de la famille sont en jeu. M. Brown a manqué de respect à mon père et mon père ne peut pas le frapper. Il faut que ce soit moi qui le fasse. Ce n'est pas seulement d'argent dont il est question ici. Il est question de respect, de virilité et d'honneur, et cela contre le meilleur joueur de football de tous les temps. J'aimerais mieux me retrouver en finale à Wimbledon. Contre Nastase. Et avec Wendi pour ramasser les balles.

Tout doucement, je m'aperçois que M. Brown est en train de m'observer. Il me fixe. Il vient vers moi et se présente, me serre la main. Sa grosse main calleuse. Il me demande depuis combien de temps je joue, combien de matchs j'ai gagnés, combien j'en ai perdus.

— Je ne perds jamais, dis-je tranquillement.

Ses yeux se rétrécissent.

M. Fong emmène M. Brown à l'écart et lui dit :

— Ne fais pas cela, Jim.

— C'est l'autre type qui veut ça, murmure M. Brown. Cet imbécile avec son fric.

— Tu ne comprends pas, dit M. Fong. Tu vas perdre, Jim.

— Tu déconnes, ce n'est qu'un gamin.

— Pas n'importe quel gamin.

— T'es cinglé.

— Écoute-moi, Jim. J'aime bien que tu viennes ici. Tu es un ami et c'est bon pour les affaires de t'avoir dans mon club. Mais quand tu auras perdu dix mille dollars contre ce gamin, tu seras furieux et tu n'auras peut-être plus envie de venir par ici.

M. Brown se retourne pour m'examiner des pieds à la tête, comme si quelque chose lui avait échappé la première fois. Il revient vers moi et se met à me questionner.

— Tu joues beaucoup ?

— Tous les jours.

— Non, combien de temps tu joues chaque fois ? Une heure, deux ?

Je vois où il veut en venir. Il veut savoir combien de temps je peux résister à la fatigue. Il essaie de me jauger, de prévoir sa stratégie.

Mon père est de retour. Il tient une liasse de billets de cent à la main. Il les agite en l'air. Tout à coup, M. Brown change d'avis.

— Voilà ce qu'on va faire, dit M. Brown à mon père. On va jouer deux sets et fixer le montant qu'on parie sur le troisième.

— Comme vous voudrez.

On joue sur le court numéro 7, près de la porte. Une foule s'est rassemblée et ils m'acclament à grands cris quand je remporte le premier set 6-3. M. Brown secoue la tête. Il parle tout seul. Il lance sa raquette par terre. Il n'est pas très heureux, nous sommes donc deux dans le même cas. Non seulement je pense, violant la règle impérative de mon père, mais en plus mon esprit s'affole. J'ai l'impression que je vais devoir interrompre le jeu à tout instant parce que j'ai envie de vomir.

Pourtant, je gagne le deuxième set 6-3.

M. Brown est furieux, à présent. Il se laisse tomber à genoux, relace ses chaussures.

Mon père s'approche de lui.

— Alors, dix mille ?

— Non, fait M. Brown. Si on se contentait de cinq cents dollars ?

— Comme vous voudrez

Je me détends. Mon inquiétude disparaît. J'ai envie de danser le long de la ligne en sachant que je ne vais pas devoir jouer pour dix mille dollars. Je vais pouvoir jouer librement sans me soucier des conséquences. Sans penser.

M. Brown, par contre, réfléchit davantage et joue de manière moins décontractée. Il se met tout à coup à s'agiter, à lancer des amorties, des lobs en chandelle, à envoyer la balle dans les coins, à multiplier les effets latéraux, les rebonds et toutes sortes de coups pervers. Il essaie aussi de me faire courir, en avant, en arrière, pour tenter de m'épuiser. Mais je suis tellement soulagé de ne pas jouer pour le contenu entier du coffre de mon père que je suis inépuisable. Je ne peux pas perdre. Je bats M. Brown 6-2.

Le visage dégoulinant de sueur, il tire de sa poche un portefeuille et en sort cinq billets tout neufs. Il les tend à mon père et se tourne vers moi.

— Très bon jeu, fiston.

Il me serre la main. Ses cals sont encore plus rugueux, grâce à moi.

Il me demande quels sont mes buts, mes rêves. Je m'apprête à lui répondre mais mon père me coupe la parole.

— Il va devenir numéro 1 mondial.

— Je ne prendrai pas de pari contre lui, dit M. Brown.


Peu de temps après avoir battu M. Brown, je joue un match d'entraînement contre mon père au Caesars. Je mène 5-2, service à suivre. Je n'ai jamais battu mon père et il a l'air de quelqu'un qui va perdre bien plus que dix mille dollars.

Brusquement, il quitte le court.

— Ramasse tes affaires, dit-il. On s'en va.

Il ne veut pas continuer. Il préfère se défiler que perdre contre son fils. Au fond de moi, je comprends que c'est la dernière fois que nous jouons ensemble.

Tandis que je range mon sac et que je remets ma raquette dans sa housse, j'éprouve une joie bien plus grande que lorsque j'ai battu M. Brown. C'est la plus belle victoire de ma vie, et il me sera difficile de jamais faire mieux. Pour moi, cette victoire vaut bien plus qu'une brouette remplie de dollars d'argent, avec les bijoux d'oncle Isar par-dessus. C'est la victoire qui obligera mon père à s'éloigner de moi.

# 3

J'ai dix ans et je participe au tournoi national. Deuxième tour. Je perds lourdement contre un gars plus âgé qui est considéré comme le meilleur du pays. Cela ne me console nullement. Pourquoi cela fait-il si mal de perdre ? Comment une chose peut-elle faire aussi mal ? Je quitte le court, je voudrais être mort. Je titube jusqu'au parking. Pendant que mon père rassemble nos affaires et salue les autres parents, je monte dans la voiture et je pleure.

Le visage d'un homme apparaît à la vitre. Un Noir. Souriant.

— Hé ! toi, dit-il, je m'appelle Rudy.

Le même prénom que le gars qui a aidé mon père à construire le court de tennis dans la cour. Étrange.

— Comment tu t'appelles ?

— Andre.

Il me serre la main.

— Ravi de te rencontrer, Andre.

Il me raconte qu'il travaille pour le grand champion Pancho Segura, qui entraîne des gamins de mon âge. Il vient assister à ces grands tournois afin de repérer des joueurs pour le compte de Pancho. Il passe ses bras par la vitre, s'appuie lourdement sur la portière et soupire. Il me dit que des jours comme celui-ci sont durs, il le sait bien, vraiment très durs, mais qu'en fin de compte ils vont me rendre plus fort. Sa voix est chaude comme un bol de chocolat.

— Le gars qui t'a battu, comment il a fait ? Ce gars a deux ans de plus que toi ! Tu as deux ans devant toi pour atteindre son niveau. Deux ans c'est une éternité, surtout quand on travaille dur. Est-ce que tu travailles dur ?

— Oui, monsieur.

— Tu as un bel avenir devant toi.

— Mais je ne veux plus jamais jouer. Je déteste le tennis.

— Ha ! Ha ! Évidemment. En ce moment. Mais au fond de toi, tu ne détestes pas réellement le tennis.

— Si.

— Tu crois seulement le détester.

— Non, je le déteste vraiment.

— Tu dis cela parce qu'en ce moment tu es complètement mortifié. Mais ça prouve seulement que tu y attaches de l'importance. Cela veut dire que tu désires gagner. C'est une chose dont tu peux te servir. Souviens-toi bien de cette journée. Tâche de t'en servir pour te motiver. Si tu ne veux plus avoir aussi mal, alors très bien, fais tout ton possible pour l'éviter. Est-ce que tu es prêt à faire tout ton possible ?

Je hoche la tête.

— Bien, très bien. Alors vas-y, tu peux pleurer. Mais après, dis-toi bien que c'est fini et qu'il est temps de se remettre au travail.

— OK.

J'essuie mes larmes sur ma manche, je remercie Rudy et, au moment où il s'éloigne, je suis prêt à reprendre l'entraînement. Qu'on amène le dragon, je suis prêt à frapper des balles pendant des heures. Si Rudy se tenait derrière moi et me chuchotait des encouragements à l'oreille, je crois que je serais capable de battre ce dragon. Tout à coup, mon père s'installe au volant et nous partons en roulant aussi lentement que la voiture de tête d'un cortège funèbre. La tension dans l'habitacle est si forte que je me recroqueville sur le siège arrière et que je ferme les yeux. J'ai envie de sortir d'un bond, de m'enfuir, de retrouver Rudy et de lui demander d'être mon entraîneur. Ou de m'adopter.

Je déteste tous les tournois juniors, mais ceux du niveau national plus que tous parce que l'enjeu est plus élevé et qu'ils se déroulent dans d'autres États, ce qui signifie billets d'avion, motels, voitures de location, repas au restaurant. Mon père dépense notre argent, il investit sur moi, et quand je perds c'est une partie de cet investissement qui s'envole. Quand je perds, je fais du tort au clan « Agassi tout entier ».

J'ai onze ans, je participe à un tournoi national au Texas, sur terre battue, je fais partie des meilleurs du pays sur terre battue et je ne risque pas de perdre, pourtant je perds. En demi-finale. Je n'atteins même pas la finale. Maintenant, je dois jouer un match de consolation. Quand on perd en demi-finale, on vous fait jouer un match pour départager le troisième et le quatrième. Pis encore, au cours de ce match, je dois affronter mon pire ennemi, David Kass. Il est classé juste en dessous de moi, mais on dirait qu'il devient un autre joueur quand il me voit de l'autre côté du filet. Quoi que je fasse, Kass me bat toujours, et c'est ce qui arrive encore aujourd'hui. Je perds en trois sets. Me voilà de nouveau effondré. J'ai déçu mon père, j'ai fait perdre de l'argent à ma famille. Pourtant, je ne pleure pas. Je veux que Rudy soit fier de moi et je parviens à ravaler mes larmes.

Au cours de la cérémonie des récompenses, un homme tend le trophée destiné au vainqueur, puis au deuxième, puis au troisième. Puis il annonce que cette année, un trophée récompensant l'esprit sportif va être remis au jeune joueur qui a fait preuve du meilleur esprit sur le court. C'est incroyable, mais il dit mon nom. Peut-être parce que cela fait une heure que je me mords les lèvres. Il brandit le trophée dans ma direction et me fait signe de venir le prendre. Le trophée de l'esprit sportif, c'est bien la dernière chose au monde que je désire, mais je le prends tout de même. Je remercie l'homme et tout à coup mon humeur change. C'est un trophée supercool. Et j'ai vraiment été un bon joueur. Je m'en vais vers la voiture en serrant le trophée contre ma poitrine, mon père me suit, un pas derrière moi. Il ne dit rien, je ne dis rien non plus. Je concentre toute mon attention sur le bruit que font nos pas sur le ciment. Finalement, je brise le silence. Je dis : « Je ne veux pas de ce truc stupide. » Je le dis parce que je pense que c'est ce que mon père veut entendre. Il m'arrache le trophée des mains, le lève au-dessus de sa tête et le lance sur le ciment, puis l'écrase en petits morceaux. Ensuite, il en recueille les fragments et les jette dans une poubelle proche de là. Je ne dis pas un mot. C'est une attitude où je suis passé maître.

Si seulement je pouvais jouer au football au lieu de jouer au tennis. Je n'aime pas le sport, mais si je dois en pratiquer un pour faire plaisir à mon père, j'aimerais autant que ce soit le football. J'y joue trois fois par semaine à l'école. Et j'adore courir sur le terrain avec le vent dans mes cheveux, chercher à attraper le ballon tout en sachant que ce n'est pas la fin du monde si je ne marque pas de but. Le sort de mon père, de ma famille, de la planète ne repose pas sur mes épaules. Si mon équipe ne gagne pas, ce sera la faute collective de tous les joueurs, et personne ne viendra me hurler dans les oreilles. J'ai décidé que les sports d'équipe étaient ma voie.

Mon père accepte que je joue au football parce qu'il pense que cela contribue à améliorer mon jeu de pieds sur le court. Mais récemment je me suis fait mal dans une mêlée, je me suis froissé un muscle de la jambe, et la blessure m'a empêché de m'entraîner au tennis tout un après-midi. Mon père n'est pas ravi. Il regarde ma jambe, puis me regarde comme si j'avais fait exprès de me blesser. Mais une blessure est une blessure. Même lui, il ne peut pas discuter avec mon corps. Il sort d'un pas furieux.

Quelques instants plus tard, ma mère consulte mon emploi du temps et s'aperçoit que j'ai un match de football cet après-midi.

— Que faisons-nous ? demande-t-elle.

— L'équipe compte sur moi.

Elle soupire.

— Comment te sens-tu ?

— Je pense que je peux jouer.

— OK, enfile ta tenue de football.

— Est-ce que tu ne crois pas que Papa va être contrarié ?

— Tu connais Pa. Il n'a pas besoin de raison pour être contrarié.

Elle me conduit en voiture au terrain de football et m'y dépose. Après quelques foulées d'échauffement, je trouve que ma jambe va bien. Étonnamment bien. Je me faufile à toute allure parmi les arrières, agile, gracieux, avide d'avoir la balle, échangeant des rires avec mes coéquipiers. Nous travaillons tous pour un objectif commun. Nous sommes solidaires. Je me sens bien. Je me sens à ma place.

Tout à coup, en levant les yeux, j'aperçois mon père. Il est au bord du parking et marche à grands pas vers le terrain. À présent, il est en train de parler à l'entraîneur. Maintenant il hurle après lui. L'entraîneur me fait signe. « Agassi, tu sors du jeu. »

J'arrive en courant.

— Va dans la voiture, me dit mon père. Et enlève cette tenue.

Je fonce jusqu'à la voiture et trouve mes affaires de tennis posées sur la banquette arrière. Je les enfile et vais rejoindre mon père. Je lui tends ma tenue de foot. Il traverse le terrain et la lance à la tête de l'entraîneur.

Tandis que nous rentrons à la maison, sans me regarder, mon père me dit :

— Tu ne joueras plus jamais au football.

Je le supplie de me laisser une seconde chance. Je lui explique que je n'aime pas me retrouver tout seul sur cet immense court. Que le tennis est un sport solitaire. Qu'il n'y a nulle part où se cacher quand les choses vont mal. Pas de banc ou de ligne de touche, pas de coin neutre. On se retrouve tout seul, exposé, tout nu.

Il crie de toutes ses forces :

— Tu es un joueur de tennis ! Tu vas devenir numéro 1 mondial ! Tu vas gagner plein d'argent. Voilà le programme, et il n'y a rien à ajouter.

Il est à la fois catégorique et désespéré parce que c'était déjà son plan pour Rita, Philly et Tami, mais que ça n'a pas marché. Rita s'est révoltée. Tami a cessé de progresser. Philly n'avait pas l'instinct du tueur. C'est ce que mon père ne cesse de répéter au sujet de Philly. Il me le dit à moi, à Maman et même à Philly, bien en face. Philly se contente de hausser les épaules, ce qui semble prouver qu'en effet il n'a pas l'instinct du tueur.

Mais mon père dit des choses bien pires à Philly.

— Tu n'es qu'un bon à rien.

— C'est vrai, répond Philly d'un ton chagriné. Je ne suis bon à rien. Je suis né pour perdre.

— Parfaitement. Tu as pitié de ton adversaire. Tu ne te préoccupes pas d'être le meilleur.

Philly n'essaie même pas de le contredire. Il joue bien. Il a un vrai talent, mais ce n'est pas un perfectionniste et la perfection n'est pas seulement un but chez nous, c'est la loi. Si on n'est pas parfait, on n'est qu'un bon à rien. Perdant de nature.

Mon père a décrété que Philly n'était qu'un bon à rien quand celui-ci avait à peu près mon âge et qu'il jouait dans les compétitions nationales ; Philly ne se contentait pas de perdre, il ne discutait même pas quand son adversaire trichait, tandis que mon père devenait écarlate et se mettait à hurler des malédictions en assyrien depuis les gradins.

Comme ma mère, Philly peut tout encaisser jusqu'au jour où, exceptionnellement, il explose. La dernière fois que c'est arrivé, mon père était en train de corder une raquette, ma mère repassait et Philly, assis sur le canapé, regardait la télévision. Mon père n'arrêtait pas de chercher querelle à Philly, le harcelant au sujet de ses résultats dans un récent tournoi. Tout à coup, sur un ton que je ne lui connaissais pas, Philly s'est mis à hurler :

— Tu sais pourquoi je ne gagne pas ? À cause de toi. Parce que tu dis que je suis un bon à rien.

Philly s'étouffait de colère. Ma mère se mit à pleurer.

— À partir de maintenant, a continué Philly, je ne serai qu'un robot, qu'est-ce que tu en penses ? Ça te convient ? Je serai un robot et n'éprouverai aucun sentiment, je ferai tout ce que tu me diras de faire !

Mon père a arrêté de corder sa raquette et a eu l'air satisfait. Presque apaisé.

— Jésus-Christ, a-t-il dit, tu comprends enfin.

Contrairement à Philly, je ne cesse de me bagarrer avec mes adversaires. Parfois, j'aimerais avoir la capacité qu'a Philly de se moquer des injustices. Si un adversaire triche, s'il fait comme Tarango, mon visage devient rouge. Généralement, je me venge sur le point suivant. Quand mon adversaire indélicat envoie une balle au centre du court, je lui crie dessus, et je le dévisage d'un air de dire : « Maintenant nous sommes quittes. »

Je n'agis pas ainsi pour plaire à mon père, mais ça lui fait sûrement plaisir. Il dit toujours : « Tu n'as pas la même mentalité que Philly. Tu as le talent, l'énergie et… la chance. Tu es né sous une bonne étoile. »

Il le dit au moins une fois par jour. Tantôt avec conviction, tantôt avec admiration, parfois avec envie. Je blêmis chaque fois qu'il le dit. Je suis désolé d'avoir hérité de la chance que Philly aurait dû avoir, de la lui avoir volée d'une certaine manière, parce que si je suis né sous une bonne étoile et que Philly, en revanche, est né sous un nuage menaçant. Quand il avait douze ans, il s'est cassé le poignet en tombant de vélo, en trois endroits différents. Cela a marqué le début d'une longue période triste et douloureuse. Mon père était tellement fâché contre Philly qu'il l'a obligé à continuer de disputer des tournois avec son poignet fracturé. Son état s'est aggravé, le problème est devenu chronique et a définitivement compromis sa capacité de jeu. Pour protéger son poignet brisé, Philly a été obligé d'adopter le revers d'une seule main, ce qui, selon lui, est devenu une terrible habitude dont il n'est plus jamais parvenu à se défaire, même après la guérison de son poignet. Je regarde Philly perdre et je pense : De mauvaises habitudes plus de la malchance, c'est une combinaison fatale. Je l'observe aussi quand il rentre à la maison après une cruelle défaite.

Il est tellement désespéré que ça se lit sur son visage, et mon père va en rajouter une bonne couche. Philly reste assis dans un coin, battant sa coulpe à propos de sa défaite, mais au moins il s'est bien battu et n'a perdu que d'un point. Alors arrive mon père. Il débarque et vient aider Philly à s'accabler encore un peu plus. Il l'insulte, le gifle. Normalement, cela devrait rendre Philly cinglé. Il devrait au moins m'en vouloir, me maltraiter. Au lieu de cela, après chaque dispute ou chaque raclée que lui a fichue mon père, Philly se montre insensiblement plus attentif envers moi, plus protecteur, plus gentil. Il cherche à m'épargner son propre sort. Et c'est pourquoi, même s'il est un bon à rien, je pense qu'en définitive c'est lui le vrai vainqueur. Je suis fier de l'avoir pour grand frère. Comment peut-on être heureux d'avoir un grand frère malheureux ? Est-ce que c'est possible ? Qu'est-ce que cela veut dire ? Encore une contradiction. De taille.

Philly et moi passons tout notre temps libre ensemble. Il vient me chercher à l'école sur son scooter et nous retournons à la maison à travers le désert, en bavardant et en riant du bruit d'insecte que fait l'engin. Nous partageons la même chambre à l'arrière de la maison, notre sanctuaire où nous pouvons échapper au tennis et à Papa. Philly est aussi maniaque que moi avec ses affaires, aussi a-t-il tracé une ligne blanche au milieu de la pièce pour séparer son côté du mien. Court numéro 1 et court numéro 2. Je dors sur le court numéro 2 et mon lit est le plus proche de la porte. La nuit, avant d'éteindre la lumière, nous avons instauré un rituel dont je ne peux plus me passer. On s'assoit sur nos lits et on discute à voix basse de part et d'autre de la ligne. Philly, qui a sept ans de plus que moi, fait à lui seul presque toute la conversation. Il vide son cœur, exprime ses doutes, ses déceptions. Il raconte ce que c'est que de ne jamais gagner, d'être traité de bon à rien. Il dit qu'il faudrait qu'il emprunte de l'argent à Papa pour pouvoir continuer à jouer au tennis, s'il veut essayer de passer professionnel. Mais Papa, et là-dessus nous sommes d'accord, n'est pas le genre de gars avec qui on a envie d'être en dette.

Parmi tous les soucis qui accablent Philly, le plus grand traumatisme concerne ses cheveux. « Andre, dit-il, je deviens chauve. » Il me le dit sur le même ton que s'il m'annonçait qu'un médecin ne lui donne plus que quatre semaines à vivre.

Mais il ne va pas perdre ses cheveux sans se battre. La calvitie est un adversaire. Philly va la combattre de toutes ses forces. Il pense que la raison de sa calvitie tient à un défaut de circulation sanguine dans son cuir chevelu. Aussi, tous les soirs, à un moment ou à un autre de nos conciliabules, Philly va faire le poirier. Il pose sa tête sur le matelas et étire ses jambes vers le haut en prenant appui contre le mur. Je prie pour que ça marche. Je demande à Dieu que mon frère, ce bon à rien, ne perde pas au moins cette chose-là, ses cheveux.

Je mens à Philly en prétendant que je commence à voir les effets de sa cure miracle. J'aime tant mon frère que je suis prêt à dire n'importe quoi si je pense que cela peut lui faire du bien. Pour lui, je ferais même le poirier toute la nuit.

Après que Philly m'a parlé de ses soucis, il arrive parfois que je lui parle des miens. Je suis touché de voir à quel point il reporte rapidement son attention sur moi. Il s'intéresse à la moindre petite méchanceté que papa m'a dite, il évalue à quel point j'en ai été blessé et m'adresse un hochement de tête proportionnel. Pour les peurs de base, un demi-hochement de tête. Pour les vraies terreurs, un hochement très appuyé avec, en prime, le froncement de sourcils typique de Philly. Même la tête en bas, Philly parvient en un seul hochement de tête à en dire plus long que la plupart des gens dans une lettre de cinq pages.

Un soir, Philly me demande de lui promettre quelque chose.

— Bien sûr, Philly, tout ce que tu voudras.

— Ne laisse jamais Papa te donner des pilules.

— Des pilules ?

— Andre, il faut faire bien attention à ce que je te dis. C'est vraiment important.

— OK, Philly. Je t'écoute bien.

— La prochaine fois que tu participes à une compétition nationale, si Papa te donne des pilules, ne les prends pas.

— Il me donne déjà de l'Excedrine, Philly. Il m'en fait prendre avant les matchs parce que c'est bourré de caféine.

— Ouais, je sais bien. Mais les pilules dont je te parle, c'est autre chose. Ce sont des pilules minuscules, blanches et rondes. N'en prends pas. Quoi que tu fasses.

— Et si Papa m'oblige. Je ne peux pas lui dire non.

— Ouais, t'as raison. OK. Laisse-moi réfléchir.

Philly ferme les yeux. Je vois le sang affluer à son front et le faire virer à l'écarlate.

— OK, dit-il, j'ai trouvé. Si tu dois prendre les pilules, s'il te force à le faire, tu n'as qu'à mal jouer. Fais n'importe quoi. Puis, en sortant du court, dis-lui que tu tremblais tellement que tu n'arrivais pas à te concentrer.

— OK, mais, Philly, c'est quoi ces pilules ?

— Du speed.

— Qu'est-ce que c'est ?

— Une drogue. Elle donne plein d'énergie. Je pense qu'il va essayer de t'en refiler.

— Comment tu le sais, Philly ?

— Il m'en a donné, à moi.

Comme prévu, au tournoi national de Chicago, mon père me donne une pilule.

— Donne ta main, dit-il. Ça va t'aider. Avale-la.

Il dépose la pilule dans ma paume. Elle est petite, blanche et ronde.

Je l'avale et je me sens bien. Pas très différent. Peut-être un peu plus éveillé. Mais je fais semblant d'éprouver un véritable changement. Mon adversaire, un gars plus âgé, ne pose pas vraiment de problèmes, et pourtant j'ai l'air de peiner, je lance de mauvaises balles, je lui concède plusieurs jeux. Je fais comme si la partie était beaucoup plus dure qu'elle ne l'est en réalité. En sortant du court, je dis à mon père que je ne me sens pas bien, que je vais m'évanouir, et il prend un air coupable.

— OK, dit-il en se passant la main sur le visage. Ce n'est pas bon. On n'essaiera plus.

Je téléphone à Philly après le tournoi et je lui raconte l'histoire de la pilule.

— Putain, je le savais, dit-il.

— J'ai fait exactement ce que tu m'as dit, Philly, et ça a marché.

Mon frère réagit à la façon que j'imagine être celle d'un père. Il est fier de moi, et en même temps il a peur pour moi. En revenant du tournoi, je l'attrape et le serre très fort dans mes bras. Cette première nuit à la maison, nous la passons enfermés dans notre chambre à bavarder doucement par-dessus la ligne blanche, à jouir d'une de nos rares victoires sur notre père.

Peu de temps après, je joue contre un adversaire plus âgé et je le bats. C'est un match d'entraînement et je suis bien meilleur que mon adversaire, mais là encore je fais mine de peiner, je lance de mauvaises balles, je fais comme si la partie était beaucoup plus dure qu'elle ne l'est en réalité, tout comme à Chicago. En sortant du court n° 7, au Cambridge, celui-là même sur lequel j'ai battu M. Brown, je me sens effondré parce que mon adversaire a lui aussi l'air effondré. J'aurais dû mal jouer tout du long. Je déteste perdre, mais cette fois-ci j'ai horreur d'avoir gagné, parce que mon adversaire, c'était Philly. Est-ce que ce sentiment de désespoir signifie que je n'ai pas l'instinct du tueur ? Troublé, triste, je voudrais revoir ce vieux pote, Rudy, ou l'autre Rudy avant lui, pour leur demander ce que tout cela veut dire.

# 4

Je prends part à un tournoi au Country Club de Las Vegas, espérant décrocher une sélection au championnat d'État. Mon adversaire est un gamin nommé Roddy Parks. La première chose que je remarque à son sujet, c'est qu'il a aussi un père très spécial. M. Parks porte une bague sur laquelle est montée une fourmi incluse dans une grosse goutte d'ambre. Jaune. Avant le début du match, je lui demande ce que c'est.

— Tu vois, Andre, quand le monde aura été détruit dans un cataclysme nucléaire, il n'y a que les fourmis qui survivront. J'ai donc prévu que mon esprit irait trouver refuge dans une fourmi.

Roddy a treize ans, deux ans de plus que moi, il est grand pour son âge et il a une coupe en brosse de militaire. Néanmoins, il me semble possible de le battre. Je vois déjà des failles dans son jeu, des points faibles. Pourtant, je ne sais comment, il parvient à compenser ces défauts. Il remporte le premier set.

Je me parle à moi-même, je m'exhorte à l'épuiser, je m'acharne. Je gagne le deuxième set.

À présent je fonce, je joue mieux et plus vite. J'entrevois la dernière ligne droite. Roddy est à moi, il est cuit. D'ailleurs, quel drôle de nom que Roddy ! Mais quelques points m'échappent tout de même et je vois Roddy lever les bras au-dessus de sa tête, il a gagné le troisième set par 7-5, et donc le match. Je cherche mon père dans les gradins, il regarde fixement devant lui, contrarié. Pas fâché, contrarié. Moi aussi je suis contrarié, mais drôlement fâché en plus, dégoûté de moi-même à en être malade. Je voudrais être la fourmi figée dans la bague de M. Park.

Je m'adresse des horreurs tout en remballant mon sac de tennis. Tout à coup, un garçon surgit de je ne sais où et interrompt mes ruminations.

— Hé ! dit-il, n'en fais pas tout un plat. Tu n'étais pas au mieux de ta forme aujourd'hui.

Je lève les yeux. Le gars est un peu plus âgé que moi, il me dépasse d'une tête et affiche un air qui ne me revient pas. Son visage a quelque chose de bizarre. Son nez et sa bouche ne sont pas alignés. Et le pompon, c'est qu'il porte un pull idiot avec un petit bonhomme qui joue au polo. Je ne veux rien avoir à faire avec ce gars-là.

— Mais bon Dieu, qui es-tu ?

— Perry Rogers.

Je me replonge dans mon sac de tennis.

Il fait comme s'il n'avait pas compris. Il continue de déblatérer, affirmant que je n'ai pas joué mon meilleur tennis mais que je suis bien meilleur que Roddy et que je le battrai la prochaine fois. Bla-bla. Il essaie de se montrer sympa, je le vois bien, mais il débarque comme un monsieur Je-sais-tout, une sorte de Björn Borg Junior, aussi je me relève et je fais ostensiblement demi-tour. La dernière chose dont j'aie besoin, c'est bien de paroles réconfortantes. Elles sont encore plus déplacées qu'un trophée de consolation, surtout quand elles viennent d'un gars qui a un joueur de polo sur la poitrine. En balançant mon sac sur mon épaule, je lui lance :

— Qu'est-ce que tu peux bien y connaître, toi, au tennis ?

Après, je me sens mal à l'aise. Je n'aurais pas dû être si grossier. Plus tard, je découvre que le gars est un joueur de tennis, qu'il a participé au même tournoi.

J'apprends aussi qu'il a le béguin pour ma sœur Tami, ce qui est certainement la raison pour laquelle il est venu me parler. Pour essayer de se rapprocher de Tami.

Mais si je me sens coupable, Perry, lui, est en rogne. La rumeur se propage par le téléphone arabe parmi les jeunes de Vegas. Fais gaffe à toi. Perry t'en veut. Il raconte à tout le monde que tu lui as manqué de respect et que la prochaine fois qu'il te croise, il va te botter le cul.

Quelques semaines plus tard, Tami m'annonce que toute la bande des grands va voir un film d'horreur, et elle me demande si je veux venir.

— Perry sera là ?

— Peut-être.

— OK, je viens.

J'adore les films d'horreur et puis, j'ai un plan.

Notre mère nous emmène de bonne heure au cinéma pour qu'on ait le temps d'acheter pop-corn et réglisse, et de choisir les meilleures places, pile au centre, dans la rangée du milieu. Je m'assois toujours au centre dans la rangée du milieu. Les meilleures places. J'installe Tami à ma gauche et je garde un siège à ma droite. Comme prévu, voici Perry, très BCBG. Je me lève d'un bond et lui fais signe. « Hé Perry ! par ici ! »

Il se retourne, plisse les yeux, je vois bien qu'il est pris au dépourvu par la gentillesse de mon accueil. Il s'efforce d'analyser la situation. Puis il sourit et balaie manifestement toute la rancœur qu'il pouvait garder contre moi. Il descend tranquillement l'allée, se glisse jusqu'à notre rangée et se laisse tomber dans le fauteuil à côté du mien.

— Salut, Tami, dit-il en se penchant par-dessus moi.

— Salut, Perry.

— Salut, Andre.

— Salut, Perry.

Au moment où les lumières commencent à s'éteindre, avant que démarrent les premières séquences, nous échangeons un regard.

— On fait la paix ?

— On fait la paix.

Le film s'intitule *Visiting Hours*. C'est l'histoire d'un psychopathe qui suit une journaliste dans la rue. Il parvient à s'introduire en douce chez elle, tue sa bonne puis, on ne sait pas très bien pourquoi, se met du rouge à lèvres et jaillit de sa cachette lorsque la journaliste rentre chez elle. Elle parvient à lui échapper et finit par se réfugier dans un hôpital où elle pense être en sécurité. Naturellement, le psychopathe se cache dans l'hôpital et essaie de trouver la chambre de la journaliste en tuant tous ceux qu'il croise sur son passage. Débile, mais efficace pour donner la chair de poule.

Quand je suis effrayé, je réagis comme un chat jeté dans une pièce remplie de chiens. Je me fige et ne bouge plus un muscle. Perry, lui, semble être du genre réactif. À mesure que le suspense s'accroît, il se raidit et ne tient pas en place, il s'éclabousse de soda. Chaque fois que le tueur jaillit de sa cachette, Perry fait un bond sur son siège. À plusieurs reprises, je me tourne vers Tami et lève les yeux au ciel, mais je ne taquine pas Perry. Je ne fais même pas allusion à ses réactions quand les lumières se rallument. Je ne veux pas rompre notre fragile accord de paix

Nous sortons du cinéma et décidons que les popcorn, Coca et Twizzlers ne nous ont pas suffi. Nous traversons la rue pour aller chez Winchell acheter une boîte de beignets français. Perry en prend un nappé de chocolat, le mien est recouvert de pépites multicolores. Assis au comptoir, nous les dégustons tout en discutant. Perry est très fort à ce jeu-là. On dirait un avocat devant la Cour suprême. Puis, au beau milieu d'une phrase de quinze minutes, il s'interrompt et demande au gars derrière le comptoir si cet endroit est ouvert vingt-quatre heures sur vingt-quatre.

— Ouais, répond le type.

— Sept jours par semaine ?

— Hon hon.

— Trois cent soixante-cinq jours par an ?

— Ouais.

— Alors à quoi servent les serrures sur la porte d'entrée ?

Tout le monde se retourne pour regarder. Quelle question géniale ! J'éclate de rire, à tel point que je dois recracher mon beignet. Des petites paillettes couleur d'arc-en-ciel tombent de ma bouche comme des confettis. C'est la chose la plus chouette et la plus amusante qu'on ait jamais dite. En tout cas, la plus chouette et la plus amusante qu'on ait jamais dite dans cette boutique. Même le gars du comptoir est bien obligé de sourire et de reconnaître :

— Mon gars, il y a en effet de quoi se gratter la tête.

— La vie n'est-elle pas ainsi faite ? dit Perry. Pleine de serrures de Winchell et d'autres choses que personne ne s'explique ?

— Tu l'as dit.

J'ai toujours cru que j'étais le seul à remarquer ce genre de détails. Mais voici un gars qui, non content de les remarquer, attire l'attention des autres sur eux. Lorsque ma mère vient nous rechercher, Tami et moi, je suis triste de dire au revoir à mon nouvel ami Perry. Même son polo me dérange moins, à présent.


Je demande à mon père si je peux rester dormir chez Perry.

— Pas question, dit-il.

Il ne connaît absolument pas la famille de Perry, et il ne fait jamais confiance aux gens qu'il ne connaît pas. Mon père se méfie de tout le monde, et plus particulièrement des parents de nos amis. Ce n'est même pas la peine de demander pourquoi, et je ne vais pas perdre mon temps à discuter. Je me contente d'inviter Perry à venir dormir à la maison.

Perry se montre d'une politesse extrême avec mes parents. Il est agréable avec mon frère et mes sœurs, particulièrement avec Tami bien qu'elle ait gentiment découragé son béguin. Je lui demande s'il veut faire une visite rapide. « Bien sûr », dit-il, alors je lui montre la chambre que je partage avec Philly. Il rit en voyant la ligne blanche qui passe au milieu de la pièce. Je lui montre la cour, derrière la maison. Il frappe quelques balles avec le dragon. Je lui dis à quel point je déteste ce dragon, comment j'en suis venu à penser que c'est un être vivant, un monstre qui respire. Il m'écoute avec sympathie. Il a vu assez de films d'horreur pour savoir que les monstres peuvent avoir toutes sortes de formes et toutes sortes de tailles.

Puisque Perry, comme moi-même, est un amateur de films d'horreur, je lui ai réservé une surprise. J'ai fait une copie de *L'Exorciste* sur cassette. Après l'avoir vu terrorisé devant *Visiting Hours,* je suis impatient de voir comment il va réagir à un véritable classique du film d'horreur. Lorsque tout le monde est endormi, on glisse la cassette dans le lecteur. Je manque me trouver mal chaque fois que Linda Blair tourne la tête, mais Perry ne bronche pas une seule fois. *Visiting Hours* lui donne les chocottes, mais *L'Exorciste* le laisse froid ! Ce type a vraiment un caractère spécial.

Plus tard, nous buvons des sodas et bavardons. Perry convient que mon père est plus effrayant que tout ce que Hollywood peut inventer, mais il trouve que le sien est encore deux fois pire. Son père, dit-il, est un ogre, un tyran et un narcissique, mot que j'entends pour la première fois.

Perry m'explique que narcissique veut dire qu'il ne pense qu'à lui. Cela signifie aussi que son fils est sa propriété personnelle. Il a une vision de ce que doit être la vie de son fils et ne se soucie aucunement des désirs de ce fils concernant son avenir.

Cela me rappelle quelque chose.

Perry et moi tombons d'accord sur le fait que la vie serait mille fois meilleure si nos pères étaient comme tous les autres pères. Mais je perçois une souffrance supplémentaire dans la voix de Perry, parce qu'il dit que son père ne l'aime pas. Je ne me suis jamais posé la question de savoir si mon père m'aimait. Je voudrais simplement qu'il soit plus doux, plus attentif et moins furieux. En fait, je voudrais parfois que mon père m'aime moins. Peut-être ne serait-il pas toujours sur mon dos, peut-être me laisserait-il faire mes propres choix. Je raconte à Perry ce que c'est que de ne jamais avoir le choix, cela me rend fou de n'avoir jamais mon mot à dire sur ce que je fais ou ce que je suis. C'est pourquoi j'attache une importance obsessionnelle au peu de choix qui me sont laissés, ce que je porte, ce que je mange, ceux que je considère comme mes amis.

Il hoche la tête. Il me comprend parfaitement.

Enfin, avec Perry, j'ai un ami avec qui je peux partager ces pensées profondes, un ami à qui je peux parler des serrures de Winchell qui cadenassent la vie. Je parle à Perry de ce que c'est que de jouer au tennis tout en détestant le tennis. De détester l'école, tout en aimant les livres. D'être heureux d'avoir Philly malgré la malchance qu'il traîne avec lui. Perry écoute aussi patiemment que Philly, mais il s'implique davantage. Perry ne se contente pas de parler, puis d'écouter, puis de hocher la tête. Il discute. Il analyse, il établit des stratégies, lance des balles, m'aide à élaborer un plan pour améliorer la situation. Quand je parle de mes problèmes à Perry, ils semblent tout d'abord confus et stupides, mais Perry a une façon de les réorganiser, de leur donner un aspect logique qui semble être le premier pas sur la voie de leur résolution. J'ai l'impression d'avoir vécu jusque-là sur une île déserte, sans personne à qui parler à part les palmiers. Et, tout à coup, un naufragé réfléchi, sensible et partageant mes goûts

– à part ce stupide joueur de polo sur sa chemise – vient de débarquer.

Perry me fait des confidences sur l'histoire de son nez et de sa bouche. Il me raconte qu'il est né avec le palais fissuré. Que cela l'embarrasse terriblement et qu'il est d'une timidité douloureuse avec les filles. Il a déjà subi plusieurs opérations et devrait en subir encore au moins une. Je lui dis que ça ne se voit pas tellement. Il a les larmes aux yeux. Il marmonne quelque chose à propos des reproches que lui fait son père à ce sujet.

La plupart des conversations avec Perry portent sur nos pères, et à partir de là on se met naturellement à parler de l'avenir. Nous évoquons les hommes que nous serons, une fois débarrassés de nos pères. Nous nous promettons d'être différents, pas seulement de nos pères mais de tous les hommes que nous connaissons, y compris de ceux que nous voyons au cinéma. Nous échangeons un pacte, promettant que nous ne prendrons jamais ni drogue, ni alcool. Et quand nous serons riches, nous jurons que nous ferons tout notre possible pour aider le monde. Nous scellons ce serment par une poignée de main. Une poignée de main secrète.

Perry a bien du chemin à faire avant de devenir riche. Il n'a jamais un sou. Tout ce qu'on fait est à ma charge. Je ne suis pas bien riche, j'ai juste un peu d'argent de poche et ce que j'arrive à soutirer aux clients des casinos et des hôtels. Mais ça ne me soucie guère, ce qui est à moi est à Perry parce que j'ai décidé qu'il était mon nouveau meilleur ami. Mon père me donne cinq dollars par jour pour la nourriture et j'en donne volontiers la moitié à Perry.

On se retrouve tous les jours au Cambridge. Après avoir glandé et tapé quelques balles, on va manger un morceau. On se glisse par la porte du fond, on saute le mur et on traverse au pas de course le parking vide pour filer au 7-Eleven, où on joue aux jeux vidéo en mangeant des Chipwichs à mes frais, jusqu'à ce qu'il soit l'heure de rentrer.

Un Chipwich est une nouvelle confiserie à base de glace que Perry a récemment découverte. De la glace à la vanille pressée entre deux cookies crémeux aux pépites de chocolat. C'est ce qu'il y a de meilleur au monde selon Perry, qui en est complètement intoxiqué. Il aime manger des Chipwichs plus encore que de discuter. Il est capable de parler pendant une heure des Chipwichs, et pourtant le Chipwich est une des rares choses qui puissent l'obliger à se taire. Je lui en achète par dizaines et je suis désolé qu'il n'ait pas les moyens de satisfaire sa passion.

Un jour, alors que nous nous trouvons au 7-Eleven, Perry s'arrête brusquement de manger son Chipwich et lève les yeux vers la pendule murale.

— Merde, Andre, on ferait mieux de rentrer au Cambridge, ma mère doit venir me chercher plus tôt.

— Ta mère ?

— Ouais. Elle m'a dit de me tenir prêt et de l'attendre devant la porte.

Nous fonçons à travers le parking.

— Houlà, Andre, elle arrive.

Je regarde la rue et vois deux voitures qui se dirigent vers le Cambridge, une Volkswagen et un coupé Rolls-Royce décapotable. Je vois que la Volkswagen dépasse le Cambridge et je conseille à Perry de se détendre. On a le temps, elle n'a pas tourné au bon endroit.

— Non, dit Perry, viens, dépêche-toi.

Il met les gaz et court derrière la Rolls.

— Hé ! Qu'est-ce que… ? Perry, tu me fais une blague ? Ta mère conduit une Rolls ? Est-ce que tu es… riche ?

— Je suppose.

— Pourquoi ne me l'as-tu jamais dit ?

— Tu ne m'as jamais posé la question.

Pour moi c'est cela, la caractéristique de la richesse ; il ne vous vient même pas à l'esprit d'en parler à votre meilleur ami. L'argent est un don et il n'y a pas à se demander comment il vous est échu.

Mais Perry est plus que riche. Il est ultrariche. Perry est milliardaire. Son père, fondateur associé d'un cabinet d'avocats très important, possède une chaîne de télévision locale. Il vend de l'air, dit Perry. Imaginez un peu. Vendre de l'air. Quand vous êtes capable de vendre de l'air, mon vieux, vous êtes tiré d'affaire. (Je suppose que son père lui donne de l'air en guise d'argent de poche.)

Mon père finit par me donner l'autorisation d'aller chez Perry et je découvre qu'il n'habite pas une maison, mais une sorte de méga hôtel particulier. Sa mère nous y emmène dans la Rolls, et mes yeux s'agrandissent quand nous franchissons lentement un immense portail, que nous dépassons de petites collines verdoyantes avant de rouler à l'ombre d'arbres énormes. Nous nous arrêtons devant une demeure qui ressemble au manoir majestueux de Bruce Wayne[1]. Perry y dispose d'une aile entière, où je trouve une salle de jeux littéralement magique pour un adolescent. Elle est équipée d'une table de ping-pong, d'un billard, d'une table de poker, d'un gigantesque écran de télévision, d'un petit frigo et d'une batterie. Au bout d'un long couloir se trouve la chambre de Perry proprement dite, ses murs sont recouverts de dizaines de couvertures de *Sports Illustrated*.

Ma tête tournant comme sur un pivot, je regarde tous les portraits de ces grands athlètes et ne peux articuler qu'une chose : « Waouh. »

— J'ai fait tout cela moi-même, dit Perry.

Lors de ma visite suivante chez le dentiste, j'arrache toutes les couvertures de *Sports Illustrated* et les cache sous ma veste. Quand je les donne à Perry, il secoue la tête.

---

1. Bruce Wayne, le milliardaire de Gotham City, plus connu sous son identité de justicier, Batman.

— Non j'ai déjà celle-là, celle-là aussi. Je les ai toutes, Andre, je suis abonné.

— Oh ! bon, excuse-moi.

Non seulement je n'avais jamais connu un gosse de riches, mais je n'avais jamais rencontré un gamin qui ait un abonnement.

Quand on ne traîne pas au Cambridge ou dans son manoir, Perry et moi on se parle sans arrêt au téléphone. On est devenus inséparables. Il est donc effondré quand je lui dis que je dois m'absenter un mois pour participer à une série de tournois en Australie. McDonald's a formé une équipe des meilleurs juniors américains pour aller combattre leurs homologues en Australie.

— Un mois entier ?

— Je sais bien. Mais je n'ai pas le choix. C'est mon père.

Je ne suis pas tout à fait sincère. Il n'y a que deux joueurs de douze ans sélectionnés et je suis l'un des deux ; je me sens tout de même un peu fier et excité à la veille d'un aussi long voyage. Le vol dure quatorze heures. Par égard pour Perry, je minimise le voyage. Je lui dis de ne pas s'inquiéter. Je vais rentrer bientôt et on fêtera cela à coup de Chipwichs.

Je prends l'avion tout seul pour Los Angeles, et au moment d'atterrir j'ai envie de retourner tout droit à Vegas. Je ne sais pas très bien à quel endroit me rendre et comment trouver mon chemin dans l'aéroport. J'ai l'impression de me faire remarquer dans ma tenue trop chaude avec les arches dorées de McDonald's dans le dos et mon nom écrit sur ma poitrine. Tout à coup, j'aperçois au loin un groupe de gamins portant la même tenue. Mon équipe. Je m'approche du seul adulte du groupe et me présente.

Il me fait un grand sourire. C'est l'entraîneur. Mon premier véritable entraîneur.

— Agassi, dit-il. Le petit génie de Vegas ? Hé ! ravi de t'avoir parmi nous.

Pendant le vol vers l'Australie, l'entraîneur, debout dans l'allée centrale, nous explique comment le voyage va se dérouler. Nous allons participer à cinq tournois dans cinq villes différentes. Mais le tournoi le plus important sera le troisième, à Sydney. C'est là où nous devrons donner le meilleur de nous-mêmes contre les meilleurs des Australiens.

Il devrait y avoir cinq mille supporters dans le stade, et le match sera retransmis dans toute l'Australie par la télévision.

Parlons-en, de la pression.

— Mais j'ai aussi une bonne nouvelle, dit l'entraîneur. À chaque tournoi que vous gagnerez, je vous accorde une bonne bière bien fraîche.

Je gagne mon premier tournoi à Adélaïde sans aucun problème, et dans le bus l'entraîneur me tend une Foster brune bien frappée. Je pense à Perry et à notre pacte. Je trouve bizarre qu'à douze ans on me serve de l'alcool. Mais la bière a l'air si fraîche, et tous mes camarades me regardent. De toute façon, je suis à des milliers de kilomètres de la maison, tant pis. Je bois une gorgée. Délicieux. Je l'avale en quatre lampées et passe tout le reste de l'après-midi à me disputer avec ma mauvaise conscience. Je regarde le paysage défiler par la vitre et me demande comment Perry va prendre la chose, et s'il voudra encore être mon ami.

Je gagne trois des quatre tournois suivants. Trois bières de plus. Chacune meilleure que la précédente. Mais avec chaque gorgée, j'avale le dépôt amer de la culpabilité.


Perry et moi reprenons aussitôt nos vieilles habitudes. Les films d'horreur. Les longues conversations, le Cambridge, le 7-Eleven. Les Chipwichs. De temps en temps, pourtant, je le regarde en éprouvant tout le poids de ma trahison.

Nous nous rendons une nouvelle fois du Cambridge, au 7-Eleven, et je ne peux plus me retenir. Je suis dévoré de culpabilité. Nous avons chacun des écouteurs branchés sur le Walkman de Perry à l'oreille, et nous écoutons Prince. *Purple Rain*. Je tape sur l'épaule de Perry et lui demande de retirer ses écouteurs.

— Qu'est-ce qu'il y a ?

— Je ne sais pas comment le dire.

Il me regarde.

— Qu'est-ce qui se passe ?

— Perry, j'ai trahi notre pacte.

— Non.

— J'ai bu de la bière en Australie.

— Une seule ?

— Quatre.

— Quatre !

Je baisse les yeux.

Il réfléchit. Il détourne le regard vers les montagnes.

— Bien, dit-il, chacun fait ses choix dans la vie, Andre, et tu as fait les tiens. Je suppose que je me retrouve tout seul.

Mais l'instant d'après il a envie de savoir. Il demande quel goût a la bière, et, une fois de plus, je suis incapable de mentir. Je lui dis que c'est délicieux et je m'excuse une fois de plus mais il ne sert à rien de faire semblant d'avoir des remords. Perry a raison. J'avais le choix, pour une fois, et j'en ai profité. Bien sûr j'aurais préféré ne pas avoir trahi notre pacte, mais je ne peux pas m'en vouloir d'avoir finalement exercé mon libre arbitre.

Perry fronce les sourcils à la manière d'un père. Pas comme mon père, ni comme le sien, mais comme un père à la télévision. Il ne lui manque plus qu'un pull-over en laine et une pipe. Et je comprends tout à coup que le pacte que nous avons scellé, Perry et moi, était à la base la promesse de nous servir mutuellement de père. De nous élever l'un l'autre. Je m'excuse encore une fois et je comprends combien Perry m'a manqué quand j'étais loin. Je conclus un autre pacte, avec moi-même, celui de ne plus jamais quitter la maison.

Mon père m'aborde dans la cuisine. Il dit qu'il veut me parler. Je me demande s'il est au courant de cette histoire de bière.

Il me dit de m'asseoir à table et s'installe en face de moi. Un puzzle de Norman Rockwell inachevé nous sépare. Il me parle d'un article qu'il a lu récemment dans *60 Minutes*. Il y est question d'un internat de formation au tennis sur la côte ouest de la Floride, près de Tampa Bay.

— C'est la première école du genre, dit mon père. Il s'agit d'un camp d'entraînement pour jeunes joueurs de tennis et il est dirigé par un ancien parachutiste nommé Nick Bollettieri.

— Et alors ?

— Et alors tu vas y aller.

— Quoi ?

— Tu ne progresses plus ici, à Las Vegas. Tu as déjà battu tous les joueurs du cru. Tu as battu tous ceux de l'Ouest, Andre, tu as battu tous les joueurs de l'université du coin ! Je n'ai plus rien à t'apprendre.

Mon père n'explicite pas clairement son choix mais il est évident qu'il est décidé à appliquer une autre méthode avec moi. Il ne veut pas refaire les erreurs qu'il a faites avec ses autres enfants. Il a gâché leur jeu en les gardant sous sa coupe si autoritaire pendant trop longtemps, et du même coup il a empoisonné ses relations avec eux. Les choses allaient tellement mal avec Rita qu'elle vient de se sauver avec Pancho Gonzalez, la légende du tennis. Il a au moins trente ans de plus qu'elle. Mon père n'a pas envie de me brider, de m'abîmer ou de me détruire. C'est pourquoi il me bannit. S'il m'envoie au loin, c'est en partie pour me protéger de lui-même.

— Andre, dit-il, il faut que tu manges, que tu dormes et que tu boives le tennis. C'est la seule façon de devenir numéro 1.

Je bois, je mange et je dors déjà le tennis. Mais ce qu'il veut, c'est que j'aille faire tout cela ailleurs.

— Et combien coûte cette académie de tennis ?

— Environ douze mille dollars par an.

— On ne peut pas se payer ça.

— Tu n'y vas que trois mois. Cela fait trois mille dollars.

— Même ça, c'est encore trop cher.

— C'est un investissement. Sur toi. On s'arrangera.

— Je ne veux pas y aller.

Il me suffit de regarder le visage de mon père pour savoir que c'est déjà décidé. Fin de la discussion.

Je m'efforce de voir le bon côté des choses. Cela ne va durer que trois mois. Je peux supporter n'importe quoi pendant trois mois. Et puis, après tout, pourquoi serait-ce si terrible ? Ce sera peut-être comme l'Australie. Ce sera peut-être amusant. Il y aura peut-être des avantages insoupçonnés. Peut-être que cela me plaira de jouer dans une équipe.

— Et l'école ? Je suis au milieu de ma cinquième.

— Il y a une école dans la ville voisine, dit mon père. Tu suivras les cours du matin puis tu joueras au tennis l'après-midi et la soirée.

Cela me paraît brutal. Quelque temps après, ma mère me raconte que le reportage de *60 Minutes* était en réalité un portrait-charge sur Bollettieri, et que le journaliste avait introduit le personnage en lançant la question suivante : « Seriez-vous prêt à payer douze mille dollars par an pour que cet homme exploite votre enfant ? »

Pour mon départ, on donne une fête au Cambridge. M. Fong a l'air sinistre, Perry semble au bord du suicide et mon père paraît perplexe. Et on est tous là à manger du gâteau. On joue au tennis avec des ballons puis on les fait éclater avec une épingle. Tout le monde me tape dans le dos en me disant que je vais drôlement prendre mon pied.

— Oui, je sais. Je suis sacrément impatient de rencontrer les mecs de Floride.

Mon mensonge ressemble à un coup délibérément raté, comme une balle frappée sur le cadre en bois de ma raquette.

À mesure que le jour de mon départ se rapproche, je dors de plus en plus mal. Je me réveille en sursaut en me débattant, couvert de sueur et entortillé dans mes draps. Je perds l'appétit. Tout à coup, l'expression « mal du pays » me semble parfaitement claire. Je ne veux pas quitter la maison, mon frère et mes sœurs, ma mère, mon meilleur ami. Malgré les tensions qui règnent chez moi et malgré la terreur que je ressens parfois, je donnerais n'importe quoi pour rester. Si mon père m'a causé beaucoup de souffrance, il a toujours été auprès de moi. Il était toujours là, dans mon dos, et maintenant il n'y sera plus. Je me sens abandonné. Je croyais ne rien vouloir plus ardemment que de me libérer de lui, et maintenant qu'il m'expédie au loin j'ai le cœur brisé.

Pendant les derniers jours que je passe à la maison, j'espère encore que ma mère va venir à ma rescousse. Je l'implore du regard, mais elle se détourne avec l'air de dire : « Je l'ai vu détruire trois gamins, tu as de la chance de pouvoir filer pendant que tu es encore entier. »

Mon père m'emmène à l'aéroport. Ma mère aurait voulu venir mais elle ne peut pas manquer un jour de travail. Perry prend sa place. Il n'arrête pas de parler tout le long du trajet. Je n'arrive pas à savoir qui de nous deux il essaie de réconforter. C'est seulement pour trois mois, dit-il. On va s'envoyer des lettres, des cartes postales. Tu vas voir, tout va bien se passer. Tu vas apprendre plein de choses. Peut-être bien, même, que je viendrai te voir.

Je repense à *Visiting Hours*, ce film d'horreur débile que nous avons regardé le jour où nous sommes devenus amis. Perry se comporte exactement comme ce jour-là, comme il se comporte toujours quand il a peur. Il n'arrête pas de se tortiller et de sauter sur son siège. Quant à moi, je réagis à ma manière : un chat dans une fosse pleine de chiens.

# 5

La navette de l'aéroport arrive au complexe juste après la tombée de la nuit. Installée sur une ancienne exploitation agricole qui produisait des tomates, la Nick Bollettieri Tennis Academy n'a rien de folichon : quelques bâtiments qui ressemblent à un pénitencier. D'ailleurs, ils portent les mêmes noms que dans les prisons : bâtiment B, bâtiment C. Je regarde autour de moi, m'attendant presque à découvrir un mirador et des fils barbelés. Mais ce que je vois est encore plus menaçant : alignés jusqu'à l'horizon, les rangs de courts de tennis.

Tandis que le soleil disparaît derrière des marécages d'un noir d'encre, la température descend en flèche. Je me recroqueville dans mon T-shirt. Je croyais qu'il faisait chaud en Floride. Un membre du personnel m'accueille à la descente du bus et me conduit à mon dortoir, qui est vide et étrangement calme.

— Où sont les autres ?

— En étude. Dans quelques minutes c'est la récréation, l'heure qui sépare l'étude et le coucher. Tu devrais descendre à la salle de jeux et te présenter aux autres.

Dans la salle, je trouve deux cents garçons agités et quelques filles au regard dur, regroupés en petites coteries très fermées. Une des plus nombreuses se presse autour d'une table de ping-pong et hurle des insultes aux deux gamins qui jouent. Je m'appuie contre un mur et observe la pièce. Je reconnais quelques visages, parmi lesquels un ou deux garçons qui faisaient partie du voyage en Australie. Ce type, là-bas, j'ai joué contre lui en Californie. Celui-ci, avec son air mauvais, j'ai disputé un match très serré en trois sets contre lui en Arizona. Chacun d'entre eux paraît doué et extrêmement sûr de lui. Les gamins sont de toutes les couleurs, de toutes les tailles et de tous les âges. Ils viennent du monde entier. Le plus jeune a sept ans, le plus vieux dix-neuf. Après avoir passé toute ma vie à Las Vegas, je me retrouve comme un petit poisson dans une vaste mare. Ou plutôt un marécage. Les plus gros poissons sont les meilleurs joueurs du pays, des superhéros adolescents qui constituent la coterie la plus fermée, réunie dans un coin reculé de la salle.

J'essaie de suivre le match de ping-pong. Même sur ce terrain, je suis dépassé. Chez moi, j'étais imbattable au ping-pong. Ici ? La moitié de ces types me battraient à plate couture.

Je me demande comment je vais réussir à trouver ma place ici, comment je vais me faire des amis. Je veux rentrer à la maison tout de suite, ou au moins téléphoner. Mais je vais devoir appeler en PCV et je sais que mon père refusera de payer la communication. Rien qu'à l'idée que je ne peux pas entendre la voix de ma mère ni celle de Philly alors que j'en ai tellement besoin, je suis pris de panique. Quand la récréation est terminée, je fonce au dortoir et m'allonge sur mon lit en attendant de disparaître dans le marécage noir du sommeil.

Trois mois, me dis-je. Seulement trois mois.


Les gens ont pris l'habitude d'appeler la Bollettieri Academy « camp d'entraînement », mais c'est en réalité un fameux camp de prisonniers. Et encore, pas si fameux que ça. Nous mangeons du gruau, des viandes beiges et des ragoûts gluants, servis avec du riz nappé d'un brouet grisâtre. Nous dormons dans de petits lits bancals, alignés le long des cloisons en contreplaqué de notre dortoir quasi militaire. Nous nous levons à l'aube et nous couchons tout de suite après le dîner. Nous sortons rarement et nous avons très peu de contacts avec le monde extérieur. Comme la plupart des prisonniers, nous ne faisons rien d'autre que travailler et dormir, et notre tas de cailloux à nous c'est l'entraînement. Au service, au filet, au revers, au coup droit. De temps en temps, des matchs destinés à déterminer notre classement, du plus fort au plus faible. Par moments, on a le sentiment d'être un gladiateur s'entraînant à l'ombre du Colisée. Quant aux trente-cinq moniteurs qui nous aboient dessus pendant les cours, ils se prennent sans aucun doute pour des dresseurs d'esclaves.

Quand on n'est pas à l'entraînement, on suit des cours de psychologie du tennis. On nous apprend à avoir un mental d'acier, à penser de manière positive, à visualiser. On nous apprend à fermer les yeux, à imaginer qu'on vient de remporter Wimbledon et qu'on brandit le trophée d'or au-dessus de notre tête. Ensuite, on a le choix entre faire de l'aérobic, soulever des poids ou courir jusqu'à l'épuisement sur la piste gravillonnée.

La pression constante, la compétition à couteaux tirés et l'absence totale de surveillance de la part des adultes nous transforment lentement en bêtes sauvages. Une sorte de loi de la jungle s'établit. C'est un peu comme une réinterprétation de *Karate Kid* à coups de raquette, ou de *Sa Majesté des Mouches* avec des coups droits. Un soir, deux garçons se disputent dans le dortoir. Un Blanc et un Asiatique. Le Blanc lance une insulte raciste et s'en va. Pendant une heure entière, l'Asiatique reste debout au milieu du dortoir. Il fait des étirements, de grands mouvements des bras et des jambes, des rotations du cou. Il effectue toute une série de mouvements de judo, puis, soigneusement et méthodiquement, il se panse les chevilles. Quand le Blanc revient, l'Asiatique pivote sur lui-même, envoie sa jambe en l'air comme une faux, balançant un coup qui fracasse la mâchoire du gars.

Le plus choquant, c'est qu'aucun des deux n'est renvoyé. À partir de ce point, l'anarchie ambiante ne fait qu'augmenter.

Deux autres garçons entretiennent un conflit de longue haleine, mais sans réelle gravité. Ils échangent surtout des sarcasmes et des agaceries. Jusqu'à ce que l'un d'entre eux passe à la vitesse supérieure. Plusieurs jours d'affilée, il pisse et chie dans un seau. Et puis, un soir, il débarque dans le dortoir de son ennemi et lui renverse le seau sur la tête.

Le sentiment de vivre dans la jungle, la menace permanente de violences et de traquenards sont encore aggravés par un bruit de tambour qu'on entend au loin, juste avant l'extinction des lumières.

Je demande à un des gars ce que ça veut dire.

— Oh ! c'est Jim Courier. Ses parents lui ont envoyé une batterie.

— Qui ?

— Jim Courier. Il vient de Floride.

Au bout de quelques jours, je commence à me faire une idée du responsable, fondateur et propriétaire de la Nick Bollettieri Tennis Academy. Il a cinquante ans et des poussières, mais semble en avoir deux cent cinquante, parce que le bronzage est une de ses obsessions, avec le tennis et le mariage (il a cinq ou six ex-épouses, personne n'en connaît le nombre exact). Il est tellement tanné par le soleil, il a si profondément cuit et recuit sous tant de lampes de bronzage, qu'il en a définitivement altéré son teint. La seule partie de son visage qui ne soit pas de la couleur d'un steak haché, c'est sa moustache. Une moustache noire, soigneusement peignée – presque un bouc, mais sans poils au menton, et qui lui donne en permanence un air renfrogné. J'observe Nick qui traverse le complexe à grands pas, petit bonhomme écarlate avec d'énormes lunettes de soleil. Il est train d'engueuler quelqu'un qui court à ses côtés, peinant à suivre sa cadence. J'espère ne jamais avoir affaire directement avec Nick. Je le vois se glisser à bord d'une Ferrari rouge et disparaître en laissant un nuage de poussière dans son sillage.

Un autre gamin m'explique que cela fait partie de notre boulot de laver et d'astiquer les quatre voitures de sport que possède Nick.

— Notre boulot ? Quelle connerie.

— Va le dire au juge.

J'interroge quelques anciens, quelques vétérans, au sujet de Nick. Qui est-il ? Qu'est-ce qui le motive ? Ils me répondent que c'est un arnaqueur, un type qui a trouvé le moyen de tirer profit du tennis, mais qu'il n'aime pas ce sport et n'y connaît, d'ailleurs, pas grand-chose. Il n'est pas comme mon père, captivé par les angles, les chiffres et la beauté du tennis. À certains égards, pourtant, il ressemble beaucoup à mon père. Il est fasciné par l'argent. C'est un type qui s'est fait recaler à l'examen de commandant dans la marine, qui a laissé tomber des études de droit et qui s'est entiché un jour de l'idée d'enseigner le tennis. Il a dû marcher dans la merde. Avec un peu d'acharnement et beaucoup de chance, il a réussi à s'imposer comme une sorte de titan du tennis, le mentor des prodiges. On peut apprendre un certain nombre de choses de lui, disent les autres garçons, mais il n'a rien d'un prodige.

Cela n'a pas l'air d'être le genre de type qui va me faire cesser de détester le tennis.


Je joue un match d'entraînement, où j'inflige une belle raclée à un gars de la côte est, quand je m'aperçois que Gabriel, un des acolytes de Nick, se tient derrière moi et m'observe.

Au bout de quelques points, Gabriel interrompt le match. Il me demande :

— Est-ce que Nick t'a déjà vu jouer ?

— Non, monsieur.

Il fronce les sourcils et s'éloigne.

Un peu plus tard, j'entends hurler le haut-parleur qui couvre tous les courts de la Bollettieri Academy : « Andre Agassi au court couvert numéro 1 ! Andre Agassi est attendu au court couvert numéro 1, immédiatement ! »

Je n'ai jamais été au court couvert numéro 1, et j'imagine qu'il y a une bonne raison pour que j'y sois convoqué. J'y accours et y retrouve Gabriel et Nick qui m'attendent, côte à côte.

Gabriel dit à Nick :

— Il faut que tu voies ce gars-là jouer.

Nick se retire dans un coin obscur. Gabriel prend position de l'autre côté du filet. Il me fait jouer pendant une demi-heure. De temps en temps, je glisse un regard par-dessus mon épaule : j'aperçois vaguement la silhouette de Nick. Il semble concentré et lisse sa moustache.

— Envoie quelques revers, dit Nick.

Sa voix sonne comme du papier de verre sur du Velcro.

J'obéis. J'envoie quelques revers.

— Maintenant sers.

Je sers.

— Monte au filet.

Je monte au filet.

— Ça va.

Il vient vers moi :

— D'où viens-tu ?

— Las Vegas.

— Quel est ton classement ?

— Numéro 3.

— Comment je fais pour joindre ton père ?

— Il est au boulot en ce moment. Il travaille de nuit à la MGM.

— Et ta mère ?

— À cette heure-ci elle doit être à la maison.

— Suis-moi.

Nous nous dirigeons tranquillement jusqu'à son bureau. Il demande mon numéro de téléphone. Assis dans un grand fauteuil de cuir noir, il me tourne pratiquement le dos. J'ai l'impression que mon visage est encore plus rouge que le sien. Il fait le numéro et parle à ma mère. Elle lui donne le numéro de mon père. Il l'appelle immédiatement.

Il hurle. « Monsieur Agassi ? Nick Bollettieri à l'appareil. Bien, très bien, oui tout va bien, écoutez-moi. J'ai quelque chose de très important à vous dire. Votre gamin est plus doué que n'importe quel élève que j'aie pu voir dans mon école. C'est vrai. Absolument. Et je vais en faire un champion. »

De quoi diable parle-t-il ? Je ne suis ici que pour trois mois. Je dois quitter cet endroit dans soixante-quatre jours. Est-ce que Nick est en train de dire qu'il veut me garder ? Que je vais vivre ici, pour toujours ? Mon père ne va sûrement pas être d'accord.

Nick dit : « C'est parfait. Aucun problème. Je vais me débrouiller pour que cela ne vous coûte pas un sou. Andre peut rester gratuitement. Je déchire votre chèque. »

Mon cœur se brise. Je sais que mon père est incapable de résister à quelque chose de gratuit. Mon sort est scellé.

Nick raccroche et fait pivoter son fauteuil dans ma direction. Il n'explique rien. Il ne me console pas. Il ne me demande pas si c'est ce que je souhaite. Il ne dit rien d'autre que :

— Retourne sur le court.

Le directeur vient de rallonger ma peine de plusieurs années et je ne peux rien faire d'autre que de ramasser mon marteau et de retourner à mon tas de cailloux.


Chaque jour à la Bollettieri Academy commence dans une véritable puanteur. Les collines environnantes sont occupées par de nombreuses orangeraies qui dégagent une horrible odeur de zeste d'orange brûlé. C'est la première chose qui me frappe quand j'ouvre les yeux, et qui me rappelle brutalement à la réalité. Je ne suis pas rentré à Vegas. Je ne suis pas dans mon lit du court numéro 2, en train de rêver. Je n'ai jamais beaucoup apprécié le jus d'orange, mais après la Bollettieri Academy je ne peux plus voir une brique de jus d'orange en peinture.

Tandis que le soleil atteint les marais, dissipant les brumes matinales, je fonce à la douche pour devancer les autres, car seuls les premiers arrivés ont droit à l'eau chaude. En fait, ce n'est pas une douche, juste un minuscule tuyau qui laisse couler un filet d'eau qui vous pique comme des aiguilles. À peine de quoi se mouiller, sans parler de se laver. Ensuite, tout le monde fonce au petit déjeuner, servi dans une cafétéria tellement chaotique qu'on se croirait dans un hôpital psychiatrique dans lequel les infirmières auraient oublié de distribuer leurs médicaments aux patients. Mais il vaut mieux y arriver de bonne heure, sinon c'est encore pire : le beurre est constellé de miettes, il n'y a plus de pain et les œufs seront gelés.

Aussitôt après le petit déjeuner, nous embarquons dans un bus scolaire en direction de la Bradenton Academy, à vingt-six minutes de là. Mon temps se partage entre deux académies, des prisons toutes les deux, mais celle de Bradenton me rend encore plus claustrophobe parce qu'elle est encore plus absurde. À la Bollettieri Academy, au moins, j'apprends le tennis. Tout ce que j'apprends à Bradenton, c'est que je suis stupide.

La Bradenton Academy a des planchers de guingois, des tapis sales et une teinte générale qui passe par toutes les variantes du gris. Le bâtiment n'a aucune fenêtre, la lumière est donc toujours artificielle. L'air y est vicié, imprégné d'un mélange de mauvaises odeurs où dominent celles du vomi, des toilettes et de la peur. C'est presque pire que l'odeur d'oranges écorchées de la Bollettieri Academy.

Les autres élèves, ceux qui habitent en ville et ne jouent pas au tennis, n'ont pas l'air de s'en soucier. Certains ont même l'air de se plaire à la Bradenton Academy, peut-être parce que leur emploi du temps est plus facile à gérer. Ils ne doivent pas faire coexister les études et une carrière d'athlète semi-professionnel. Ils n'ont pas à faire face aux assauts du mal du pays qui vont et viennent, comme la nausée. Ils passent sept heures par jour en classe, puis ils rentrent chez eux dîner et regarder la télévision en famille. Ceux d'entre nous qui viennent de la Bollettieri Academy passent quatre heures et demie en classe, puis remontent dans le bus pour le pénible trajet de retour. Ils s'adonnent alors à leur activité à plein temps, frapper des balles, jusqu'au soir. Ils s'effondrent comme des masses sur leurs couchettes en bois pour grappiller une demi-heure de repos avant de retourner à leur état naturel, dans la salle de récréation. Puis ils dodelinent de la tête pendant quelques heures bien inutiles avant une dernière pause et l'extinction des feux. Nous sommes toujours à la traîne dans nos devoirs, et notre retard ne cesse de s'accroître. Le système est parfaitement réglé, prévu pour produire de mauvais élèves aussi sûrement et efficacement qu'il produit de bons joueurs de tennis.

Je n'aime pas cet environnement trop rigide et je ne fais pas beaucoup d'efforts. Je n'étudie pas, je ne fais pas mes devoirs. Je n'écoute rien et je m'en fiche. Pendant les cours, je reste tranquillement assis à ma place, je regarde mes pieds et je rêve d'être ailleurs pendant que le professeur disserte sur Shakespeare, Bunker Hill ou le théorème de Pythagore.

Les professeurs se moquent bien du fait que j'aie décroché, parce que je suis un des gamins de Nick et qu'ils ne veulent pas se fâcher avec lui. La Bradenton Academy doit son existence au fait que la Bollettieri Academy lui envoie régulièrement un plein bus d'élèves qui paient chaque semestre. Les professeurs savent très bien que leur emploi dépend de Nick. Ils ne peuvent pas nous recaler, et nous apprécions notre statut d'exception. Nous sommes très fiers d'y avoir droit. Jamais il ne nous vient à l'idée que ce à quoi nous avons réellement droit nous ne l'obtenons pas, à savoir l'éducation.

Derrière la grande porte d'entrée en métal de la Bradenton Academy se trouve le bureau, le centre névralgique de l'école et la source de bien des ennuis. Tous les rapports, toutes les lettres de menace sortent de ce bureau. C'est là qu'on envoie les mauvais éléments. Ce bureau est aussi le fief de Mme G. et Doc G., mari et femme en plus d'être codirecteurs de Bradenton – et aussi, à mon avis, monstres de foire contrariés.

Mme G. est une femme dégingandée et dépourvue de taille. On dirait que ses épaules ont été directement ajustées sur ses hanches. Elle s'efforce de masquer ce défaut en portant des jupes, ce qui ne fait que souligner cette particularité anatomique. Elle peint sur son visage deux grosses taches rouges de fard et barbouille ses lèvres de rouge, trois cercles symétriques dont elle prend soin de coordonner les couleurs, comme d'autres assortissent leur ceinture avec leurs chaussures. Ses joues et sa bouche forment toujours un accord parfait et parviennent *presque* à détourner l'attention de la bosse qu'elle a dans le dos. Mais rien, dans la tenue de Mme G., ne parvient à faire oublier ses mains gigantesques. Elle a des paluches de la taille d'une raquette de tennis, et la première fois qu'elle m'a serré la main, j'ai cru m'évanouir.

Le vieux Doc G. est deux fois plus petit qu'elle, mais son physique n'est pas moins bizarre. Il n'est pas difficile de voir quels points communs ils se sont trouvés. Frêle, maladif, Doc G. a le bras droit atrophié de naissance. Il pourrait cacher ce bras, le dissimuler derrière son dos ou bien le fourrer dans sa poche. Au lieu de cela, il l'agite dans tous les sens, le brandissant comme une arme. Il aime prendre les élèves à part pour une conversation en tête à tête, et chaque fois il pose son bras infirme sur les épaules du gars et l'y laisse jusqu'à ce qu'il ait fini son baratin. Si cela ne vous flanque pas les chocottes, rien d'autre ne le fera jamais. Le bras de Doc G. ressemble à un rôti de porc posé sur vos épaules. Des heures après, on le sent encore et on ne peut s'empêcher de frissonner.

Mme G. et Doc G. ont établi à la Bradenton Academy quantité de règles. L'une d'entre elles nous défend formellement de porter des bijoux. Je décide donc d'enfreindre le règlement et me fais percer les oreilles. C'est un acte de rébellion assez facile mais qui m'apparaît comme mon seul recours. L'insubordination est la conduite que j'adopte désormais en permanence, et ces oreilles percées ont l'avantage supplémentaire de constituer un pied de nez adressé à mon père. Il a toujours détesté les hommes qui portent des boucles d'oreilles. Je l'ai souvent entendu dire que pour lui, c'était synonyme d'homosexualité. J'ai hâte qu'il voie les miennes (j'achète des piercings et des anneaux). Il va finir par regretter de m'avoir expédié à des milliers de kilomètres de la maison, de m'avoir abandonné dans ce lieu de corruption.

Je tente un effort dérisoire et hypocrite pour dissimuler mon nouvel accessoire en le recouvrant d'un pansement. Évidemment, comme je l'espérais, Mme G. s'en aperçoit. Elle me fait sortir de la classe et m'attaque aussitôt.

— Monsieur Agassi, que signifie ce pansement ?

— Je me suis blessé à l'oreille.

— Blessé… ? Ne soyez pas ridicule. Enlevez ce pansement.

Je le retire. Elle voit l'anneau et en a le souffle coupé.

— Les boucles d'oreilles sont interdites à Bradenton, monsieur Agassi. La prochaine fois que je vous croise, j'espère que le pansement et l'anneau auront disparu.

À la fin du premier trimestre je frôle l'échec dans toutes les matières, sauf en anglais. Curieusement, j'ai des aptitudes pour la littérature, et en particulier la poésie. Je suis capable de retenir les poèmes classiques et d'écrire moi-même des vers, cela me vient tout seul. On nous demande un jour d'écrire un court poème sur notre vie quotidienne, et je dépose fièrement le mien sur le bureau du professeur. Il lui plaît, elle le lit à haute voix en classe. Certains gars me demandent alors de faire leurs devoirs à leur place. Sans problème. Je les leur bâcle en vitesse dans le bus. La professeur d'anglais me demande de rester après le cours et me dit que je suis vraiment doué. Je souris. C'est autre chose que lorsque Nick m'annonce que j'ai du talent. On dirait qu'une voie s'ouvre à moi et j'ai envie de la suivre. Pendant un instant, j'imagine mon avenir si je me consacrais à autre chose en plus du tennis, à quelque chose que j'aurais choisi. Et puis je me rends au cours suivant, des maths, et mon rêve étouffe dans un nuage de formules géométriques. Je ne suis pas taillé pour les études. La voix du professeur de maths résonne comme si elle me parvenait de très loin. Nous passons au français et c'est encore pire. Je suis *très stupide*. En cours d'espagnol, cela donne *muy estupido*. L'espagnol, je le crains, écourtera ma vie. L'ennui et la confusion pourraient me faire mourir sur place. Un jour on me retrouvera mort sur ma chaise, *muerto*.

Petit à petit, l'école n'est plus seulement pénible, elle provoque chez moi une véritable souffrance physique. L'angoisse au moment de monter dans le bus, les vingt-six minutes de trajet, les accrochages inévitables avec Mme ou Doc G. me rendent réellement malade. Ce que je redoute par-dessus tout, c'est le moment, inévitable et quotidien, où je suis publiquement traité de cancre. Nul pour les études. J'en ai tellement peur qu'au fil du temps, la Bradenton Academy m'amène à modifier mon opinion sur la

Bollettieri Academy. Je me mets à attendre avec impatience les innombrables séances d'entraînement et les tournois angoissants. Au moins, pendant ce temps-là, je ne suis pas à l'école.

Grâce à un tournoi particulièrement important, je manque un des principaux examens d'histoire à Bradenton, un examen auquel j'étais sûr d'échouer. Je célèbre la chance d'avoir esquivé cette corvée en étripant mes adversaires. À mon retour à l'école, cependant, mon professeur me dit que je vais devoir le passer en session de rattrapage.

Quelle injustice ! Je me rends au bureau pour passer mon examen. En chemin, je me cache dans un coin sombre et prépare une antisèche que je dissimule dans ma poche.

Il n'y a qu'une seule étudiante dans le bureau, une rousse, qui a un gros visage couvert de sueur. Elle ne bronche pas, elle ne semble même pas remarquer ma présence. On dirait qu'elle est dans le coma. Je remplis mon questionnaire sans difficulté, en recopiant mon antisèche. Et tout à coup, je sens une paire d'yeux posés sur moi. Je lève la tête, la rousse semble être sortie de son coma et me regarde fixement. Elle referme son livre et sort en vitesse. Je me dépêche de fourrer mon antisèche dans mon slip, j'arrache une feuille de papier de mon bloc-notes et j'y note, en m'efforçant d'imiter une écriture féminine : « Je te trouve mignon ! Appelle-moi. » Je fourre le papier dans ma poche au moment précis où Mme G. déboule en trombe dans le bureau.

— Posez vos crayons, dit-elle.

— Que se passe-t-il, madame G. ?

— Êtes-vous en train de tricher ?

— Sur quoi ? *Ceci ?* Si j'avais eu l'intention de tricher, ce n'aurait pas été sur ceci. Je connais bien ce programme d'histoire. Valley Forge. Paul Revere. C'est du gâteau.

— Videz vos poches.

J'en sors quelques pièces, un paquet de chewing-gums et le billet de mon admiratrice imaginaire. Mme G. s'en saisit et le lit en silence.

— Je me demande ce que je vais pouvoir répondre, dis-je. Vous avez une idée ?

Elle me lance un regard courroucé et sort du bureau. Je suis reçu à mon examen, ce que je considère comme une victoire morale.

Ma professeur d'anglais est la seule à me défendre. Elle est aussi la fille de Mme G. et de Doc G., et elle tente de persuader ses parents que je vaux mieux que ce que mes résultats et ma conduite peuvent laisser croire. Elle me fait même passer un test de QI, dont les résultats confirment son opinion.

— Andre, dit-elle, tu dois t'appliquer. Prouve à Mme G. que tu n'es pas celui qu'elle croit.

*Peu après mon arrivée à la Bollettieri Academy.*
*Je commence à me révolter.*

Je lui réponds que je m'applique, que je fais même de mon mieux, compte tenu des circonstances. Mais je suis fatigué en permanence à cause du tennis, hanté par la pression des tournois et par ce que l'on appelle les challenges. Oui, tout particulièrement par les challenges : une fois par mois, on nous fait jouer contre un adversaire plus fort que nous. J'aimerais bien qu'un professeur m'explique comment on peut se concentrer sur la conjugaison des verbes ou la résolution d'une équation quand on sait que, l'après-midi même, on va devoir s'armer de courage pour un combat en cinq sets contre quelque punk d'Orlando.

Je ne raconte pas tout, parce que j'en suis incapable. Je passerais pour une chochotte si je parlais de ma peur de l'école, si j'évoquais le nombre incalculable de fois où je suis trempé de sueur, pendant les cours. Je ne peux pas lui parler de mes troubles de la concentration, de ma hantise d'être interrogé, ni lui dire comment cette hantise provoque parfois dans mes intestins une bulle d'air qui ne cesse de grossir jusqu'à m'obliger à courir aux toilettes. Il m'arrive souvent d'y rester enfermé entre les cours.

Et puis il y a l'angoisse sociale, les efforts désespérés pour faire bonne figure. À Bradenton, faire bonne figure coûte de l'argent. La plupart des gars sont de véritables gravures de mode, tandis que moi je possède trois jeans, cinq T-shirts, deux paires de tennis et un pull ras du cou en coton, orné de carrés noirs et gris. En classe, au lieu de réfléchir à *La Lettre écarlate*, je me demande combien de jours encore je vais pouvoir porter mon pull cette semaine, et je m'inquiète de ce que je ferai quand la température va se réchauffer.

Plus mes résultats scolaires sont mauvais, plus je me rebelle. Je bois, je fume du hasch, je me conduis comme un imbécile. Je suis vaguement conscient du rapport inversement proportionnel qui existe entre mes résultats et ma révolte, mais je préfère ne pas y réfléchir. J'aime mieux l'interprétation de Nick. Selon lui, je suis mauvais en classe parce que c'est le monde qui me fait bander. C'est bien la seule chose à moitié vraie qu'il ait jamais dite à mon sujet. (La plupart du temps, il me décrit comme un cabotin culotté qui cherche à ravir la vedette… Même mon père me connaît mieux.) Mon comportement général ressemble bien, pourtant, à une érection. Violente, involontaire, irrépressible, et je l'accepte donc comme j'accepte les nombreux changements que connaît mon corps.

Au moment où mes résultats touchent le fond, ma révolte atteint des sommets. Je me rends dans un salon de coiffure au centre commercial de Bradenton, et je demande au coiffeur de me faire une coupe d'Iroquois. Vous rasez les côtés, vous tondez le haut et vous laissez juste une épaisse bande de cheveux hérissés au milieu.

— Tu es sûr, mon gars ?

— Je la veux haute et bien hérissée. Et puis vous la teignez en rose.

Il promène sa tondeuse sur mon crâne pendant huit minutes puis il dit : « C'est bon ! » et fait pivoter le fauteuil. Je me regarde dans la glace. La boucle d'oreille, c'était bien, mais ça c'est mieux. Je suis impatient de voir la tête de Mme G.

Devant le centre commercial, pendant que j'attends le bus pour rentrer à la Bollettieri Academy, personne ne me reconnaît. Des gars avec qui je joue, des gars dont je partage le dortoir me croisent sans me regarder. À première vue, j'ai fait quelque chose qui ressemble à un effort désespéré pour me faire remarquer. En réalité, j'essaye au contraire de camoufler mon moi profond, ma véritable identité. C'est tout.

Je rentre à la maison pour Noël. Tandis que l'avion approche du Strip, l'aile droite, inclinée, se met à clignoter comme une rangée d'arbres de Noël, comme dans les casinos, en bas. L'hôtesse nous explique que nous devons attendre un peu avant de nous poser.

Chœur de protestations.

— Mais comme nous savons que vous êtes tous impatients d'aller au casino, nous pensons que ce serait amusant de vous proposer un petit jeu en attendant l'autorisation d'atterrir.

Chœur de hourras.

— Chacun va prendre un dollar et le placer dans le sac en papier qui est devant lui. Puis vous notez votre numéro de siège sur la souche de votre carte d'embarquement et vous le déposez dans cet autre sac. On va tirer un ticket au sort et le gagnant remportera la mise.

Elle ramasse tous les dollars pendant qu'une autre hôtesse recueille les cartes d'embarquement. Puis elle se place à l'avant et plonge la main dans le sac.

— Et le gros lot revient au… – roulement de tambour, s'il vous plaît – au 9F !

J'ai le siège 9 F. J'ai gagné ! J'ai gagné ! Je me lève et fais de grands gestes. Les passagers se retournent pour me regarder. Grommellements de déception. Super, c'est le gars avec sa crête rose d'Iroquois qui a gagné.

L'hôtesse me tend à contrecœur le sac rempli de dollars. Je passe le reste du vol à les compter et les recompter en remerciant ma bonne étoile.

Comme prévu, mon père est horrifié par ma coiffure et ma boucle d'oreille. Mais il ne se fait aucun reproche. Ni à lui, ni, d'ailleurs, à la Bollettieri Academy. Il ne veut pas admettre que c'était une erreur de m'envoyer au loin, et il ne veut surtout pas parler d'un éventuel retour à la maison. Il me demande seulement si je suis devenu pédé.

— Non, lui dis-je, et je disparais dans ma chambre.

Philly me suit. Il me complimente sur mon nouveau look. Même un Iroquois bat un chauve. Je lui raconte ma bonne fortune dans l'avion.

— Waouh ! Qu'est-ce que tu vas faire de tout cet argent ?

Je pense acheter un bracelet de cheville pour Jamie. C'est une fille qui va à l'école avec Perry. Elle m'a laissé l'embrasser la dernière fois que j'étais à la maison. Mais j'hésite, j'ai vraiment besoin d'habits neufs pour l'école. Je ne peux plus continuer longtemps avec un unique pull gris et noir. Je veux faire bonne figure.

Philly hoche la tête.

— Cruel dilemme, frérot.

Il ne me demande pas pourquoi, si je veux tellement faire bonne figure, j'arbore une coupe d'Iroquois et une boucle d'oreille.

Il prend mon problème au sérieux, trouve mes contradictions cohérentes et m'aide à faire un choix. Nous décidons que je devrais dépenser l'argent pour la fille, et tant pis pour les vêtements neufs.

Pourtant, quand j'ai le bracelet dans la main, je suis pris de regrets. Je m'imagine de retour en Floride, obligé de faire durer mes quelques vêtements. J'en parle à Philly qui hoche à demi la tête.

Le lendemain matin, j'ouvre les yeux et je vois Philly penché sur moi, tout souriant. Il regarde ma table de nuit. Je suis son regard et découvre une liasse de billets.

— Qu'est-ce que c'est ?

— Je suis sorti et j'ai joué aux cartes, hier soir. J'ai eu de la veine. J'ai gagné six cents dollars.

— Et ça, qu'est-ce que c'est ?

— Trois cents dollars. Va t'acheter des pulls.


Pendant les vacances de printemps, mon père veut me faire participer à des tournois semi-professionnels qu'on appelle des satellites, à qualification ouverte, c'est-à-dire que n'importe qui peut se présenter et jouer au moins un match. Ils se déroulent dans des villes perdues, des bleds comme Monroe, en Louisiane, ou St Joe, dans le Missouri. Je ne peux pas voyager seul, je n'ai que quatorze ans. Mon père envoie donc Philly avec moi pour me chaperonner. Et aussi pour jouer, car mon père et lui s'accrochent encore à l'idée qu'il a de l'avenir dans le tennis.

Philly loue une Omni beige, qui devient rapidement la version automobile de notre chambre à la maison. Un côté pour lui, un côté pour moi. On avale des milliers de kilomètres, ne nous arrêtant que pour nous alimenter dans des fast-foods, jouer sur les lieux des tournois et dormir. Nous sommes logés gratuitement. Dans chaque ville où se réunissent tous ces joueurs venus d'ailleurs, il y a des familles qui se portent volontaires pour les héberger. La plupart de ces hôtes sont plutôt agréables, mais ils sont souvent complètement cinglés de tennis. C'est déjà un peu bizarre d'être logé chez des étrangers, mais c'est une corvée de devoir discuter de tennis autour de pancakes et de café. En tout cas pour moi. Je laisse Philly faire la conversation, et je dois souvent le pousser du coude ou l'entraîner avec moi quand il est temps de partir.

Philly et moi, nous nous sentons comme des hors-la-loi. Nous vivons sur la route, nous faisons ce qui nous plaît. Nous balançons les emballages des fast-foods par-dessus notre épaule, sur la banquette arrière. Nous écoutons la musique à fond, nous jurons autant que nous le voulons, nous disons tout ce qui nous passe par la tête sans craindre d'être punis ou ridiculisés. Cependant, nous n'évoquons jamais le fait que nous avons chacun un but très différent au cours de ce voyage. Philly veut seulement gagner un point ATP, rien qu'un seul, pour savoir quelle impression cela fait d'être classé. Et moi je veux éviter d'avoir Philly pour adversaire pour ne pas être obligé de battre une fois de plus mon frère adoré.

Lors du premier satellite, je bats mon adversaire et Philly se fait battre par le sien. Plus tard, alors que nous avons regagné notre voiture garée sur le parking, près du stade, Philly reste assis à contempler le volant. Il a l'air assommé. Je ne sais pourquoi cette défaite le blesse plus que les autres. Il serre le poing et frappe le volant, très fort. Puis il recommence. Il se met aussi à parler tout seul, mais si bas que je n'entends pas ce qu'il dit. Puis il hausse la voix. À présent il hurle, il se traite de raté et ne cesse de frapper le volant. Il le frappe si fort que je suis sûr qu'il va se briser un os de la main. Je repense à mon père, boxant son volant après avoir assommé le camionneur.

— Il aurait mieux valu que je me casse ce foutu poignet, dit Philly. Au moins tout aurait été terminé ! Papa avait raison. Je suis un bon à rien.

Tout à coup, il s'arrête. Il me regarde et semble se résigner. Il se calme. Tout comme notre mère. Il sourit. L'orage est passé, le poison a disparu.

— Je me sens mieux, dit-il en riant et en reniflant.

En sortant du parking, il commence déjà à me donner des tuyaux sur mon prochain adversaire.


Quelques jours après mon retour à la Bollettieri Academy, je me trouve au centre commercial de Bradenton. Je tente ma chance et appelle à la maison en PCV. Ouf ! C'est Philly qui répond. Il a le ton qu'il avait dans le parking.

— On a reçu une lettre de l'ATP, dit-il.

— Ouais ?

— Tu veux connaître ton classement ?

— Je ne sais pas, tu crois ?

— Tu es classé numéro 610.

— Vraiment ?

— Six cent dixième au monde, frérot.

Ce qui veut dire que je n'ai plus que six cent neuf types à battre dans le monde entier. Sur la planète Terre. Dans le système solaire. Je suis le numéro 610. Je flanque une grande claque à la paroi de la cabine téléphonique et je crie ma joie.

Silence au bout de la ligne. Puis, dans une sorte de soupir, Philly me demande :

— Et quelle impression ça fait ?

Je n'en reviens pas d'avoir été aussi stupide. J'ai hurlé ma joie dans les oreilles de Philly alors qu'il doit être cruellement déçu. Je voudrais pouvoir déverser la moitié de mes points ATP sur sa poitrine. Sur un ton d'ennui suprême, simulant un bâillement, je lui réponds :

— Tu sais quoi ? Ce n'est pas terrible. C'est très surestimé.

# 6

Qu'est-ce que je peux faire de plus ? Nick, Gabriel, Mme G., Doc G., personne ne fait plus attention à mes singeries. Je me suis massacré les cheveux, j'ai laissé pousser mes ongles – celui de mon auriculaire atteint plus de cinq centimètres, et je l'ai peint en rouge vif. Je me suis percé le corps, j'ai enfreint les règlements, violé le couvre-feu, participé à des bagarres, lancé des chahuts, séché les cours, je me suis même faufilé dans le dortoir des filles après l'extinction des feux. J'ai englouti des litres de whisky, souvent en restant effrontément assis sur mon lit, et j'ai même poussé l'audace jusqu'à construire une pyramide avec les cadavres. Une tour de trois pieds de haut faite de bouteilles vides de Jack Daniel's. Je chique du tabac, des mélanges costauds dans le genre Skoal ou Kodiak, imprégnés de whisky. Quand je perds, j'enfourne une boulette de la taille d'une prune et la coince dans ma joue. Plus la défaite est sévère, plus la boulette est grosse. Quelle révolte me reste-t-il ? Quel genre de péché pourrais-je bien commettre à présent pour faire comprendre au monde que je suis malheureux et que je veux rentrer chez moi ?

Semaine après semaine, l'unique moment où je ne suis pas en train de comploter un mauvais coup est l'heure de liberté où je peux glander dans la salle de récréation. Il y a aussi le samedi soir, quand je peux aller draguer les filles au centre commercial de Bradenton. En tout, je suis heureux dix heures par semaine – ou au moins je ne suis pas en train de me creuser le cerveau pour imaginer une nouvelle forme de désobéissance civile.

Je n'ai que quatorze ans à l'époque où la Bollettieri Academy loue un bus et nous expédie au nord de l'État. Un tournoi important a lieu à Pensacola. La Bollettieri Academy se déplace plusieurs fois par an pour participer à ce genre de tournoi à travers toute la Floride. Nick estime que ce sont de bons tests. « Mesurer les pailles », c'est ainsi qu'il appelle cela. La Floride est le paradis du tennis, dit-il, et si nous parvenons à battre les meilleurs joueurs de Floride, c'est que nous sommes les meilleurs au monde.

J'arrive sans peine à me qualifier pour la finale, mais les autres ne se débrouillent pas aussi bien. Ils se font tous rapidement éliminer. Ils sont donc contraints de rester là et d'assister à mon match. Ils ne peuvent pas faire autrement, puisqu'ils n'ont nulle part où aller. Quand j'aurai fini, nous reprendrons tous ensemble le bus, en masse, et nous nous coltinerons ensemble les douze heures du trajet de retour jusqu'à la Bollettieri Academy.

— Surtout prends ton temps, plaisantent les autres.

Personne n'est pressé de passer douze heures de plus dans un bus lent et malodorant.

Pour rire, je décide de jouer en jean. Pas en short de tennis ou avec un pantalon bien chaud, non, avec un vieux jean délavé, déchiré et sale. Je sais très bien que cela ne changera rien au résultat. Mon adversaire est un idiot que je pourrais battre avec un bras attaché dans le dos et déguisé en gorille. Pour faire bonne mesure, je peins mes sourcils au mascara et choisis mes boucles d'oreilles les plus extravagantes.

Je remporte le match sans laisser un set à mon adversaire. Les autres gars m'acclament furieusement. Ils me décernent des compliments supplémentaires sur mon style. Pendant le trajet de retour à la Bollettieri Academy, je suis l'objet de toutes les attentions, on vient me taper dans le dos et me dire bravo. J'ai l'impression d'avoir enfin trouvé ma place, d'être devenu un de ces gars sympas, un des alphas. J'ai décroché le pompon.

Le lendemain, juste après le déjeuner, Nick convoque une assemblée surprise.

— Rassemblement, hurle-t-il.

Il nous emmène dans une cour garnie de gradins. Une fois que les deux cents pensionnaires sont réunis, attendant calmement qu'il prenne la parole, il se met à faire les cent pas devant nous en expliquant la mission de la Bollettieri Academy. Il insiste sur le fait que nous devrions nous sentir privilégiés d'en faire partie. Il a construit cet endroit à partir de rien, dit-il, et il est fier de lui avoir donné son nom. Bollettieri Academy rime avec excellence. La Bollettieri Academy est synonyme de classe. La Bollettieri Academy est réputée dans le monde entier.

Il marque une pause.

— Andre, voulez-vous vous lever une minute ?

Je me lève.

— Tout ce que je viens d'évoquer à propos de cet endroit, Andre, vous l'avez violé. Vous avez souillé ce lieu, vous l'avez déshonoré avec votre petite provocation d'hier. Porter un jean, du maquillage et des boucles d'oreilles lors de votre finale ? Mon garçon, je vais vous dire une chose très importante : si vous avez décidé d'agir de la sorte, si vous voulez vous habiller en fille, voici ce que je vais faire. Lors de votre prochain tournoi, je vous ferai porter une jupe. J'ai contacté Ellesse, et je leur ai commandé un lot de jupes à votre intention. Et vous allez en porter une, oui, mon petit monsieur, parce que si c'est là ce que vous êtes, eh bien, nous allons vous traiter en conséquence.

Deux cents gamins me dévisagent. Quatre cents yeux fixés sur moi. Beaucoup d'entre eux rigolent.

Nick continue.

— Dorénavant, votre temps libre est supprimé. Votre temps libre m'appartient. Vous êtes consigné, monsieur

Agassi. De neuf à dix, vous nettoierez toutes les toilettes. Quand elles seront propres, vous désherberez les terrains. Si cela ne vous plaît pas, c'est simple : allez-vous-en. Si vous continuez à vous comporter comme vous l'avez fait hier, nous ne voulons plus de vous ici. Si vous n'êtes pas capable de montrer que vous êtes aussi attaché à cet endroit que moi, bye-bye.

Le dernier mot, « bye-bye », résonne, et son écho se répand sur les courts vides.

— C'est tout, dit-il. Retournez tous à votre travail.

Tous les gamins s'empressent de décamper. Je reste figé, essayant de décider de ce que je vais faire. Je pourrais insulter Nick. Je pourrais menacer de me battre avec lui. Je pourrais me mettre à hurler. Je pense à Philly puis à Perry. Qu'est-ce qu'ils me conseilleraient de faire ? Je pense à mon père que sa mère envoyait à l'école habillé en fille quand elle voulait l'humilier. Le jour où il est devenu un battant.

Je n'ai plus le temps de réfléchir. Gabriel me dit que ma punition commence à l'instant même.

— À genoux pour le reste de l'après-midi, dit-il. Arrache les mauvaises herbes.

Le soir, débarrassé de mon sac de mauvaises herbes, je regagne ma chambre. Ma décision est prise. Je sais exactement ce que je vais faire. Je fourre mes affaires dans une valise et je pars en direction de l'autoroute. L'idée qu'on est en Floride, qu'un pervers débile pourrait me prendre en stop et qu'on n'entendrait plus jamais parler de moi me traverse l'esprit. Mais je préfère encore la compagnie d'un pervers à celle de Nick.

J'ai dans mon portefeuille une carte de crédit que mon père m'a donnée en cas d'urgence, et je pense que c'en est un. Je me dirige vers l'aéroport. Demain, à cette heure-ci, je serai dans la chambre de Perry et je lui raconterai mon aventure. J'ouvre l'œil pour repérer d'éventuelles torches électriques, ou des chiens. Je lève le pouce.

Une voiture s'arrête. J'ouvre la portière et me tourne pour caser ma valise sur la banquette arrière. C'est Julio, le responsable de la discipline dans l'équipe de Nick. Il me dit que mon père m'attend au téléphone à la Bollettieri Academy et qu'il veut me parler immédiatement.

J'aurais préféré les chiens.

Je dis à mon père que je veux rentrer à la maison. Je lui raconte ce qu'a fait Nick.

— Tu t'habilles comme un pédé, dit mon père. On dirait que tu l'as bien mérité.

Je passe au plan B.

— Papa, Nick gâche mon jeu. Il m'apprend seulement à taper depuis la ligne de fond, on ne travaille jamais le jeu au filet. On ne travaille jamais les services ni les volées.

Mon père me répond qu'il va en parler à Nick. Il me dit aussi que Nick lui a donné l'assurance que ma punition ne durerait que quelques semaines, pour bien montrer qui commande. Ils ne peuvent se permettre de laisser un gamin transgresser le règlement. Ils doivent faire preuve de discipline.

En conclusion, mon père me répète que je vais rester là. Je n'ai pas le choix. Clic. Ligne raccrochée.

Julio ferme la porte. Nick m'enlève le téléphone des mains et m'annonce que mon père lui a demandé de confisquer ma carte de crédit.

Pas question que je la donne. Elle représente la seule possibilité que j'aie de m'échapper d'ici un jour. Plutôt mourir.

Nick tente de négocier et tout à coup je comprends une chose : il a besoin de moi. Il a envoyé Julio à ma poursuite, il a appelé mon père, maintenant il essaie de me prendre ma carte de crédit. Il m'a dit de partir, et quand je l'ai fait il m'a rattrapé. Je l'ai obligé à se dévoiler. En dépit de tous les troubles que je provoque, j'ai manifestement une certaine valeur à ses yeux.

Pendant la journée, je suis le prisonnier modèle. J'arrache les mauvaises herbes, je nettoie les toilettes, je porte la tenue de tennis correcte. Le soir, je suis le vengeur masqué. J'ai volé un passe-partout de l'Academy, et quand tout le monde dort je vais marauder avec un groupe d'autres prisonniers en colère. Si je me contente d'actes de vandalisme mineurs comme de déverser des bombes de crème à raser, les gars de ma troupe recouvrent les murs de graffitis. Sur la porte du bureau de Nick, ils inscrivent *Nick la Trique*. Si Nick fait repeindre sa porte, ils recommencent.

Mon principal acolyte lors de ces virées nocturnes n'est autre que Roddy Parks, le gars qui m'avait battu le jour où Perry s'est présenté à moi. Un jour, Roddy se fait pincer. Son camarade de chambrée a vendu la mèche. J'apprends que Roddy a été renvoyé. Nous savons donc ce qu'il faut faire pour être renvoyé, *Nick la Trique*. Il faut préciser, et c'est tout à son honneur, que Roddy prend sur lui l'entière responsabilité de ce délit et ne dénonce personne.

À part mes petits actes de vandalisme, mon geste de révolte principal est le silence. Je fais le vœu que tant que je vivrai je n'adresserai plus la parole à Nick. C'est mon code, ma religion, ma nouvelle identité. Voilà qui je suis, le garçon qui ne parle pas. Bien entendu, Nick ne s'en aperçoit même pas. En passant près du court, il me dit quelque chose et je ne lui réponds pas. Il hausse les épaules. Mais les autres gamins voient bien que je refuse de répondre. Ma cote monte.

Une des raisons de la distraction de Nick est qu'il est occupé par l'organisation d'un tournoi où il espère attirer les meilleurs juniors de tout le pays. Cela me donne encore une grande idée, une nouvelle occasion d'embêter Nick. Je prends à part un des membres de son équipe et je lui signale un gars de Vegas qui serait parfait pour le tournoi. Il est incroyablement doué, dis-je, il me donne du fil à retordre chaque fois que je joue contre lui.

— Comment s'appelle-t-il ?

— Perry Rogers.

C'est le genre d'appât frais irrésistible pour piéger Nick. Il ne vit que pour découvrir de nouveaux talents, les exhiber dans ses tournois. Les jeunes vedettes excitent toujours la rumeur et ajoutent à l'aura de la Bollettieri Academy, tout en renforçant l'image de Nick comme Le grand mentor du tennis. Bien sûr, Perry ne manque pas de recevoir quelques jours plus tard un billet d'avion et une invitation personnelle à participer au tournoi. Il atterrit en Floride et prend un taxi jusqu'à la Bollettieri Academy. Je l'accueille dans le complexe et nous tombons dans les bras l'un de l'autre en ricanant du bon tour que nous venons de jouer à Nick.

— Contre qui je vais jouer ?

— Murphy Jensen.

— Oh non ! Il est très fort.

— T'inquiète pas de ça. Ce ne sera pas avant quelques jours. Pour l'instant, faisons la fête.

Parmi les nombreux avantages offerts aux gamins qui participent au tournoi figure une excursion aux Busch Gardens à Tampa. Je fais monter Perry dans le bus qui doit nous conduire au parc d'attractions et je lui raconte mon humiliation publique, je lui dis combien je me sens malheureux à la Bollettieri Academy, et que je suis au bord de l'échec à Bradenton. Mais là, il ne me suit plus. Pour une fois, il ne parvient pas à comprendre mon problème. Il adore l'école. Il rêve de fréquenter une bonne université de la côte est, puis une école de droit.

Je change de sujet. Je le cuisine au sujet de Jamie. Est-ce qu'elle a demandé de mes nouvelles ? De quoi a-t-elle l'air ? Porte-t-elle mon bracelet de cheville ? Je dis à Perry que je veux qu'il rapporte un cadeau pour Jamie à Vegas. Je peux peut-être trouver quelque chose de bien à Busch Gardens.

— Ce serait super, reconnaît-il.

On n'est pas arrivés depuis dix minutes que Perry repère une baraque pleine de peluches. Tout en haut d'une étagère se trouve un énorme panda noir et blanc. Ses pattes pendent sur le côté et il tire une minuscule langue rouge.

— Andre, voilà ce qu'il faut que tu offres à Jamie.

— Oui, d'accord, mais ce n'est pas à vendre. Il faut décrocher le gros lot pour gagner le panda et personne n'y arrive jamais. Le jeu est truqué et je n'aime pas les choses truquées.

— Mais non, tu dois juste réussir à enfiler deux anneaux de caoutchouc sur le goulot d'une bouteille de Coca. On est des *athlètes*. On peut le faire.

On essaye pendant une demi-heure, lançant des anneaux de caoutchouc à travers toute la baraque. Pas un seul ne vient s'enfiler sur le goulot d'une bouteille.

— Très bien, dit Perry, voilà ce qu'on va faire. Tu vas détourner l'attention de la femme qui tient le stand. Je vais me faufiler par-derrière et placer deux de ces anneaux sur les bouteilles.

— Tu crois ? Et si on se fait prendre ?

Mais aussitôt je me souviens. C'est pour Jamie. Rien n'est trop beau pour Jamie.

J'appelle la femme.

— Excusez-moi, m'dame, je voudrais savoir.

— Oui, fait-elle en se retournant.

Je lui pose une question sans intérêt sur la règle du jeu. Du coin de l'œil, je vois Perry se faufiler dans la baraque. Quatre secondes après il en sort d'un bond.

— J'ai gagné ! J'ai gagné !

La femme se retourne brusquement. Elle voit deux bouteilles de Coca cerclées par des anneaux de caoutchouc. Elle paraît d'abord stupéfaite, puis sceptique.

— Attends une minute, mon garçon.

— J'ai gagné ! Je veux mon panda !

— Je ne t'ai pas vu le faire.

— C'est votre problème. Le règlement ne précise pas que vous devez le voir. Où est-ce que c'est précisé ? Je veux parler à votre directeur ! Faites venir M. Bush Gardens lui-même ! Je vais traîner tout ce parc d'attractions en justice. Qu'est-ce que c'est que cette arnaque ? J'ai payé un dollar pour jouer, c'est un contrat implicite. Vous me devez un panda. Je vais vous poursuivre. Mon père va vous poursuivre. Vous avez exactement trois secondes pour me donner le panda que j'ai bel et bien gagné.

Perry fait exactement ce qu'il adore : pérorer. Mais il fait aussi ce que fait son père : il vend de l'air. Et la femme du stand fait exactement ce qu'elle déteste : s'occuper d'une attraction dans un parc. Il n'y a rien à dire. Elle ne veut pas avoir d'ennuis et n'a pas besoin de cette migraine. Du bout d'une longue perche, elle attrape le panda et le tend vers nous. Il est presque aussi grand que Perry. Celui-ci s'en saisit comme d'un Chipwich géant, et nous détalons avant qu'elle ait le temps de changer d'avis.

Pendant le reste de la soirée, nous formons un trio : Perry, moi et le panda. Nous l'emportons au snack-bar, aux toilettes, sur les montagnes russes. C'est comme si on devait veiller sur un débile de quatorze ans. Un véritable panda ne nous causerait pas plus d'ennuis. Quand vient l'heure de remonter dans le bus, nous sommes à la fois fatigués et ravis de fourrer le panda sur un siège qu'il remplit à lui tout seul.

Sa corpulence est aussi impressionnante que sa taille.

— J'espère que Jamie va l'apprécier, dis-je.

— Je suis sûr qu'elle va l'adorer, répond Perry.

Une fillette est assise derrière nous. Elle a huit ou neuf ans. Elle a les yeux rivés sur le panda. Elle est en extase devant lui et caresse sa fourrure.

— Quel joli panda ! Où l'avez-vous eu ?

— On l'a gagné.

— Qu'est-ce que vous allez en faire ?

— Je vais l'offrir à une amie.

Elle demande la permission de s'asseoir auprès du panda. Elle voudrait bien le câliner. Je lui dis qu'elle peut y aller.

J'espère qu'il fera à peu près autant d'effet à Jamie.


Le lendemain matin, nous traînons dans le dortoir, Perry et moi, lorsque Gabriel passe la tête.

— Le Boss veut te voir.

— À quel sujet ?

Gabriel hausse les épaules.

Je marche tranquillement, prenant tout mon temps. Je m'arrête devant la porte du bureau de Nick. Je repense à l'inscription, *Nick la Trique*. Tu vas nous manquer, Roddy.

Nick est assis à son bureau, confortablement appuyé au dossier de son grand fauteuil de cuir noir.

— Entre, Andre, entre.

Je m'assois sur une chaise en bois en face de lui.

Il se racle la gorge

— Je crois savoir que tu es allé hier à Bush Gardens. Tu t'es bien amusé ?

Je ne dis rien. Il attend. Il s'éclaircit à nouveau la voix.

— Bon, j'ai cru comprendre que tu as rapporté un très grand panda.

Je continue de regarder fixement devant moi.

— Quoi qu'il en soit, ma fille semble être tombée amoureuse de ce panda. Ha ! Ha !

Je revois la gamine dans le bus. La fille de Nick, bien sûr. Comment cela a-t-il pu m'échapper ?

— Elle n'arrête pas d'en parler, reprend Nick. Voici donc ce que je te propose : j'aimerais t'acheter ce panda.

Silence.

— Tu m'entends, Andre ?

Silence.

— Tu comprends ce que je dis ?

Silence.

— Gabriel, pourquoi est-ce qu'Andre ne dit rien ?

— Il ne vous parle plus.

— Depuis quand ?

Gabriel fronce les sourcils.

— Bon, dit Nick, tu n'as qu'à me dire ton prix, Andre. Je ne bouge pas d'un cil.

— Je vois. Pourquoi *n'écris-tu* pas combien tu en veux ?

Il fait glisser une feuille de papier dans ma direction. Je ne bouge pas.

— Que dirais-tu de deux cents dollars ?

Silence absolu.

Gabriel dit à Nick qu'il me reparlera du panda plus tard.

— Ouais, fait Nick, OK. Penses-y, Andre.


— Tu ne vas jamais me croire, dis-je à Perry, de retour au dortoir. Il veut le panda. Cette gamine dans le bus, c'était la fille de Nick.

— Tu plaisantes. Et qu'est-ce que tu as répondu ?

— Je n'ai rien dit.

— Qu'est-ce que ça signifie ?

— Mon vœu de silence. Tu te rappelles. Pour toujours.

— Andre, tu as mal joué ce coup-là. Non, non, c'est une erreur. Il faut que tu rectifies rapidement le tir. Voici ce que tu vas faire : tu prends le panda, tu le donnes à Nick, mais tu lui dis que tu ne veux pas de son argent. Ce que tu veux, c'est qu'on te donne ta chance de réussir et de partir d'ici. Tu veux des occasions imprévues, tu veux participer à des tournois, avoir un autre règlement. Tu veux que la nourriture soit meilleure, que tout soit meilleur. Et, surtout, tu ne veux plus aller en classe. C'est l'occasion rêvée de te libérer. Tu as maintenant un vrai moyen de pression.

— Je ne peux pas donner mon panda à ce foutu mec. J'en suis tout simplement incapable. Et Jamie, alors ?

— On s'occupera de Jamie plus tard. C'est ton avenir qui est en cause. Tu dois donner ce panda à Nick !

Nous continuons de discuter longtemps après l'extinction des lumières, échangeant à voix basse des arguments enflammés. Perry finit par me convaincre.

— Bon, dit-il en bâillant, tu vas donc le lui donner demain.

— Non, assez de ces conneries. Je vais immédiatement dans son bureau. J'entre avec mon passe-partout et je flanque le panda cul par-dessus tête dans le fauteuil en cuir de Nick.


Le lendemain, avant le petit déjeuner, Gabriel revient me chercher.

— Au bureau. Tout de suite.

Nick est dans son fauteuil. Le panda est posé dans un coin, penché, regardant dans le vide. Nick regarde d'abord le panda, puis moi.

— Tu ne me parles pas, dit-il. Tu te maquilles. Tu portes un jean à un tournoi. Tu m'as fait inviter ton ami Perry à participer à la compétition alors qu'il sait à peine jouer. C'est tout juste s'il est capable de mâcher du chewing-gum et de marcher en même temps. Et tes cheveux ! Ce n'est même pas la peine d'en parler. Et maintenant, tu me donnes une chose que je t'ai demandée mais tu entres par effraction dans mon bureau, en pleine nuit, et tu la flanques cul par-dessus tête dans mon putain de fauteuil. Comment diable as-tu fait pour entrer dans mon bureau ? Seigneur, mon garçon, quel est ton problème ?

— Vous voulez savoir quel est mon problème ?

Même Nick est choqué par le son de ma voix.

Je hurle.

— C'est *vous* mon putain de problème, vous. Et si vous ne l'avez pas encore compris, c'est que vous êtes encore plus con que vous n'en avez l'air. Avez-vous la moindre idée de ce que ça veut dire d'être ici ? De ce que c'est de vivre à cinq cents kilomètres de chez soi, d'être emprisonné, de se lever à six heures et demie, d'avoir une demi-heure pour avaler ce petit déjeuner dégueulasse, de monter dans ce bus pourri pour aller passer quatre heures dans cette école minable, de revenir en vitesse, d'avoir une demi-heure pour avaler encore un peu de merde avant de rejoindre le court, et cela tous les jours, *tous les jours*. Est-ce que vous vous rendez compte ? Le seul moment qu'on ait hâte de voir arriver, le seul moment agréable de la semaine, c'est le samedi soir au centre commercial de Bradenton, et vous m'en avez privé. *Vous m'avez même retiré cela !* C'est l'enfer ici, et j'ai envie d'y foutre le feu !

Nick ouvre de grands yeux, plus ronds que ceux du panda. Pourtant il n'est pas fâché, ni triste. Il semble presque content, comme si c'était là le seul langage qu'il comprenne. Il me fait penser à Al Pacino dans *Scarface,* quand une femme lui dit : *Avec qui, pourquoi, quand et comment j'baise ça te regarde pas, okay ?* Et Al Pacino : *Alors ça, ça y est, tu parles, poupée !*

Je découvre que Nick aime bien être traité à la dure.

— OK, dit-il. Tu marques un point. Dis-moi ce que tu veux.

J'entends la voix de Perry.

— Je veux quitter l'école, dis-je. Je veux prendre des cours par correspondance pour pouvoir travailler mon jeu à plein temps. Je veux que vous m'aidiez vraiment au lieu de m'apprendre toutes ces conneries. Je veux qu'on me donne ma chance, je veux participer à des tournois. Je veux franchir les étapes pour devenir un vrai pro.

Bien sûr, tout cela n'est pas ce que je veux vraiment. C'est ce que Perry m'a convaincu de demander et c'est toujours mieux que ce que j'ai. Même en exprimant ces réclamations, je me sens partagé. Mais Nick échange un regard avec Gabriel, Gabriel me regarde et le panda observe toute la scène.

— Je vais y réfléchir, dit Nick.


Quelques heures après que Perry est reparti pour Vegas, Nick me fait savoir par l'intermédiaire de Gabriel que la première chance qu'il m'offre est le grand tournoi de La Quinta. Il va aussi m'inscrire au prochain satellite de Floride. De plus, je peux considérer que je ne fais plus partie de la Bradenton Academy dont je suis désormais dispensé. Il mettra en place un système de cours par correspondance dès qu'il en trouvera un.

Gabriel sort du bureau avec un petit sourire narquois.

— T'as gagné, mon gars.

Je regarde tous les autres embarquer dans le bus pour Bradenton Academy, et tandis qu'il s'éloigne en cahotant et en crachant sa fumée noire, je reste assis sur un banc, à profiter du soleil. Je me dis : tu as quatorze ans et tu n'iras plus jamais à l'école. À partir de maintenant, chaque matin ce sera comme Noël et le premier jour des vacances d'été réunis. Un sourire s'élargit sur mon visage, le premier depuis des mois. Plus de crayons, plus de livres, fini les regards noirs des professeurs. Tu es libre, Andre. Tu ne seras plus jamais obligé d'apprendre quoi que ce soit.

# 7

Je mets ma boucle d'oreille et je descends en vitesse jusqu'aux courts en dur. La matinée est à moi, bien à moi, et je la passe à frapper des balles. Frappe *plus fort*. Je frappe pendant deux heures pour canaliser dans chaque swing ma liberté retrouvée. Je sens la différence. La balle jaillit de ma raquette. Nick vient me voir, il secoue la tête :

— Je plains ton prochain adversaire, dit-il.

Pendant ce temps, à Vegas, ma mère prend des cours par correspondance à ma place. Sa première véritable correspondance est une lettre dans laquelle elle me dit que son fils n'ira peut-être pas à l'université, mais qu'elle est bien convaincue qu'il finira son lycée. Je lui réponds en la remerciant de faire mes devoirs et de passer les examens à ma place. Mais quand elle obtiendra des diplômes, ajoutai-je, elle peut aussi bien les garder pour elle.

En mars 1985, je me rends à Los Angeles pour passer quelque temps avec Philly. Il vit dans une petite maison qu'on lui a prêtée, donne des leçons de tennis et s'interroge sur son avenir. Il m'aide à m'entraîner pour La Quinta, qui est un des tournois les plus importants de l'année. Sa maison est minuscule, plus petite que notre chambre à Vegas, plus petite que notre Omni de location, mais cela ne nous dérange pas, nous sommes enchantés de nous retrouver et pleins d'espoir quant à mes nouveaux projets. Nous avons tout de même un problème : l'argent. Nous vivons de pommes de terre à l'eau et de soupe aux lentilles. Trois fois par jour, nous cuisons des pommes de terre et nous faisons réchauffer une boîte de soupe. Nous versons la soupe sur les pommes de terre, et voilà, le petit déjeuner, le déjeuner ou le dîner est prêt. Le repas complet nous revient à quatre-vingt-dix-neuf cents et nous fait oublier la faim pendant près de trois heures.

C'est dur de jouer au tennis avec des rations aussi maigres dans le ventre, et j'ai sans cesse l'impression d'être sur le point de m'évanouir. Je pleurniche, je supplie, j'essaye de saboter notre budget. Un jour, nous manquons de pommes de terre et devons refaire le plein au supermarché du coin. Je me trouve devant le rayon et mon estomac se révolte. Je ne peux plus voir une patate en peinture. Je m'éloigne et me promène un peu dans le magasin jusqu'à me retrouver au rayon des surgelés. Mon regard tombe sur un produit particulièrement tentant. Des biscuits à la crème Oreo. Je tends la main comme un somnambule. J'attrape un paquet dans le rayon et vais rejoindre mon frère à la caisse rapide. En me glissant derrière lui, je dépose discrètement les biscuits sur le tapis.

Il les regarde puis me regarde.

— On n'a pas les moyens.

— Je prendrai ça à la place des pommes de terre.

Il prend le paquet, regarde le prix et siffle doucement.

— Andre, c'est le prix de dix pommes de terre. On ne peut pas.

— Je sais. Bordel.

Tandis que je retourne au rayon des surgelés, je me dis : « Je déteste Philly. J'adore Philly. Je déteste les pommes de terre. »

Étourdi par la faim, je bats Broderick Dyke au premier tour de La Quinta, 6-4, 6-4. Au deuxième tour, je bats Bill Baxter, 6-2, 6-1. Au troisième, je bats Russel Simpson, 6-3, 6-3. Puis je gagne mon premier match dans la série principale contre John Austin, 6-4, 6-1. En retard d'un break dans le premier set, je suis revenu en force. Je n'ai que quinze ans et je bats des joueurs adultes. Alors que je suis à moitié évanoui, je me fraye mon chemin dans le classement. Partout où je passe, des gens me montrent du doigt en murmurant : *C'est lui. C'est le gamin dont je vous parlais, le prodige.* Peu importe ce que veut dire ce mot, c'est le plus joli que j'aie jamais entendu à mon sujet.

Pour ceux qui atteignent le deuxième tour de La Quinta, la prime est de deux mille six cents dollars. Comme je suis amateur, je n'y ai pas droit, mais Philly apprend que les organisateurs du tournoi remboursent les frais des joueurs. Assis dans notre guimbarde, nous dressons une liste détaillée de nos dépenses imaginaires, comprenant un prétendu vol en première classe depuis Vegas, la chambre dans un prétendu hôtel cinq étoiles, de plantureux repas au restaurant, tout aussi imaginaires. Nous nous croyons malins parce que notre note de frais s'élève à deux mille six cents dollars, très exactement.

Si Philly et moi avons le culot de réclamer une telle somme, c'est parce que nous venons de Vegas. Nous avons passé notre enfance au casino. Nous nous prenons pour des bluffeurs-nés, des parieurs qui jouent gros. Après tout, nous avons été initiés aux jeux d'argent avant de savoir aller sur le pot. Il n'y a pas très longtemps, nous nous promenions au Caesars Palace et nous sommes passés, Philly et moi, devant une machine à sous au moment où elle jouait cette vieille rengaine du temps de la Dépression, *On baigne dans l'argent.* Nous la connaissions par Papa et y avons vu un signe. Il ne nous est pas venu à l'idée que la machine jouait cet air à longueur de journée. Nous avons pris place à la table de black-jack la plus proche, et nous avons gagné. À présent, avec le même aplomb naïf, je vais porter notre note de frais au bureau du directeur du tournoi, Charlie Pasarell, pendant que Philly m'attend dans la voiture.

Charlie est un ancien joueur. En 1969, il a joué en simple messieurs contre Pancho Gonzalez, la plus longue partie jamais jouée à Wimbledon. Pancho est maintenant mon beau-frère, puisqu'il a récemment épousé Rita. Encore un signe qui prouve que Philly et moi nageons dans l'argent. Mais le signe le plus probant de tous, c'est qu'un des plus vieux amis de Charlie n'est autre qu'Alan King, celui qui avait organisé le tournoi de Vegas au cours duquel j'avais vu César et Cléopâtre et la brouette pleine de dollars d'argent. Ce tournoi où j'avais travaillé comme ramasseur de balles avec Wendi, mes premiers pas sur un court de tennis professionnel dans un rôle officiel. Des signes, partout des signes. Je pose la note sur le bureau de Charlie et recule d'un pas.

— Houlà, fait Charlie en découvrant la note. Voilà qui est très intéressant.

— Pardon ?

— Les notes de frais sont rarement aussi précises.

Je me sens rougir.

— Tes dépenses, Andre, se montent exactement à la somme que tu aurais dû toucher si tu étais professionnel.

Charlie m'observe par-dessus ses lunettes. Je sens mon cœur se ratatiner à la taille d'une lentille. J'envisage de me sauver en courant. Je nous imagine, Philly et moi, passant le reste de notre vie dans notre petite baraque. Mais Charlie esquisse un sourire, plonge la main dans un petit coffre et en sort une liasse de billets.

— En voilà deux mille, mon gars. Et ne viens pas m'embêter pour les six cents qui manquent.

— Merci, monsieur. Merci beaucoup.

Je sors en courant et m'engouffre dans la voiture. Philly démarre en trombe, comme si on venait de braquer la First Bank de La Quinta. Je compte mille dollars et les tends à mon frère.

— Ta part du magot.

— Pourquoi ? Non, Andre ! Tu les as durement gagnés, frérot.

— Tu plaisantes ? *Nous* les avons gagnés. Philly, je n'aurais pas pu y arriver sans toi ! Impossible ! On est dans le coup tous les deux, mec.

Tout au fond de nous, nous repensons tous les deux à ce jour où j'ai trouvé trois cents dollars sur ma table de nuit en me réveillant. Nous revoyons aussi ces nuits où, assis sur le court numéro 1 et le court numéro 2 de notre chambre, nous partagions tout. Il se penche vers moi tout en conduisant et me serre l'épaule. Puis nous discutons de ce que nous allons manger pour le dîner. Nous salivons déjà en nous lançant à la figure des noms de restaurants. Pour finir, nous tombons d'accord : puisque c'est une occasion particulière, une de celles qui se présentent une seule fois dans toute une vie, il nous faut quelque chose qui sorte vraiment de l'ordinaire.

Sizzler.

— Je me régale déjà d'un bon filet de bœuf, dit Philly. Je ne vais même pas m'embarrasser d'une assiette, je vais manger à même le buffet.

Ils ont aussi un buffet d'entrées à volonté.

— Ils vont regretter d'avoir eu cette idée-là !

— Tu l'as dit, frérot.

Nous dévorons tout le Sizzler de La Quinta, sans laisser la moindre graine ou le moindre croûton dans notre sillage, puis nous restons assis à contempler tout l'argent qui nous reste. Nous alignons les billets, nous les mettons en piles, nous les caressons. Nous parlons de notre nouveau pote, Benjamin Franklin. Nous sommes tellement ivres de calories que nous sortons le fer à repasser et que nous le faisons glisser légèrement sur chaque billet pour effacer doucement les rides sur le visage de Ben.

# 8

Je continue à vivre et à m'entraîner à la Bollettieri Academy. Nick est mon entraîneur et parfois mon compagnon de voyage, même s'il se considère plutôt comme un coach. Notre accord de paix quelque peu forcé a évolué vers une relation de travail étonnamment harmonieuse. Nick respecte la manière dont je me suis révolté contre lui, et moi je le respecte parce qu'il tient parole. Nous travaillons dur dans le même but, conquérir le monde du tennis. Je n'attends pas grand-chose de Nick pour me faire des relations. Ce que j'attends de lui, c'est sa coopération, pas des informations. De son côté, il attend de moi des victoires qui lui vaudront des gros titres dans les journaux, ce qui contribuera à l'image de son académie. Je ne lui paie aucun salaire parce que j'en suis incapable, mais il est entendu que lorsque je deviendrai professionnel je lui donnerai un pourcentage de ce que je gagnerai. Et il trouve cela très généreux.

Au début du printemps 1986, je parcours toute la Floride en participant à une série de tournois satellites. Kissimmee, Miami, Sarasota, Tampa. J'ai travaillé dur pendant une année, en me concentrant exclusivement sur le tennis. Je joue bien et j'atteins le cinquième tournoi de la série, les Masters. J'arrive en finale et même si je perds, j'ai le droit de toucher un chèque de onze cents dollars.

Je voudrais bien l'accepter. Je meurs d'envie de l'accepter. Philly et moi aurions bien besoin de cet argent. Mais si j'accepte ce chèque, je deviens joueur de tennis professionnel, pour toujours, sans possibilité de faire marche arrière.

Je téléphone à mon père à Vegas pour lui demander ce que je dois faire.

— Mais bon Dieu, qu'est-ce que tu racontes, dit mon père. Prends donc l'argent.

— Si je l'accepte je ne peux plus reculer. Je deviens professionnel.

— Et alors ?

— Si j'encaisse ce chèque, Papa, c'est fini.

Il fait comme si la ligne était mauvaise.

— Tu as déserté l'école. Tu as une instruction rudimentaire. Qu'est-ce qu'il te reste comme choix ? Qu'est-ce que tu pourrais bien faire d'autre ? Devenir médecin ?

Je sais tout cela, mais je n'aime pas sa façon de le dire.

J'annonce au directeur du tournoi que j'accepte l'argent. Au moment où les mots franchissent mes lèvres, j'ai l'impression que des pans entiers d'avenirs possibles s'écroulent. Mais je ne sais rien de ces possibilités et surtout, je n'en saurai jamais rien. L'homme me tend un chèque. Tandis que je sors de son bureau, j'ai le sentiment d'entamer un très long chemin qui semble me conduire vers une forêt obscure et pleine de menaces.

29 avril 1986. C'est mon seizième anniversaire.

Je passe toute la journée à tenter vainement de comprendre ce qui m'arrive. Je me dis : Te voilà joueur professionnel à présent. C'est ce que tu es. C'est qui tu es. J'ai beau me le répéter sans cesse, cela ne sonne pas juste.

Ce qui est indiscutablement positif dans ma décision de devenir professionnel, c'est que mon père demande à Philly de m'accompagner à plein temps, de m'aider pour les problèmes d'intendance, les innombrables détails que nécessite une carrière, de la location de voiture aux réservations de chambres d'hôtel en passant par le cordage des raquettes.

— Tu as besoin de lui, me dit mon père.

Mais nous savons bien, tous les trois, que Philly et moi avons besoin l'un de l'autre.

Le lendemain, Philly reçoit un appel de l'entreprise Nike. Ils veulent me rencontrer à propos d'un accord de sponsoring. Philly et moi retrouvons le gars de Nike à Newport Beach, dans un restaurant, le Pélican rouillé. Il s'appelle Ian Hamilton.

Je l'appelle « monsieur Hamilton », mais il me demande de l'appeler Ian. Il sourit d'une façon qui me donne immédiatement confiance en lui. Mais Philly demeure méfiant.

— Les gars, dit Ian, je pense qu'Andre est promis à un très bel avenir.

— Merci.

— J'aimerais que Nike soit associé à cet avenir, qu'il en soit un partenaire.

— Merci.

— J'aimerais vous proposer un contrat de deux ans.

— Merci.

— Pendant ce temps, Nike vous fournira tout l'équipement et vous paiera vingt mille dollars.

— Pour les deux ans ?

— Non, chaque année.

— Ah.

Philly intervient aussitôt. Et qu'est-ce qu'Andre devra faire en échange de cet argent ?

Ian semble troublé.

— Eh bien, Andre devra faire tout ce qu'il fait déjà, mon gars. Il devra continuer à être Andre. Et gagner.

Ce Ian me plaît de plus en plus.

Philly et moi nous nous regardons, deux petits gars de Vegas qui se croient encore capables de bluffer. Mais nos ruses de joueurs de poker ont disparu depuis longtemps. Nous les avons oubliées chez Sizzler. Nous n'arrivons pas à croire à ce qui nous arrive, et encore moins à dissimuler notre surprise. Du moins Philly a-t-il la présence d'esprit de demander à Ian de nous excuser un moment. Nous avons besoin de quelques instants pour discuter entre nous de sa proposition.

Nous filons dans un coin reculé du Pélican rouillé et téléphonons à mon père.

— Pops, dis-je à voix basse, Philly et moi on est avec le gars de chez Nike, et il me propose vingt mille dollars. Qu'est-ce que tu en penses ?

— Demande davantage.

— Vraiment ?

— Plus d'argent ! Plus d'argent !

Il raccroche. Philly et moi préparons notre numéro. Je joue mon propre rôle, et lui joue Ian. Les types qui nous voient sur le chemin des toilettes s'imaginent qu'on répète un sketch satirique. Nous finissons par regagner prudemment notre table. Philly annonce la contre-proposition. Davantage d'argent. Le gars a l'air sérieux. Je ne peux m'empêcher de remarquer qu'il a le même air que mon père.

— OK, dit-il. On doit pouvoir arranger cela. Je peux aller jusqu'à vingt-cinq mille dollars pour la deuxième année. Marché conclu.

Nous lui serrons la main. Puis nous sortons tous du Pélican rouillé. Nous attendons que la voiture de Ian se soit éloignée pour bondir en chantant *On nage dans le fric !*

— Tu y crois, toi, à ce qui vient d'arriver ?

— Non, répond Philly. Franchement ? Non, je n'y arrive pas.

— Je peux conduire jusqu'à LA ?

— Non, tu as les mains qui tremblent. Tu vas nous envoyer dans le décor et on ne peut pas se le permettre. Tu vaux vingt mille dollars maintenant, frangin !

— Et vingt-cinq mille l'an prochain.

Pendant tout le trajet du retour jusque chez Philly, notre première préoccupation est de savoir quelle voiture pas trop chère mais sympa on va acheter. L'essentiel est d'en trouver une dont le pot d'échappement ne crache pas des nuages noirs. S'arrêter devant Sizzler au volant d'une voiture qui ne fume pas, voilà qui serait le comble du luxe.

Mon premier tournoi en tant que joueur professionnel a lieu à Schenectady, dans le comté de New York. J'atteins la finale de ce tournoi à cent mille dollars, et je perds contre Ramesh Krishnan, 6-2, 6-3. Pourtant, je prends bien les choses. Krishnan est un bon joueur, bien meilleur que ne le laisserait penser son classement dans les quarante et quelques, et moi je suis un adolescent inconnu, participant à la finale d'un tournoi drôlement important. La chose est vraiment exceptionnelle, je ne souffre pas d'avoir été battu. Je n'éprouve que de la fierté. En fait, j'ai même un soupçon d'espoir, parce que je sais que j'aurais pu mieux jouer, et que Krishnan aussi le sait.

Ensuite je me rends à Stratton Mountain, dans le Vermont, où je bats Tim Mayotte, classé numéro 12. En quart de finale, je joue contre John McEnroe et j'ai l'impression d'affronter John Lennon. Ce type est une légende vivante. J'ai grandi en l'observant et en l'admirant, même s'il m'est souvent arrivé de râler contre lui parce que son pire adversaire, Borg, était mon idole. J'aimerais bien battre Mac. Mais c'est là son premier match après une brève période de repos. Il est en pleine forme, il piaffe d'impatience et il y a peu de temps il était encore classé numéro 1 mondial. Quelques instants avant d'accéder au court, je me demande pourquoi un joueur aussi parfait et accompli que Mac a besoin de repos. Il me le fait rapidement comprendre. Il me démontre les vertus du repos. Il me bat sévèrement, 6-3, 6-3. Pendant le match, je parviens pourtant à envoyer une balle supersonique, un retour sur le service de Mac, qui explose à côté de lui. À la conférence de presse qui suit, Mac déclare aux journalistes :

— J'ai joué contre Becker, Connors et Lendl, et personne ne m'a jamais renvoyé un retour aussi puissant. Je n'ai même pas eu le temps de voir la balle.

Venant d'un joueur de l'importance de Mac, cette seule déclaration, cette confirmation chaleureuse de la puissance de mon jeu, me vaut une notoriété nationale. Des journaux me consacrent des articles. Des fans m'écrivent. Philly se retrouve soudain inondé de demandes d'interviews. Il glousse chaque fois qu'il en reçoit une.

— C'est chouette d'être célèbre, dit-il.

Pendant ce temps, mon classement progresse au même rythme que ma popularité.


Je participe à mon premier US Open à la fin de l'été 1986, impatient de franchir ce nouveau pas dans la compétition. Quand je découvre New York par le hublot de l'avion, pourtant, ma hâte disparaît. La vue est magnifique, certes, mais combien intimidante pour un gars qui a grandi dans le désert. Tant de gens. Tant de rêves. Tant d'opinions.

De près, au niveau de la rue, New York est moins impressionnante qu'agaçante. Les mauvaises odeurs, les bruits assourdissants et... les pourboires. Élevé dans un foyer qui se nourrissait de pourboires, je prends la chose très au sérieux. Mais à New York, la civilisation du pourboire a une tout autre dimension. Cela me coûte cent dollars ne serait-ce que pour aller de l'aéroport à ma chambre d'hôtel. Entre-temps, j'ai dû graisser la patte du chauffeur de taxi, du portier, du groom et du concierge. Je suis à sec.

Et puis, je suis toujours en retard. Je sous-estime sans cesse le temps qu'il faut à New York pour aller d'un point A à un point B. Un jour, juste avant le début du tournoi, j'ai un entraînement à deux heures. Je pars de mon hôtel avec une marge que j'estime amplement suffisante pour me rendre jusqu'au stade de Flushing Meadows. Je prends une navette devant l'hôtel, et au moment où, progressant à travers les embouteillages du centre-ville, nous franchissons le Triborough en direction du Queens, je suis déjà horriblement en retard. Une femme me dit que mon court a été donné à quelqu'un d'autre.

Je me tiens devant elle, lui demandant de m'accorder un autre créneau d'entraînement.

— Qui êtes-vous ?

Je lui montre mes papiers tout en esquissant un sourire timide.

Il y a derrière elle un tableau recouvert d'un océan de noms de joueurs, qu'elle consulte d'un air sceptique. Je pense à Mme G. Elle suit du doigt les colonnes de noms la plus à gauche.

— Très bien, dit-elle. Quatre heures. Court 8.

Je regarde le nom du joueur avec qui je vais devoir m'entraîner.

— Je suis désolé. Je ne peux pas m'entraîner avec lui. Je suis susceptible de jouer contre lui au deuxième tour.

Elle retourne à son tableau en soupirant, l'air contrarié, et je me demande si par hasard Mme G. n'a pas une sœur perdue de vue depuis longtemps. Heureusement que je ne porte plus cette crête d'Iroquois, ce qui me donnerait l'air encore plus provocateur aux yeux de cette dame. Pourtant, il faut bien reconnaître que ma coiffure est à peine moins originale, une touffe bicolore de cheveux hérissés dans le désordre, avec des racines noires et les mèches passées au gel.

— OK, dit-elle. Court 17. Cinq heures. Mais vous devrez le partager avec trois autres joueurs.

Je confie à Nick que j'en ai par-dessus la tête de cette ville.

— Mais non, ça va aller.

L'endroit a meilleure allure, vu de loin.

Mais n'est-ce pas vrai de toute chose ?

Au premier tour, j'affronte Jeremy Bates, un Anglais. On joue sur un court situé à l'arrière, loin de la foule et de l'action principale. Je suis tout excité. Je suis fier. Et tout à coup me voilà effrayé. J'ai l'impression d'être dimanche, à la finale du tournoi. J'ai une sacrée frousse.

Il s'agit d'un tournoi du Grand Chelem et l'énergie du jeu est différente de tout ce que j'ai expérimenté jusqu'à présent. Plus frénétique. Le match se déroule à toute vitesse, à un rythme auquel je ne suis pas habitué. En plus il y a du vent. Les points semblent voler comme la poussière et les papiers de chewing-gum. Je ne comprends plus ce qui m'arrive. Cela ne ressemble plus à du tennis. Bates n'est pas meilleur que moi mais il joue mieux parce que, en venant ici, il savait à quoi s'attendre. Il me bat en quatre sets puis regarde vers les gradins où Philly est assis à côté de Nick. Il fourre alors son poing dans le creux de son coude, le geste international pour dire « Va te faire foutre ». Manifestement, Bates et Nick ont un compte à régler.

Je suis déçu, un peu gêné. Mais je sais que je n'étais pas prêt pour mon premier US Open. Je vois bien le fossé qu'il y a entre l'endroit où je me trouve et celui où je devrais être, et je crois raisonnablement pouvoir le combler.

— Tu vas progresser, me dit Philly en me passant un bras autour des épaules. Ce n'est qu'une question de temps.

— Merci. Je le sais bien.

Et de fait je le sais. Je le sais vraiment. Pourtant, je me mets à perdre. Non, pas seulement à perdre, à me faire écraser. A plate couture. Lamentablement. À Memphis, je suis éliminé au premier tour. À Key Biscayne, même chose.

— Philly, dis-je. Qu'est-ce qui m'arrive ? Je n'y comprends plus rien. J'ai l'impression d'être un amateur, un joueur du dimanche. Je suis perdu.

J'atteins le fond au Spectrum, à Philadelphie. Ce n'est pas un vrai terrain de tennis, tout au plus un stade de base-ball reconverti. C'est caverneux, mal éclairé, deux courts sont placés côte à côte et il s'y déroule deux matchs en même temps. Au moment où je retourne un service, un autre joueur en fait autant sur le court voisin, et si son coup part de côté en même temps que le mien, on peut craindre d'entrer en collision. J'ai déjà assez de mal à me concentrer, s'il faut en plus envisager de se cogner dans un autre joueur ! Je n'arrive pas encore à faire abstraction de ce genre d'éléments perturbateurs. Au bout du premier set, je suis incapable de penser et je n'entends plus rien d'autre que les battements de mon cœur.

De plus, mon adversaire n'est pas très bon, ce qui me désavantage. Je ne joue jamais si mal que contre un adversaire moins bon que moi. Je me mets à son niveau. Je ne parviens pas à maintenir mon niveau de jeu tout en l'ajustant à celui de mon adversaire. C'est comme si j'essayais d'inspirer et d'expirer en même temps. Face à de bons joueurs, j'améliore mon jeu pour relever le défi. En face de mauvais joueurs, je force mon jeu, ce qui, en termes de tennis, revient à dire qu'on ne laisse pas les choses se dérouler naturellement. Forcer son jeu est une des pires choses qu'on puisse faire au tennis.

Philly et moi rentrons effondrés à Vegas. Nous sommes découragés, mais nous avons un problème plus urgent. Nous sommes fauchés. Je n'ai rien gagné depuis des mois et avec les déplacements, les frais d'hôtel, les voitures de location et les repas au restaurant, j'ai claqué presque tout l'argent de Nike. De l'aéroport, je me rends directement chez Perry. On se réfugie dans sa chambre avec quelques sodas. Dès que la porte est refermée, je me sens mieux, plus en sécurité. Je m'aperçois que quelques dizaines de nouvelles couvertures de *Sports Illustrated* recouvrent ses murs. J'étudie le visage de tous ces grands athlètes et je confie à Perry que j'ai toujours pensé que j'en serais un, moi aussi, que je l'aie voulu ou non. Cela allait de soi. C'était ma vie, et même si ce n'est pas moi qui l'avais décidé, la certitude de cette perspective était ma seule consolation. Au moins le destin avait-il une logique. À présent, je ne sais plus ce que l'avenir me réserve. Il n'y a qu'une seule chose que je sache faire, mais on dirait bien que je ne suis pas aussi bon dans cette unique discipline que je le pensais. Je suis peut-être fini avant même d'avoir commencé. Mais dans ce cas, qu'allons-nous devenir, Philly et moi ?

Je dis à Perry que j'aimerais être un adolescent de seize ans normal, mais que ma vie devient de plus en plus anormale. C'est anormal de se faire humilier à l'US Open. C'est anormal de courir sur le terrain du Spectrum en redoutant une collision frontale avec quelque géant russe. C'est anormal d'aller se cacher tout seul dans les vestiaires.

— Pourquoi te sens-tu seul ?

— Parce que j'ai seize ans et que je suis classé dans les cent premiers joueurs mondiaux. Et aussi parce que Nick n'est pas très apprécié et que je suis associé à lui. Je n'ai pas d'amis, pas d'alliés, pas de petite amie.

Jamie et moi, c'est fini. Mon dernier béguin, Jillian, une autre camarade de classe de Perry, ne me rappelle pas. Elle veut un petit ami qui ne passe pas son temps sur les routes. Je ne peux pas le lui reprocher.

— Je n'imaginais pas que tu avais tous ces problèmes, me dit Perry.

— Mais le pompon, lui dis-je, c'est que je suis fauché.

— Qu'est-ce que tu as fait des vingt mille dollars de Nike ?

— Les voyages, les frais. Et puis je ne suis pas tout seul sur la route, il y a Philly et Nick, tout cela s'ajoute.

Quand on ne gagne pas, ça chiffre encore plus vite. On peut claquer très vite vingt mille dollars.

— Tu ne peux pas demander un prêt à ton père ?

— Non. Absolument pas. Cela coûte cher de solliciter son aide. J'essaie au contraire de me libérer de lui.

— Andre, tout va s'arranger.

— Ouais, sûrement.

— C'est vrai. La situation va s'améliorer. Avant même de t'en apercevoir, tu vas te remettre à gagner. En un clin d'œil tu vas retrouver ta photo à la une de *Sports Illustrated*.

— Pff.

— Mais bien sûr. Je le sais. Quant à Jillian, je t'en prie. Elle n'en vaut pas la peine. On aura toujours des problèmes avec les filles. La bête est ainsi faite. Mais bientôt, la fille qui te créera des problèmes, ce sera Brooke Shields.

— Brooke Shields ? D'où tu la sors, cette Brooke Shields ?

Il rit.

— Je n'en sais rien. J'ai lu un article sur elle dans le *Time*. Elle fait ses études à Princeton. C'est la plus belle fille du monde, elle est brillante, elle est célèbre, et un de ces jours tu auras rendez-vous avec elle. Ne me donne pas tort, tu n'auras peut-être jamais une vie normale, mais cette vie anormale peut devenir drôlement chouette.

Soutenu par Perry, je décide d'aller en Asie. J'ai juste assez d'argent pour que Philly et moi puissions faire l'aller-retour. Je participe à l'Open du Japon et je remporte quelques matchs avant d'échouer contre Andres Gomez en quart de finale. Après quoi, je vais à Séoul où j'atteins la finale, que je perds, mais je touche tout de même sept mille dollars – de quoi passer trois mois supplémentaires à chercher mon jeu.

Tandis que Philly et moi atterrissons à Vegas, je me sens soulagé, plein d'ardeur. Notre père nous attend à l'aéroport, et pendant que nous traversons le hall de l'aéroport international McCarran, j'annonce à Philly que je viens de prendre une décision capitale. Je vais serrer Papa dans mes bras.

— Le serrer dans tes bras ? Pour quoi faire ?

— Je me sens bien. Je suis heureux, bon sang. Et pourquoi pas ? Je vais le faire. On ne vit qu'une fois.

Notre père nous attend à la sortie, il porte une casquette de base-ball et des lunettes de soleil. Je fonce vers lui, je l'entoure de mes bras et je serre. Il ne bouge pas. Il se raidit. C'est comme si j'étreignais le pilote.

Je le relâche et je me dis que je ne recommencerai jamais.

Au mois de mai 1987, Philly et moi allons à Rome. Comme je fais partie du tableau principal, nos chambres sont prises en charge. Nous pouvons donc nous surclasser, et passer du taudis sans télévision et sans rideau de douche qu'avait loué Philly à un hôtel chic, le Cavalieri, qui se dresse sur une colline surplombant la ville.

Pendant nos jours de liberté, avant le tournoi, nous allons faire du tourisme. Nous visitons la chapelle Sixtine et contemplons les fresques où le Christ tend à saint Pierre les clefs du royaume des cieux. Nous admirons le plafond de Michel-Ange, et le guide nous apprend que l'artiste était un perfectionniste si tourmenté qu'il était dévoré de rage chaque fois qu'il découvrait le moindre défaut dans son travail, ou même dans les matériaux qu'il avait prévu d'utiliser.

Nous passons une journée à Milan, visitant églises et musées. Nous passons une demi-heure devant la *Cène* de Léonard de Vinci. Nous découvrons l'existence des carnets où il notait minutieusement ses observations sur l'anatomie humaine, les plans futuristes d'hélicoptères ou de toilettes. Nous sommes tous les deux estomaqués de voir qu'un homme ait pu être à ce point inspiré. Être inspiré, dis-je à Philly, c'est ça le secret.

L'Open italien se joue sur terre battue rouge, une surface qui ne m'est pas familière. Je n'ai joué que sur la terre battue verte, qui est plutôt rapide. La terre battue rouge, dis-je à Nick, c'est de la colle chaude mélangée à du goudron fondu et répandue sur un lit de sables mouvants. Il est impossible de se débarrasser d'un adversaire sur cette foutue terre battue rouge, dis-je, furieux, dès le premier entraînement.

— Tu vas très bien te débrouiller, fait-il avec un petit sourire. Il faut simplement que tu t'habitues. Ne sois pas impatient. N'essaie pas de finir chaque point.

Je n'ai pas la moindre idée de ce qu'il veut dire. Je perds au deuxième tour.

Nous allons à Paris participer à Roland-Garros. Encore de la terre battue rouge. Je réussis à gagner au premier tour mais je prends une raclée au deuxième. Philly et moi essayons là aussi de découvrir la ville, de nous cultiver. Nous allons au Louvre. Mais rien que le nombre des tableaux et des sculptures nous accable. Nous ne savons plus de quel côté nous tourner, ni où aller. Nous sommes incapables de comprendre ce que nous voyons. Nous passons de salle en salle, ahuris. Puis nous arrivons devant un tableau que nous ne comprenons que trop bien. Il s'agit d'une toile de la Renaissance italienne représentant un jeune homme nu, debout au bord d'une falaise. D'une main, il s'accroche à une grosse branche dénudée, sur le point de rompre. De l'autre, il tient une femme et deux enfants. Accroché à son cou il y a un vieil homme, peut-être son père, qui lui-même se cramponne à un sac qui semble contenir de l'argent. Sous eux s'ouvre un abîme jonché de cadavres. Ce sont les cadavres des hommes qui n'ont pas réussi à s'accrocher. Tout dépend de la force de ce seul homme nu, de sa poigne.

— Plus on la regarde, dis-je à Philly, plus on a l'impression que le bras du vieil homme se resserre autour du cou du héros.

Philly hoche la tête. Il regarde l'homme sur la falaise et dit doucement : « Tiens bon, frangin. »

En juin 1987, nous allons à Wimbledon. Je dois jouer contre un Français, Henri Leconte, sur le court numéro 2, surnommé « le Cimetière » à cause des nombreux joueurs qui y ont connu des défaites cuisantes. C'est la première fois que je pénètre sur ce terrain, le plus sacré du tennis, et d'emblée je le déteste. Je suis un adolescent de Las Vegas sans beaucoup d'expérience, et sans éducation. Je rejette tout ce qui est étranger et Londres me paraît l'endroit le plus étranger qui soit, la nourriture, les bus, les traditions vénérables. Même l'herbe de Wimbledon n'a pas la même odeur que l'herbe qui pousse chez moi, pour peu qu'il en pousse.

Plus déplaisant encore, les officiels de Wimbledon prennent un malin plaisir à traiter les joueurs de haut et à leur dire ce qu'ils doivent faire ou ne pas faire. Je supporte mal les règles, surtout quand elles sont arbitraires. Pourquoi devrais-je m'habiller en blanc ? Je ne veux pas m'habiller en blanc. Qu'est-ce que cela peut bien leur faire, à ces gens-là, ce que je porte ?

Mais je me sens surtout offensé d'être repoussé, mis à l'écart et traité comme un importun. Je dois montrer un badge pour accéder au vestiaire qui n'est pas le vestiaire principal. Je participe à ce tournoi mais je suis traité comme un intrus, je ne suis même pas autorisé à m'entraîner sur les courts où je vais devoir jouer. Je suis relégué sur des courts couverts, situés au bout de la rue. Résultat, la première fois que je frappe une balle sur gazon, c'est pendant mon premier match à Wimbledon. Quel choc ! La balle ne rebondit pas droit, elle ne rebondit pas du tout parce que ce gazon n'est pas du gazon mais de la glace enduite de vaseline. J'ai si peur de glisser que je marche sur la pointe des pieds. Quand je regarde autour de moi pour voir si les supporters bri-

tanniques ont remarqué mon malaise, je prends peur.
Ils sont juste au-dessus de moi. Le bâtiment ressemble
à une maison de poupées. Vous pouvez ajouter mon
nom à la liste de ceux qui ont expiré dans ce Cimetière.
Leconte m'assassine. Je dis à Nick que je ne reviendrai
jamais ici. Je préférerais serrer une nouvelle fois
mon père dans mes bras que de remettre les pieds à
Wimbledon.

D'humeur tout aussi exécrable, je me rends quelques
semaines plus tard à Washington DC. Au premier tour,
j'affronte Patrick Kuhnen. J'arrive complètement vidé,
sec jusqu'à l'os. Après ce long et pénible périple en
Europe, il ne me reste plus rien. Le voyage, les échecs,
le stress ont pompé toute mon énergie. De plus, il fait
excessivement chaud ce jour-là, et je ne suis pas en
bonne condition physique. Je ne suis absolument pas
préparé et je deviens *absent*. Au moment où on se tient
de près à un set partout, je quitte le court, mentalement. Mon esprit s'évade de mon corps et se met à flot-
ter au-dessus du terrain. Je suis parti depuis longtemps
quand commence le troisième set. Je perds 6-0.

Je vais au filet et serre la main de Kuhnen. Il me dit
quelque chose mais je ne le vois pas, et suis incapable
de l'entendre. Il m'apparaît comme une tache d'énergie
au bout d'un tuyau. Je ramasse mon sac et quitte le terrain en titubant. Je traverse la rue et pénètre dans Rock
Creek Park, je m'enfonce dans le bois. Lorsque je suis
sûr qu'il n'y a personne aux alentours, je me mets à
insulter les arbres.

— J'en ai marre de toute cette merde. Putain, je me
tire !

Je continue de marcher jusqu'à ce que je parvienne
à une clairière, où je me retrouve entouré d'un groupe
de SDF. Certains sont assis par terre, d'autres dorment
allongés sur des troncs. Il y en a deux qui jouent aux
cartes. Ils ont l'air de trolls dans un conte de fées. Je

m'avance vers celui qui a l'air le plus éveillé. J'ouvre mon sac et en sors plusieurs raquettes Prince.

— Hé, mon gars, tu les veux ? Hein ? Parce que moi je n'en ai plus aucun usage.

L'homme n'est pas certain de comprendre ce qui lui arrive, mais il comprend qu'il a rencontré quelqu'un d'encore plus fou que lui. Ses copains se rapprochent en traînant des pieds et je leur dis :

— Venez voir, les mecs, venez par ici, il fait peut-être cinquante degrés à l'ombre, mais c'est Noël.

Je plonge la main dans mon sac, j'en sors toutes les autres raquettes, chacune d'elles vaut plusieurs centaines de dollars, et je les distribue à la ronde.

— Allez-y, servez-vous. Je suis foutrement sûr de ne plus jamais en avoir besoin !

Puis, tout heureux que mon sac soit tellement plus léger, je regagne l'hôtel où nous sommes descendus, Philly et moi. Je m'assois sur un lit, Philly s'assoit sur l'autre, comme au bon vieux temps à bien des égards. Je lui raconte ce que je viens de faire. Je ne peux plus continuer.

Il ne discute pas. Il me comprend. Qui pourrait mieux me comprendre ? Nous nous penchons sur les détails, établissons un plan. Comment annoncer la nouvelle à Nick, à mon père ? Comment vais-je gagner ma vie ?

— Qu'est-ce que tu as envie de faire, à la place du tennis ?

— Je ne sais pas.

Nous sortons dîner, nous discutons, analysons ma situation financière, quelques centaines de dollars au-dessus de zéro. Nous plaisantons en disant que nous nous rapprochons des pommes de terre et de la soupe aux lentilles.

En rentrant à l'hôtel, nous trouvons le répondeur qui clignote dans la chambre. J'ai un message. Les organisateurs d'un tournoi d'exhibition en Caroline du Nord me disent qu'un de leurs joueurs s'est décommandé. Ils aimeraient savoir si je peux le remplacer. Auquel cas ils me garantissent la somme de deux mille dollars.

Philly estime que, tant qu'à abandonner le tennis, il serait préférable que je le fasse avec un petit pécule en poche.

— OK, dis-je, mon dernier tournoi. Va falloir que j'aille m'acheter quelques raquettes.

Au premier tour, je tire au sort un gars nommé Michael Chang. J'ai grandi en jouant contre lui. Je l'ai affronté pendant toute la période où j'étais junior, et je l'ai toujours battu. Je n'ai d'ailleurs jamais eu le moindre problème avec lui. En plus, il n'a que quinze ans, deux ans de moins que moi. Il m'arrive au nombril. C'est comme une prescription que le médecin m'aurait fait pour soigner mon moral en berne. Une victoire sur ordonnance. J'entre sur le court en souriant.

Mais Chang a dû subir une sorte de métamorphose depuis notre dernière rencontre. Il a considérablement amélioré son style, et il joue maintenant comme une puce survoltée. Cela contrarie tous les atouts dont je dispose pour le battre, et pourtant je le bats. Ma première victoire depuis des mois. J'annonce à Philly que je veux aller à Stratton Mountain, où je me suis bien débrouillé l'an dernier. Stratton sera l'endroit idéal pour mon dernier triomphe.

Nous partons dans le Vermont avec deux autres joueurs, Peter Doohan et Kelly Evernden. Kelly annonce qu'il a réussi à se procurer le tirage au sort de Stratton juste avant notre départ.

— Quelqu'un veut savoir contre qui il va jouer ?

— Oui, moi.

— Non, Andre. Tu ne devrais pas.

— Hum. Alors, contre qui je joue ?

— Luke Jensen.

— Merde.

Luke est le meilleur junior du monde, de très loin le gamin le plus prometteur de tout le tournoi. Je m'enfonce dans mon siège et contemple les nuages. J'aurais peut-être mieux fait de me retirer sur une victoire, de tout arrêter après Chang.

Luke sert des deux mains, raison pour laquelle on le surnomme « Dual Hand Luke ». Il peut expédier une balle à 200 kilomètres à l'heure d'une main comme de l'autre. Mais aujourd'hui, contre moi, il rate son premier service et je renvoie le second. Je suis encore plus surpris que lui lorsque, à force de gratter des points, je finis avec trois sets à zéro.

Le suivant est Pat Cash qui vient de remporter Wimbledon, douze jours après ma déroute sur le court du Cimetière. Cash est une machine, un athlète parfaitement réglé qui bouge bien et monte au filet comme une hydre. Je n'envisage même pas de le battre, simplement de tenir le coup. Mais dès les premiers échanges, je trouve que ses coups manquent un peu d'énergie. Résultat, je me sens mieux, plus à l'aise, je le regarde bien en face et je frappe de bonnes balles les unes après les autres. Puisque je n'ai aucune chance de gagner et que je veux simplement paraître crédible, je me sens libre, décontracté, et cela met la pression sur Cash. Il semble choqué par ce qui se passe. Il rate ses premiers services, ce qui m'incite à me montrer plus offensif, et je mets toute mon énergie dans mes retours. Chaque fois que j'envoie une balle qu'il ne peut pas rattraper, Cash me lance un regard mauvais par-dessus le filet, l'air de dire : « Ce n'est pas du tout ce qui était prévu. Tu n'es pas supposé jouer ainsi. »

Avec une certaine arrogance imprudente, il reste de plus en plus longtemps au filet, l'air surpris, au lieu de regagner rapidement la ligne de fond et d'envisager une nouvelle stratégie. Il frappe un coup à la volée médiocre sur un de mes meilleurs retours, et je prends l'avantage. Il reste là, les mains sur les hanches, à me dévisager comme s'il était victime d'une terrible injustice. Regarde-moi, me dis-je. Continue comme ça.

Vers la fin, il m'offre des occasions scandaleusement faciles, ses balles se laissent attraper si merveilleusement, elles sont si aisées à intercepter que cela en devient injuste. J'ai la possibilité de frapper une bonne balle à chaque point. Je voulais juste marquer le coup, mais je gagne avec une belle avance, sur le score presque choquant de 7-6, 7-6.

Stratton Mountain, me dis-je, est ma montagne magique. Mon anti-Wimbledon. L'an dernier, j'ai joué au-dessus de mon niveau ici même, et à présent je joue deux fois mieux que d'habitude. Le cadre est d'une beauté à couper le souffle, et typiquement américain. À l'inverse de ces Britanniques arrogants, les gens de Stratton me connaissent, ou du moins ils connaissent l'image idéale que je veux donner de moi. Ils ne savent rien des combats que j'ai dû mener au cours de ces douze derniers mois, du fait que j'ai distribué mes raquettes à des sans-abris, de mon intention d'abandonner la compétition. Et s'ils étaient au courant, ils ne m'en voudraient pas. Ils m'ont encouragé pendant mon match contre Jensen, mais après ma victoire sur Cash, ils m'ont vraiment adopté. Ce type est des nôtres. Il joue particulièrement bien, chez nous. Soutenu par leurs fervents encouragements, je parviens jusqu'en demi-finale contre Lendl, qui est classé numéro 1. C'est le plus grand match de ma carrière. Mon père vient spécialement en avion de Vegas.

Une heure avant le match, Lendl se balade dans le vestiaire, ne portant pour tout vêtement que ses chaussures de tennis. À le voir aussi détendu, aussi remarquablement nu, planté devant moi et me regardant bien en face, je comprends immédiatement ce qui va se passer. Je perds en trois sets. Pourtant, en quittant le court, je suis plutôt content parce que j'ai remporté le deuxième set. Pendant une demi-heure, j'ai donné au numéro 1 mondial tout ce qu'il attendait. C'est une bonne base pour l'avenir. Je me sens bien.

Du moins jusqu'à ce que je lise ce que Lendl dit de moi dans les journaux. Interrogé à propos de mon jeu, il répond d'un air méprisant : *Une coupe de cheveux et un coup droit.*

# 9

Je finis l'année 1987 sur un coup d'éclat. Je remporte mon premier tournoi en tant que professionnel à Itaparica, au Brésil, ce qui est d'autant plus impressionnant que je le fais devant une foule de Brésiliens qui me sont hostiles au départ. Après ma victoire sur leur champion Luiz Mattar, les fans ne semblent pas m'en vouloir. En fait, ils font de moi une sorte de Brésilien d'honneur. Ils envahissent le court, me hissent sur leurs épaules, me lancent en l'air. Beaucoup d'entre eux sont venus directement de la plage jusqu'au stade. Ils sont enduits de beurre de cacao et je ne tarde pas à l'être aussi. Des femmes en bikini et en tongs me couvrent de baisers. Il y a de la musique, on danse, quelqu'un me tend une bouteille de champagne et me dit d'en asperger la foule. L'atmosphère de carnaval est le pendant parfait de mon mardi gras intérieur. Je finis enfin par percer. Je gagne cinq matchs d'affilée (je me dis avec une certaine inquiétude qu'il en faut sept pour remporter un Grand Chelem).

Un homme me tend le chèque réservé au vainqueur. Je dois m'y prendre à deux fois pour en comprendre le montant : quatre-vingt-dix mille dollars.

Le chèque encore plié dans la poche de mon jean, je me retrouve deux jours plus tard dans le salon de mon père et me livre à une petite expérience de psychologie.

— Papa, dis-je, combien tu crois que je vais gagner l'année prochaine ?

— Ho ! Ho ! répond-il, radieux, des millions.

— Alors, tu ne vois pas d'inconvénient à ce que j'achète une voiture ?

Il se renfrogne. Échec et mat.

Je sais exactement quel modèle je veux. Une Corvette blanche avec toutes les options. Mon père insiste pour que ma mère et lui m'accompagnent chez le concessionnaire, car il veut être sûr que le vendeur ne m'arnaque pas. Impossible de refuser. Mon père est mon seigneur et maître. Je ne vis plus à plein temps à la Bollettieri Academy. Je suis de retour sous le toit paternel et par conséquent sous sa coupe. Je voyage à travers le monde, je gagne beaucoup d'argent et j'acquiers aussi une certaine célébrité, et pourtant mon vieux me garde sous sa dépendance. Ce n'est pas juste, mais bon sang, rien n'est juste dans ma vie. Je n'ai que dix-sept ans, je ne suis pas prêt à vivre seul – c'est à peine si je suis capable de me tenir seul sur un court –, et pourtant il n'y a pas si longtemps j'étais à Rio, serrant d'une main une fille en tongs, et de l'autre un chèque de quatre-vingt-dix mille dollars. Je suis un adolescent qui en a déjà trop vu, un homme-enfant qui n'a même pas de compte-chèques.

Chez le concessionnaire, mon père fait les cent pas avec le vendeur, et la conversation tourne rapidement à la dispute. Pourquoi donc cela ne me surprend-il pas ? À chaque nouvelle offre que fait mon père, le vendeur sort pour aller consulter son patron. Mon père ne cesse de serrer et de desserrer les poings.

Mon père et le vendeur finissent par s'accorder sur un prix. Dans quelques secondes, je posséderai enfin la voiture de mes rêves. Mon père met ses lunettes et jette un dernier coup d'œil au contrat. Il fait courir son doigt sur la liste détaillée des frais. Un instant, qu'est-ce que c'est que ça ? Ces 49,99 dollars ?

— C'est le prix fort modeste de l'établissement du contrat.

— Je n'en ai rien à foutre de ce papier. C'est vous que ça regarde. C'est à vous de payer pour votre putain de paperasse.

Le vendeur ne s'inquiète pas du ton de mon père. Des insultes sont échangées. Mon père a cette flamme dans le regard, celle qu'il avait avant d'assommer le camionneur. Cela doit être la vue de toutes ces voitures qui ravive sa vieille rage.

— Papa, la voiture coûte trente-sept mille dollars et tu fais toute une histoire pour cinquante dollars !

— Ils sont en train de t'arnaquer, Andre ! Ils sont en train de m'arnaquer. Le monde entier veut m'arnaquer.

Il sort en trombe du bureau du vendeur et fonce dans la grande salle d'exposition où les responsables se tiennent derrière un haut comptoir. Il leur hurle :

— Vous vous croyez à l'abri, dans votre coin ? Vous vous croyez à l'abri derrière ce comptoir ? Pourquoi vous ne sortez pas de là ?

Il brandit les poings. Il est prêt à se battre contre cinq hommes à la fois.

Ma mère me passe un bras sur les épaules et me dit que la meilleure chose à faire est de sortir et d'attendre.

Nous restons sur le trottoir à observer par la vitrine du magasin les récriminations de mon père. Il frappe du poing sur le comptoir. Il gesticule. On croirait suivre un effrayant film muet. Je suis mortifié, et pourtant légèrement envieux. J'aimerais bien avoir un peu de la fureur de mon père. Elle pourrait me servir dans les matchs difficiles. Je me demande de quoi je serais capable au tennis, si je pouvais disposer de cette rage et la diriger contre le filet. Au lieu de cela, quelle que soit ma colère, je me tourne vers ma mère.

— Maman, comment as-tu pu supporter cela ? Pendant toutes ces années ?

— Oh ! dit-elle, je n'en sais rien. Il n'a pas encore été jeté en prison et personne ne l'a encore tué. Je pense qu'on a vraiment de la chance, en fin de compte. Espérons qu'on se sorte de cette histoire sans qu'aucune de ces deux catastrophes ne se produise aujourd'hui, et allons de l'avant.

En plus de la rage de mon père, j'aimerais posséder un peu du calme de ma mère.

Le lendemain, nous retournons, Philly et moi, chez le concessionnaire. Le vendeur me tend les clefs de ma Corvette toute neuve, mais il me traite comme s'il avait pitié de moi. Il me dit que je ne ressemble vraiment pas à mon père. Même s'il croit me faire un compliment, je me sens vaguement offensé. Sur le chemin du retour, la joie de posséder cette nouvelle Corvette en est un peu gâchée. Je déclare à Philly que les choses vont changer, désormais. Tout en me faufilant dans la circulation, en poussant le moteur à fond, je lui dis : « Le moment est venu. Il est temps que je prenne le contrôle de mon propre argent, il faut que je prenne le contrôle de ma foutue vie. »

Je suis trempé de sueur quand les matchs durent trop longtemps. Or, pour moi, tous les matchs sont longs, parce que je ne suis pas très bon au service. Je ne peux pas me tirer d'affaire ou gagner facilement des points qui écourteraient le match en servant. Par conséquent, je dois toujours en endurer l'intégralité. Ma technique de jeu s'améliore, mais mon corps ne suit pas. Je suis trop maigre, trop fragile, et mes jambes me lâchent rapidement, immédiatement suivies par mes nerfs. Je dis à Nick que je ne suis pas suffisamment au point pour défier les meilleurs joueurs du monde. Il est d'accord. Tout est dans les jambes, dit-il.

Je trouve un entraîneur à Vegas, un colonel à la retraite nommé Lenny. Raide comme de la toile d'emballage, Lenny jure comme un loup de mer et marche comme un pirate, car il a reçu une balle dans une guerre dont il n'aime pas parler. Au bout d'une heure passée avec lui, j'en suis à souhaiter que quelqu'un me tire dessus, moi aussi. Rien ne fait plus plaisir à Lenny que de me maltraiter et de me hurler des obscénités pendant les séances d'entraînement.

Au mois de décembre 1987, le désert connaît une vague de froid inhabituelle. Les croupiers portent des bonnets de Père Noël. Les palmiers sont remplis de guirlandes. Les prostituées sur le Strip portent des boules de Noël en guise de boucles d'oreilles. Je confie à Perry que je suis impatient d'entamer cette nouvelle année. Je me sens fort. J'ai l'impression que je vais vraiment me mettre au tennis.

Je remporte le premier tournoi de 1988 à Memphis. La balle semble vivante quand elle jaillit de ma raquette. J'ai beaucoup amélioré mon coup droit. J'expédie la balle *à travers* l'adversaire. Ils se retournent tous vers moi, l'air de dire : « Où diable est-il allé chercher ce coup-là ? »

Je remarque aussi un changement sur le visage de mes supporters, dans leur façon de me regarder, de me demander des autographes, de crier quand j'entre sur le court. Tout cela me met mal à l'aise mais flatte aussi quelque chose tout au fond de moi, un désir caché dont je ne soupçonnais pas l'existence. Je suis timide, mais j'aime l'attention qu'on me porte. J'ai envie de me cacher quand je vois que des fans commencent à s'habiller comme moi – et en même temps j'aime ça.

S'habiller comme moi en 1988, cela veut dire porter des shorts en jean. C'est ma signature. Ils me représentent, on en parle dans tous les articles et les portraits. Pourtant je ne les ai pas choisis, ce sont eux qui m'ont choisi. C'était en 1987, à Portland dans l'Oregon. Je participais au Challenge international Nike, et les représentants de la marque m'avaient invité dans leur suite à leur hôtel pour me montrer quelques échantillons de leurs derniers modèles. McEnroe était présent et naturellement c'est lui qui faisait son choix en premier. Il a brandi un short en jean et a dit : « Qu'est-ce que c'est que ce foutu machin ? »

Mes yeux se sont arrondis. Je me suis léché les lèvres et ai pensé : Whaouh ! C'est cool, si tu n'aimes pas ça, Mac, je remporte la mise.

À peine Mac l'avait-il écarté que je m'en suis saisi. Maintenant, c'est ce que je porte à tous mes matchs, et mes fans en font autant. Les journalistes sportifs y trouvent prétexte à m'éreinter. Ils disent que j'essaie de me faire remarquer. En fait, comme avec ma crête d'Iroquois, je cherche plutôt à me cacher. Ils disent que j'essaie de modifier le jeu alors que j'essaie d'empêcher le jeu de me changer, moi. Ils me traitent de rebelle mais je n'ai aucun intérêt à me rebeller. J'entretiens simplement une révolte d'adolescent tout ce qu'il y a de plus ordinaire. La différence est subtile, mais importante. Au fond, je ne fais rien d'autre que d'assumer mon identité. Et comme je ne sais pas très bien en quoi elle consiste, mes efforts pour la mettre en évidence sont bizarres, dispersés et naturellement contradictoires. Je ne fais rien d'autre que ce que je faisais à la Bollettieri Academy : défier l'autorité, tenter de définir mon identité, envoyer un message à mon père, me débattre parce qu'on ne me laisse aucun choix. Mais, cette fois, je le fais à une plus grande échelle.

Quoi que je fasse et quelles que soient mes raisons, je rencontre toujours un écho. Je suis communément appelé « le sauveur du tennis américain », quoi que cela signifie. Je pense que c'est en rapport avec l'atmosphère qui règne lors de mes matchs. En plus de s'habiller comme moi, les fans commencent à adopter ma coiffure. Je vois ma touffe hérissée sur la tête d'hommes et de femmes (elle sied beaucoup mieux aux femmes). Je suis flatté par mes imitateurs, mais aussi embarrassé, complètement dérouté. Je n'arrive pas à comprendre que tous ces gens s'efforcent de ressembler à Andre Agassi alors que moi, je ne veux pas être Andre Agassi.

De temps en temps, j'essaie d'expliquer cela dans des interviews, mais je n'arrive jamais à m'exprimer convenablement. Quand j'essaie d'être drôle, cela tombe à plat ou offense quelqu'un. Quand j'essaie d'être profond, je me rends compte que ce que je dis n'a aucun sens. Alors j'arrête, je me rabats sur les réponses simplistes et les lieux communs, je réponds aux journalistes ce qu'ils semblent avoir envie d'entendre. C'est le mieux que je puisse faire. Incapable de comprendre mes propres démons et motivations, comment puis-je espérer les expliquer à des journalistes pressés ?

Pour aggraver les choses, les journalistes rapportent mes propos à la lettre près, mot pour mot, comme si c'était la vérité littérale. J'ai envie de leur dire : Arrêtez, n'écrivez pas cela, je suis simplement en train de penser à voix haute. Vous m'interrogez sur le sujet que je connais le moins bien, à savoir moi-même. Laissez-moi donc m'éditer moi-même, me contredire. Mais on n'a pas le temps. Ils ont besoin de réponses tranchées, le bien et le mal, de simples grandes lignes, sept cents mots. Sujet suivant.

Si j'avais le temps et si j'étais plus conscient de moi-même, je répondrais aux journalistes que j'essaie de comprendre qui je suis mais qu'en même temps j'ai une idée très claire de ce que je ne suis pas. Je ne me résume pas à ma tenue. Ni, certainement, à mon jeu. Je ne suis en aucune façon ce que le public s'imagine. Je ne suis pas un gars qui cherche à se faire remarquer simplement parce que je viens de Vegas et que je porte des tenues voyantes. Je ne suis pas un *enfant terrible*, expression qui figure dans tous les articles qui me sont consacrés (je pense d'ailleurs qu'on ne peut pas être défini par un terme qu'on n'arrive même pas à prononcer). Et, pour l'amour du ciel, je ne suis pas un *rocker punk*. Je n'écoute que de la pop douce et ordinaire, dans le genre de Barry Manilow et de Richard Marx.

Évidemment, la clef de ma personnalité, la donnée intime que je connais bien mais que je ne peux me résoudre à confier aux journalistes, c'est que je perds mes cheveux. Si je les porte longs et ébouriffés, c'est pour mieux masquer leur chute rapide. Seuls Philly et Perry sont au courant, parce qu'ils souffrent du même problème. Il y a peu de temps, Philly s'est rendu à New York chez le patron d'un institut capillaire masculin pour s'acheter quelques perruques. Il a fini par renoncer à la technique du poirier. Il m'appelle au téléphone pour me parler de l'impressionnante variété de perruques que propose l'institut. C'est une véritable palette de cheveux, dit-il. On dirait le buffet de hors-d'œuvre du Sizzler, mais rien qu'avec des perruques.

Je lui demande de m'en prendre une. Tous les matins, je retrouve quelques nouvelles traces de ma personne sur mon oreiller, dans mon lavabo, dans ma douche.

Je me pose la question : Vais-je devoir porter une perruque ? Pendant les tournois ?

Je me réponds : Comment faire autrement ?

*À dix-huit ans, avec mes cheveux gominés et mon short en jean. Mon premier look.*

À Indian Wells, en février 1988, je trace mon chemin jusqu'aux demi-finales où je dois rencontrer l'Allemand de l'Ouest Boris Becker, le joueur le plus célèbre au monde. Il a une allure imposante avec sa coiffure surprenante, ses cheveux cuivrés et ses jambes aussi larges que ma taille. Il est au meilleur de sa forme, mais je remporte tout de même le premier set. Puis je perds les deux suivants, et le troisième très durement. Nous quittons le court en échangeant des regards noirs comme des taureaux en rut. Je me fais le serment de le battre à notre prochaine rencontre.

En mars, à Key Biscayne, j'affronte un vieux camarade de la Bollettieri Academy, Aaron Krickstein. On nous compare souvent, tous les deux, à cause de notre relation avec Nick et de nos talents précoces. Je mène deux sets à zéro mais je m'épuise. Krickstein remporte les deux sets suivants. Au début du cinquième set, j'ai une crampe. Sur le plan physique, je ne suis pas encore prêt à passer au niveau supérieur, et je perds.

Je me rends à Isle of Palms, près de Charleston, et remporte mon troisième tournoi. J'atteins mes dix-huit ans en plein milieu de la compétition. Le directeur de l'épreuve fait apporter un gâteau sur le court central, et tout le monde se met à chanter. Je n'ai jamais beaucoup aimé les anniversaires. On n'a jamais fêté le mien, à la maison. Mais cette fois, c'est différent. Je suis majeur, c'est ce que tout le monde me dit. Au regard de la loi, je suis un adulte.

Mais la loi est bien bête.

Je me rends à New York pour le Tournoi des Champions, une étape importante parce que c'est la rencontre des meilleurs joueurs du monde. Une fois de plus, je me trouve face à Chang, qui a pris une mauvaise habitude depuis notre dernière rencontre. Chaque fois qu'il gagne, il lève les bras au ciel et remercie Dieu pour sa victoire. Comme si c'était grâce à Lui qu'il avait gagné ! Je ressens cela comme une insulte. L'idée que Dieu puisse prendre parti dans un match de tennis, qu'Il puisse œuvrer contre moi et Se mettre au service de Chang, me paraît grotesque et offensant. Je bats Chang et savoure chacun des coups que je lui porte comme autant de blasphèmes. Puis je prends ma revanche sur Krickstein. En finale, j'affronte Slobodan Zivojinovic, un Serbe surtout connu comme joueur de double. Je le bats facilement.

Je gagne de plus en plus souvent. Je devrais être heureux, mais je suis tendu parce que c'est la fin de la saison. Je viens de connaître une saison triomphale sur le dur et mon corps ne demande qu'à continuer à jouer sur cette surface, mais c'est la saison de la terre battue qui commence. Le passage brutal d'une surface à une autre change tout. Sur terre battue, le jeu est différent, il faut donc changer de style. Le corps aussi doit s'adapter. Au lieu de foncer d'un côté à l'autre, de s'arrêter ou de repartir brusquement, il faut glisser, onduler et danser. Les muscles habituellement sollicités passent au second plan, ceux qui servaient peu doivent prendre le dessus. C'est déjà assez pénible, même quand tout va bien, de ne pas savoir qui je suis. Alors devenir quelqu'un d'autre, un joueur sur terre battue, provoque en moi une nouvelle vague de frustration et d'angoisses.

Un ami m'a dit que les quatre surfaces du tennis sont comme les quatre saisons. Chacune exige de vous quelque chose de différent. Chacune offre des avantages et impose ses conditions. Chacune d'elles modifie radicalement votre aspect et vous transforme d'un point de vue moléculaire. Au bout de trois tours dans l'Open d'Italie, en mai 1988, je ne suis plus Andre Agassi. D'ailleurs, je ne suis plus dans le tournoi.

Je vais aux Internationaux de France 1988. En circulant dans les vestiaires, à Roland-Garros, je vois tous ces experts de la terre battue tranquillement appuyés aux murs, me regardant d'un air sadique. Des sales rats, comme les appelle Nick. Ils s'entraînent ici depuis des mois et attendent qu'on ait fini notre saison sur le dur pour débarquer dans ce haut lieu de la terre battue.

Aussi déroutant que le changement de surface, la ville de Paris constitue un choc encore plus grand que New York ou Londres. On y retrouve les mêmes problèmes logistiques, les foules énormes et les anomalies culturelles, mais il y a en plus le barrage de la langue. Autre chose, la présence des chiens dans les restaurants me dérange. La première fois que je vais dans un café aux Champs-Élysées, un chien lève la patte et lâche un jet d'urine contre la table voisine de la mienne.

Roland-Garros n'échappe guère à ces bizarreries. C'est le seul endroit où j'aie joué qui empeste le cigare et la pipe. Alors que je suis au service, à un moment crucial du match, un filet de fumée de pipe vient se glisser jusqu'à mon nez. Je veux repérer le fumeur et le remettre à sa place, mais finalement je renonce à l'identifier parce que j'aime mieux ne pas imaginer le genre de nabot tordu qui assiste à un match de tennis en plein air en tirant sur sa pipe.

En dépit de l'inconfort, je parviens à battre mes trois premiers adversaires. Je bats même un grand spécialiste de la terre battue, Guillermo Pérez-Roldan, en quart de finale. En demi-finale, je me retrouve contre Mats Wilander. Il est numéro 3 mondial, mais selon moi c'est le meilleur joueur du moment. Quand on retransmet un de ses matchs à la télévision, j'arrête tout pour le regarder. Il est en train d'accomplir une année exceptionnelle. Il a déjà remporté l'Open d'Australie et est ici le favori. J'arrive à l'emmener jusqu'à un cinquième set puis je perds 6-0, pris d'une méchante crampe.

Je rappelle à Nick que je n'irai pas à Wimbledon. « Pourquoi passer au gazon et dépenser tellement d'énergie ? » lui dis-je. Il vaut mieux prendre un mois de repos et être prêt pour les courts en dur, cet été.

Il est absolument ravi de ne pas aller à Londres. Il déteste Wimbledon autant que moi. De plus, il est pressé de rentrer aux États-Unis et de me trouver un meilleur entraîneur.

Nick loue les services d'un colosse chilien qui s'appelle Pat et qui n'exige jamais de moi ce qu'il n'est pas prêt à faire lui-même, ce que j'apprécie. Mais Pat a aussi la mauvaise habitude de postillonner quand il me parle et d'inonder mon visage de sa sueur quand il se penche sur moi pendant que je soulève des poids. J'ai l'impression que je devrais me présenter à ses séances d'entraînement vêtu d'un poncho en plastique.

L'élément principal de l'entraînement de Pat consiste en un cross quotidien plutôt rude, un aller-retour jusqu'au sommet d'une colline des environs de Vegas. La colline est isolée et écrasée de soleil, plus on approche du sommet, plus il fait chaud, comme si on escaladait un volcan en activité. C'est à une heure de route de la maison de mon père et je trouve l'endroit inutilement éloigné. Ce n'est pas comme d'aller à Reno pour courir. Mais Pat insiste. Pour lui, cet endroit est la solution à tous mes problèmes physiques. Quand nous arrivons au pied de la colline et que nous sortons de la voiture, il se met immédiatement à courir vers le sommet et m'ordonne de le suivre. Au bout de quelques minutes, j'ai un point de côté et je dégouline de sueur. Quand nous arrivons au sommet, je suis incapable de respirer. D'après Pat, c'est très bénéfique. C'est bon pour la santé.

Un jour, un camion tout cabossé arrive alors que Pat et moi parvenons au sommet de la colline. Un vieil Indien en descend. Il s'approche de nous armé d'un piquet. S'il a l'intention de me tuer, je ne serai pas capable de me défendre parce que je ne peux même plus lever le bras. Et je ne risque pas de m'échapper parce que j'ai la respiration coupée.

— Qu'est-ce que vous faites ici ? demande l'homme.

— On s'entraîne. Et vous ?

— J'attrape des serpents à sonnette.

— Des serpents à sonnette ? Il y a des serpents à sonnette ici ?

— Il y a des gens qui s'entraînent ici ?

Quand j'ai fini de rire, l'Indien me fait comprendre que je dois être né sous une bonne étoile, parce que cette putain de colline grouille de serpents à sonnette. Il en attrape une douzaine tous les jours, et il espère bien en capturer autant ce matin. C'est un véritable miracle que je n'aie pas marché sur un serpent gros et gras, prêt à frapper.

Je lance un regard à Pat, pris d'une furieuse envie de lui cracher à la figure.


En juillet, je me rends en Argentine. Je suis l'un des plus jeunes joueurs à avoir jamais fait partie de l'équipe américaine de la Coupe Davis. Je me débrouille bien face à l'Argentin Martin Jaite, et le public me témoigne son respect à contrecœur. Je mène deux sets à zéro, avec un score de 4-0 dans le troisième, et j'attends le service de Jaite. Je suis plié en deux à cause du froid. En Argentine, c'est le cœur de l'hiver. Il doit faire 10 degrés. Jail envoie une balle de filet, puis un service impossible à retourner, que j'arrête et que je bloque à la main. Le public se met à râler. Ils pensent que je veux me moquer de leur compatriote, lui manquer de respect. Ils me huent pendant plusieurs minutes.

Le lendemain, les journaux m'assassinent. Au lieu de chercher à me défendre, j'en rajoute, j'affirme que j'avais toujours eu envie de faire ce genre de geste. En réalité, j'avais froid et je n'ai pas réfléchi. Je me suis montré stupide, mais pas arrogant. Ma réputation en prend un bon coup.

Quelques jours plus tard, le public de Stratton Mountain m'accueille chaleureusement, comme un enfant prodigue. Je joue pour leur faire plaisir, pour les remercier de m'aider à effacer le souvenir d'Argentine. Il y a quelque chose chez ces gens-là, dans ces montagnes verdoyantes, dans l'air du Vermont – bref, je remporte le tournoi. Quelques jours plus tard, au réveil, je découvre que je suis classé numéro 4 mondial. Mais je suis trop épuisé pour fêter l'événement. À cause de Pat, de la Coupe Davis et de la corvée des déplacements, je dors à présent douze heures par nuit.

Vers la fin de l'été, je prends un vol vers New York pour participer à un petit tournoi dans le New Jersey, un entraînement en vue de l'US Open 1988. J'atteins la finale et me retrouve face à Tarango. Je le bats à plate couture, et cette victoire est délicieuse parce que je peux encore, quand je ferme les yeux, revoir Tarango en train de tricher contre moi quand j'avais huit ans. Ma première défaite. Je ne l'oublierai jamais. Chaque fois que j'envoie une bonne balle, je pense : « Va te faire foutre, Jeff. Va te faire foutre. »

À l'US Open, j'atteins les quarts de finale. Je dois affronter Jimmy Connors. Avant le match, je vais gentiment le voir dans le vestiaire et je lui rappelle que nous nous sommes déjà rencontrés :

— À Las Vegas, quand j'avais quatre ans. Vous jouiez au Caesars Palace. Nous avons échangé quelques balles.

— Non, dit-il.

— Oh ! bien. En fait, nous nous sommes revus plusieurs fois quand j'avais sept ans. C'est moi qui vous livrais vos raquettes. Mon père les cordait chaque fois que vous veniez en ville, et je vous les rapportais à votre restaurant préféré, sur le Strip.

— Non, fait-il une fois de plus, puis il s'allonge sur une table de massage, étend une longue serviette blanche sur ses jambes et ferme les yeux.

Renvoyé.

Cela concorde avec tout ce que j'ai entendu des autres joueurs : « Connors est un connard. » Grossier, méprisant, imbu de lui-même. J'avais espéré qu'il se comporterait différemment à mon égard, qu'il me témoignerait un peu d'affection étant donné qu'on se connaît depuis si longtemps.

Rien que pour cette raison, j'annonce à Perry que je vais battre ce type en trois sets et que je ne le laisserai pas marquer plus de neuf points.

Le public est favorable à Connors. C'est tout le contraire de Stratton. Ici, je joue le rôle du méchant. Je suis le jeune gars impertinent qui ose combattre le héros plus âgé. Le public veut voir Connors défier le destin, vaincre le temps, et je me dresse comme un obstacle face à ce rêve. Chaque fois qu'ils acclament Connors, je me demande : Est-ce qu'ils savent comment ce type se comporte dans les vestiaires ? Est-ce qu'ils comprennent la signification de ses regards ? Ont-ils la moindre idée de la manière dont il accueille une démarche amicale ?

Je joue bien, je marque facilement des points. Soudain, un supporter des gradins du haut se met à crier : « Vas-y, Jimmy, c'est qu'un minable, toi t'es une légende ! » Ses mots restent suspendus dans l'air, plus énormes et plus évidents que le dirigeable Goodyear qui domine le stade. Vingt mille supporters se mettent alors à rigoler. Connors hoche la tête, fait un petit sourire et frappe la balle comme un hommage à l'homme qui a crié.

La foule explose. Elle se lève pour l'acclamer.

Dopé par l'adrénaline et la colère, le minable écrase la légende dans le dernier set, 6-1.

Après le match, je raconte aux journalistes la prédiction que j'avais faite et ils la rapportent à Connors.

Il répond :

— J'adore jouer avec des gosses qui pourraient être mes enfants. D'ailleurs, c'est peut-être le cas. J'ai passé pas mal de temps à Vegas.

Lors des demi-finales, je perds une fois de plus contre Lendl. Je l'emmène jusqu'à un quatrième set mais il est trop fort pour moi. J'essaie de l'épuiser, mais c'est moi qui m'épuise. Malgré tous les efforts de Lenny le Boiteux et de Pat, le cracheur chilien, je ne suis pas au niveau d'un joueur du calibre de Lendl. Je me promets que, dès mon retour à Vegas, je trouverai quelqu'un, n'importe qui, capable de me préparer au combat.

En revanche, personne ne peut me préparer au combat avec les médias, parce qu'il ne s'agit pas vraiment d'un combat mais d'un massacre. Chaque jour apporte sa charge copieuse contre Agassi, que ce soit dans un magazine ou dans un journal. Tantôt la remarque désobligeante d'un joueur, tantôt la diatribe d'un journaliste sportif. Une nouvelle attaque, présentée comme une analyse. Je suis un minable, je suis un clown, je suis un imposteur, je suis un veinard. Si je suis bien classé, je le dois à une conspiration, une cabale montée par des réseaux et des adolescents. Je ne mérite pas l'attention que je suscite, parce que je n'ai jamais gagné de Grand Chelem.

Apparemment, des millions de fans m'aiment. Je reçois des sacs entiers de courrier d'admirateurs, y compris des photos de femmes nues qui ont griffonné leur numéro de téléphone dans un coin. Et pourtant, chaque jour, je suis traîné dans la boue à cause de mon look, à cause de mon comportement – ou sans aucune raison particulière. Je m'imprègne de ce rôle de méchant, je l'accepte, j'y prospère. On dirait qu'il fait partie de mon boulot, et je le joue comme tel. Assez vite, cependant, je suis catalogué. Je serai à jamais le méchant dans tous les matchs, dans tous les tournois.

Je me retourne vers Perry. Je prends l'avion pour l'Est et vais passer un week-end avec lui. Il fait des études d'économie à Georgetown. On s'offre de plantureux dîners et il m'emmène à son bar favori, les Tombes, et tout en descendant force bières, il fait ce qu'il a toujours su faire : il donne forme à mes angoisses, il les rend plus logiques, mieux définies. Si je sais retourner des balles, lui sait reformuler des phrases. D'abord, il repose le problème en le définissant comme un conflit entre le monde et moi. Ensuite il met en évidence les termes de la négociation. Il reconnaît que ça doit être horrible, pour quelqu'un de sensible, de se faire publiquement étriller tous les jours, mais il insiste sur le fait que cela ne va pas durer. Cette torture sera limitée dans le temps. Les choses vont s'arranger, dit-il, dès l'instant que je commencerai à gagner des Grands Chelems.

— Gagner ? Pour quoi faire ? Pourquoi des victoires changeraient-elles l'opinion des gens sur mon compte ? Que je gagne ou que je perde, je reste toujours le même. Voilà donc pourquoi il faut que je gagne ? Pour faire taire les gens ? Pour satisfaire un groupe de reporters et de journalistes sportifs qui ne me connaissent même pas ? C'est donc ça, les termes de la négociation ? Merde !

Philly voit bien que je suis malheureux et que je me cherche. Il se cherche, lui aussi. Il le fait depuis toujours, et récemment il a franchi une nouvelle étape. Il me raconte qu'il fréquente une église, ou tout au moins une sorte d'église située dans un complexe de bureaux, à l'ouest de Vegas. Elle ne porte aucun nom particulier, me dit-il, et le pasteur n'est pas comme les autres.

Il m'entraîne à l'église et je dois reconnaître qu'il a raison. Le pasteur, John Parenti, est différent. Il porte un jean et un T-shirt et a de longs cheveux châtains. Il ressemble plus à un surfeur qu'à un pasteur. Il est original, ce que je respecte. Il est… – comment le dire autrement ? C'est un rebelle. J'aime bien aussi son grand nez aquilin, son regard de chien triste. Mais, surtout, j'aime l'ambiance désinvolte de son service. Il simplifie la Bible. Pas d'ego, pas de dogme. Rien que du bon sens et de saines réflexions.

Parenti est si décontracté qu'il refuse qu'on l'appelle pasteur Parenti. Il insiste pour qu'on l'appelle J.P. Il veut que son église ne ressemble pas à une église. Il veut qu'elle soit comme une maison où se réuniraient des amis. Il n'a, selon lui, aucune réponse à apporter. Il se trouve simplement qu'il a lu la Bible une bonne dizaine de fois du début jusqu'à la fin, et qu'il en a tiré quelques observations qu'il souhaite partager.

Je pense qu'il a plus de réponses qu'il ne le laisse croire. Et j'ai besoin de réponses. Je considère que je suis chrétien, mais l'église de J.P. est la première où je sente d'aussi près la présence de Dieu.

J'y accompagne Perry toutes les semaines Nous nous arrangeons pour arriver à l'heure où J.P. commence son prêche et nous nous installons au fond, tassés sur nos sièges pour ne pas être reconnus. Un dimanche, Perry me dit qu'il veut parler à J.P. J'hésite. D'un côté je suis tenté de le faire, moi aussi, mais d'un autre je me méfie des étrangers. J'ai toujours été timide, mais l'avalanche récente d'articles hostiles m'a poussé jusqu'aux limites de la paranoïa.

Quelques jours plus tard, je roule dans les environs de Vegas, complètement ravagé par la dernière attaque dont j'ai été la cible. Je me retrouve devant l'église de J.P. et je me gare. Il est tard, toutes les lumières sont éteintes à l'exception d'une seule. Je jette un coup d'œil par la fenêtre. Une secrétaire est en train d'expédier quelque tâche administrative. Je frappe et lui explique que j'aimerais parler à J.P. Elle me répond qu'il est chez lui, sans ajouter : « Comme vous devriez être chez vous. » D'une voix hésitante, je lui demande si elle veut bien l'appeler. J'ai vraiment besoin de lui parler. De parler à quelqu'un. Elle compose le numéro de J.P. et me passe le téléphone.

— Allô ?

— Bonsoir. Oui. Vous ne me connaissez pas. Mon nom est Andre Agassi, je suis joueur de tennis et, bon, c'est que...

— Je vous connais. Je vous ai vu à l'église, ces six derniers mois. Je vous ai reconnu, naturellement. Mais je ne voulais pas vous déranger.

Je le remercie pour sa discrétion, pour avoir respecté ma vie privée. Ces derniers temps, je n'ai guère connu de telles marques de respect. Je me demande, lui dis-je, si on pourrait passer un moment ensemble. Pour parler.

— Quand ?

— Maintenant ?

— Oh. Eh bien, je pense que je peux venir vous retrouver au bureau.

— Avec tout le respect que je vous dois, est-ce que je peux venir chez vous ? Ma voiture est rapide et je mettrai moins de temps à vous rejoindre que vous à venir ici.

Il marque un temps d'arrêt avant d'accepter.

J'y suis en treize minutes. Il m'attend sur le seuil de la porte.

— Merci d'avoir accepté de me recevoir. J'ai l'impression de n'avoir personne d'autre vers qui me tourner.

— De quoi avez-vous besoin ?

— Je me demandais si nous pourrions, hum, faire un peu connaissance ?

Il sourit.

— Écoutez, dit-il. Je ne vais pas faire l'affaire comme image paternelle.

Je hoche la tête. Je ris de moi.

— D'accord, d'accord, dis-je, mais peut-être pourriez-vous me donner quelques conseils ? Des conseils de vie ? Des conseils de lecture ?

— Comme un mentor ?

— Ouais.

— Je ne suis pas non plus un bon mentor.

— Ah.

— Parler, écouter, entretenir des liens de camaraderie, voilà des choses que je sais faire.

Je fronce les sourcils.

— Écoutez, ajoute-t-il, ma vie est aussi compliquée que celle de n'importe qui. Peut-être même davantage. Je n'ai pas grand-chose à offrir dans le genre « directeur de conscience ». Je ne suis pas ce genre de pasteur, je suis désolé. Mais si c'est un ami que vous cherchez, alors ça peut marcher. Peut-être.

Ça me va.

Il tient sa porte ouverte et me demande si je veux entrer, mais je lui propose de faire un tour en voiture. Je réfléchis mieux quand je conduis.

Il tend le cou et aperçoit ma Corvette blanche. Elle a l'air d'un petit avion privé garé dans son allée. Sa couleur le fait un peu pâlir.

J'emmène J.P. à travers Vegas, je monte et redescends le Strip, puis je longe les montagnes qui entourent la ville. Je lui montre de quoi la Corvette est capable, je lâche les gaz sur une portion déserte. Finalement, je me lâche à mon tour. Je lui raconte ma vie en vrac, de manière désordonnée. Je découvre qu'il a le même talent que Perry pour me la renvoyer savamment décortiquée. Il comprend mes contradictions et aplanit certaines d'entre elles.

— Vous êtes un gamin qui vit encore chez ses parents, alors que vous êtes célèbre dans le monde entier. Cela doit être très dur. Vous essayez de vous exprimer librement d'une manière artistique et créative, et vous vous faites massacrer sans arrêt. C'est très pénible.

Je lui parle des attaques contre moi, lui explique qu'on m'accuse de m'être taillé un chemin jusqu'aux premières places du classement sans avoir jamais battu un seul champion, d'être seulement un veinard, d'être né sous une bonne étoile. Il me dit que je subis un retour de manivelle sans avoir jamais eu de manivelle entre les mains.

Je ris.

Il dit que ça doit être bizarre d'être entouré d'étrangers qui croient me connaître et dont certains m'adorent tandis que d'autres m'en veulent, et de rester, quant à moi, relativement étranger à moi-même.

— Ce qui rend les choses encore plus perverses, lui dis-je, c'est que tout cela tourne autour du tennis, alors que je hais le tennis.

— Oui, bien sûr. Mais en réalité vous ne détestez pas le tennis.

— Oh ! que si.

Je lui parle de mon père. Je lui raconte les hurlements, la pression, la rage, l'abandon. J.P. prend un air étrange.

— Vous vous rendez compte, n'est-ce pas, que Dieu ne ressemble absolument pas à votre père. Vous savez cela, n'est-ce pas ?

Je manque d'envoyer la Corvette dans le fossé.

— Dieu, dit-il, est tout le contraire de votre père. Dieu n'est pas tout le temps furieux contre vous. Il ne hurle pas à votre oreille en vous reprochant sans cesse vos défauts. Cette voix que vous entendez en permanence, cette voix irritée n'est pas celle de Dieu. C'est toujours celle de votre père.

Je le regarde en face :

— Faites-moi plaisir, Répétez ce que vous venez de dire.

Il le répète, mot pour mot.

— Encore une fois.

Il le fait.

Je le remercie. Je l'interroge sur sa vie. Il me confie qu'il déteste ce qu'il fait. Il ne supporte plus d'être pasteur. Il ne veut plus être responsable de l'âme des autres. C'est un travail à plein temps, dit-il, et qui ne lui laisse pas le loisir de lire, ou de réfléchir. (À cet instant, je me demande si ce n'est pas une légère pique à mon égard.) Il est aussi la cible de menaces de mort. Des prostituées et des trafiquants de drogue viennent à son église et s'amendent, mais ensuite leurs maquereaux, les junkies ou les familles qui profitaient de leurs largesses en veulent à J.P.

— Qu'est-ce que vous aimeriez faire à la place ?

— En fait je suis parolier, compositeur. J'aimerais être musicien professionnel.

Il me dit qu'il a composé une chanson, *Quand Dieu courait*, qui est un énorme succès dans les hit-parades chrétiens. Il m'en chante quelques mesures. Il a une belle voix et la chanson est émouvante.

Je lui dis que s'il le désire vraiment de toutes ses forces, s'il y travaille d'arrache-pied, il y arrivera.

Quand je commence à m'exprimer comme un prêcheur, je sais que je suis fatigué. Je regarde ma montre. Trois heures du matin.

— Waouh ! dis-je, en étouffant un bâillement, si ça ne vous ennuie pas, je vais m'arrêter chez mes parents. J'habite juste à côté et je suis épuisé. Je suis incapable de conduire une minute de plus. Gardez ma voiture et rentrez chez vous, vous me la ramènerez quand vous pourrez.

— Je ne veux pas prendre votre voiture.

— Pourquoi ? Vous allez vous amuser. Elle file comme le vent.

— Je le vois bien, mais si je l'abîme ?

— Si vous l'abîmez et que vous n'êtes pas blessé, j'en rigolerai. Je me fiche de cette voiture.

200

— Combien de temps voulez-vous que…, je veux dire, quand est-ce que je vous la ramène ?

— Quand vous voulez.

Il me la ramène le lendemain.

— C'était déjà bizarre de me rendre à l'église au volant de cette voiture, me dit-il en me rendant les clefs, mais, Andre, j'officie aussi à des enterrements. On ne peut pas se rendre à un enterrement à bord d'une Corvette blanche.


J'invite J.P. à Munich pour la Coupe Davis. Je suis très impatient d'y participer, parce que ce n'est pas moi que cela concerne mais le pays. Je m'imagine que c'est un peu comme faire partie d'une équipe, je m'imagine que le voyage va être une diversion agréable, que les matchs seront faciles. Je tiens à partager cette expérience avec mon nouvel ami.

Dès le début, je me retrouve en face de Becker. Il est pratiquement considéré comme un dieu en Allemagne de l'Ouest, et ses fans font un raffut du tonnerre ; douze mille Allemands acclament chacun de ses coups et me huent. Pourtant, cela ne me déstabilise pas, parce que je suis dans une zone. Peut-être pas *la* zone, mais *ma* zone. De plus, je me suis promis il y a quelques mois de ne jamais perdre contre Becker, et je suis bien parti pour tenir ma promesse. Je me retrouve avec deux sets d'avance. J.P., Philly et Nick sont les seuls à m'encourager dans le public, et je les entends. Une belle journée à Munich.

Ensuite je perds ma concentration, et ma confiance tout de suite après. Je perds un jeu. Au moment du changement de côté, je me dirige vers ma chaise, complètement découragé.

Aussitôt, plusieurs officiels allemands se mettent à bredouiller quelque chose. Ils me demandent de retourner sur le court. La partie n'est pas terminée.

— Revenez, monsieur Agassi. *Revenez*.

Becker se marre. Le public explose de rire.

Je retourne sur le court, mes yeux me font mal. Je me retrouve à la Bollettieri Academy, humilié par Nick devant tous les autres. C'est déjà suffisamment pénible d'être ridiculisé par l'intermédiaire de la presse, je ne peux pas supporter de l'être en direct. Je perds le jeu. Je perds le match.

Après la douche, au moment de remonter dans la voiture garée devant le stade, je me détourne de J.P. et m'adresse à Nick et Philly.

— Le premier qui me parle de tennis est renvoyé.


Je suis assis sur le balcon de mon hôtel, à Munich. Tout seul, je regarde la ville. La tête vide, je commence à enflammer de petites choses. Du papier, des vêtements, des chaussures. Depuis des années, c'est une de mes méthodes secrètes pour affronter les situations de stress extrême. Je ne le fais pas consciemment. C'est une sorte d'impulsion qui se saisit de moi et me fait tendre la main vers les allumettes.

J.P. entre juste au moment où je viens d'allumer un petit bûcher. Il me regarde et ajoute tranquillement une feuille du papier à lettres de l'hôtel à mon feu. Puis une serviette de table. À mon tour, j'y rajoute le menu du service en chambre. Nous passons un bon quart d'heure à alimenter le feu sans que l'un de nous dise un mot. Lorsque la dernière flamme s'est éteinte, il me demande :

— Est-ce que tu veux aller faire un tour ?

Nous passons de taverne en taverne dans le centre de Munich. Autour de nous, les gens font la fête avec grand tapage. Ils boivent dans des chopes d'un litre, ils chantent, ils rient. Ce rire me donne le frisson.

Nous parvenons à un grand pont de pierre bordé d'un trottoir pavé. Nous nous y engageons. En bas, très loin, bouillonne une rivière. Nous nous arrêtons au milieu du pont. Il n'y a personne alentour. On n'entend plus ni les chants, ni les rires. On n'entend plus que le bruit des flots. En regardant fixement la rivière, je demande à J.P. :

— Et si j'étais mauvais ? Si ce que tu as vu aujourd'hui n'était pas un de mes mauvais jours, mais au contraire le meilleur ? Je me cherche des excuses chaque fois que je perds. J'aurais pu le battre si ceci ou cela. *Si* seulement je l'avais voulu. *Si* j'avais été au meilleur de mon jeu. *Si* j'y avais cru. Mais admettons que j'aie joué de mon mieux, que j'y aie attaché de l'importance, que j'aie eu envie de gagner, et que je ne sois tout simplement pas le meilleur au monde ?

— Et alors ?

— Je crois que j'aimerais mieux mourir.

Je m'affale contre le parapet en sanglotant. J.P. a la décence et la sagesse de ne pas intervenir. Il sait bien qu'il n'y a rien à dire, rien à faire, si ce n'est attendre que le feu s'éteigne.


Le lendemain après-midi, je joue contre Carl-Uwe Steeb, un autre Allemand. Épuisé physiquement et moralement, j'emploie contre Steeb le jeu le moins approprié. Je l'attaque sur son revers qui est son point faible, mais je le fais en cadence. Si je ne lui imposais pas mon propre rythme, il serait obligé de créer le sien et son revers s'en trouverait grandement affaibli. Son principal défaut serait mis en évidence. Alors qu'en s'adaptant à mon rythme il peut jouer des balles coupées qui restent basses sur cette surface rapide. Je le fais paraître meilleur qu'il ne l'est parce que je m'efforce de frapper plus fort que nécessaire, à vouloir être parfait. Avec un sourire cordial, Steeb accepte mes cadeaux, bien campé sur ses jambes. Avantagé par les revers à la mode Agassi, il passe un excellent moment. Après ce jeu, le capitaine de l'équipe de la Coupe Davis m'accusera d'avoir été bourré, accusation qui sera reprise par un fameux journaliste sportif.

Une partie de mes problèmes de jeu de l'année 1989 provient de ma raquette. Je suis toujours resté fidèle à Prince, mais cette année-là Nick me convainc de signer avec une nouvelle marque, Donnay. Pourquoi ? Parce que Nick a des soucis d'argent et qu'en me faisant signer chez Donnay il empoche lui-même un joli pactole.

— Nick, lui dis-je, j'aime bien ma Prince.

— Tu pourrais jouer avec un manche à balai, cela ne changerait rien.

Avec la Donnay, j'ai en effet l'impression de jouer avec un manche à balai. C'est comme si je jouais de la main gauche ou si j'avais un problème au cerveau. Tout est légèrement décalé. La balle ne m'écoute pas. La balle ne fait pas ce que je lui dis.

Je me trouve à New York, je me balade avec J.P. Il est bien plus de minuit. On est assis dans un café minable décoré de néons criards, avec des piliers de comptoir qui s'engueulent bruyamment dans toutes sortes de langues d'Europe de l'Est. Nous prenons un café et je suis là, la tête dans les mains, à répéter sans cesse à JP :

— Quand je frappe la balle avec cette nouvelle raquette, je ne sais jamais où elle va.

— Tu trouveras bien une solution, me dit J.P.

— Comment cela ? Quelle solution ?

— Je ne sais pas, mais tu y arriveras. C'est une crise passagère, Andre. Parmi tant d'autres. Aussi sûr que nous sommes assis ici, il y en aura bien d'autres. Des grandes, des petites et tout ce qu'il y a entre les deux. Considère cette crise comme un entraînement pour la prochaine.

La crise en effet se résout au cours d'un entraînement. Quelques jours plus tard je me trouve en Floride, je frappe des balles à la Bollettieri Academy, et quelqu'un me tend une nouvelle Prince. Je frappe trois balles, rien que trois, et j'ai l'impression de vivre une expérience mystique. Chaque balle atteint comme un laser l'endroit précis où je veux l'envoyer. Le court semble s'ouvrir devant moi comme un paradis.

— Je n'en ai rien à faire, des contrats, dis-je à Nick. Je ne peux pas sacrifier ma vie pour un contrat.

— Je vais arranger ça, réplique-t-il.

Il maquille une raquette Prince comme s'il s'agissait d'une Donnay et je remporte quelques victoires faciles à Indian Wells. J'échoue en quart de finale, mais je ne m'en fais pas car j'ai retrouvé ma raquette, j'ai retrouvé mon jeu.

Le lendemain, trois responsables de Donnay débarquent à Indian Wells.

— C'est inacceptable, disent-ils. Il est évident pour tout le monde que vous jouez avec une Prince maquillée. Vous allez nous ruiner. Vous allez être responsable de la faillite de notre société.

— C'est votre raquette qui va causer ma faillite.

Voyant que je n'ai aucun remords et que je n'ai pas l'intention de céder, les types de chez Donnay disent qu'ils vont me fabriquer une meilleure raquette. Ils s'en vont, ils font une copie d'une Prince comme l'avait fait Nick, mais en lui donnant un aspect plus convaincant. J'emporte ma fausse Donnay à Rome, où je dois jouer contre un gars que j'avais déjà rencontré chez les juniors, Pete je ne sais quoi – Sampras, je crois. Un Grec de Californie. Quand j'avais joué contre lui chez les juniors, je l'avais battu facilement. J'avais dix ans, il en avait neuf. La dernière fois que je l'ai croisé, c'était il y a quelques mois, dans un tournoi. Je ne sais plus lequel. J'étais assis sur une jolie petite colline verdoyante près de mon hôtel, juste après une victoire. Philly et Nick étaient avec moi. Nous étions détendus, profitant de l'air frais, et nous observions Pete qui venait de se faire battre. Il était sur le court de l'hôtel pour un entraînement d'après match et pratiquement chacune de ses balles était mauvaise ; il ratait les trois quarts de ses volées. Son revers était bizarre, et il le faisait d'une seule main, ce qui était nouveau. Quelqu'un lui avait trafiqué son revers et il était évident que cela allait lui coûter sa carrière.

— Ce gars-là ne tiendra jamais le coup dans le tournoi, dit Philly.

— Il a déjà eu bien de la chance d'être qualifié, dis-je.

— Celui qui a fait cela à son jeu devrait avoir honte, dit Nick.

— Il devrait être inculpé, dit Philly. Ce gars-là a toutes les qualités physiques. Il mesure un mètre quatre-vingt-dix, il bouge magnifiquement, mais quelqu'un a massacré son jeu. Quelqu'un est responsable de cette merde. *Quelqu'un devrait payer.*

Sur le coup, je suis pris de court par la véhémence de Philly. Ensuite je comprends : Philly se projette. Il se voit à la place de Pete. Il sait ce que c'est que de se donner du mal et d'échouer dans un tournoi, surtout quand on vous a imposé un revers d'une seule main. Dans cette galère de Pete, dans son destin, Philly reconnaît le sien.

Aujourd'hui, à Rome, je vois que Pete a progressé depuis ce jour-là, mais pas tant que ça. Son service est bon mais pas extraordinaire, pas comme celui de Becker. Il a le bras rapide, il est actif, il bouge bien et vise avec une assez grande précision. Il essaie de vous faire courir en expédiant son service sur le côté, et quand il rate c'est de peu, il n'est pas de ces joueurs qui essaient de vous faire courir et qui par erreur vous envoient la balle en pleine poitrine. Son véritable problème se manifeste après le service. Il n'est pas régulier. Il ne peut pas renvoyer trois balles de suite entre les lignes. Je le bats 6-2, 6-1, et en sortant du court je me dis qu'il a un parcours long et pénible devant lui. J'ai pitié de lui. Il a l'air d'un brave gars. Mais je ne m'attends pas à le revoir dans un tournoi.

J'arrive jusqu'en finale. Je joue contre Alberto Mancini. Costaud, trapu, avec des jambes comme des troncs d'arbre, il envoie la balle avec une pression terrible, une force, un mouvement de tornade, elle percute votre raquette comme si c'était une balle magique. Dans le quatrième set, j'ai une balle de match contre lui, mais je rate le point et je m'écroule. Je ne sais pas comment je perds le match.

De retour à l'hôtel, je passe des heures à regarder la télévision italienne en faisant brûler des bricoles. Les gens, me dis-je à moi-même, ne comprennent pas la douleur qu'on éprouve quand on perd une finale. On s'entraîne, on voyage, on peine pour être prêt. On gagne pendant deux semaines, six matchs d'affilée. Puis on échoue en finale et notre nom ne figure même pas dans la liste des vainqueurs, il n'est même pas enregistré. On a gagné six matchs et perdu un seul, mais on fait partie des perdants.

En 1989, je participe aux Internationaux de France. Au troisième tour, je me retrouve face à Courier, mon ancien camarade de la Bollettieri Academy. Je suis le grand favori, mais Courier bouleverse les prévisions et me bat à plate couture. Il brandit le poing en nous lançant un regard mauvais, à Nick et à moi. De retour au vestiaire, il s'assure que tout le monde peut le voir lacer ses chaussures de course et partir pour un jogging. Message : battre Andre Agassi ne m'a pas procuré suffisamment d'exercice.

Plus tard, lorsque Chang remporte le tournoi et remercie Dieu d'avoir fait passer la balle au-dessus du filet, je me sens carrément malade. Comment Chang, surtout lui, peut-il gagner un Grand Chelem avant moi ?

Une fois de plus, j'évite Wimbledon. Ce qui me vaut une nouvelle bordée d'attaques de la part des médias. Non content de ne pas remporter les Grands Chelems auxquels il participe, Agassi se permet d'éviter ceux qui comptent le plus. Mais cela me fait l'effet d'une goutte dans l'océan. Je commence à être insensibilisé.

Bien que je sois la tête de Turc des journalistes sportifs, de grandes marques me demandent de représenter leurs produits. Au milieu de 1989, Canon, un de mes sponsors, envisage de réaliser une série de clips dont certains seront tournés dans une des contrées les plus sauvages du Nevada, la Valley of Fire. Le projet me plaît. Moi qui avance tous les jours à travers une vallée de flammes.

Puisque la campagne publicitaire est consacrée à une marque d'appareils photo, le réalisateur veut un cadre coloré. Chatoyant, dit-il. Cinématographique. Il fait construire un court au milieu du désert. En regardant les ouvriers, je ne peux m'empêcher de repenser à mon père construisant son court dans le désert. J'ai parcouru du chemin depuis. Ou peut-être pas ?

Pendant une journée entière, le réalisateur me filme en train de jouer tout seul sur fond de montagnes rouge feu et de formations rocheuses orange. Je suis fatigué, brûlé par le soleil, je voudrais faire une pause, mais le réalisateur n'en a pas fini avec moi. Il me demande d'enlever ma chemise. Je suis réputé pour mon habitude d'enlever ma chemise dans des moments d'exubérance adolescente, et de la lancer au public.

Après quoi il veut me filmer dans une grotte, frappant des balles face à la caméra comme si je voulais en briser l'objectif.

Ensuite, au lac Mead, nous tournons plusieurs scènes avec de l'eau en toile de fond.

Tout cela paraît idiot, loufoque mais inoffensif.

De retour à Vegas, nous faisons une série de photos sur le Strip puis au bord d'une piscine. Par hasard, ils choisissent la piscine de ce bon vieux Cambridge Racquet Club. Enfin, nous faisons les dernières prises au Country Club de Vegas. Le réalisateur me fait revêtir un costume blanc, et je dois me présenter à l'entrée du club au volant d'une Lamborghini blanche. Tu descends de la voiture, dit-il, tu te tournes vers la caméra, tu abaisses tes lunettes de soleil et tu dis : « Tout est dans l'image. »

— Tout est dans l'image ?

— Oui. Tout est dans l'image.

Entre les séances de photos, je regarde autour de moi et j'aperçois dans la foule des spectateurs Wendi, la fille qui était ramasseuse de balles au tournoi Alan King, mon premier amour d'enfance. Entre-temps, elle est devenue adulte.

Elle porte une valise. Elle revient tout juste de son université et va passer quelques jours chez elle.

— Tu es la première personne que j'avais envie de rencontrer, dit-elle.

Elle est superbe. Elle a de longs cheveux bruns bouclés, et ses yeux sont d'un vert incroyable. Je ne vois plus qu'elle tandis que le directeur continue de me donner des ordres. Quand le soleil se couche, le directeur crie : « Coupez ! » Wendi et moi sautons dans ma nouvelle Jeep décapotée et nous démarrons sur les chapeaux de roue, comme Bonnie et Clyde.

Wendi me demande :

— Quel était ce slogan qu'on t'a fait dire devant la caméra ?

— « Tout est dans l'image. »

— Et qu'est-ce que c'est censé vouloir dire ?

— Arrête. C'est pour une marque d'appareils photo.


Au bout de quelques semaines, il m'arrive d'entendre ce slogan deux fois par jour. Puis six fois. Puis dix. Cela me fait penser aux tornades de Vegas qui commencent par un léger bruissement de feuilles, à peine menaçant, et se transforment bientôt en tempêtes d'une extrême violence qui durent trois jours.

Au fil du temps, le slogan commence à me définir. Les journalistes sportifs font un lien entre lui et ma nature profonde, l'essence de ma personnalité. Ils disent que c'est là toute ma philosophie, ma religion, et ils prédisent même que ce sera mon épitaphe. Ils disent que je ne suis rien de plus qu'une image, que je n'ai aucune substance, parce que je n'ai jamais gagné de Grand Chelem. Ils disent que ce slogan est la preuve que je ne suis qu'un bateleur, qui profite de sa réputation et ne se préoccupe que d'argent et pas de tennis. Les fans qui assistent à mes matchs commencent à me railler en répétant le slogan : *Allez, Andre ; tout est dans l'image !* Ils le hurlent si je me laisse aller à l'émotion. Ils le hurlent quand je ne montre aucune émotion. Ils le hurlent quand je gagne. Ils le hurlent quand je perds.

Ce slogan omniprésent et la vague d'hostilité, de critiques et de sarcasmes qu'il déclenche est terriblement éprouvant. Je me sens trahi. Trahi par l'agence de publicité, par les responsables de chez Canon, par les journalistes sportifs, par mes fans. Je me sens abandonné. Je suis dans le même état que lors de mon arrivée à la Bollettieri Academy.

L'ultime affront, c'est lorsque les gens insistent sur le fait que c'est moi-même qui me suis défini comme une image vide, que je l'ai proclamé. Tout cela parce que j'ai récité un slogan dans une publicité. Ils prennent ce slogan éphémère et ridicule comme une confession personnelle. On pourrait tout aussi bien arrêter Marlon Brando pour meurtre à cause d'une de ses répliques dans *Le Parrain*.

À mesure que la campagne prend de l'ampleur et que le slogan insidieux se fraie un chemin dans tout article me concernant, je change. J'adopte une attitude cassante. J'arrête de donner des interviews. Je me déchaîne contre les juges de ligne, les adversaires, les journalistes, même mes fans. Je me sens justifié parce que le monde entier est contre moi, le monde essaie de m'arnaquer. Je deviens comme mon père.

Quand le public me conspue, quand il crie *Tout est dans l'image*, je hurle à mon tour : « Ça me déplaît autant d'être ici que ça vous déplaît de m'y voir ! » À Indianapolis, après une défaite particulièrement cinglante et un concert de huées, un journaliste me demande ce qui n'allait pas.

— Vous ne sembliez pas être vous-même, aujourd'hui, dit-il avec un sourire qui n'en est pas un. Vous avez des soucis ?

Je lui réponds carrément d'aller se faire foutre.

Personne ne m'a jamais prévenu qu'il ne fallait pas insulter les journalistes. Personne n'a pris la peine de m'expliquer que jurer ou montrer les crocs rend les journalistes encore plus enragés. Ne leur montrez jamais que vous avez peur, mais ne leur montrez pas non plus les crocs. Cela dit, à supposer que quelqu'un m'ait donné ce conseil avisé, il n'est pas sûr que je l'aurais suivi.

Au lieu de cela, je me cache. Je me comporte comme un fugitif, et mes camarades de cavale sont Philly et J.P. Nous nous rendons tous les soirs dans un vieux café du Strip appelé Peppermill. Nous buvons de grandes tasses de café et avalons d'énormes parts de tarte, nous parlons sans arrêt et nous chantons. J.P. a franchi le pas. De pasteur, il est devenu auteur compositeur. Il a déménagé dans le comté d'Orange et a décidé de consacrer sa vie à la musique. Avec Philly et lui, nous beuglons nos chansons favorites jusqu'à ce que les clients du Peppermill nous contemplent, bouche bée.

J.P. est aussi un comédien contrarié, un admirateur de Jerry Lewis. Il se lance dans des bouffonneries qui nous laissent, Philly et moi, morts de rire. Pour concurrencer les numéros de J.P., nous dansons autour de la serveuse, nous rampons sur le sol et, pour finir, nous rions tellement tous les trois que nous en perdons le souffle. Je ris davantage que je ne l'ai fait depuis que j'étais gamin, et même si on peut déceler dans ce comportement un brin d'hystérie, le rire a des propriétés curatives. Pendant quelques heures, tard dans la nuit, le rire me donne l'impression de retrouver l'Andre d'autrefois, même si je ne sais pas très bien qui il était.

# 10

Pas très loin de chez mon père se dresse l'énorme amas de béton du campus de l'université de Nevada-Las Vegas qui, en cette année 1989, s'est taillé une belle réputation dans le domaine des sports d'équipe. L'équipe de basket est une véritable centrale électrique avec des stars du niveau de la NBA, et celle de football est encore bien supérieure. Les Runnin' Rebels sont célèbres pour leur vitesse et leur superbe carrure. En plus, ils s'appellent the Rebels, ce qui me plaît. Pat pense qu'il devrait y avoir à l'UNLV une personne susceptible de m'aider à m'entraîner lorsque lui-même est absent.

Un beau jour, nous nous rendons donc au campus. Nous allons directement au gymnase, un bâtiment tout neuf que je trouve aussi impressionnant que la chapelle Sixtine. Tant de corps parfaits. Tant d'adultes totalement épanouis. Je mesure un mètre soixante-seize pour soixante-sept kilos, et mes tenues Nike flottent sur moi. Je me dis que j'ai eu tort de venir. Non seulement j'ai des mensurations terriblement insuffisantes, mais en plus je me sens tendu quand je me trouve dans une école, n'importe laquelle.

— Pat, qui est-ce que j'essaie de tromper ? Je n'ai pas ma place ici.

— On est y est pourtant, répond-il en postillonnant.

Nous trouvons le bureau de l'entraîneur. Je demande à Pat de m'attendre, je vais aller moi-même parler au

213

gars. Je passe la tête par l'ouverture de la porte et là, tout au fond de la pièce, derrière un bureau aussi grand que ma Corvette, je vois un géant. On dirait la statue d'Atlas qui se dresse face au Rockefeller Center et que j'ai découverte lors de mon premier US Open, si ce n'est que cet Atlas-ci a de longs cheveux noirs et des yeux également noirs, aussi grands et aussi ronds que les poids soigneusement empilés dans le gymnase. Il semble prêt à écraser le premier importun qui se présente.

Je recule d'un bond.

— Vas-y toi, Pat.

Il entre. Je l'entends dire quelque chose. J'entends une voix répondre dans un grondement de baryton profond. On dirait un moteur de camion. Puis Pat m'appelle.

Je retiens mon souffle et franchis le seuil.

— Hello, dis-je.

— Hello, répond le géant.

— Hum, bon, eh bien, je m'appelle Andre Agassi. Je joue au tennis et, hum, j'habite ici à Vegas, et…

— Je sais qui vous êtes.

Il se met debout. Il mesure plus d'un mètre quatre-vingts et doit faire au moins un mètre quarante de tour de poitrine. L'espace d'un instant, je pense qu'il va renverser le bureau dans un geste de colère. Au lieu de cela, il en fait le tour et vient vers moi, la main tendue. La plus grande main que j'aie jamais vue. Une main assortie à ses épaules, ses biceps, ses jambes, tout cela me semble de taille exceptionnelle.

— Gil Reyes, dit-il.

— Ravi de vous rencontrer, monsieur Reyes.

— Appelez-moi Gil.

— OK, Gil. Je sais que vous devez être très occupé. Je ne veux pas gâcher votre temps. Je me demandais seulement, en fait Pat et moi nous nous demandions si nous pouvions envisager d'utiliser vos installations, de temps en temps. J'essaie par tous les moyens d'améliorer ma condition physique.

— Bien sûr, dit-il. Sa voix me fait penser aux profondeurs de l'océan et au cœur de la Terre. Mais elle est aussi douce qu'elle est profonde.

Il nous fait visiter les lieux, nous présente à quelques étudiants-athlètes. Nous parlons de tennis, de basket-ball, de leurs différences et de leurs ressemblances. Puis arrive l'équipe de football.

— Excusez-moi, dit Gil, il faut que je parle aux gars. Faites comme chez vous. Servez-vous des appareils et des poids comme vous le voulez. Mais s'il vous plaît, soyez prudents et discrets. En pratique, voyez-vous, c'est contraire au règlement.

— Merci.

Pat et moi nous utilisons les appareils de musculation, travail de jambes et position assise. Mais ce qui m'intéresse surtout, c'est d'observer Gil. Les footballeurs se rassemblent devant lui et le regardent avec respect. On dirait un général espagnol s'adressant à ses conquistadors. Il leur donne des ordres. Toi, tu prends ce banc-là, toi cet appareil, toi, ce rameur. Pendant qu'il parle, personne ne détourne le regard. Il ne réclame pas leur attention, il l'obtient naturellement. À la fin, il leur demande de se rapprocher et leur rappelle que l'essentiel c'est de travailler dur, c'est la seule réponse. Tout le monde acquiesce. Ils joignent les mains. Un, deux, trois : *Rebels !*

Ils se séparent et se dispersent pour aller travailler sur les appareils de musculation. Je me dis une fois de plus que je me serais senti beaucoup mieux au sein d'une équipe.

Pat et moi prenons l'habitude de revenir chaque jour au gymnase de l'UNLV, et pendant que nous faisons des exercices d'assouplissement ou que nous soulevons des poids, je sens que Gil ne nous perd pas de vue. J'ai l'impression qu'il a remarqué ma mauvaise condition physique. Je pense que les autres athlètes aussi en sont conscients. Je me sens comme un amateur et j'ai souvent envie d'arrêter, mais chaque fois Pat me retient.

Quelques semaines plus tard, Pat doit se rendre sur la côte est. Une affaire de famille urgente. Je frappe à la porte du bureau de Gil et lui annonce que Pat est parti mais qu'il m'a laissé des instructions à suivre. Je lui tends la feuille où sont notés les conseils de Pat et je lui demande s'il veut bien m'aider à les suivre.

— Bien sûr, dit Gil. Mais il semble ennuyé.

À chaque exercice, Gil fronce un sourcil. Il étudie l'entraînement préconisé par Pat, retourne la feuille entre ses mains, se renfrogne. Je l'exhorte à me donner son avis mais il se rembrunit davantage.

— Quel est le but de ces exercices ? me demande-t-il.

— Je ne sais pas très bien.

— Mais dites-moi, depuis combien de temps les pratiquez-vous ?

— Depuis longtemps.

Je le prie de me dire franchement ce qu'il en pense.

— Je ne veux pas marcher sur les plates-bandes d'un autre, dit-il. Je ne tiens pas à parler de ce qui ne me regarde pas. Mais je ne peux pas vous mentir. Si quelqu'un est capable d'établir par écrit un programme d'exercices, c'est que ce programme ne vaut même pas le bout de papier sur lequel il est noté. Vous me demandez de vous aider à effectuer un programme qui ne laisse aucune place à ce que vous êtes, à ce que vous ressentez, à ce que vous avez besoin de travailler en particulier. Il ne laisse aucune place au changement.

— Cela me paraît raisonnable. Est-ce que vous pourriez m'aider ? Me donner quelques conseils peut-être ?

— Bon, écoutez, quels sont vos objectifs ?

Je lui raconte ma défaite récente contre Alberto Mancini, l'Argentin.

— Il m'a écrasé physiquement, il m'a bousculé comme un chahuteur vous lance du sable à la figure sur la plage. Je tenais la victoire, j'avais le pied sur sa gorge mais je n'ai pas pu l'achever. J'étais au service et Mancini a pris mon service, puis il a gagné le tie-break avant de me breaker trois fois au cours du cinquième set. J'étais épuisé. J'ai besoin d'être plus fort pour que cela ne se reproduise jamais. C'est une chose de perdre, c'en est une autre de se faire écrabouiller. C'est une chose que je ne supporte plus.

Gil écoute, sans bouger, sans m'interrompre, il enregistre tout.

— Cette balle capricieuse a des rebonds inattendus, lui dis-je, et je n'arrive pas toujours à la contrôler. Mais il y a une chose que je peux peut-être contrôler, c'est mon propre corps. Enfin, je pourrais peut-être y arriver si j'avais le bon mode d'emploi.

Gil emplit d'air sa poitrine d'un mètre quarante de diamètre et expire doucement :

— Quel est votre programme ? demande-t-il.

— Je vais être absent pendant les cinq prochaines semaines. La saison d'été sur courts en dur va commencer. Mais à mon retour, je serais très honoré si nous pouvions travailler ensemble.

— Très bien, on va trouver un arrangement. Bonne chance pour vos tournois. Je vous revois à votre retour.


À l'US Open 1989, je retrouve Connors en quart de finale. C'est la première victoire en cinq sets de ma carrière, après trois défaites sévères. Pourtant, cela ne me vaut qu'une nouvelle vague de critiques. J'aurais dû achever Connors en trois sets. Quelqu'un prétend m'avoir entendu crier à Philly dans les gradins : « Je vais le traîner sur cinq sets et je vais lui en faire voir ! »

Mike Lupica, chroniqueur au *New York Daily News*, dresse la liste des douze erreurs graves que j'ai commises au cours du troisième set, et prétend que j'ai fait durer le match dans le seul but de prouver que j'étais capable de tenir la distance. Quand on ne m'insulte pas en m'accusant d'avoir fait exprès de perdre, on m'attaque sur la manière dont j'ai gagné.

Quand je pénètre à nouveau dans le gymnase, je peux lire sur le visage de Gil qu'il attendait mon retour. Nous échangeons une poignée de main. C'est le début de quelque chose.

Il m'emmène là où sont rangés les poids et m'explique que la plupart des exercices que je fais sont mauvais, complètement à côté de la plaque, mais que la manière dont je les pratique aggrave encore les choses. Je cours au désastre. Je vais finir par me blesser.

Il m'enseigne les bases de la mécanique du corps humain, la physique, l'hydraulique et l'architecture de l'anatomie.

Pour savoir ce que le corps demande, dit-il, ce dont il a besoin et ce qu'il faut éviter, il faut être à la fois ingénieur, mathématicien, artiste et mystique.

Je n'apprécie pas beaucoup qu'on me donne des cours, mais s'ils étaient tous comme ceux de Gil, je serais encore à l'école. J'enregistre le moindre fait, la plus petite information, bien certain que je n'en oublierai pas le moindre mot.

— C'est étonnant, remarque Gil, de voir la quantité d'idées fausses que l'on se fait à propos du corps humain, combien la connaissance qu'on en a est limitée. Par exemple, ces types qui travaillent sur des bancs de musculation inclinés pour développer leurs pectoraux. Cela ne marche pas. Je n'ai pas pratiqué cet exercice une seule fois en trente ans, et pensez-vous que j'aurais eu le torse plus développé si je l'avais fait ?

— Non, monsieur.

— Les assouplissements que vous faites, les exercices où vous montez des marches en portant une lourde charge sur le dos, tout cela vous expose à des blessures catastrophiques. Vous avez de la chance de ne pas vous être encore bousillé le genou.

— Comment cela ?

— Tout est une question d'angles, Andre. Sous un certain angle, vous faites travailler vos cuisses. Bien, super. Sous un autre angle, vous sollicitez vos genoux et leur faites subir une pression trop forte. Si vous répétez l'exercice trop souvent, ils vont céder. Le meilleur exercice, ajoute-t-il, est celui qui se sert de la gravité.

Il m'explique comment utiliser la gravité et la résistance pour faire céder un muscle et le renforcer en retour. Il me montre la bonne manière de faire travailler les biceps sans danger. Il me conduit jusqu'à un tableau blanc où il représente mes muscles, mes bras, mes articulations, mes tendons. Il me parle de l'arc et de la flèche, me montre les points de pression sur un arc quand il est bandé et se sert de l'image pour me parler de mon dos, pour m'expliquer pourquoi il me fait mal après les matchs ou les entraînements.

Je lui parle de ma colonne vertébrale, de mon spondylolisthésis, cette vertèbre mal alignée. Il en prend note et me dit qu'il va étudier le problème dans des ouvrages médicaux. Il me dira ce qu'il aura trouvé.

Gil épelle littéralement ce qu'il explique. Il aime insister sur un point en en épelant le mot clef. Il aime casser les mots, les ouvrir devant moi pour me révéler le savoir qu'ils contiennent, comme l'amande dans sa coquille. Ainsi par exemple « calorie ». Il m'explique que ce mot vient du latin *calor*, qui veut dire un certain degré de chaleur.

— Les gens pensent que les calories sont mauvaises, dit Gil, mais elles ne sont qu'une façon de mesurer la chaleur, et nous avons besoin de chaleur. Grâce à la nourriture, nous alimentons la chaudière naturelle de notre corps. Comment cela pourrait-il être mauvais ? La question est de savoir quand vous mangez, combien vous mangez, et quel type de nourriture vous choisissez, c'est ça qui fait toute la différence. Les gens pensent que ce n'est pas bien de manger, dit-il, mais nous avons besoin de nourrir notre feu intérieur.

En effet, me dis-je, mon feu intérieur a besoin d'être alimenté.

En parlant de chaleur, Gil mentionne au passage qu'il déteste le temps chaud. Il ne le supporte pas. Il est anormalement sensible aux températures élevées, et l'idée qu'il se fait de la torture serait de se retrouver coincé en plein soleil. Il met en marche l'air conditionné.

J'en prends bonne note.

Je lui raconte comment je cours avec Pat sur Rattlesnake Hill et lui dis que j'ai l'impression d'avoir atteint un palier. Il me demande :

— Sur quelle distance courez-vous chaque jour ?

— Huit kilomètres.

— Pourquoi ?

— Je ne sais pas.

— Est-ce que vous avez déjà couru huit kilomètres au cours d'un match ?

— Non.

— Combien de fois, au cours d'un match, vous arrive-t-il de courir plus de cinq pas dans une direction avant de vous arrêter ?

— Pas souvent.

— Je ne connais pas grand-chose au tennis, mais il me semble qu'au bout du troisième pas vous feriez mieux de penser à vous arrêter. Sinon vous allez frapper la balle et continuer, emporté par votre élan, de sorte que vous serez mal placé pour le coup suivant. L'astuce, c'est de foncer, de frapper, puis de freiner à mort et de revenir très vite au point de départ. D'après ce que je comprends, votre sport n'est pas fondé sur la course, mais sur l'art de s'élancer et de s'arrêter aussitôt. Il faut s'appliquer à renforcer les muscles qui activent le départ et l'arrêt.

Je ris et lui dis que c'est la chose la plus chouette que j'aie jamais entendue à propos du tennis.

Le soir, quand vient l'heure de fermer le gymnase, j'aide Gil à ranger et à éteindre les lumières. Puis nous restons assis dans ma voiture à bavarder. Il finit par remarquer que je claque des dents.

— Cette voiture de rêve n'a pas le chauffage ?

— Si.

— Alors pourquoi vous ne le faites pas marcher ?

— Parce que vous m'avez dit que vous craigniez la chaleur.

Il en bafouille. Il dit qu'il n'arrive pas à croire que je m'en souvienne, et ne comprend pas que j'aie enduré le froid pendant tout ce temps. Il met le chauffage à fond. On continue de parler et je m'aperçois bientôt que Gil a des gouttes de sueur sur le front et sur la lèvre supérieure. J'éteins le chauffage et baisse les vitres. Nous bavardons encore une demi-heure, quand il s'aperçoit que je commence à devenir bleu. Il remet le chauffage à bloc. En continuant ce petit jeu où nous nous témoignons notre respect réciproque, nous bavardons jusqu'aux petites heures du matin.

Je raconte un peu ma vie à Gil. Mon père, le dragon, Philly, Perry. Je lui raconte comment je me suis retrouvé banni à la Bollettieri Academy. À son tour il me raconte son histoire. Il me parle de son enfance dans la banlieue de Las Cruces, au Nouveau-Mexique. Ses parents étaient cultivateurs. Noix de pécan et coton. Un travail pénible. L'hiver, on récolte les noix de pécan. L'été, le coton. Puis la famille a déménagé pour la banlieue est de LA. Dans les quartiers difficiles, Gil a vite grandi.

— C'était la guerre, dit-il. Je me suis fait tirer dessus. J'ai encore une trace de balle dans la jambe. Et puis je ne parlais pas anglais, seulement espagnol. Je restais à l'école, bien éveillé mais silencieux. J'ai appris l'anglais en lisant Jim Murray dans le *Los Angeles Times*, et en écoutant Vin Scully commenter les jeux de Dodger à la radio. J'avais un petit transistor. KABC, tous les soirs. Vin Scully a été mon professeur d'anglais.

Après avoir maîtrisé l'anglais, Gil a décidé de développer le corps que Dieu lui a donné.

— Seuls les forts survivent, dit-il, pas vrai ? On n'avait pas les moyens de se payer des haltères là où on vivait, alors on les fabriquait nous-mêmes. Des gars qui avaient de l'expérience nous ont expliqué comment faire. On remplissait de ciment des boîtes de café et on les fixait au bout d'un bâton, c'est comme cela qu'on se faisait des haltères. On se servait d'emballages de lait pour faire le banc.

Il me raconte comment il a obtenu sa ceinture noire de karaté. Il me parle de ses vingt-deux combats professionnels, y compris celui où il s'est fait fracasser la mâchoire – mais sans être mis KO, précise-t-il fièrement.

Quand il est temps de se dire bonne nuit parce que le jour commence à se lever, je serre à regret la main de Gil en lui disant que je reviendrai demain.

— Je sais, dit-il.


Je m'entraîne avec Gil pendant tout l'automne 1989. Mes progrès sont énormes et notre lien est très fort. Avec ses dix-huit ans de plus que moi, Gil peut dire qu'il est une sorte de figure paternelle. D'une certaine façon, j'ai aussi l'impression d'être le fils qu'il n'a pas eu (il a trois enfants, uniquement des filles). C'est une des rares choses qui reste tacite entre nous. Tout le reste est disséqué, épelé.

Gil et sa femme, Gaye, ont une habitude charmante. Le jeudi soir, tous les membres de la famille peuvent choisir leur menu pour le dîner et Gaye prépare ce qu'ils veulent. Une des filles veut-elle des hot dogs ? Parfait. Une autre des crêpes au chocolat ? Pas de problème. Je prends l'habitude de passer tous les jeudis soir chez Gil et de piocher dans toutes les assiettes.

Bientôt, je me retrouve à dîner tous les soirs chez Gil. Quand il se fait tard et que je n'ai pas envie de conduire pour rentrer, je reste dormir par terre.

Gil a une autre habitude. Même quand quelqu'un a l'air très mal installé, du moment qu'il dort, c'est qu'il n'est pas si mal à l'aise que cela, il faut donc le laisser tranquille. Il se contente d'étendre une couverture légère sur moi et me laisse dormir jusqu'au matin.

— Écoute, me dit Gil un jour, on est ravis de t'avoir ici, tu le sais bien, mais je voudrais te demander quelque chose. Tu es séduisant, tu es en pleine forme, il y a plein d'endroits où tu pourrais sortir, et au lieu de cela tu viens chez moi pour manger des hot dogs et tu restes dormir, roulé en boule sur le plancher.

— J'aime bien dormir sur le plancher. Ça soulage mon dos.

— Ce n'est pas du plancher que je parle. Je parle de la maison. Es-tu sûr que c'est ici que tu as envie d'être ? Il y a plein d'endroits où tu serais mieux.

— Je ne peux pas imaginer me trouver mieux ailleurs qu'ici, Gil.

Il me serre dans ses bras. Je croyais savoir ce que c'est qu'une accolade, mais on ne le sait pas tant qu'on n'a pas été serré dans les bras d'un gars qui fait un mètre quarante de tour de poitrine.

La veille de Noël 1989, Gil me demande si j'aimerais venir chez lui pour passer la fête en famille.

— Je pensais que tu ne me le demanderais pas.

Gaye fait des gâteaux, les filles dorment à l'étage, et Gil et moi, on est assis par terre dans le salon en train d'installer les cadeaux du Père Noël. Je dis à Gil que je ne me suis jamais senti aussi bien.

— Tu n'aurais pas été mieux à une soirée ? Avec des amis ?

— Je suis exactement là où j'ai envie d'être.

Je m'interromps dans le montage du jouet que je tiens à la main et regarde Gil droit dans les yeux. Je lui dis que ma vie ne m'a jamais appartenu, pas un seul jour. Elle a toujours appartenu à quelqu'un d'autre. À mon père pour commencer. Puis à Nick. Et toujours, toujours au tennis. Même mon corps ne m'appartenait pas jusqu'à ce que je rencontre Gil, qui fait la seule chose qu'un père est censé faire : me rendre plus fort.

— Alors quand je suis ici, Gil, avec toi et ta famille, je sens pour la première fois de ma vie que je suis là où je dois être.

— Ça suffit. Je ne poserai plus jamais cette question. Joyeux Noël, fiston.

# 11

Puisque je dois jouer au tennis, le sport le plus solitaire qui soit, je tiens absolument à m'entourer de
beaucoup de monde quand je ne suis pas sur le court.
Chacun jouera son rôle spécifique. Perry m'aidera à
mettre de l'ordre dans mes pensées. J.P. s'occupera de
mon âme troublée, Nick s'occupera des fondamentaux
du jeu et Philly se chargera des détails, des arrange-
ments, et se tiendra toujours auprès de moi.

Les journalistes sportifs m'égratignent à propos de
mon entourage. Ils prétendent que si je me déplace
accompagné de tous ces gens, c'est pour entretenir
mon ego. Ils affirment que j'ai besoin d'avoir beaucoup
de monde autour de moi parce que je suis incapable de
rester seul. Ils ont à moitié raison. Je n'aime pas la solitude. Pourtant, ces gens qui m'entourent ne constituent
pas un entourage mais une équipe. J'ai besoin qu'ils me
tiennent compagnie, me conseillent, et organisent une
sorte d'éducation permanente. Ils sont mon équipage
mais aussi mes gourous et mon peloton de spécialistes.
Je les étudie et j'apprends à leur contact. J'emprunte
une expression à Perry, une histoire à J.P., une attitude
ou un geste à Nick. J'apprends des choses sur moi-
même, je me crée par le biais de l'imitation. Comment
pourrais-je faire autrement ? J'ai passé mon enfance
isolé dans une prison, mes dix ans dans une salle de
torture

En fait, au lieu de réduire mon équipe, je veux l'agrandir. Je veux y inclure Gil, officiellement. Je veux louer ses services à plein temps, pour qu'il s'occupe de ma forme et de ma condition physique. J'appelle Perry à Georgetown pour lui expliquer mon problème.

— Où est le problème ? demande-t-il. Tu veux travailler avec Gil ? Alors embauche-le.

— Mais j'ai déjà Pat, le cracheur chilien. Je ne peux pas le renvoyer. Je suis incapable de renvoyer quelqu'un. Et même si je le pouvais, comment demander à Gil de quitter un boulot important et bien payé à l'UNLV pour travailler exclusivement avec moi ? Qui suis-je pour prétendre à cela ?

Perry me conseille de demander à Nick d'engager Pat pour s'occuper des autres joueurs de tennis de son groupe. Ensuite, dit-il, tu n'as qu'à aller voir Gil et lui expliquer. Après, c'est à lui de décider.

En janvier 1990, je demande à Gil s'il me ferait le grand honneur de travailler avec moi, de voyager avec moi, de s'entraîner avec moi.

— Quitter mon boulot ici à l'UNLV ?

— Oui.

— Mais je n'y connais rien, au tennis.

— Ce n'est pas grave, moi non plus.

Il rit

— Gil, je pense que j'ai de grandes possibilités, que je peux faire des *choses*, mais après le peu de temps que nous avons passé ensemble, je suis pratiquement certain que je n'y arriverai qu'avec ton aide.

Il n'est pas long à se laisser persuader. D'accord, dit-il. J'aimerais aussi travailler avec toi.

Il ne demande pas pour quel salaire. Il ne mentionne même pas le mot argent. Il dit que nous sommes deux esprits frères qui s'embarquent dans une grande aventure. Il dit qu'il le savait déjà pratiquement depuis le jour où on s'est rencontrés. Il affirme que j'ai un destin, que je suis une sorte de Lancelot.

— Qui c'est celui-là ?

— Sire Lancelot. Tu sais bien. Le roi Arthur. Les chevaliers de la Table ronde. Lancelot était le meilleur des chevaliers d'Arthur.

— Est-ce qu'il tuait des dragons ?

— Comme tous les chevaliers.

Il n'y a qu'un seul problème dans notre projet. Gil ne dispose pas d'une salle de gymnastique à domicile. Il va devoir transformer son garage en salle d'entraînement, ce qui va lui prendre beaucoup de temps dans la mesure où il a l'intention de fabriquer lui-même ses machines.

— Les fabriquer ?

— Je veux souder le métal, construire les filins et les poulies de mes propres mains. Je ne veux rien laisser au hasard. Je ne veux pas que tu risques de te blesser. Pas sous ma responsabilité.

Je repense à mon père, fabriquant sa machine à balles et sa souffleuse, et je me demande si c'est là le seul point commun entre Gil et lui.

En attendant que la salle de gymnastique soit achevée, nous continuons de nous entraîner à l'UNLV. Il continue à mener l'équipe de basket-ball, les Rebels, à travers une saison remarquable qui culmine par une victoire contre Duke en championnat national.

Quand il a accompli sa tâche et que sa salle d'entraînement est *presque* finie, Gil déclare qu'il est prêt.

— Andre, est-ce que toi aussi tu es prêt ? Une dernière fois, est-ce que tu es sûr de vouloir faire ça ?

— Gil, sur ce point, je n'ai jamais été aussi sûr de ma vie.

— Pareil pour moi.

Il dit qu'il va se rendre à l'université dès ce matin et faire ses adieux.

Quelques heures plus tard, lorsqu'il quitte l'université, je suis là, devant, à l'attendre. Il rit de me trouver là et nous allons acheter des cheeseburgers pour fêter notre nouveau départ.

Il arrive qu'une séance d'entraînement avec Gil se transforme en fait en conversation. Selon lui, il existe plusieurs moyens d'accroître sa force, et parfois, le meilleur est de parler. Quand il n'est pas en train de m'instruire sur mon propre corps, c'est moi qui l'instruis sur le tennis et la vie d'un sportif. Je lui explique l'organisation du jeu, le circuit des tournois secondaires et celui des quatre plus importants ou tournois du Grand Chelem, que tous les joueurs considèrent comme LA référence. Je lui parle du calendrier du tennis. Je lui dis que la saison commence à l'autre bout du monde, à l'Open d'Australie, pour suivre le cours du soleil. Ensuite commence la saison sur terre battue en Europe, dont le point culminant est le tournoi de Roland-Garros, à Paris. En juin c'est la saison du gazon à Wimbledon – à ces mots je tire la langue et fais une grimace. Puis viennent les bons jours : la saison sur le dur qui s'achève par l'US Open. Et, enfin, la saison des courts couverts, Stuttgart, Paris, le championnat du monde. C'est exactement comme le jour de la Marmotte[1] : mêmes terrains, mêmes adversaires. Il n'y a que les années et les scores qui changent, et avec le temps les scores finissent par se mélanger comme des numéros de téléphone.

J'essaie de parler à Gil de mes sentiments en commençant par le début, la vérité primordiale.

Il rit.

— Tu ne détestes pas vraiment le tennis, dit-il.

— Si, Gil, vraiment.

Il prend un drôle d'air et je me demande s'il n'est pas en train de regretter d'avoir quitté un peu vite son boulot à l'UNLV.

— Si c'est vrai, pourquoi joues-tu ?

— Je ne suis pas doué pour autre chose. Je ne sais rien faire d'autre. Le tennis est la seule activité pour

---

1. Fête traditionnelle d'Amérique du Nord censée déterminer la fin de l'hiver.

laquelle je suis qualifié. Et puis mon père en ferait une attaque si je changeais d'activité.

Gil se gratte l'oreille. Voilà qui est nouveau pour lui. Il connaît des centaines d'athlètes, mais il n'en a jamais rencontré un seul qui haïsse le sport. Il ne sait pas quoi dire. Je le rassure en lui affirmant qu'il n'y a rien à dire. Je n'y comprends rien moi-même. Je peux seulement exposer le fait.

Je lui raconte aussi le désastre de « Tout est dans l'image ». J'ai l'impression qu'il faut qu'il le sache pour comprendre dans quoi il s'est engagé. Toute cette histoire me rend encore fou de rage mais c'est une colère qui s'est enracinée au fond de moi.

Il m'est difficile d'en parler, difficile de l'atteindre. On dirait une cuillerée d'acide au fond de mon estomac. Quand il entend cela, Gil aussi se met en colère, mais sa colère à lui est immédiatement accessible. Il veut agir tout de suite. Il veut boxer un ou deux publicitaires. Il dit : sous prétexte qu'un connard de Madison Avenue monte une campagne débile et te fait dire trois mots devant une caméra, cela voudrait dire quelque chose sur toi ?

— Il y a des millions de gens qui le pensent, qui le disent et qui l'écrivent.

— Ils t'ont exploité. C'est clair et net. Tu n'y es pour rien. Tu ne savais pas ce que tu disais. Tu ne savais pas comment ce serait interprété, déformé, trahi.

Nos conversations ne se limitent pas à la salle d'entraînement. On sort dîner ensemble. On sort prendre le petit déjeuner. On se téléphone six fois par jour. Un soir tard, j'appelle Gil et nous parlons des heures au téléphone. Au moment où la conversation s'épuise, il me dit :

— Est-ce que tu veux venir demain pour une séance d'entraînement ?

— J'aimerais bien, mais je suis à Tokyo.

— Cela fait des heures qu'on bavarde et tu es à Tokyo ! Je te croyais en ville. Je me sens coupable, mon vieux, de t'avoir retenu si longtemps.

Il s'interrompt. Puis il dit :

— Tu sais quoi ? Je ne me sens pas coupable. Nan. Je me sens honoré. Tu avais envie de me parler, et que tu sois à Tokyo ou à Tombouctou n'avait aucune importance. J'ai compris, parfait, mon gars, j'ai compris.

Depuis le début, Gil s'applique à noter soigneusement tous mes exercices. Il achète un registre marron où il inscrit tous les jours chaque entraînement, chaque set, chaque séance. Il prend note de mon poids, de mon régime, de mon pouls, de mes déplacements. Dans les marges, il fait des schémas et même des dessins. Il dit qu'il veut enregistrer mes progrès et constituer une base de données à laquelle il pourra se référer dans les années à venir. Il m'étudie à fond pour pouvoir entièrement me reconstruire. Il est comme Michel-Ange examinant un bloc de marbre, mais il n'est pas découragé par mes défauts. Il est comme Léonard de Vinci notant tout dans ses carnets. Je le vois bien dans les carnets de Gil, dans le soin avec lequel il les tient, dans son souci de ne jamais manquer un seul jour : je l'inspire et, par contrecoup, cela m'inspire aussi.

Il va sans dire que je compte bien emmener Gil avec moi à plusieurs de mes tournois. Il faut qu'il observe ma condition physique au cours des matchs, qu'il surveille mon alimentation, qu'il s'assure que je suis toujours bien hydraté. (Pas seulement avec de l'eau. Gil a un breuvage spécial fait d'eau, de glucides, de sel et d'électrolytes que je dois boire la veille de chaque match.) Prendre la route n'interrompt pas l'entraînement. Celui-ci devient même essentiel dans ces moment-là.

Nous décidons que notre premier voyage ensemble aura lieu en février 1990, pour aller à Scottsdale. J'explique à Gil qu'il faudra arriver sur place quelques jours avant le début du tournoi pour le tournoi-pour-rire.

— Le quoi ?

— Ce sont des matchs de démonstration joués par quelques vedettes et destinés à récolter des fonds pour des œuvres, à faire plaisir aux sponsors et à amuser les fans.

— Ça a l'air marrant.

— En plus, dis-je, on va y aller avec ma nouvelle Corvette. Je suis impatient de te montrer comme elle est rapide.

En arrivant devant chez Gil, je me dis que j'aurais mieux fait de réfléchir un peu plus à cette expédition. La voiture est très petite et Gil est très gros. Elle est même si petite qu'en comparaison Gil semble deux fois plus gros. Il se contorsionne pour s'insérer à la place du passager, et une fois assis, il est obligé de se tenir un peu de côté et sa tête touche le plafond. On dirait que la Corvette va exploser d'un instant à l'autre.

De voir Gil coincé et mal à l'aise, j'ai envie de rouler vite. De toute façon, je n'ai pas besoin de prétexte supplémentaire avec la Corvette. C'est une voiture supersonique. Nous mettons la musique à fond et filons de Vegas, nous franchissons le Hoover Dam et traversons la forêt de Joshua, au nord-ouest de l'Arizona. Nous décidons de faire une pause repas à la sortie de Kingman. La perspective du repas ajoutée aux performances de la Corvette, à la musique tonitruante et à la présence de Gil m'incitent à écraser l'accélérateur. Nous atteignons Mach 1. Je vois tout à coup que Gil fait une grimace et brandit un doigt en l'air. Je jette un coup d'œil dans le rétroviseur et je vois une voiture de police à quelques centimètres de mon pare-chocs arrière.

Le policier me donne immédiatement une contravention pour excès de vitesse.

— Ce n'est pas la première fois, dis-je à Gil qui secoue la tête.

À Kingman, nous nous arrêtons chez Carl's Junior et prenons un déjeuner très copieux. Nous aimons bien manger tous les deux, et nous avons un faible secret pour les fast-foods. Nous abandonnons donc les règles de la diététique et commandons des frites une première puis une seconde fois. Nous nous resservons copieusement en sodas.

Quand je tasse Gil dans la Corvette pour repartir, je m'aperçois que nous sommes en retard. Il faut se dépêcher. Je démarre et file pour rejoindre l'US 95. Plus de trois cents kilomètres jusqu'à Scottsdale. Deux heures de route.

Vingt minutes plus tard, Gil refait le même geste du doigt. C'est un autre policier, cette fois-ci. Il me prend mon permis, les papiers de la voiture et me dit :

— Avez-vous eu récemment une contravention pour excès de vitesse ?

Je regarde Gil qui fronce les sourcils.

— Bon, si vous estimez qu'il y a une heure est récent, alors oui, j'en ai eu une.

— Attendez-moi ici.

Il va jusqu'à sa voiture et revient au bout d'une minute.

— Le juge veut que vous reveniez à Kingman.

— Kingman ? Mais comment ?

— Venez avec moi, monsieur.

— Venir avec vous ? Et la voiture ?

— Votre ami la conduira.

— Mais, mais est-ce qu'on ne peut pas plutôt vous suivre ?

— Monsieur, vous allez écouter tout ce que je vous dis et faire tout ce que je vous dis, c'est à cette seule condition que je ne vous passe pas les menottes pour vous ramener à Kingman. Vous allez monter à l'arrière de ma voiture et votre ami va nous suivre. Maintenant, sortez de là.

Je suis à l'arrière de la voiture de police. Gil suit dans la Corvette qui lui va comme un corset à baleines. Nous sommes au milieu de nulle part et j'entends les banjos déchaînés de *Délivrance.* Il faut quarante-cinq minutes pour atteindre le tribunal municipal. Je franchis une porte latérale à la suite du policier et me retrouve devant le juge : un vieux petit bonhomme qui porte un chapeau de cow-boy et une boucle de ceinturon aussi grande qu'un moule à tarte. Les banjos jouent de plus en plus fort. Je regarde autour de moi, à la recherche d'un document officiel accroché au mur, d'une preuve quelconque que je me trouve bien dans un tribunal et devant un vrai juge. Je ne vois que des trophées de chasse.

Le juge commence par me poser quelques questions sans rapport avec notre affaire.

— Vous jouez à Scottsdale ?

— Oui, monsieur.

— Vous avez déjà participé à ce tournoi ?

— Heu, oui, monsieur.

— Quel tirage avez-vous eu ?

— Pardon ?

— Contre qui jouez-vous au premier tour ?

Je m'aperçois que le juge est un fou de tennis. Il suit même ma carrière de près. Il pense que j'aurais dû battre Courier à Roland-Garros. Il a toute une série d'opinions sur Connors, Lendl, Chang, l'état actuel du jeu, la rareté de grands joueurs américains. Après m'avoir généreusement fait profiter de ses remarques pendant vingt-cinq minutes, il me demande :

— Accepteriez-vous de signer des autographes pour mes enfants ?

— Pas de problème, monsieur – Votre Honneur.

Je signe tout ce qu'il pose devant moi, puis j'attends son verdict.

— Très bien, fait le juge, je vous condamne à leur flanquer une bonne raclée à Scottsdale.

— Pardon, je ne compr… Je veux dire, Votre Honneur, j'ai dû revenir jusqu'ici, faire une cinquantaine de kilomètres, j'étais sûr d'être emprisonné ou au moins condamné à une amende.

— Non, non, non, pas du tout, j'avais juste envie de vous rencontrer. Mais vous feriez mieux de laisser votre ami conduire jusqu'à Scottsdale, parce que si vous attrapez une autre contravention aujourd'hui, je serai obligé de vous garder à Kingman jusqu'à ce que les poules aient des dents.

Je sors du tribunal et bondis dans la Corvette où m'attend Gil. Je lui raconte que le juge est un fêlé de tennis qui voulait juste me voir. Gil pense que je mens. Je le prie de nous éloigner de ce tribunal. Il démarre, doucement. En temps normal, Gil est un conducteur prudent. Mais, énervé par nos déboires avec la loi de l'Arizona, il roule tout du long jusqu'à Scottsdale en sixième vitesse, à 90 kilomètres à l'heure.

Évidemment, j'arrive trop tard pour le tournoi-pour-rire. J'enfile mon équipement de tennis tandis que nous roulons encore dans le parking du stade. Nous nous arrêtons au contrôle à l'entrée et expliquons au gardien que nous sommes attendus, que je suis un des joueurs. Il ne veut pas me croire. Je lui montre mon permis de conduire que je suis bien heureux d'avoir encore en ma possession. Il nous fait signe d'avancer.

Gil me dit :

— Ne t'inquiète pas, je vais m'occuper de la voiture. Dépêche-toi d'y aller.

J'attrape mon sac de tennis et traverse le parking au pas de course. Gil me dit plus tard qu'il a entendu les applaudissements au moment où je suis entré dans le stade. Les vitres de la Corvette étaient fermées, et malgré cela il a entendu la foule. C'est à cet instant qu'il a commencé à comprendre ce que j'essayais de lui expliquer. Après le numéro du vieux juge de l'Ouest, après avoir entendu le stade saluer mon arrivée par un tonnerre d'acclamations, il commençait à comprendre. Il m'avoua qu'avant ce voyage il n'avait pas compris à quel point ma vie était… bizarre. Il ne savait pas dans quoi il s'engageait. Je lui dis que j'étais dans le même cas.

Notre séjour à Scottsdale fut très agréable. Nous apprîmes à nous connaître très vite, comme on le fait quand on voyage.

Lors d'un match durant l'après-midi, je m'arrête de jouer et j'attends qu'un officiel aille porter une ombrelle à l'endroit où Gil est assis. Il est en plein soleil et transpire abondamment. Il paraît dérouté. Puis, en baissant les yeux, il me voit qui lui fais signe et il comprend. Il m'envoie un large sourire et nous éclatons de rire tous les deux.

Un soir, nous allons dîner au Village Inn. Il est tard, nous prenons un repas qui combine à la fois le dîner et le petit déjeuner. Quatre types déboulent dans le restaurant et s'installent dans un box, non loin de nous. Ils font des commentaires en rigolant sur ma coiffure et ma tenue.

— Il est probablement gay, dit l'un d'eux.

— Certainement homo, renchérit son pote.

Gil se racle la gorge, s'essuie la bouche avec sa serviette, me dit de finir ce qui reste. Pour lui, c'est terminé.

— Tu ne veux plus manger, Gilly ?

— Non, mon gars. Je ne veux surtout pas avoir l'estomac plein quand je vais me battre.

Quand j'ai terminé, Gil me dit qu'il a un problème à régler à la table d'à côté. S'il arrive quoi que ce soit, dit-il, je n'ai pas à m'en faire. Il connaît le chemin du retour. Il se lève très doucement. Il se dirige vers les quatre mecs. Il se penche sur leur table. La table grince. Il plante son torse sous leur nez et leur dit :

— Vous aimez ça, gâcher le repas des gens ? C'est à ça que vous passez votre temps, hein ? Ça me donne envie d'essayer, moi aussi. Qu'est-ce que vous avez là ? Des hamburgers ?

Il attrape le hamburger d'un des gars et en mange la moitié d'une seule bouchée.

— Ça manque de ketchup, fait Gil, la bouche pleine. Vous savez quoi ? Ça m'a donné soif. Je crois bien que je vais prendre une gorgée de votre soda. Ouais. Je pense aussi que je vais le renverser en le reposant. Je voudrais bien, je voudrais bien voir si l'un de vous va essayer de m'en empêcher.

Gil avale une longue gorgée, puis, lentement, comme quand il conduit, il renverse le reste du soda sur la table.

Aucun des quatre gars ne bouge.

Gil repose le verre vide et regarde dans ma direction :

— Andre, on y va ?

Je ne gagne pas le tournoi, mais ça n'a pas d'importance. Je suis content, heureux tandis que nous reprenons la route de Vegas. Avant de quitter la ville, nous allons manger un morceau à Joe's Main Event. Nous évoquons tout ce qui s'est passé au cours des soixante-douze dernières heures et tombons d'accord sur le fait que ce voyage marque le début d'un voyage bien plus long. Dans son carnet « Léonard de Vinci », Gil me dessine, menottes aux poignets.

Dehors, nous restons sur le parking à contempler les étoiles. J'éprouve un tel amour et une telle gratitude pour Gil. Je le remercie pour tout ce qu'il a fait, et il me dit que je n'ai pas besoin de le remercier davantage.

Puis il fait un discours. Gil, qui a appris l'anglais dans les journaux et en écoutant des reportages sur le base-ball, prononce un monologue éloquent, musical, poétique, là, devant chez Joe, et un des grands regrets de ma vie est de ne pas avoir eu à ce moment-là un magnétophone sous la main. Pourtant, je m'en souviens pratiquement mot pour mot.

— Andre, je n'essaierai jamais de te faire changer parce que je n'ai jamais essayé de changer personne. Si j'en étais capable, je commencerais par me changer moi-même. Mais je sais que je peux te donner la structure et le plan pour te permettre de réaliser tes souhaits. Il y a une différence entre un cheval de labour et un cheval de course. On ne les traite pas de la même façon. On parle toujours de traiter les gens de façon égalitaire, mais je ne pense pas qu'égalitaire signifie semblable. Pour moi, tu es un cheval de course et c'est ainsi que je te traiterai. Je serai ferme mais amical ; je te mènerai, je ne te forcerai jamais. Je ne suis pas du genre à savoir très bien exprimer mes sentiments mais à partir de maintenant, tu dois savoir une chose : c'est parti, mon gars. C'est parti. Tu comprends ce que je veux dire. On mène un combat et tu peux compter sur moi. Tant qu'il restera un homme debout. Là-haut, quelque part, il y a une étoile qui porte ton nom. Je n'arriverai peut-être pas à te permettre de la trouver, mais j'ai les épaules solides et tu peux monter dessus pour chercher cette étoile. Tu m'entends. Appuie-toi sur moi et trouve-la, mon gars, trouve-la.

# 12

Aux Internationaux de France 1990, je fais les gros titres des journaux pour m'être habillé en rose. La nouvelle fait la une des pages sportives et parfois même des pages d'information. Agassi en rose. Il s'agit plus précisément d'un slip de maintien rose sous un short délavé. J'explique aux journalistes : la couleur n'est pas rose, techniquement ça s'appelle « lave chaude ». Je suis surpris de voir l'importance qu'ils y attachent. Et surpris de voir à quel point je tiens à m'expliquer clairement là-dessus. Mais je me dis qu'il vaut mieux qu'ils écrivent sur la couleur de ma tenue que sur les défauts de mon caractère.

Gil, Philly et moi n'avons aucune envie de rencontrer la presse, la foule, de voir Paris. Nous n'aimons pas nous sentir étrangers, perdus, nous faire remarquer parce que nous parlons anglais. Nous nous enfermons donc dans notre chambre d'hôtel, mettons l'air conditionné et envoyons quelqu'un nous chercher à manger au McDonald's et au Burger King.

Mais Nick est pris d'une méchante crise de claustrophobie. Il veut sortir, faire du tourisme.

— Hé ! les mecs, dit-il, on est à Paris. La tour Eiffel ? Le fameux Louvre ?

— Déjà vu, déjà fait, répond Philly.

Je ne veux pas retourner au Louvre. Je n'en ai d'ailleurs pas besoin. Il me suffit de fermer les yeux pour revoir ce tableau effrayant où un homme est sur le point de tomber dans un gouffre tandis que son père s'accroche à son cou et que le reste de sa famille se cramponne à lui.

Je dis à Nick :

— Je ne veux rien voir ni rencontrer personne. Je veux juste gagner ce foutu truc et rentrer à la maison.

Je franchis sans encombre les premiers tours en jouant bien, et tout à coup je me retrouve une fois de plus face à Courier. Il gagne le premier set au tie-break mais me laisse prendre le deuxième. Je remporte le troisième, puis au cours du quatrième il s'effondre, 6-0. Il devient écarlate. Son visage prend la teinte « lave chaude ». J'ai bien envie de lui dire : « J'espère t'avoir donné suffisamment d'exercice. » Mais je me retiens. Je suis peut-être en train de mûrir. En tout cas je deviens plus fort.

Mon adversaire suivant est Chang, le champion en titre. Je suis encore furieux contre lui parce que je n'en reviens toujours pas qu'il ait remporté un Grand Chelem avant moi. J'envie son travail, j'admire sa discipline de jeu, mais je ne l'aime pas. Il continue à affirmer avec le plus grand sérieux que Dieu est de son côté sur les courts, et ce mélange de prétention et de religion m'agace. Je le bats en quatre sets.

En demi-finale, j'affronte Jonas Svensson. Il a un service puissant, frappe comme une mule et ne craint jamais de monter au filet. Mais il est meilleur sur surface rapide et je suis ravi de me mesurer à lui sur terre battue. Dans la mesure où son coup droit est particulièrement redoutable, je décide de le harceler sur son revers. Je reviens sans cesse sur son point le plus vulnérable et prends rapidement la tête avec 5-1. Svensson n'arrive pas à remonter. Set, Agassi. Dans le deuxième set, je parviens à mener 4-0. Il remonte à 3-4. Je ne le laisse pas se rapprocher davantage. À son crédit, il parvient à reprendre un peu confiance et remporte le troisième set. En temps normal, je devrais être effondré. Mais je regarde dans les gradins et je vois Gil. Je me repasse le discours qu'il m'a tenu sur le parking et remporte le quatrième set, 6-3.

Me voici en finale, enfin ! Ma première finale d'un Grand Chelem. Je joue contre l'Équatorien Gomez, que j'ai battu quelques semaines plus tôt. Il a trente ans, il est sur le point de se retirer. En fait, je croyais qu'il avait déjà pris sa retraite. Les journaux disent enfin qu'Agassi va révéler tout son potentiel.

Puis, catastrophe. La veille de la finale, je prends une douche et je sens que la perruque que Philly m'a achetée est brusquement en train de se désintégrer sous mes doigts. J'ai dû employer un mauvais shampoing. Le tissage se défait et le foutu truc tombe en pièces.

Dans un état de panique effroyable, je demande à Philly de venir me rejoindre dans ma chambre.

— Saloperie de désastre, lui dis-je, ma perruque, regarde !

Il l'examine.

— On va la faire sécher et puis on va la réparer, dit-il.

— Avec quoi ?

— Des pinces à cheveux.

Il court tout Paris pour en trouver. Impossible de mettre la main sur la moindre pince. Il me téléphone pour me le dire. Qu'est-ce que c'est que cette ville où il n'y a pas de pinces à cheveux ?

Dans le hall de l'hôtel, il tombe sur Chris Evert à qui il demande si elle a des pinces à cheveux. Elle n'en a pas. Elle lui demande pourquoi il en a besoin. Il ne répond pas. Pour finir, il trouve une amie de notre sœur Rita qui en a un sac plein. Il m'aide à restaurer la perruque et à la remettre en place en utilisant au bas mot une vingtaine de pinces.

— Tu crois que ça tiendra ?

— Ouais, ouais, à condition que tu ne bouges pas trop.

Nous rions tous deux amèrement.

Bien sûr, je pourrais jouer sans perruque. Mais après des mois et des mois exposé à la dérision, aux critiques, aux sarcasmes, je suis devenu trop lucide. *Tout est dans l'image.* Que dirait-on si on apprenait que je porte une perruque depuis longtemps ? Que je gagne ou que je perde, ce n'est pas de mon jeu qu'on parlerait. On ne parlerait que de mes cheveux. Et ce ne serait plus quelques gamins à la Bollettieri Academy qui se moqueraient de moi, ou douze mille Allemands à la Coupe Davis, le monde entier se moquerait de moi. En fermant les yeux, je peux presque entendre cet éclat de rire et je sais que je ne le supporterais pas.

Je prie en m'échauffant avant le match. Non pas pour remporter la victoire, mais pour que ma perruque tienne bon. En temps normal, pour ma première participation à la finale d'un tournoi du Grand Chelem, j'aurais été tendu. Mais la fragilité de ma perruque me pétrifie. Va-t-elle tenir en place ou pas ? J'imagine qu'elle tombe. À chaque mouvement brusque, à chaque bond, je la vois tomber sur le sol en terre battue comme un de ces faucons que mon père tirait à la carabine. J'entends le murmure de stupéfaction monter de la foule. Je vois des gens qui, par millions, se penchent soudain sur l'écran de leur téléviseur, se regardent et, dans des dizaines de langues et de dialectes différents, disent tous à peu près la même chose : « C'est bien les cheveux d'Andre Agassi qu'on vient de voir tomber ? »

Le jeu que j'ai imaginé pour affronter Gomez reflète autant l'état de mes nerfs éprouvés que ma timidité. Sachant qu'il n'a plus les jambes très jeunes, sachant qu'il ne tiendra pas le coup dans un cinquième set, je décide de faire traîner le match en longueur. Je prévois beaucoup de déplacements, je veux l'avoir à l'usure. Mais dès le début du match, il est évident que Gomez, conscient de son âge, s'efforce d'expédier les choses rapidement.

Il pratique un jeu vif, risqué. Il gagne le premier set à toute vitesse. Il perd le deuxième, mais tout aussi vite.

Maintenant, je sais que nous en avons pour trois heures au maximum et non pas quatre, ce qui implique que la résistance physique ne jouera aucun rôle. C'est donc un match d'échanges rapides, le genre de match que Gomez peut gagner. Alors que deux sets ont été joués et que le temps qui nous reste n'est pas si long, je me retrouve face à un gars qui sera en pleine forme jusqu'au bout, même si le match dure cinq sets.

Mon plan, naturellement, était mauvais dès le départ. C'est vraiment pathétique. Il ne pouvait pas marcher, indépendamment de la durée du match, parce qu'on ne gagne pas la finale d'un Grand Chelem si on joue simplement pour ne pas perdre, ou si on compte sur l'échec de son adversaire. Ma tentative pour le faire courir sur de longues distances n'a fait qu'enhardir Gomez. C'est un vétéran, qui sait très bien que c'est peut-être la dernière fois qu'il participe à un Grand Chelem. Il n'y a qu'un seul moyen de le battre, c'est de lui faire perdre ses espoirs et ses désirs en se montrant agressif. Quand il me voit adopter un style classique, orchestrant le jeu plutôt que cherchant à le dominer, il reprend courage.

Il remporte le troisième set. Dès le début du quatrième, je m'aperçois que j'ai commis une autre erreur. La plupart des joueurs, quand ils commencent à se fatiguer à la fin d'un match, perdent de l'énergie dans leur service. Ils ont du mal à se dresser assez haut sur des jambes fatiguées. Mais Gomez a un service rasant. Quand il est fatigué il se penche encore davantage, et son service, naturellement rasant, devient encore plus prononcé. Je m'attendais à voir son service faiblir et au lieu de cela il se renforce.

Lorsqu'il gagne le match, Gomez se montre extrêmement gentil et charmant. Il pleure. Il adresse de grands signes aux caméras. Il sait qu'il va devenir un héros national dans son pays natal, l'Équateur. Je me demande à quoi peut bien ressembler l'Équateur. Je vais peut-être y aller. C'est peut-être le seul endroit où je pourrai cacher la honte que j'éprouve en ce moment. Je reste assis dans le vestiaire, tête baissée, et j'imagine ce que des centaines de chroniqueurs et de journalistes vont écrire en gros titres, sans parler de la réaction de mes pairs. Je les entends déjà. Tout est dans l'image. Agassi n'est rien. Monsieur Lave chaude n'est qu'un minable.

Philly entre. Je vois dans son regard qu'il ne se contente pas de compatir, il vit cette défaite. C'est aussi la sienne. Il souffre. Et puis il dit ce qu'il fallait dire, sur le ton juste, et je sais que je l'aimerai toujours pour cela :

— Tirons-nous de cette ville de merde.


Gil pousse le lourd chariot chargé de nos sacs à l'aéroport Charles-de-Gaulle. Je marche juste devant lui. Je m'arrête pour consulter le tableau des arrivées et des départs, tandis que Gil continue d'avancer. Le chariot a un rebord en métal tranchant qui vient heurter mon talon tendre et offert. Je porte des mocassins sans chaussettes. Un jet de sang jaillit et coule sur le sol miroitant. Puis un autre. Mon talon d'Achille saigne. Gil s'empresse de chercher un pansement dans le sac mais je lui dis de ne pas s'inquiéter, de prendre son temps. C'est une bonne chose, dis-je, c'est tout à fait normal. Il est parfaitement logique qu'un peu de sang de mon talon d'Achille coule sur le sol avant de quitter Paris.


J'évite une fois de plus Wimbledon et m'entraîne durement avec Gil, pendant tout l'été. Son garage est achevé, rempli d'une douzaine de machines qu'il a fabriquées lui-même, et de bien d'autres équipements uniques en leur genre. Sur la fenêtre, il a installé un énorme climatiseur. Au sol, il a fixé une pelouse artificielle épaisse, et dans un coin il a placé une vieille table de billard. Nous jouons des parties entre les exercices et les entraînements. Il n'est pas rare que nous restions dans la salle de gym jusqu'à quatre heures du matin. Gil cherche de nouvelles méthodes pour fortifier mon mental, ma confiance en moi, autant que mon physique. Il a été aussi éprouvé que moi par Roland-Garros. Un matin, avant le lever du soleil, il me confie une phrase que sa mère lui répétait tout le temps : *Qué lindo es sonar despierto*. « Comme c'est beau de rêver tout éveillé. » Rêve tout éveillé, Andre ! Tout le monde peut rêver en dormant. Mais il faut rêver tout le temps, exprimer tes rêves à haute voix et croire en eux.

*En compagnie de Gil dans le désert*
*près de Las Vegas, peu de temps après le début*
*de notre collaboration en 1990.*

En d'autres termes, lors de la finale d'un Grand Chelem, je dois rêver. Je dois jouer pour gagner.

Je le remercie. Je lui fais un cadeau, un collier auquel est attachée une pyramide en or renfermant trois anneaux qui représentent le Père, le Fils et le Saint-Esprit. Je l'ai dessiné moi-même et je l'ai fait fabriquer par un bijoutier en Floride. J'ai aussi une boucle d'oreille assortie.

Il le place autour de son cou et je peux dire qu'il fera froid en enfer avant qu'il l'enlève.

Gil aime me crier dessus pendant que je m'entraîne, mais cela n'a rien à voir avec les cris de mon père. Ce sont des cris d'affection. Si j'essaie d'établir un nouveau record personnel, si je me prépare à soulever plus que j'aie jamais soulevé, il se tient derrière moi et hurle : *Vas-y, Andre ! Fonce ! Déchaîne-toi !* Son cri fait bondir mon cœur dans ma cage thoracique. Puis, pour me motiver encore davantage, il me demande parfois de m'écarter et il soulève son poids maximum : environ 250 kilos. C'est un spectacle impressionnant de voir un homme soulever un tel poids de fonte à hauteur de sa poitrine, et j'en retire chaque fois la conviction que tout est possible. Comme c'est beau de rêver. Mais les rêves, dis-je à Gil dans un de nos moments de calme, sont drôlement fatigants.

Il rit.

— Je ne peux pas te promettre que tu ne seras pas fatigué, dit-il. Mais, de grâce, retiens bien ceci : il y a plein de bonnes choses qui t'attendent sur l'autre versant de la fatigue. Fatigue-toi, Andre. C'est ainsi que tu apprendras à te connaître. Sur l'autre versant de la fatigue.

Sous la surveillance étroite de Gil et grâce à ses bons soins, je prends dix livres de muscles en août 1990. Nous allons à New York pour l'US Open et je me sens svelte, élancé et dangereux. J'élimine facilement Andrei Cherkasov, joueur d'Union soviétique, en trois sets. Je frappe et je taille ma route jusqu'en demi-finale. Je bats Becker en quatre sets enragés et j'ai encore plein d'énergie à revendre. Nous rentrons à l'hôtel, Gil et moi, et nous regardons l'autre demi-finale pour savoir qui sera mon adversaire demain, McEnroe ou Sampras.

Cela paraît extraordinaire, mais le gamin que je pensais ne plus jamais revoir a reconstitué son jeu et il est en train de se battre avec une énergie formidable contre McEnroe. Et puis je m'aperçois que ce n'est pas du tout cela. En fait, c'est McEnroe qui déploie une énergie formidable et qui est en train de perdre. C'est incroyable mais mon adversaire, demain, sera Pete.

La caméra se rapproche du visage de Pete et je vois qu'il est épuisé. De plus, le journaliste explique que ses pieds abondamment pansés sont couverts d'ampoules. Gil me fait boire de son eau jusqu'à ce que j'aie envie de vomir, ensuite je vais me coucher tout souriant en pensant au plaisir que je vais prendre à écraser Pete. Je vais le faire courir d'un côté à l'autre, de droite à gauche, de San Francisco à Bradenton, jusqu'à ce que ses ampoules soient en sang. Je repense à la vieille maxime de mon père : « Fais-lui une cloque au cerveau. » Calme, en forme, confiant, je dors sur mes deux oreilles.

Le matin, je me sens de taille à jouer un match de dix sets. Je n'ai pas de problème de perruque puisque je n'en porte pas. J'ai mis au point un nouveau système de camouflage facile à utiliser : un grand serre-tête sur des mèches de couleurs vives. Il est tout simplement impossible que je perde contre Pete, ce pauvre garçon que je regardais avec compassion l'année dernière, ce maladroit qui n'arrivait pas à frapper une seule bonne balle.

C'est un Pete bien différent que je trouve face à moi. Un Pete qui ne perd jamais. Nous avons de très longs échanges, des échanges épuisants, et il ne laisse paraître aucun défaut. Il rattrape toutes les balles, les frappe toutes, bondissant d'avant en arrière comme une gazelle. Il sert à coups de canon, vole au filet, m'impose son jeu. Il résiste à mon service. Je suis désespéré. Je suis en colère. Je me dis qu'il n'est pas possible que cela arrive. Et pourtant c'est bien ce qui se passe. Non, cela ne peut pas arriver.

Au lieu de me mettre à réfléchir à la manière de gagner, je me mets à réfléchir à la meilleure manière d'éviter la défaite. C'est toujours la même erreur, celle que j'ai commise avec Gomez et qui entraîne le même résultat. Quand tout est fini, je confie aux journalistes que Pete m'a dévalisé, comme dans les bonnes vieilles agressions à la mode d'autrefois, dans les rues de New York. Mais la métaphore est imparfaite. Oui on m'a volé. Oui quelque chose qui m'appartenait m'a été dérobé. Mais je ne peux pas porter plainte, je n'ai aucune réparation à attendre, et c'est la victime que tout le monde va blâmer.

Quelques heures plus tard, j'ouvre brusquement les yeux. Je suis à l'hôtel, dans mon lit. Tout cela n'était qu'un rêve. Pendant une demi-seconde magnifique, je crois vraiment que j'ai dû m'endormir sur cette belle colline d'où, avec Philly et Nick, nous nous moquions du jeu lamentable de Pete, et que j'ai rêvé que c'est précisément Pete qui me battait lors de la finale d'un tournoi du Grand Chelem.

Mais non. C'est bien la réalité. C'est ce qui est arrivé. Je regarde la chambre qui s'éclaircit à mesure que mon humeur s'assombrit.

# 13

Depuis le jour où Wendi a assisté au tournage du film publicitaire *Tout est dans l'image*, nous vivons en couple, tous les deux. Elle m'accompagne dans mes voyages et s'occupe de moi. Nous nous entendons à la perfection parce que nous avons grandi ensemble et que nous envisageons de continuer à grandir ensemble. Nous sommes originaires du même endroit. Nous aimons les mêmes choses. Nous nous aimons à la folie, mais nous sommes pourtant tombés d'accord sur le fait que notre relation doit être « open », c'est son expression. Elle dit que nous sommes trop jeunes pour nous engager, trop rêveurs. Elle ne sait pas qui elle est. Elle a été élevée dans la foi des mormons avant de décider qu'elle ne croyait pas aux fondements de cette religion. Elle a fait des études supérieures mais a découvert qu'elle avait choisi l'université qui lui convenait le moins. Tant qu'elle n'a pas découvert qui elle est, dit-elle, elle ne peut se donner à moi complètement.

En 1991, on se retrouve avec Gil à Atlanta, où nous fêtons mon vingt et unième anniversaire. On est dans un bar, un vieux rade minable de Buckhead, avec des tables de billard brûlées par les cigarettes et des chopes de bière en plastique. On rigole bien tous les trois, on picole, et même Gil qui ne boit jamais d'alcool se laisse aller à être un peu pompette.

Pour que le souvenir de cette soirée passe à la postérité, Wendi a apporté son Caméscope. Elle me le passe et me demande de la filmer tandis qu'elle tire des paniers sur un des jeux vidéo du bistrot. Elle va m'apprendre, dit-elle. Je la filme pendant trois secondes puis je laisse l'objectif glisser lentement sur les courbes de son corps.

— Andre, dit-elle. Tu veux bien ne pas laisser la caméra traîner sur mes fesses ?

Une bande de grandes gueules débarque. À peu près de mon âge, ils ont l'air de faire partie de l'équipe locale de foot ou de base-ball. Ils font quelques remarques grossières sur mon compte puis reportent toute leur attention sur Wendi. Ils sont bourrés, vulgaires, et cherchent à me mettre mal à l'aise devant elle. Je repense à Nastase faisant la même chose, quatorze ans auparavant.

Les rugbymen déposent une pile de pièces au bord de notre table de billard. L'un d'entre eux dit : Pour la suivante, ils s'éloignent en ricanant.

Gil repose sa chope en plastique, ramasse les pièces, se dirige lentement vers un distributeur automatique. Il achète un sachet de cacahuètes et revient vers la table. Tranquillement, il mange une à une les cacahuètes sans quitter des yeux les joueurs de rugby, jusqu'à ce que ceux-ci, sagement, décident de se chercher un autre bar.

Wendi rigole et suggère qu'en plus de ses nombreuses fonctions, Gil devienne mon garde du corps.

— C'est déjà le cas, lui dis-je.

Et pourtant ce n'est pas le mot juste. Cela ne lui correspond pas. Gil est le gardien de mon corps, de ma tête, de mon jeu, de mon cœur, de ma petite amie. Il est le seul élément inamovible au centre de ma vie. Il est le gardien de ma vie.

Ce qui me plaît le plus, c'est lorsque des gens, des journalistes, des fans ou divers originaux, demandent à Gil s'il est mon garde du corps. Il sourit toujours en répondant :

— Vous n'avez qu'à le toucher, vous verrez bien.

Aux Internationaux de France 1991, je me fraye un chemin à travers six tours et j'arrive en finale. Mon troisième tournoi du Grand Chelem. J'affronte Courier et je suis favori. Tout le monde dit que je vais le battre. Moi-même, j'affirme que je vais le battre. Il faut que je le batte. Je n'ose même pas imaginer l'effet que ça me ferait d'avoir joué trois Grands Chelems d'affilée sans en gagner aucun.

La bonne nouvelle est que je sais comment battre Courier. Je l'ai battu l'année précédente dans ce même tournoi. La mauvaise nouvelle, c'est mon implication personnelle, qui me met mal à l'aise. Nous avons débuté au même endroit, partagé le même dortoir à la Bollettieri Academy, dormi dans des lits pas très éloignés l'un de l'autre. J'étais bien meilleur que Courier et tellement plus favorisé par Nick, que perdre cette finale de Grand Chelem me placerait dans la situation du lièvre battu par la tortue. Il est déjà assez pénible que Chang en ait remporté un avant moi. Et Pete. Si en plus il y avait Courier... Non, je dois empêcher cela.

J'arrive avec l'envie de gagner. J'ai tiré la leçon de mes erreurs des deux finales précédentes. Je passe facilement le premier set que je remporte 6-3, et dans le deuxième je mène 3-1 et j'ai une balle de break. Si je gagne ce point, j'ai de sérieuses chances de remporter le set et le match. Soudain, il se met à pleuvoir. Les fans se protègent et courent se mettre à l'abri. Courier et moi regagnons le vestiaire où nous faisons les cent pas, comme des lions en cage. Nick vient me voir et je le regarde en quête d'un conseil, d'un encouragement, mais il ne dit rien. *Rien*. Je sais depuis déjà un certain temps que je continue à collaborer avec Nick par habitude et par loyauté, sans le considérer comme un vrai coach. D'ailleurs, en ce moment ce n'est pas de coaching dont j'ai besoin, mais d'un peu d'humanité, ce qui est d'ailleurs une des attributions d'un coach. J'ai besoin qu'on m'aide à surmonter ce moment chargé d'adrénaline. Est-ce trop demander ?

Après l'interruption due à la pluie, Courier prend position plus en retrait derrière la ligne, espérant ainsi amortir la puissance de mes coups. Il a eu le temps de se reposer, de réfléchir, de récupérer. Il me contre énergiquement et remporte le deuxième set. Je suis en colère à présent, furieux. Je gagne le troisième set 6-2. Je fais comprendre à Courier et je me persuade moi-même que le deuxième set n'était qu'un accident. Deux sets contre un. Je me sens déjà attiré par la dernière ligne droite. Ma première victoire en Grand Chelem. Plus que six petits jeux.

Au début du quatrième set, je perds douze des treize premiers points. Est-ce que je suis en train de faiblir ou est-ce le jeu de Courier qui s'améliore ? Je n'en sais rien. Je ne le saurai jamais. Mais je sais bien que ce sentiment m'est familier. Cette impression de l'inéluctable. Cette sorte de légèreté au moment où le sort se joue. Courier remporte le set 6-1.

Au cinquième set, alors que nous sommes coincés à 4-4, il prend mon service. Et alors, tout à coup, je ne désire plus qu'une chose, perdre. Je ne peux pas expliquer cela autrement. Au cours du quatrième set, j'ai perdu la volonté mais à présent c'est le désir que je perds. Je suis maintenant aussi sûr de ma défaite que je l'étais de ma victoire au début du match. Et je la désire. Je la souhaite ardemment. Je murmure pour moi-même : « Faites que ce soit rapide. Puisque la défaite c'est comme la mort, je préfère une mort rapide plutôt que lente. »

Je n'entends plus le public. Je ne perçois même plus mes propres pensées, seulement une sorte de bruit blanc dans mes oreilles. Je n'entends ni n'éprouve plus rien d'autre que mon désir de perdre. Je rate le dixième et décisif jeu du cinquième set, et je vais féliciter Courier. Des amis me disent qu'ils ne m'ont jamais vu l'air plus désespéré.

Après coup, je ne me fais aucun reproche. J'explique les choses froidement ainsi : « Tu n'as pas ce qu'il faut pour franchir la ligne. Tu démissionnes. Tu dois arrêter de jouer. »

La défaite me laisse une cicatrice. Wendi me dit qu'elle peut pratiquement la voir, une marque, comme si j'avais été frappé par la foudre. C'est à peu près tout ce qu'elle dit pendant le long vol du retour jusqu'à Vegas.

Au moment où nous franchissons le seuil de la maison de mes parents, mon père vient vers nous dans le couloir. Il m'attaque bille en tête.

— Pourquoi tu n'as pas pris tes dispositions après l'interruption due à la pluie ? Pourquoi tu ne l'as pas attaqué sur son revers ?

Je ne réponds pas. Je ne bouge pas. J'attends cette tirade depuis les dernières vingt-quatre heures et je suis déjà blindé contre elle. Mais pas Wendi. Elle fait une chose que personne n'a jamais faite, que j'ai toujours attendue en vain de la part de ma mère. Elle s'interpose. Elle dit :

— On ne pourrait pas parler d'autre chose que de tennis pendant deux heures ? Juste deux heures, sans tennis ?

Mon père se tait, interloqué. J'ai peur qu'il ne la gifle. Mais il tourne les talons, franchit le couloir en trombe pour remonter dans sa chambre. Je regarde Wendi. Je ne l'ai jamais aimée davantage.

Je ne touche plus à mes raquettes. Je n'ouvre plus mon sac de tennis. Je ne m'entraîne plus avec Gil. Je traînasse et passe mon temps à regarder des films d'horreur avec Wendi. Seuls les films d'horreur parviennent à me distraire parce qu'ils décrivent assez bien le sentiment que j'ai éprouvé pendant le cinquième set face à Courier.

Nick essaie de me convaincre de participer à Wimbledon. Je lui ris au visage, ce visage tellement bronzé.

— Il faut te remettre en selle, dit-il. C'est la seule façon, mon garçon.

— Et merde à l'équitation.

— Allons, dit Wendi, honnêtement, qu'est-ce qui peut t'arriver de pire ?

Trop déprimé pour discuter, je laisse Nick et Wendi me pousser dans un avion à destination de Londres. Nous louons une jolie maison à deux étages, en retrait de la grand-route et tout près du All England Lawn Tennis and Croquet Club. Il y a un agréable jardin derrière la maison, rempli de roses et de chants d'oiseaux. Un petit paradis où je peux m'asseoir et tenter d'oublier que je suis en Angleterre. Wendi transforme la maison en un véritable foyer. Elle la remplit de bougies, de provisions et… de son parfum. Le soir, elle prépare de délicieux dîners et le matin des repas que je peux emporter à l'entraînement.

Le tournoi est retardé de cinq jours à cause de la pluie. Le cinquième jour, bien que la maison soit douillette, la plus grande agitation commence à y régner. Je veux foncer sur le court. Je veux me débarrasser de ce goût amer que j'ai dans la bouche depuis Roland-Garros, ou alors perdre et rentrer à la maison. La pluie finit par s'arrêter. Je joue contre Grant Connell, un serveur et un volleyeur qui s'est fait une spécialité des surfaces rapides. C'est un étrange adversaire de premier tour, pour mon premier match sur gazon depuis des années. Il est censé me battre. Je remporte je ne sais comment une victoire en cinq sets. J'arrive en quart de finale où j'affronte David Wheaton. Je mène deux sets à un. Deux breaks dans le quatrième set, et soudain je me déplace quelque chose dans la cuisse, le muscle qui commande l'articulation. Je ne peux plus que boitiller jusqu'à la fin du match. Wheaton gagne facilement.

Je dis à Wendi que j'aurais pu gagner. Je commençais à me sentir bien mieux qu'à Roland-Garros. Maudite hanche.

La bonne nouvelle, je pense, c'est que j'ai eu envie de gagner. Peut-être ai-je laissé évoluer mon désir pour le pointer dans la bonne direction.

Je guéris vite. Au bout de quelques jours, ma hanche est rétablie. Mon mental, en revanche, continue de souffrir. Je participe à l'US Open et perds dès le premier tour. *Le premier tour*. Mais le pire, c'est la manière dont je perds. Je joue contre Krickstein, ce bon vieux Krickstein, et une fois de plus je manque de motivation. Je sais que je peux le battre et pourtant cela n'en vaut pas la peine. Je ne déploie pas l'énergie nécessaire. Je comprends clairement mon absence d'effort. Il s'agit d'un manque d'inspiration, tout simplement. Je ne me pose pas de questions. Je ne souhaite pas régler le problème. Tandis que Krickstein court, saute, bondit, je le regarde avec une sorte de détachement. C'est seulement après que la honte entre en jeu.

Il faut que je prenne une décision radicale, que je brise cet attrait morbide que la défaite semble exercer sur moi. Je décide de déménager et de m'installer chez moi. J'achète un mobil home de trois pièces au sud-ouest de Vegas, et en fais un véritable repaire de célibataire, presque une parodie de garçonnière. Je transforme une des chambres en salle de jeux, pourvue de tous les classiques du jeu d'arcade, Asteroids, Space Invaders, Defender. Je suis très fort à ces jeux-là, mais je compte bien m'améliorer encore. Je transforme le salon en salle de cinéma avec un équipement sonore professionnel et des baffles dans les divans. Je transforme la salle à manger en salle de billard. J'installe un peu partout des sièges en peluche fantastiques, sauf dans la pièce principale pour laquelle je choisis un divan massif et extravagant, couleur vert chenille, rembourré de duvet d'oie. Dans la cuisine, je place une machine à sodas remplie de Mountain Dew, mon préféré, et des robinets à bière. Dehors, j'installe une baignoire et un petit bassin.

Et surtout, je transforme une chambre en grotte : tout est absolument noir, avec des rideaux noirs qui ne laissent pas filtrer le moindre rayon de lumière. C'est la maison d'un adolescent attardé, un homme-enfant qui veut s'extraire du monde. Je fais le tour de cette nouvelle demeure, ce parc de jeux de luxe, m'imaginant que je suis devenu vraiment adulte.

Je laisse passer une fois de plus l'Open d'Australie au début de 1992. Je n'y suis jamais allé et cela ne paraît pas le bon moment pour commencer. Pourtant, je participe à la Coupe Davis et je m'y débrouille bien. Peut-être parce qu'elle se tient à Hawaii. Nous jouons contre l'Argentine. Je gagne mes deux matchs. La veille du dernier jour, nous allons boire un verre, Wendi et moi, avec McEnroe et sa femme, Tatum O'Neal. On abuse un peu et je me couche à quatre heures du matin, en me disant que quelqu'un va me remplacer dimanche, pour un match sans importance qu'on appelle souvent un match pour rien.

Apparemment, ce n'est pas le cas. Malgré ma gueule de bois et bien que je sois déshydraté, je dois aller jouer et affronter Jaite, dont j'avais un jour arrêté le service à la main.

Par chance, Jaite aussi a la gueule de bois. Heureusement que c'est un match sans importance, parce nous avons l'air aussi usés et crevés l'un que l'autre. Pour cacher mes yeux injectés de sang, je porte des lunettes de soleil Oakley et, je ne sais pourquoi, mais je joue bien. Je suis décontracté. Je remporte le match et je me demande si je dois y voir une leçon. Est-ce que je pourrais retrouver la même décontraction quand il y a de vrais enjeux, lors d'un tournoi du Grand

Chelem ? Faut-il que j'aie la gueule de bois pour bien jouer ?

La semaine suivante, je me découvre en couverture de *Tennis Magazine* en train de frapper une balle gagnante avec mes lunettes Oakley. Quelques heures après que le magazine est arrivé dans les kiosques, Wendi et moi sommes dans ma nouvelle demeure quand un camion de livraison s'arrête devant la porte. On sort voir.

— Signez ici, me dit le livreur.

— Qu'est-ce que c'est ?

— Un cadeau. De Jim Jannard, le fondateur d'Oakley.

L'arrière du camion s'incline et il en sort doucement une Dodge Viper rouge.

Cela fait du bien de savoir que, même si je perds mon jeu, j'arrive encore à promouvoir des produits.


Mon classement s'effiloche. Je sors des dix premières places. La seule fois où je me sente vraiment efficace sur le court, c'est lors de la Coupe Davis. À Fort Meyers, j'aide les États-Unis à battre la Tchécoslovaquie en gagnant mes deux matchs. À part cela, le seul jeu où je fais manifestement des progrès, c'est Asteroids.

Aux Internationaux de France 1992, je bats Pete, ce qui me fait du bien. Puis je me retrouve une fois de plus en face de Courier, cette fois en demi-finale. Les souvenirs de l'an passé sont encore frais, encore pénibles, et je perds une fois de plus, en peu de sets. Là encore, Courier chausse ses chaussures de course et va faire un jogging après le match, je ne lui fais toujours pas brûler suffisamment de calories.

Je m'en vais cahin-caha jusqu'en Floride et m'effondre chez Nick. Je ne touche pas une seule raquette pendant tout mon séjour. À la fin, je m'entraîne un peu et à contrecœur sur un court en dur de la Bollettieri Academy, et nous embarquons tous pour Wimbledon.

La masse de talents rassemblée à Londres en 1992 est stupéfiante. Il y a d'abord Courier, numéro 1 mondial, qui vient de remporter deux Grands Chelems. Il y a Pete qui ne cesse de progresser. Il y a Stefan Edberg qui joue comme s'il avait perdu la tête. Je suis classé douzième et d'après mes dernières performances je devrais être encore moins bien classé.

Au match du premier tour j'affronte le Russe Andrei Chesnokov. Je joue mal. Je perds le premier set. Frustré, je me replie sur moi-même, je me maudis, et l'arbitre me donne un avertissement officiel pour avoir dit *Fuck*. Je suis à deux doigts de me retourner vers lui pour lui balancer quelques *fuck-fuck-fuck*. Au lieu de quoi je décide de le choquer, de choquer tout le monde en reprenant ma respiration et en me montrant serein. Puis je fais quelque chose de plus choquant encore. Je gagne les trois sets suivants.

Me voici en quart de finale. Contre Becker qui a atteint six des sept dernières finales à Wimbledon. Il est ici chez lui, c'est de fait son royaume. Mais j'ai bien étudié son service ces derniers temps. Je gagne en cinq sets, joués sur deux jours. Les souvenirs de Munich sont enfin apaisés.

En demi-finale, je joue contre McEnroe, trois fois champion à Wimbledon. Il a trente-trois ans, est presque en fin de carrière, et il n'est pas classé. Étant donné son statut d'outsider et tous ses exploits légendaires, le public veut naturellement le voir gagner. Une part de moi-même aussi voudrait le voir gagner. Mais je le bats en trois sets. Me voici en finale.

Je m'attends à jouer contre Pete mais il perd en demifinale contre Goran Ivanisevic, un Croate costaud, une vraie machine à servir. Je l'ai déjà affronté deux fois, et chaque fois il m'a facilement battu. J'ai donc pitié de Pete et je pense que je ne vais pas tarder à le rejoindre. Je n'ai aucune chance contre Ivanisevic. C'est le combat d'un poids moyen contre un poids lourd. Le seul suspense est de savoir si ce sera par K-O ordinaire ou par K-O technique.

En temps normal, le service d'Ivanisevic est d'une puissance redoutable, aujourd'hui c'est une œuvre d'art. Il lance des balles à droite, à gauche, à des allures monstrueuses, chronométrées à 200 kilomètres à l'heure. Mais il n'y a pas que la vitesse. Il y a la trajectoire. Les balles atterrissent à un angle de soixante-quinze degrés. J'essaie de ne pas trop m'en faire. Je me dis que les balles impossibles à rattraper, ça arrive. Chaque fois que l'une d'elles m'échappe, je me dis intérieurement qu'il ne pourra pas faire cela continuellement. Tu n'as qu'à aller de l'autre côté et te tenir prêt, Andre. Le match va se décider sur quelques seconds services.

Il remporte le premier set 7-6. Je n'arrive pas une seule fois à prendre son service. Je me concentre pour ne pas en faire trop, pour respirer et inspirer calmement, pour rester patient. Quand l'idée que je suis sur le point de perdre mon quatrième Grand Chelem me traverse l'esprit, je parviens à l'écarter. Dans le deuxième set, Ivanisevic me concède quelques cadeaux, commet quelques petites fautes, et je prends son service. Je gagne le deuxième set. Puis le troisième, ce qui me met dans tous mes états parce qu'une fois de plus je ne suis qu'à un set d'une victoire en Grand Chelem.

Ivanisevic se reprend au quatrième set et m'écrase. Je l'ai rendu fou. Il perd tout de même une bonne poignée de points dans l'affaire. Et c'est reparti. Je vois déjà les gros titres de la presse du lendemain, aussi clairement que la raquette que je tiens à la main. Au début du cinquième set, je cours sur place pour faire circuler le sang dans mon corps et je me dis une seule chose. Tu veux gagner. Tu ne veux pas perdre, pas cette fois-ci. Le problème des trois derniers tournois du Grand Chelem, c'est que tu ne les désirais pas suffisamment et donc tu n'as pas fait le nécessaire. Mais cette fois tu veux gagner, il faut le faire comprendre à Ivanisevic et à tous les gens qui sont là.

À 3-3, je suis au service, balle de break. Je n'ai pas réussi à passer un premier service de tout le set mais cette fois, heureusement, je réussis. Il le renvoie au centre du court, je l'attaque sur son revers, il renvoie un lob coupé. Je dois reculer de deux pas. Le coup en hauteur est un des plus faciles à jouer. C'est aussi l'incarnation de mes efforts parce que c'est trop facile. Je n'aime pas les choses trop faciles. Faut-il que je le fasse ? Je frappe, envoie un coup en hauteur et marque le point. Je garde mon service.

Maintenant, c'est Ivanisevic qui sert à 4-5. Il fait une double faute. Deux fois de suite. Il est mené 0-30. Il cède sous la pression. Je n'ai pas réussi à déstabiliser ce type en une heure et demie et à présent il s'effondre tout seul. Il rate un autre premier service. Il est en train de s'effondrer. Je le sais. Je le *vois*. Personne n'est mieux placé que moi pour savoir comment ça se passe. Je sais aussi ce qu'il éprouve. Je sais précisément ce qui se passe dans son corps. Sa gorge se contracte. Ses jambes tremblent. Mais il parvient à se calmer et expédie un deuxième service vers le fond du carré, un trait de lumière jaune qui effleure à peine la ligne. Un petit nuage de craie s'élève, comme s'il avait tiré sur la ligne avec un fusil d'assaut. Puis il envoie un autre service impossible à rattraper. Et soudain nous voilà à 30 partout.

Il rate encore un premier service, lance le second. Je renvoie en puissance, il frappe une demi-volée. Je fonce, m'approche de lui, je repars très vite vers le fond du court. Je me dis : Tu peux gagner en un seul coup. *Un seul coup.* Tu n'as jamais été aussi près de la victoire. Cela ne se reproduira peut-être plus jamais.

Et c'est là tout le problème. Que va-t-il arriver si je m'approche autant de la victoire et que je ne gagne pas ? Le ridicule. La condamnation. Je fais une pause.

J'essaie de concentrer mon attention sur Ivanisevic. Il faut que je devine de quel côté il va servir. Bien, un gaucher typique qui sert en direction d'un point de pression sur l'autre moitié du court dans un mouvement large pour faire sortir l'adversaire du court. Mais Ivanisevic n'a rien de typique. Son service atterrit généralement au milieu du court, comme une bombe. Pourquoi préfère-t-il cette méthode ? Dieu seul le sait. Il ne devrait peut-être pas faire cela mais c'est ce qu'il fait et je le sais bien. Je sais qu'il va tirer vers le centre. Voilà c'est sûr, mais il envoie son service dans le filet. Bonne chose, parce que sa balle était une vraie fusée dirigée droit sur la ligne. Même si j'avais bien anticipé le coup, même si j'avais bien bougé, je n'aurais pas pu la rattraper.

La foule s'est mise debout. Je prends le temps d'une petite conversation avec moi-même, à voix haute. Gagne ce point ou tu ne verras jamais la fin de l'histoire, Andre. N'espère pas qu'il fasse une double faute, n'espère pas qu'il rate son coup. Contrôle ce que *tu* peux contrôler. Renvoie son service de toutes tes forces, si tu le retournes vraiment fort et que tu rates, tu peux vivre avec cela. Tu survivras à cela. Un seul retour et pas de regrets. Frappe *plus fort*.

Il frappe la balle, l'envoie sur mon revers. Je bondis en l'air, frappe de toutes mes forces, mais je suis si tendu que la balle envoyée vers son revers n'est pas très puissante. Pourtant il rate cette balle facile. Sa balle heurte le filet et c'est ainsi que, au bout de vingt-deux ans et après vingt-deux millions de coups de raquette, je deviens le champion de Wimbledon 1992.

Je tombe à genoux. Je m'allonge à plat ventre. Je n'arrive pas à croire à toute cette émotion qui jaillit de moi. Quand je parviens à me remettre debout, Ivanisevic apparaît à côté de moi. Il me serre dans ses bras et me dit chaleureusement :

— Félicitations, vainqueur de Wimbledon. Tu l'as bien mérité aujourd'hui.

— Beau combat, Goran.

Il me tape sur l'épaule. Il sourit, va vers sa chaise et s'enveloppe la tête dans une serviette. Je comprends ses émotions encore mieux que les miennes. Une grande partie de mon cœur est auprès de lui tandis que, assis sur ma chaise, j'essaie de récupérer.

Un homme typiquement britannique s'approche de moi et me demande de me lever. Il me tend une grande coupe en or. Je ne sais pas comment la tenir, ni où je dois aller avec elle. Il me fait un geste et me demande de faire le tour du court en tenant le trophée.

— Au-dessus de votre tête, précise-t-il.

Je fais exactement ce qu'il m'a dit. Le public m'acclame. Quelqu'un essaie de me reprendre le trophée. Je le repousse. Il m'explique qu'il doit le faire graver. À mon nom.

Je regarde dans les gradins, je fais signe à Nick, Wendi et Philly. Ils applaudissent tous, radieux. Philly serre Nick dans ses bras. Puis Nick embrasse Wendi. Je t'aime, Wendi. Je m'incline devant les altesses royales et sors du court.

Dans le vestiaire, je contemple mon reflet déformé dans la coupe. Je m'adresse au trophée et à mon image qui s'y reflète : vous m'en avez causé de la peine et des souffrances.

Je suis déconcerté par la sorte de vertige que j'éprouve. Je ne devrais pas être impressionné à ce point. Cela ne devrait pas sembler aussi bon. Des vagues d'émotion continuent de me secouer, soulagement et bonheur, et même une sorte de sérénité hystérique car j'ai fini par obtenir un bref répit de la part des critiques, particulièrement celles que je me fais à moi-même.


Plus tard dans l'après-midi, j'appelle Gil qui n'a pas pu se joindre au voyage parce qu'il avait besoin de rester un peu chez lui en famille après la longue saison sur terre battue. Il aurait tellement aimé être ici. Nous discutons du match ensemble, les bons et les mauvais moments, c'est presque choquant de voir tout ce qu'il a appris sur le tennis en si peu de temps. J'appelle Perry, puis J.P., et finalement, tout tremblant, j'appelle mon père à Vegas.

— Papa ? C'est moi. Tu m'entends ? Qu'est-ce que tu en dis ?

Silence.

— Papa ?

— Quelle idée d'avoir perdu le quatrième set !

Stupéfait, j'attends, n'étant pas sûr de pouvoir répondre. Puis je finis par dire :

— C'est quand même une bonne chose que j'aie gagné le cinquième, non ?

Il ne dit rien. Non parce qu'il n'est pas d'accord ou qu'il désapprouve, mais parce qu'il pleure. J'entends à peine mon père qui pleure et essuie ses larmes, et je sais bien qu'il est fier mais qu'il n'est pas capable de le dire. Je ne peux pas lui en vouloir de ne pas savoir dire ce qu'il a dans le cœur. C'est la malédiction familiale.


La nuit de la finale a lieu le fameux bal de Wimbledon. J'en entends parler depuis des années et je meurs d'envie d'y aller parce que le vainqueur du tournoi masculin danse avec la gagnante du tournoi féminin qui cette année, comme bien d'autres d'ailleurs, est Steffi Graf. J'ai le béguin pour elle depuis la première fois que je l'ai vue donnant une interview à la télévision française. J'ai été comme frappé par la foudre, ébloui par l'évidence de sa grâce, par sa beauté naturelle. À la voir, on dirait qu'elle sent bon, mais aussi qu'elle est bonne fondamentalement, essentiellement, d'une bonté intrinsèque, elle rayonne de rectitude morale et d'une sorte de dignité qui n'existe plus guère. Je crois bien que pendant une demi-seconde j'ai vu une auréole au-dessus de sa tête. J'ai essayé de lui adresser un message après les Internationaux de France de l'année dernière, mais elle ne m'a pas répondu. Maintenant, je meurs d'impatience de la faire onduler sur la piste de danse, et tant pis si je ne sais pas danser.

Wendi connaît mes sentiments pour Steffi et elle n'est absolument pas jalouse. Notre relation est « open », me rappelle-t-elle. Nous avons tous les deux vingt et un ans accomplis. En fait, la veille de la finale nous allons tous les deux chez Harrods acheter mon smoking pour le cas où j'en aurais besoin, et Wendi plaisante avec la vendeuse en disant que je veux gagner le tournoi uniquement pour pouvoir danser avec Steffi Graf.

Et c'est ainsi que, portant une cravate noire pour la toute première fois et tenant Wendi par le bras, j'arrive fièrement au bal. Nous sommes immédiatement entourés par des couples de Britanniques aux cheveux blancs. Les hommes ont du poil dans les oreilles et les femmes dégagent un parfum de vieille liqueur. Ils ont l'air enchantés de ma victoire, surtout parce qu'elle apporte un peu de sang neuf à leur club. « Quelqu'un de nouveau pour parler de toutes ces affaires affreuses », dit un inconnu. Wendi et moi nous nous tenons dos à dos comme des plongeurs au milieu d'un banc de requins. Je peine à comprendre les quelques accents britanniques les plus marqués. J'essaie d'expliquer à une vieille dame qui ressemble à Benny Hill que j'attends avec beaucoup d'impatience la danse traditionnelle avec la championne du tournoi féminin.

— C'est bien dommage, répond la dame, mais elle n'aura pas lieu cette année.

— Pardon ?

— Les joueurs ne se sont guère enthousiasmés pour cette idée les dernières années. Nous l'avons donc supprimée.

Elle me voit me décomposer. Wendi se retourne, aperçoit ma figure et éclate de rire.

Je ne danserai donc pas avec Steffi, mais il y a une sorte de match de consolation. Je vais lui être officiellement présenté. J'attends ce moment toute la soirée. Il se produit enfin. En lui serrant la main, je dis à Steffi que j'ai essayé de la joindre lors des Internationaux de France l'an dernier et que j'espère qu'elle ne s'est pas méprise sur mes intentions. Je lui dis que j'aimerais vraiment beaucoup lui parler un jour.

Elle ne répond pas. Elle se contente de sourire, d'un sourire énigmatique. Je ne sais pas si elle est heureuse de ce que je viens de dire, ou bien contrariée.

# 14

Je suis supposé être quelqu'un de différent à présent que j'ai remporté un Grand Chelem. C'est ce que tout le monde dit. Il n'est plus question de *Tout est dans l'image*. Maintenant, les journalistes sportifs affirment que, pour Andre Agassi, tout est dans la victoire. Après deux ans passés à me traiter d'imposteur, d'histrion, de rebelle sans cause, ils se mettent à m'idéaliser. Ils déclarent que je suis un battant, un joueur dans l'âme, un vrai sportif. Ma victoire à Wimbledon, disent-ils, les oblige à m'évaluer différemment, à reconsidérer ma véritable nature.

Moi je ne trouve pas que Wimbledon m'ait changé. J'ai l'impression, en fait, d'avoir découvert un sale petit secret : la victoire ne change rien. À présent que j'ai gagné un Grand Chelem, je sais une chose que très peu de gens sur terre sont autorisés à savoir, c'est qu'une victoire ne fait pas autant de bien qu'une défaite fait de mal, et la bonne impression qu'on en retire ne dure pas aussi longtemps que la mauvaise. Et de loin.

Je me sens effectivement plus heureux au cours de l'été 1992 et plus solide, mais ce n'est pas à cause de Wimbledon. C'est grâce à Wendi. Notre relation est devenue plus étroite. Nous nous sommes murmuré mutuellement des promesses. J'ai accepté l'idée que je n'étais pas fait pour vivre avec Steffi. C'était un joli rêve tant qu'il a duré mais je suis désormais lié à Wendi, et la réciproque est vraie. Elle ne travaille pas, ne fait pas d'études. Elle a fréquenté plusieurs universités, mais aucune ne lui convenait. Désormais, elle passe tout son temps avec moi.

En 1992, toutefois, passer du temps ensemble devient tout à coup plus compliqué. Quand on va au cinéma, quand on dîne au restaurant, on n'est jamais vraiment seuls. Des gens apparaissent d'un peu partout, me demandent ma photo, un autographe, mon attention ou mon opinion. Wimbledon m'a rendu célèbre. Je croyais avoir une grande réputation depuis longtemps ; j'ai signé mon premier autographe à six ans, et à présent je découvre que j'avais en fait une mauvaise réputation. Wimbledon m'a donné une légitimité, a élargi et approfondi l'attraction que j'exerce – du moins si j'en crois les agents, les responsables et les experts du marketing que je suis désormais amené à rencontrer régulièrement. Les gens veulent se rapprocher de moi, ils estiment en avoir le droit. Je comprends qu'en Amérique, il existe un impôt sur tout. Je découvre que c'est cela la taxe sur le succès sportif, quinze secondes de son temps accordé à chacun de ses fans. Je peux accepter cette idée intellectuellement. Ce que je ne veux pas, c'est que ça se traduise par la perte de toute intimité avec ma petite amie.

Wendi ne s'en soucie guère. Elle sait parfaitement gérer toutes les intrusions. Elle m'empêche de prendre les choses trop au sérieux, de me prendre trop au sérieux moi-même. Grâce à son aide, je décide que la meilleure façon de gérer sa célébrité est de ne pas y penser. Je me donne du mal pour chasser cette idée de gloire de mon esprit.

Mais la célébrité est une force. On ne peut pas l'arrêter. Vous la chassez par la porte, elle se glisse par votre fenêtre. Un jour, je fais le point et je me découvre des dizaines d'amis célèbres dont je ne me rappelle pas en avoir rencontré la moitié. Je suis invité à des soirées, à des réunions de VIP, à des fêtes, des galas où les célébrités se retrouvent, et il y en a toujours plusieurs qui me demandent mon numéro de téléphone ou me forcent à prendre le leur. Ma victoire à Wimbledon a automatiquement fait de moi un membre du All England Club, et de la même façon elle m'a introduit dans la nébuleuse du Famous People's Club. Je compte désormais parmi mes connaissances Kenny G, Kevin Costner et Barbra Streisand. Je suis invité à une soirée à la Maison Blanche. Je dîne avec le président George Bush avant son sommet avec Mikhaïl Gorbatchev. Je dors dans la chambre de Lincoln.

Je trouve cela surréaliste, puis parfaitement normal. Je suis frappé de voir à quelle vitesse le surréaliste peut paraître normal. Je m'émerveille de découvrir à quel point cela n'a rien d'exaltant d'être célèbre, de voir combien les gens célèbres sont ennuyeux. Ils sont confus, incertains, fragiles, et détestent bien souvent ce qu'ils font. C'est une chose qu'on entend souvent, comme ce vieil adage selon lequel l'argent ne fait pas le bonheur, mais on n'y croit jamais avant de l'avoir constaté par soi-même. En découvrant tout cela, en 1992, j'acquiers une bonne dose de confiance en moi.


Je fais du bateau près de l'île de Vancouver, en vacances avec mon nouvel ami, David Foster, le producteur. Peu après que Wendi et moi sommes montés à bord du yacht de Foster, Costner arrive et nous invite à venir le rejoindre sur son propre yacht, ancré tout près de là. Nous acceptons immédiatement. Même s'il possède un yacht, Costner semble très sympa. Facile, drôle, agréable. Il aime le sport, le suit régulièrement et suppose que j'en fais autant. Je lui avoue timidement que je ne m'intéresse pas beaucoup au sport. Que je n'aime pas cela.

— Qu'est-ce que cela veut dire ?
— Je n'aime pas le sport.
Il rit.
— Vous voulez dire, à part le tennis.

— Je déteste le tennis par-dessus tout.

— Bon, bon, je comprends que c'est un boulot, mais vous ne détestez pas vraiment le tennis ?

— Si.

Wendi et moi passons la plupart du temps pendant la croisière à regarder les trois enfants de Costner. Bien élevés, présentant bien, ils sont aussi d'une beauté remarquable. On dirait qu'ils sortent directement d'un des puzzles de Norman Rockwell que faisait ma mère. Peu de temps après notre première rencontre, le petit Joe Costner âgé de quatre ans attrape la jambe de mon pantalon et me regarde de ses grands yeux bleus. Il crie : « Faisons du catch ! » Je l'empoigne et le tiens la tête en bas, et son rire est un des sons les plus délicieux que j'aie jamais entendus. Wendi et moi affirmons être tombés sous le charme des petits Costner, en réalité on joue délibérément à être leurs parents. De temps en temps, j'aperçois Wendi qui déserte l'assemblée des adultes pour retourner voir les enfants. Je vois bien qu'elle fera une excellente mère. Je m'imagine auprès d'elle, l'aidant à élever trois blondinets aux yeux verts. La pensée m'emballe et elle aussi. J'aborde le sujet de la famille, de l'avenir. Elle ne sourcille pas. Elle la veut, elle aussi.

Quelques semaines plus tard, Costner nous invite chez lui à Los Angeles pour une avant-première de son nouveau film, *Bodyguard*. Wendi et moi ne sommes pas emballés par le film, en revanche nous adorons la chanson *Je t'aimerai toujours*.

— Ce sera notre chanson, déclare Wendi.

— Toujours.

On se la chante mutuellement, on en cite des extraits, et quand on l'entend à la radio on interrompt toutes nos activités, quelles qu'elles soient, et on se met à se faire les yeux doux, ce qui rend malade notre entourage. Mais nous, on s'en fiche.

Je dis à Philly et à Perry que j'envisage de passer le reste de ma vie avec Wendi, que je vais bientôt me déclarer. Philly approuve vigoureusement. Perry me donne le feu vert.

— C'est Wendi que j'ai choisie, dis-je à J.P.

— Et Steffi Graf ?

— Elle m'a jeté. Oublie-la. C'est Wendi.


Je montre mon nouveau jouet à J.P. et Wendi.

J.P. demande :

— Comment s'appelle ce truc-là, déjà ?

— Un Hummer. On s'en est servi pendant la guerre du Golfe.

Le mien est un des tout premiers vendus aux États-Unis. On se balade un peu partout dans le désert autour de Vegas, quand tout à coup on s'enlise. J.P. dit en rigolant qu'ils n'ont pas dû voir beaucoup de sable pendant la guerre du Golfe. On descend de l'engin et on se met à marcher dans le désert. Je dois prendre l'avion cet après-midi et j'ai un match demain. Si je n'arrive pas à sortir de ce désert, je vais irriter plein de gens. Mais tandis que nous poursuivons notre marche, mon match me paraît soudain bien futile. À présent, le vrai problème est notre survie. Où que l'on regarde, on ne voit rien, et l'obscurité commence à s'installer.

— J'ai comme l'impression que nous sommes à un moment crucial de notre vie, dit J.P., et je ne le dis pas avec optimisme.

— Merci pour cette pensée positive.

On finit par découvrir une cabane. Une sorte de vieil ermite nous prête une pelle. On retourne en vitesse jusqu'au Hummer et je me mets à creuser en hâte autour de la roue arrière. Tout à coup, ma pelle heurte quelque chose de dur. Du caliche. C'est la couche de sol semblable à du ciment qui se trouve sous le sable, dans le désert du Nevada. Je sens quelque chose se déplacer dans mon poignet. Je pousse un cri.

— Qu'est-ce qu'il y a ? demande Wendi.

— Je ne sais pas.

Je regarde mon poignet

— Frotte-le avec un peu de poussière, dit J.P.

Je parviens à désensabler le Hummer, je prends mon avion et je gagne même mon match le lendemain. Mais quelques jours plus tard, je souffre terriblement en me réveillant. Le poignet a l'air cassé. C'est à peine si je peux le bouger. C'est comme si on m'avait mis des aiguilles à coudre et des lames de rasoir rouillées en plein dans l'articulation. C'est mauvais. Sale affaire.

La douleur disparaît et je suis soulagé. Puis elle revient et je suis effrayé. La souffrance occasionnelle devient rapidement permanente. Le matin c'est supportable, mais le soir je ne peux plus penser à autre chose qu'à la douleur cuisante.

Un médecin me diagnostique une tendinite. Très précisément, *dorsal capsulitis*. Des petites blessures à l'intérieur du poignet qui ne cicatrisent pas. La conséquence d'un usage trop intensif, dit-il. Le seul remède possible, c'est le repos ou une intervention chirurgicale.

Je choisis le repos, je m'enferme, je m'occupe de mon poignet. Après des semaines passées à veiller sur lui comme un oiseau blessé, je peux commencer à le faire bouger, à ouvrir une porte sans grimacer de douleur.

Le bon côté de cette blessure, c'est que je peux passer plus de temps avec Wendi. Au lieu de commencer par la saison sur court en dur, 1993 commence par la saison de Wendi et je m'y consacre entièrement. Elle apprécie ce supplément d'attentions mais s'inquiète de négliger ses études. Elle s'est inscrite dans une nouvelle université. La cinquième ou la sixième. J'ai perdu le compte.

Nous roulons sur Rainbow Boulevard, je tiens le volant de la main gauche pour ménager mon poignet droit, je baisse la vitre et allume la radio. Le vent joue dans les cheveux de Wendi. Elle éteint la radio et me dit qu'il lui a fallu bien longtemps pour savoir ce qu'elle voulait vraiment.

Je hoche la tête et rallume la radio.

Elle éteint la radio et dit qu'elle a fréquenté toutes ces universités, vécu dans plusieurs États différents, qu'elle n'a cessé de chercher un sens à sa vie et qu'elle n'y arrive toujours pas vraiment. Elle semble incapable de savoir qui elle est.

De nouveau je hoche la tête. Je l'approuve. Je connais bien ce sentiment. Ma victoire à Wimbledon ne l'a pas effacé. Puis je regarde Wendi et je comprends tout à coup qu'elle ne parle pas à la légère. Elle veut me dire quelque chose. Elle a quelque chose à dire sur nous. Elle se tourne sur son siège et me regarde droit dans les yeux.

— Andre, j'y ai beaucoup réfléchi et je ne crois pas pouvoir être heureuse, vraiment heureuse tant que je n'aurai pas trouvé qui je suis et ce que je veux faire de ma vie. Et je ne vois pas comment je peux y arriver si nous restons ensemble.

Elle pleure.

— Je ne peux plus être ta compagne, ta complice, ton admiratrice. En fait, je resterai toujours ton admiratrice – mais tu comprends ce que je veux dire.

Elle a besoin de se trouver et pour cela elle doit être libre.

— Et toi aussi, dit-elle. Nous ne pouvons pas atteindre nos objectifs personnels si nous restons ensemble.

Même une relation « open » est trop contraignante.

Je n'ai rien à lui opposer. Si c'est ainsi qu'elle ressent les choses, je n'ai rien à dire. Je souhaite son bonheur. Évidemment, juste à ce moment-là, la radio diffuse notre chanson, *Je t'aimerai toujours*. Je regarde fixement Wendi, tente de capter son regard, mais elle détourne la tête. Je rebrousse chemin, la ramène chez elle, la reconduis jusqu'à sa porte. Elle me serre une dernière fois longuement dans ses bras.

Je repars et n'attends même pas d'avoir dépassé le premier pâté de maisons avant de m'arrêter et d'appeler Philly. Quand il décroche, je suis incapable de parler. Je pleure trop. Il pense que c'est une mauvaise blague.

— Allô, dit-il agacé, Al *lô* ?

Il raccroche.

Je le rappelle mais je ne peux toujours pas parler. Il raccroche de nouveau.

Je m'enterre. Je me mets en boule dans ma garçonnière, je picole, je dors, je mange des saloperies. Je sens des douleurs lancinantes dans ma poitrine. J'en parle à Gil. Cela ressemble à un cas typique de cœur brisé. Des petites blessures qui refusent de cicatriser. Conséquence d'un usage intensif.

— Bon, dit-il ensuite, qu'est-ce qu'on fait à propos de Wimbledon ? Il serait temps de se remettre à penser à nos voyages outre-mer. Il est temps de s'y mettre, Andre, c'est parti.

C'est à peine si je peux tenir un téléphone, alors une raquette ! Pourtant j'ai envie d'y aller, cela pourrait me distraire. Je pourrais passer du temps sur la route à travailler à un but commun avec Gil. Et puis j'ai un titre à défendre. Je n'ai pas le choix. Juste avant de partir, Gil prend un rendez-vous chez un médecin réputé être le meilleur de Seattle, pour qu'il m'administre de la cortisone. L'injection fait de l'effet. Je débarque en Europe capable de remuer le poignet sans douleur.

Nous allons d'abord à Halle, en Allemagne, pour un tournoi de mise au point. Nick nous y rejoint et m'attaque immédiatement sur des questions d'argent. Il a dû vendre la Bollettieri Academy parce qu'il avait des dettes et cela a été la plus grosse erreur de sa vie. Il l'a cédée pour un prix trop bas. Maintenant, il a besoin de liquidités. Il n'est plus lui-même, ou alors il l'est plus que d'habitude. Il se plaint de ne pas être payé à sa juste valeur. Il me dit que j'ai été un mauvais investissement. Il a dépensé des centaines de milliers de dollars pour me former et il peut légitimement réclamer des centaines de milliers de dollars en plus des centaines de milliers que je lui ai déjà donnés. Je lui demande de bien vouloir attendre qu'on soit rentrés pour parler de tout cela. J'ai quelques soucis qui me préoccupent pas mal en ce moment.

— Bien sûr, dit-il, quand on sera rentrés.

Cette discussion me secoue tellement qu'au tournoi de Halle, je m'effondre dès le premier tour contre Steeb. Il me bat en trois sets. Pour un tournoi de préparation !

J'ai à peine joué au cours de l'année écoulée et quand je l'ai fait j'ai mal joué, je suis donc le champion en titre le plus mal classé de l'histoire de Wimbledon. Mon premier match se tient sur le court central, contre Bernd Karbacher, un Allemand dont l'abondante chevelure ne bouge pas d'une mèche du début à la fin du match, ce qui m'énerve pour des raisons évidentes. Tout chez Karbacher semble de nature à distraire l'attention. En plus de sa chevelure plutôt enviable, il a les jambes arquées. Il marche non seulement comme s'il avait passé la journée à cheval, mais comme s'il venait de descendre de selle après une longue chevauchée et qu'il en avait les fesses gercées. Conformément à son allure, il a un jeu très bizarre. Il a un revers redoutable, l'un des meilleurs, mais il s'en sert pour ne pas avoir à courir. Il déteste courir. Il n'aime pas bouger. De temps en temps, il ne se donne pas non plus beaucoup de mal au service. La première fois, il sert énergiquement, mais se laisse aller dès le deuxième service.

En raison de mon poignet fragile, j'ai mis au point ma propre technique pour servir. J'ai modifié mes mouvements, ne faisant qu'un petit geste en arrière, limitant les mouvements brusques. Cela me pose naturellement des problèmes. Je prends très vite du retard au premier set, 2-5. Je suis en passe de devenir le premier champion en titre éliminé dès le premier tour.

Mais je me ressaisis, m'oblige à me satisfaire de mon nouveau service, et j'arrache la victoire. Karbacher remonte sur son cheval et part au galop.

Les supporters britanniques sont sympas. Ils acclament, ils crient, ils apprécient les efforts que j'ai faits pour mon poignet. Les tabloïds, c'est autre chose. Ils sont pleins de venin. Ils colportent d'étranges histoires sur ma poitrine, que j'ai récemment rasée. Juste un accès bien innocent de coquetterie masculine, et on croirait que je me suis coupé un membre. J'ai le poignet brisé et on ne parle que de ma poitrine. Ma conférence de presse prend des allures de sketch des Monthy Python, toutes les questions tournent autour de mes pectoraux désormais lisses. Les journalistes britanniques semblent obsédés par les poils. S'ils savaient la vérité à propos de mes cheveux ! Plusieurs tabloïds trouvent aussi que je suis trop gros, et des journalistes prennent un malin plaisir à me traiter de *Burger King*. Gil essaie d'en rendre responsable l'injection de cortisone dans mon poignet, qui peut donner un aspect bouffi. Mais personne n'en tient compte.

Rien, cependant, ne peut fasciner les Britanniques autant que Barbra Streisand. Elle arrive au court central pour me regarder jouer et c'est tout juste si son arrivée ne provoque pas une sonnerie de trompettes. Les gens célèbres ont l'habitude de venir à Wimbledon, mais l'arrivée de Barbra soulève une émotion que je n'ai encore jamais vue. Les journalistes la harcèlent pour ensuite m'importuner à son sujet, et les tabloïds se donnent beaucoup de mal pour disséquer et rabaisser notre relation qui n'est rien de plus qu'une amitié passionnée.

Ils veulent savoir comment nous nous sommes connus. Je refuse de répondre à cette question parce que Barbra est la personne la plus timide et la plus renfermée que je connaisse.

Cela a commencé avec Steve Wynn, imprésario dans un casino que je connais depuis que je suis gamin. Un jour, on jouait au golf tous les deux, et j'ai fait allusion au fait que j'adorais Barbra Streisand comme chanteuse. Il m'a dit que c'était une de ses amies. C'est ainsi qu'a commencé une série de conversations téléphoniques entre Barbra et moi. Quand j'ai gagné à Wimbledon, elle m'a adressé un télégramme très gentil pour me féliciter et pour me dire, non sans une pointe de moquerie, qu'elle était contente de pouvoir enfin mettre un visage sur ma voix.

Elle m'a invité quelques semaines plus tard à une petite soirée privée dans son ranch de Malibu. David Foster serait là, et quelques autres amis. Nous allions donc finalement nous rencontrer.

Le ranch était parsemé de cottages, l'un d'entre eux était une salle de cinéma. Après le dîner, nous sommes allés assister à une avant-première de *The Joy Luck Club*, un film sentimental pendant lequel j'ai bien cru que j'allais mourir d'ennui. Puis on est tous allés dans un autre cottage qui servait de salon de musique avec un grand piano placé devant une fenêtre. On est restés là à bavarder et à manger pendant que David jouait au piano un pot-pourri de chansons d'amour. Il fit plusieurs tentatives pour persuader Barbra de chanter. Elle ne voulait pas. Il insista. Elle refusa. Il insista tellement que cela finit par paraître bizarre. J'aurais bien voulu qu'il arrête. Barbra avait les coudes appuyés au piano et elle me tournait le dos. Je la voyais se raidir. Elle était manifestement pétrifiée à l'idée de chanter devant les autres.

Mais moins de cinq minutes plus tard, elle s'est mise à chanter quelques mesures. Le son a empli toute la pièce, du sol au plafond. Toutes les conversations se sont arrêtées. On entendit des bruits de verres entrechoqués, des bruits de vaisselle. Pendant un instant, j'ai cru que quelqu'un avait mis un disque de Barbra sur une chaîne Bose et avait réglé le volume à fond. Je n'arrivais pas à croire qu'un être humain était capable de produire un tel son, qu'une voix humaine pouvait imprégner chaque centimètre carré de la pièce.

À partir de ce moment-là, j'ai été de plus en plus intrigué par Barbra. L'idée qu'elle puisse détenir un instrument aussi impressionnant, un tel talent, et qu'elle puisse s'en servir librement, par plaisir, me fascinait. Cela me paraissait à la fois familier et déprimant. On s'est revus peu de temps après. Elle m'a invité à son ranch et on a partagé une pizza en discutant pendant des heures et en se découvrant beaucoup de points communs. C'est une perfectionniste torturée, qui déteste faire des choses dans lesquelles elle excelle. Et pourtant, malgré des années de semi-retraite, malgré tous ses doutes et ses craintes, elle m'a confié qu'elle envisageait un retour sur scène. Je l'encourageais vivement dans ce sens. Je lui disais que c'était mal de priver le monde d'une telle voix, d'une voix aussi étonnante. Et, surtout, je lui ai dit qu'il serait dangereux de céder à la peur. La peur, c'est comme l'escalade des drogues. Vous en prenez un petit peu et vous finissez par en prendre de plus dures. Elle n'avait pas envie de remonter sur scène ? Eh bien, il fallait qu'elle le fasse.

Naturellement, je me sentais hypocrite en disant cela à Barbra. Dans mes propres combats contre la peur et le perfectionnisme, il m'arrivait plus souvent de perdre que de gagner. Je lui parlais comme je parle aux journalistes, je lui disais des choses dont je savais qu'elles étaient vraies et d'autres dont j'espérais seulement qu'elles étaient vraies, tout en sachant très bien que je ne pouvais pas y croire entièrement et encore moins les mettre en pratique.

Après avoir passé un long après-midi de printemps à jouer au tennis, je parlai à Barbra d'une nouvelle chanteuse que j'avais entendue à Vegas, une femme douée d'une voix puissante ressemblant un peu à la sienne. Je lui demandai si elle voulait l'écouter.

— Bien sûr.

Je l'amenai jusqu'à ma voiture et mis un CD de cette nouvelle merveille, une Canadienne nommée Céline Dion. Barbra écouta attentivement en se mordant l'ongle du pouce. Je voyais bien qu'elle se disait : Moi aussi je peux le faire. Elle s'imaginait remontant sur scène. Je sentis encore une fois que je l'aidais, mais que je me conduisais comme un sacré hypocrite.

Mon sentiment d'hypocrisie atteignit un sommet lorsque Barbra se décida finalement à remonter sur scène. J'étais assis au premier rang, je portais une casquette de base-ball noire. Ma perruque me donnait à nouveau des soucis et j'avais peur de ce que les gens penseraient ou diraient. Ce soir-là, en plus d'être hypocrite, j'étais esclave de mes propres peurs.

Très souvent, Barbra et moi rions du choc et du scandale que provoque notre amitié. Nous savons que nous nous faisons mutuellement du bien, et qu'importe qu'elle ait vingt-huit ans de plus que moi ! On s'entend bien, et les exclamations outrées du public ne font que rajouter du sel à notre relation. Cela donne à notre amitié un côté interdit, tabou, qui trouve parfaitement sa place dans mon attitude de rebelle. Fréquenter Barbra Streisand, c'est comme s'habiller couleur « lave chaude ».

Et pourtant, lorsque je suis fatigué, lorsque je ne suis pas de bonne humeur, comme c'est le cas à Wimbledon, les attaques du public peuvent faire mal. Barbra ajoute de l'eau au moulin des journalistes en déclarant que je suis un maître zen. Les journaux trouvent là ample matière à commentaires. Le coup du maître zen est constamment cité et remplace rapidement le *Tout est dans l'image*. Je ne comprends pas cette réaction, peut-être parce que j'ignore ce qu'est un maître zen. Mais cela doit être bien, puisque Barbra est une amie.

En laissant de côté la question de Barbra, en évitant soigneusement les journalistes et les reporters de la télévision, je me remets à la tâche à Wimbledon en 1993. Après avoir survécu à Karbacher, je bats le Portugais Joao Cunha-Silva, l'Australien Patrick Rafter puis le Néerlandais Richard Krajicek. Je me retrouve en quart de finale face à Pete. Comme toujours, Pete. Je me demande comment mon poignet pourra tenir le coup contre son service, qu'il a développé en force. Mais Pete aussi a ses problèmes et ses douleurs. Son épaule le fait souffrir. Son jeu en est amoindri. C'est du moins ce qu'ils disent. On ne s'en serait pas douté en voyant la manière dont il m'attaque. Il remporte le premier set en moins de temps qu'il ne m'en a fallu pour m'habiller avant le match. Il gagne le deuxième set aussi vite.

La journée ne va pas être longue, me dis-je. Je regarde dans les gradins et je vois Barbra. Les flashes crépitent autour d'elle. Je me dis : Est-ce vraiment cela ma vie ?

Au début du troisième set, Pete trébuche. Je trouve un second souffle. Je gagne le set et aussi le quatrième. La roue tourne en ma faveur. Je vois la peur sur le visage de Pete. Nous nous tenons de près, à deux sets partout, et le doute, incontestablement, commence à l'envahir comme les ombres de ce long après-midi sur la pelouse de Wimbledon. Pour une fois, ce n'est pas moi mais Pete qui se maudit lui-même.

Au cinquième set, Pete se tient l'épaule en grimaçant. Il demande un soigneur. Pendant l'interruption, tandis qu'on s'occupe de lui, je me dis que ce match est pour moi. Deux Wimbledon d'affilée, ce serait quelque chose. On va voir ce que les tabloïds trouveront à dire. Ou bien ce que moi, je vais dire, pour une fois : *Et maintenant, vous l'aimez comment, votre Burger King ?*

Mais quand on reprend le match, Pete n'est plus le même. Il n'est pas plus vif ou plus énergique, mais totalement différent. Il est reparti, il a effectué une véritable mue, il a quitté le Pete rongé de doute comme un serpent abandonne sa peau. À présent, il a entrepris de me battre. Menant 5-4, il entame le dixième jeu en m'envoyant trois balles impossibles à rattraper. Mais pas seulement. Elles font même un bruit différent. Comme des canons de la guerre civile. Trois balles de match.

Le voici soudain qui s'avance vers le filet, la main tendue, vainqueur une fois de plus. Sa poignée de main me fait mal physiquement, et cela n'a rien à voir avec la fragilité de mon poignet.

De retour dans ma garçonnière, quelques jours après avoir perdu contre Pete, je n'ai qu'un seul but : ne plus penser au tennis pendant sept jours. J'ai besoin d'une pause. J'ai le cœur épuisé, le poignet épuisé, les os épuisés. J'ai besoin de ne rien faire pendant une semaine, de rester assis, tranquillement. Plus de peine, plus de drames, plus de services, plus de tabloïds, plus de chanteuse, plus de balles de match. Je sirote mon premier café en feuilletant *USA Today* quand un gros titre m'attire l'œil parce que mon nom y figure. *Bollettieri se sépare d'Agassi*. Nick, raconte le journal, ne veut plus avoir affaire à moi. Il veut consacrer plus de temps à sa famille. Au bout de dix ans, c'est ainsi qu'il m'annonce la nouvelle sans tambour ni trompette.

Quelques instants plus tard arrive un pli FedEx. C'est une lettre de Nick. Il ne dit rien de plus que le reportage du journal. Je la relis une dizaine de fois avant de la ranger dans une boîte à chaussures. Je vais me regarder dans le miroir. Je ne me sens pas si mal que ça. Je ne sens rien. Je suis anesthésié. Comme si la cortisone s'était diffusée depuis mon poignet et m'avait englouti tout entier.

Je prends ma voiture et vais retrouver Gil. On reste assis dans sa salle de gym. Il m'écoute et est aussi choqué et en colère que moi.

— Bon, dit-il, je crois que c'est la grande saison des ruptures avec Andre. D'abord Wendi, ensuite Nick.

Mon entourage se raréfie encore plus vite que mes cheveux.

Même si c'est idiot, j'ai envie de retourner sur le court. J'ai besoin de la douleur que seul le tennis peut me procurer.

Mais pas trop tout de même. La cortisone n'a plus aucun effet et la sensation de lame de rasoir dans mon poignet est tout simplement insupportable. Je consulte un nouveau médecin qui me dit qu'il faut opérer. J'en vois un autre qui me dit que le repos fera l'affaire. Je me range à l'avis du partisan du repos. Mais après quatre semaines de repos, j'entre sur un court et je comprends dès le premier coup que je vais être obligé de recourir à la chirurgie.

Je ne fais pas confiance aux chirurgiens. À vrai dire, il y a très peu de gens à qui je fais confiance, mais je n'aime pas l'idée de me fier à un parfait étranger, de renoncer à tout contrôle au profit d'une personne que je viens juste de rencontrer. Je répugne à l'idée d'être étendu, inconscient, sur une table d'opération pendant que quelqu'un ouvre le poignet grâce auquel je gagne ma vie. Et s'il était distrait, ce jour-là ? S'il n'était pas en forme ? Je vois cela se produire tout le temps sur le court, et la moitié du temps c'est à moi que ça arrive. Je suis classé dans les dix meilleurs joueurs, mais certains jours on dirait que je suis un amateur de seconde zone. Et si mon chirurgien est l'Andre Agassi de la médecine ? S'il est sous l'effet de boissons ou d'une drogue ?

Je demande à Gil de rester dans la salle d'opération pendant l'intervention. Je veux qu'il me serve de sentinelle, de surveillant, d'écran arrière, de témoin. En d'autres termes, je veux qu'il fasse ce qu'il fait toujours. Qu'il monte la garde. Seulement, cette fois-ci, il sera revêtu d'une blouse et d'un masque.

Il fronce les sourcils. Il secoue la tête. Il hésite.

Gil possède de nombreuses petites faiblesses attachantes comme son horreur du soleil, mais la plus sympathique est sa tendance à la sensiblerie. Il ne supporte pas la vue d'une seringue. Il est complètement paniqué quand il doit se faire vacciner contre la grippe.

Mais pour moi, il va assurer.

— Je vais tenir le coup, dit-il.

— Je t'en suis reconnaissant.

— Non, dit-il, pas de ça entre nous.

Le 19 décembre 1993, je prends l'avion avec Gil pour Santa Barbara, où je suis admis à l'hôpital. Une infirmière s'affaire autour de moi pour me préparer. Je confie à Gil que je me sens si nerveux que je pourrais bien faire une attaque.

— Comme ça ils n'auront pas besoin de t'anesthésier.

— Cela pourrait bien être la fin de ma carrière, Gil.

— Non.

Et alors ? Qu'est-ce que je ferai ?

On me place un masque sur le nez et la bouche. Respirez profondément, me disent-ils. Mes paupières sont lourdes. Je lutte pour garder les yeux ouverts, je lutte une fois de plus contre la perte de contrôle. Ne t'en va pas, Gil. Ne me laisse pas. Je regarde ses yeux noirs au-dessus de son masque chirurgical, qui me fixent sans ciller. Gil est là, me dis-je. Gil veille à tout. Gil est de garde. Tout va bien se passer. Je laisse mes yeux se fermer, je laisse une sorte de brume m'envahir, et une demi-seconde plus tard je m'éveille et voit Gil penché sur moi. Il me dit que l'état du poignet était plus grave qu'on ne pensait. Beaucoup plus grave. Mais ils ont tout nettoyé, Andre, et il ne reste plus qu'à espérer que tout va bien se passer. C'est tout ce qu'on peut faire, non ? Espérer que tout ira pour le mieux.

Je prends mes quartiers sur mon divan en forme de chenille verte rembourré de duvet d'oie, la télécommande dans une main, le téléphone dans l'autre. Le chirurgien m'a dit qu'il fallait maintenir le poignet en hauteur pendant quelques jours et je reste donc allongé, le bras posé en hauteur sur un gros oreiller. Malgré les analgésiques très puissants que je prends, je me sens blessé, soucieux, vulnérable. J'ai tout de même une source de distraction. Une femme. Une amie de la femme de Kenny G, Lyndie.

J'ai rencontré Kenny G par l'intermédiaire de Michael Bolton que j'ai croisé quand je jouais pour la Coupe Davis. Nous étions tous dans le même hôtel. Puis, de but en blanc, Lyndie me téléphone pour me dire qu'elle a trouvé la femme idéale.

— C'est bien. J'aime ça, l'idéal.

— Je crois que vous devriez bien vous entendre, tous les deux.

— Pourquoi ?

— Elle est belle, brillante, sophistiquée, drôle.

— Moi, je ne crois pas. J'essaie toujours d'oublier Wendi. En plus, je ne marche pas dans ce genre de combines.

— Oui, mais là tu vas marcher. Elle s'appelle Brooke Shields.

— J'ai entendu parler d'elle.

— Qu'est-ce que tu as à perdre ?

— Plein de choses.

— Andre.

— Je vais y penser. Quel est son numéro de téléphone ?

— Tu ne peux pas l'appeler. Elle est en Afrique du Sud. Sur le tournage d'un film.

— Elle doit bien avoir le téléphone.

— Non. Elle est au milieu de nulle part. Sous la tente, ou dans une case en plein bush. On ne peut la joindre que par fax.

Elle me donne le numéro de fax de Brooke et me demande le mien.

Je n'ai pas de fax, c'est le seul gadget que je ne possède pas dans cette maison.

Je lui donne le numéro de fax de Philly.

Puis, juste avant mon opération, je reçois un coup de fil de Philly.

— J'ai un fax pour toi à la maison, de Brooke Shields.

Et c'est ainsi que ça a commencé. Un échange de fax, une correspondance au long cours avec une femme que je n'ai jamais rencontrée. Ce qui avait commencé bizarrement devint de plus en plus bizarre avec le temps. Le rythme de nos échanges, effroyablement lent, nous plaisait à tous les deux car aucun de nous n'était pressé. Mais l'énorme distance qui nous séparait nous a incités à baisser rapidement la garde. Nous sommes passés en l'espace de quelques fax d'un flirt innocent aux confidences les plus intimes. En quelques jours, nos fax se sont teintés de tendresse, puis d'un sentiment d'intimité. J'avais l'impression de bien m'entendre avec cette femme que je n'avais jamais vue et à qui je n'avais jamais parlé.

J'ai cessé d'appeler Barbra.

À présent, immobilisé, mon poignet bandé reposant sur l'oreiller, je n'ai rien d'autre à faire que d'attendre avec impatience le prochain fax de Brooke. Gil passe me voir de temps en temps et m'aide à faire quelques brouillons. Je suis intimidé par le fait que Brooke est diplômée de Princeton où elle a étudié, entre autres, la littérature française, alors que j'ai quitté l'école très tôt. Gil écarte ce genre de considérations et s'efforce de me redonner confiance.

— Et puis, dit-il, ne te préoccupe pas de savoir si elle t'aime. L'essentiel c'est de savoir si toi tu l'aimes

— Ouais, dis-je. *Ouais, tu as raison*.

Je lui demande donc de louer les œuvres complètes de Brooke Shields et on s'organise un festival de cinéma pour deux. On prépare du pop-corn, on tamise les lumières, et Gil lance le premier film. *The Blue Lagoon*. Brooke en sirène préadolescente échouée avec un garçon sur une île paradisiaque. Une nouvelle version d'Adam et Ève. On rembobine, on avance, on fige quelques plans fixes et on discute pour savoir si Brooke Shields est mon genre de fille.

— Pas mal, dit Gil. Pas mal du tout. Cela vaut vraiment le coup de lui envoyer un nouveau fax.

Notre relation par fax se poursuit pendant des semaines, jusqu'au jour où Brooke m'envoie un fax très bref, dans lequel elle m'annonce que son film est terminé et qu'elle rentre aux États-Unis. Elle sera là dans deux semaines. Elle doit atterrir à Los Angeles. Coïncidence, je dois moi aussi m'y rendre quelques jours après son arrivée. Pour une interview filmée avec Jim Rome.


On se retrouve chez elle. J'y fonce directement depuis le studio, sans prendre le temps de retirer l'épaisse couche de maquillage que l'on m'a appliquée pour l'interview télévisée avec Rome. Elle m'ouvre brusquement. Elle a tout à fait l'air d'une star de cinéma et porte autour du cou une sorte d'écharpe flottante. Elle n'est pas maquillée (ou en tout cas beaucoup moins que moi). Mais ses cheveux sont taillés très court, ce qui me fait un choc. Je me l'étais toujours représentée avec de longs cheveux ondoyants.

— Je les ai coupés pour un rôle, dit-elle.

— Dans quoi ? *Bad News Bears*[1] ?

Sa mère surgit tout à coup. On se serre la main. Elle est cordiale mais raide. Je sens une étrange vibration. Je devine instinctivement que, quoi qu'il puisse arriver, cette femme et moi on ne parviendra jamais à s'entendre.

J'emmène Brooke dîner. En chemin je lui demande :

---

1. Film de Richard Linklater. C'est l'histoire d'un ancien champion de base-ball qui accepte d'entraîner une équipe de jeunes joueurs.

— Est-ce que tu vis avec ta mère ?

— Oui. En fait, non. Pas vraiment. C'est assez compliqué.

— C'est toujours le cas avec les parents.

Nous allons au Pasta Maria, un petit restaurant italien sur San Vicente. Je demande à être placé dans un coin pour que l'on ait un peu d'intimité, et il ne me faut pas longtemps pour oublier la mère de Brooke, la coupe de cheveux et tout le reste. Elle a une prestance remarquable, un vrai charisme, et elle est étonnamment amusante. Nous rions tous les deux quand le serveur vient à notre table et nous demande :

— Est-ce que ces dames ont fait leur choix ?

— Il serait peut-être temps que je me coupe les cheveux, dis-je.

J'interroge Brooke sur le film qu'elle vient de tourner en Afrique. Est-ce qu'elle aime son métier d'actrice ? Elle parle avec passion du tournage d'un film, du plaisir de travailler avec des acteurs et des réalisateurs de talent, et je suis frappé par le fait qu'elle est exactement l'opposé de Wendi, qui ne savait jamais ce qu'elle voulait. Brooke sait très exactement ce qu'elle veut. Elle connaît bien ses rêves et n'a aucun mal à les décrire, même si elle ne sait pas très bien comment les réaliser. Elle a cinq ans de plus que moi, elle s'exprime plus aisément que moi, elle est plus sûre d'elle, et pourtant elle dégage aussi une sorte d'étrange innocence, une attente qui me donne envie de la protéger. Elle fait ressortir ce qu'il y a de Gil en moi, un aspect de moi-même dont j'ignorais l'existence.

On se redit les mêmes choses qu'on s'est déjà dites par fax, mais cette fois en direct, au-dessus de notre plat de pâtes, et cela prend un sens différent, plus intime. À présent, les nuances, les sous-entendus, le langage corporel et les phéromones entrent en jeu. Et puis elle me fait rire, beaucoup, et elle aussi rit. Elle a un rire extraordinaire. Comme pour mon opération, ces trois heures passent en une milliseconde.

Elle s'intéresse avec beaucoup d'attention et de gentillesse à mon problème de poignet, elle examine la cicatrice rose longue de plusieurs centimètres, elle l'effleure légèrement, me pose des questions. Elle me témoigne beaucoup de sympathie parce qu'elle aussi doit subir des opérations, aux deux pieds. Elle a les orteils abîmés par des années de danse, et les médecins devront les casser pour les remettre correctement en place. Je lui parle de Gil montant la garde auprès de moi dans le bloc opératoire et elle me demande, en plaisantant, si je veux bien le lui prêter.

Nous découvrons qu'en dépit de nos vies complètement différentes nous partageons, à la base, beaucoup de points communs. Elle sait ce qu'est grandir auprès d'un parent ambitieux, rugueux, exigeant. Sa mère lui tient lieu de manager depuis qu'elle a onze mois. La différence, c'est qu'elle joue toujours ce rôle. Et elles sont au bord de la faillite parce que la carrière de Brooke décline. Le film en Afrique était le premier boulot important qu'elle décrochait depuis longtemps. Elle en est réduite à tourner des publicités pour le café en Europe, rien que pour payer les traites de la maison. Elle me confie tout cela avec une candeur extraordinaire, comme si on se connaissait depuis des dizaines d'années. Ce n'est pas seulement parce que nous avons aplani le terrain par nos échanges de fax. Elle est naturellement ouverte, tout le temps, je peux l'affirmer. J'aimerais bien être comme elle, au moins un peu. Je suis incapable de lui parler de mes tourments les plus intimes mais je ne peux m'empêcher toutefois de lui confier que je déteste le tennis.

Elle rit.

— Tu ne détestes pas vraiment le tennis.

— Si.

— Mais tu ne le détestes pas très fort.

— Si, je le déteste.

Nous parlons de voyages, de nos plats préférés, de musique, de films. Nous parlons longuement d'un film récent, *Les Ombres du cœur*, l'histoire de l'écrivain britannique C. S. Lewis. Je raconte à Brooke que le film a touché en moi une corde sensible. On y évoque la relation étroite de Lewis avec son frère. Il y a aussi sa vie très protégée, coupée du monde. Il y a la peur de prendre des risques et la douleur d'aimer. Et surtout une femme en particulier, qui lui fait comprendre que la douleur est le prix de l'existence humaine et qu'elle en vaut la peine. À la fin, Lewis déclare à ses élèves : *La douleur est le porte-parole dont Dieu se sert pour éveiller un monde sourd.* Il leur dit : *Nous sommes comme des blocs de pierre. Les coups de Son ciseau, qui nous font si mal, sont aussi ce qui nous rend parfaits.* « Perry et moi on a vu le film deux fois, dis-je à Brooke. Et on a retenu la moitié des répliques. » Cela me touche que Brooke aime aussi *Les Ombres du cœur*. Je suis un peu impressionné d'apprendre qu'elle a lu plusieurs livres de Lewis.

Minuit est passé depuis longtemps, nous nous attardons devant nos tasses de café vides mais nous ne pouvons pas ignorer plus longtemps les regards impatients des serveurs et du patron. Il faut partir. Je reconduis Brooke chez elle. Et sur le trottoir, devant la maison, j'ai le sentiment que sa mère est en train de nous observer derrière un rideau, à l'étage. Je donne à Brooke un chaste baiser et lui demande si je peux la rappeler.

— Oui, je t'en prie.

Tandis que je m'éloigne, elle remarque un trou dans mon jean, au creux de mes reins. Elle glisse son doigt dans le trou et me gratte la peau du bout de son ongle. Puis elle me lance un sourire espiègle avant de rentrer en vitesse chez elle.

Je roule dans ma voiture de location sur Sunset Boulevard. J'avais prévu de rentrer à Vegas, sans oser imaginer que le rendez-vous se passerait si bien et durerait si longtemps, mais il est trop tard à présent pour avoir un vol. Je décide de m'arrêter pour la nuit dans le premier hôtel que j'apercevrai, et qui se trouve être un

Holiday Inn qui a connu des jours meilleurs. Dix minutes plus tard, je suis couché dans une chambre du deuxième étage sentant le moisi. J'écoute les bruits de la circulation sur Sunset Boulevard et sur la 405. Je me repasse les images de la soirée et j'essaie d'en tirer des conclusions, d'en découvrir le sens. Mais mes paupières sont lourdes. Je lutte pour garder les yeux ouverts, comme toujours, pour ne pas perdre le contrôle – ce qui revient à perdre la possibilité de choisir.

# 15

J'ai rendez-vous pour la troisième fois avec Brooke la veille de son intervention chirurgicale. Nous sommes à Manhattan dans le salon de son appartement, au rez-de-chaussée d'un vieil immeuble. Nous nous embrassons, sur le point d'aller plus loin, mais avant cela, je dois lui dire la vérité au sujet de mes cheveux.

Elle voit bien que je suis préoccupé.

— Qu'est-ce qui ne va pas ? demande-t-elle.

— Rien.

— Tu peux me le dire.

— C'est juste que je n'ai pas été totalement franc avec toi.

Nous sommes allongés sur un divan. Je m'assois, boxe un coussin, prends ma respiration. Essayant toujours de trouver les mots justes. Je regarde les murs. Ils sont décorés de masques africains, des visages sans yeux et sans cheveux. Ils ont l'air bizarre. Et en même temps vaguement familiers.

— Andre, qu'est-ce qu'il y a ?

— Ce n'est pas facile à dire, Brooke, mais, écoute, il y a déjà longtemps que je perds mes cheveux et je porte une perruque pour ne pas que ça se voie.

Je tends la main, prends la sienne et la pose sur ma perruque.

— Je m'en doutais, dit-elle.

— Vraiment ?

— Ce n'est pas très important.

— Tu le penses vraiment ?

— Ce sont tes yeux que j'aime. Et puis ton cœur. Pas tes cheveux.

Je regarde les masques sans yeux et sans cheveux et j'ai l'impression de tomber.


J'accompagne Brooke à l'hôpital et je l'attends dans la salle de réveil. J'y suis quand on l'y amène en fauteuil roulant, les pieds bandés comme les miens avant un match. Je sens surgir en moi un énorme besoin de la protéger et de l'entourer de tendresse au moment où elle reçoit un coup de fil de son ami proche, Michael Jackson. J'ai du mal à comprendre sa longue amitié avec Jackson, compte tenu de toutes les histoires et des accusations qui courent sur son compte. Mais Brooke me dit qu'il est comme nous. Encore un prodige qui n'a pas eu d'enfance.

Je suis Brooke chez elle et je passe des jours à son chevet pendant sa convalescence. Sa mère me découvre un matin endormi par terre à côté de son lit. Elle est scandalisée. Dormir par terre ? Cela ne se fait tout simplement pas. Je lui explique que je préfère dormir sur le plancher à cause de mon dos. Elle sort fâchée.

Je dis bonjour à Brooke en lui donnant un baiser.

— Ta mère et moi nous sommes partis ensemble du mauvais pied !

Nous regardons les siens. Les mots décidément étaient mal choisis.

Je dois m'en aller. Je suis attendu à Scottsdale pour mon premier tournoi depuis mon opération.

— Je te revois dans quelques semaines, dis-je en l'embrassant et en la serrant dans mes bras.


Le tirage m'est favorable à Scottsdale mais cela ne m'empêche pas d'être inquiet. Cela va être le premier véritable test pour mon poignet. Et s'il n'était pas guéri ? Et si les choses avaient empiré ? Je fais un cauchemar récurrent où je me vois en plein milieu d'un match avec la main qui se détache. Je suis dans ma chambre d'hôtel, je ferme les yeux et j'essaie de m'imaginer que mon poignet va bien et que le match se déroule à la perfection, quand tout à coup j'entends frapper à la porte.

— Qui est-ce ?

— Brooke.

Avec deux pieds cassés, elle a trouvé le moyen de venir jusqu'ici.

Je remporte le tournoi sans éprouver la moindre douleur.

Quelques semaines plus tard. Nous tombons d'accord Pete et moi pour donner une interview croisée au journaliste d'un magazine. Pete vient me rejoindre dans ma chambre d'hôtel où doit avoir lieu l'interview et il est choqué de rencontrer Peaches.

— Qu'est-ce que c'est que ça ? demande-t-il.

— Pete, je te présente Peaches. C'est un vieux perroquet que j'ai sauvé d'une animalerie de Vegas qui était en train de fermer.

— Bel oiseau, fait Pete d'un ton moqueur.

— C'est une femelle, dis-je. Elle ne mord pas et imite les gens.

— Qui par exemple ?

— Moi. Elle éternue comme moi, elle parle comme moi sauf qu'elle a plus de vocabulaire. Je rigole chaque fois que le téléphone sonne. Peaches hurle : Téléphone ! Téléphone !

Je raconte à Pete que chez moi, à Vegas, j'ai une vraie ménagerie. Un chat nommé King, un lapin baptisé Buddy, tout ce qu'il faut pour lutter contre la solitude. On ne peut pas vivre sur une île déserte. Il secoue la tête. Apparemment, le tennis n'est pas pour lui un sport aussi solitaire que pour moi.

Nous donnons l'interview, et tout à coup j'ai l'impression qu'il y a deux perroquets dans la pièce. Au moins, quand je raconte des conneries à un journaliste, je le fais avec un peu de panache et d'imagination. Pete ressemble encore plus à un robot que Peaches.

Je préfère n'en rien dire à Pete mais je considère Peaches comme faisant partie intégrante de mon équipe. Qui ne cesse de s'agrandir, de se transformer, de constituer une expérimentation permanente. J'ai perdu Nick et Wendi, mais j'y ai ajouté Brooke et Slim, un chouette gars très sympa de Vegas. On est allés à l'école ensemble. Nous sommes nés à un jour d'intervalle dans le même hôpital. Slim est un brave garçon, même s'il est un peu déboussolé, c'est pour cela que j'ai fait de lui mon assistant personnel. Il s'occupe de ma maison, accueille les gars qui viennent s'occuper de la piscine et les divers artisans, il relève le courrier et répond aux demandes de photos ou d'autographes de la part des fans.

À présent je pense que je ferais bien d'ajouter à mon équipe un manager. Je prends Perry à part et je lui demande de jeter un coup d'œil sur mes affaires courantes, de me dire si je ne me fais pas arnaquer. Il examine tous les contrats et parvient à la conclusion qu'en effet je pourrais faire mieux. Je le prends dans mes bras, je le remercie et puis je lui fais part de mon idée. Pourquoi ne serais-tu pas mon manager, Perry ? J'ai besoin de quelqu'un en qui j'ai toute confiance.

Je sais bien qu'il est très occupé. Il est en deuxième année de droit à l'université d'Arizona, et il se donne beaucoup de mal. Mais je lui demande de considérer avec bienveillance ma proposition, au moins à temps partiel.

Je n'ai pas besoin de le lui demander deux fois. Perry a envie de jouer ce rôle et il veut s'y mettre tout de suite. Il s'y consacrera entre ses cours, dit-il. Le matin, le week-end, chaque fois qu'il trouvera le temps. C'est une chance formidable, mais en plus c'est une occasion de rembourser la dette qu'il a envers moi. J'ai prêté à Perry l'argent dont il avait besoin pour ses études de droit parce qu'il ne voulait pas le demander à son père. Il était venu me trouver un soir pour m'expliquer comment son père employait son argent pour manipuler et dégrader les autres, et lui en particulier.

— Il faut que je rompe avec mon père, m'a dit Perry en sanglotant. Il faut que je me libère de lui, Andre, une fois pour toutes.

Peu de demandes pouvaient me toucher davantage, je lui ai fait un chèque immédiatement.

Depuis qu'il est mon nouveau manager, la première tâche qui incombe à Perry est de me trouver un nouveau coach pour remplacer Nick. Il me sort une liste réduite de candidats. En tête figure un gars qui vient d'écrire un livre sur le tennis : *Winning Ugly*.

Perry me passe le livre en m'incitant à le lire.

Je le regarde d'un air mauvais. Merci, non merci. J'en ai ras le bol de la pédagogie. En plus je n'ai pas besoin de lire ce livre. Je connais l'auteur, Brad Gilbert. Je le connais même bien. C'est un joueur de tennis lui aussi. Il m'est déjà arrivé de jouer contre lui, pas plus tard qu'il y a quelques semaines. Son jeu est à l'opposé du mien. C'est un inclassable, ce qui veut dire qu'il mélange les vitesses, le changement de rythme, les mauvaises directions, la ruse. Il a un talent limité et en tire manifestement une grande fierté. Si je suis l'image même de celui qui ne tire pas parti de toutes ses possibilités, Brad est exactement l'inverse. Au lieu de dominer ses adversaires il les frustre, profite de leurs défauts. Il me l'a souvent fait. Cela m'intrigue beaucoup, mais ce n'est pas possible. Brad joue toujours. En fait, en raison de mon opération et de mon retrait du jeu, il est même mieux classé que moi.

— Non, dit Perry, Brad est en fin de carrière. Il a trente-deux ans et il est peut-être intéressé par un travail de coach.

Perry affirme une fois de plus qu'il a été très impressionné par le livre de Brad et pense qu'il renferme exactement le genre de savoir pratique dont j'ai besoin.

En mars 1994, on se retrouve tous à Key Biscayne pour le tournoi, et Perry invite Brad à dîner dans un restaurant italien de Fisher Island, le Café Porte Chervo. Juste au bord de l'eau. Un de nos préférés.

C'est le début de la soirée. Le soleil commence à disparaître derrière les mâts et les voiles des bateaux amarrés au port. Perry et moi arrivons en avance, Brad à l'heure dite. J'avais oublié à quel point il a un look spécial. Sombre, farouche, il est sûrement beau garçon mais pas de manière classique. Ses traits n'ont pas l'air d'être ciselés mais moulés. Je ne peux m'empêcher de penser que Brad ressemble à l'homme des cavernes, qu'il vient tout juste de débarquer d'une machine à voyager dans le temps, un peu surpris d'avoir découvert le feu. C'est peut-être son abondante pilosité qui me fait dire cela. Sa tête, ses bras, ses biceps ses épaules, son visage sont recouverts de poils noirs. Brad a tellement de cheveux que j'en suis à la fois horrifié et jaloux. Rien que ses sourcils sont fascinants. Je me dis que je pourrais me faire une perruque juste avec son sourcil gauche.

Le patron, Renato, nous dit que nous pouvons prendre place sur la terrasse avec vue sur le port.

— Cela a l'air bien, dis-je.

— Non, dit Brad. Oh, oh ! On doit s'installer à l'intérieur.

— Pourquoi ?

— À cause de Manny.

— Pardon, mais qui est Manny ?

— Manny le Moustique. Les moustiques, ouais, j'ai un vrai problème avec eux et, crois-moi, Manny est ici. Manny est ici en force. Et il m'aime bien. Regarde-les tous ! Ça grouille. Regarde ! Non, il faut vraiment que je sois à l'intérieur. Loin de Manny.

Il nous explique que c'est à cause des moustiques qu'il porte des jeans et non pas des shorts, même s'il fait cinquante degrés et qu'il fait lourd. « Manny », dit-il une dernière fois en frissonnant.

Perry et moi échangeons un regard.

— OK, dit Perry. Allons à l'intérieur.

Renato nous installe une table près de la fenêtre. Il nous tend les menus. Brad examine le sien et fronce les sourcils.

— Il y a un problème, dit-il.

— Quoi ?

— Ils n'ont pas ma bière. La Bud Ice.

— Ils ont peut-être…

— Je vais chercher de la Bud Ice. C'est la seule bière que je bois.

Il se lève et nous dit qu'il va au magasin à côté acheter de la Bud Ice.

Perry et moi commandons une bouteille de vin en attendant. Nous ne disons rien jusqu'au retour de Brad. Cinq minutes plus tard, il revient avec un pack de six Bud Ice qu'il demande à Renato de mettre dans la glace. Pas dans le réfrigérateur, dit Brad, ce n'est pas assez froid. Dans la glace ou alors dans le congélateur.

Lorsque Brad est enfin installé et qu'il a avalé une gorgée de Bud Ice, Perry se lance.

— Bon, écoute Brad, une des raisons pour lesquelles on voulait te voir, c'est qu'on aimerait que tu t'occupes du jeu d'Andre.

— Pardon ?

— Le jeu d'Andre. On aimerait que tu nous dises ce que tu en penses.

— Ce que j'en pense ?

— Oui.

— Vous voulez savoir ce que je pense de son jeu ?

— C'est cela.

— Vous voulez que je sois franc ?

— S'il te plaît.

— *Brutalement* franc ?

295

— Dis ce que tu penses.

Il prend une énorme gorgée de bière et commence à dresser un inventaire prudent, complet, aussi franc qu'avisé, de tous mes défauts en tant que joueur de tennis.

— Ce n'est pas une science exacte. Mais si j'étais toi, avec tout ton talent, tes dons, ton retour et ton jeu de jambes, je serais le meilleur. Mais tu as perdu la flamme qui était en toi quand tu avais seize ans. Ce gamin qui fonçait sur la balle, qui était agressif, que diable lui est-il arrivé ?

Brad explique que mon principal problème, le problème qui menace de mettre un terme prématuré à ma carrière, le problème qui semble bien être un héritage de mon père, c'est le perfectionnisme.

— Tu t'efforces toujours d'être parfait, dit-il, tu n'y arrives pas et ça te mine. Tu perds toute confiance et c'est à cause du perfectionnisme. Tu voudrais que chaque balle soit gagnante alors que le fait d'être calme, serein, confiant te suffirait à gagner dans quatre-vingt-dix pour cent des cas.

Il parle comme un vrai moulin, un flux constant, aussi insistant qu'un moustique. Il bâtit son argumentation à partir de métaphores sportives, empruntées à tous les sports, sans discrimination. Il est fan de tous les sports, et un vrai fan de métaphores.

— Arrête de rêver du K-O, dit-il. Arrête les coups larges trop risqués. Tout ce qu'il faut, c'est rester solide. Des simples, des doubles, avance peu à peu. Arrête de penser à toi, et à ton jeu, et souviens-toi que le gars de l'autre côté du filet a aussi ses points faibles. Attaque-le sur ses points faibles. Tu n'as pas besoin d'être le meilleur au monde chaque fois que tu pénètres sur un court. Il faut juste que tu sois meilleur qu'un seul gars. Au lieu d'essayer de gagner, agis de façon qu'il perde, ou, mieux, laisse-le perdre. Tout est question de chances et de pourcentages. Tu viens de Vegas, tu devrais t'y connaître en chances et pourcentages. C'est toujours la maison qui gagne, d'accord ? Pourquoi ? Parce que toutes les chances sont du côté du casino. Alors ? Sois le casino. Mets toutes les chances de ton côté. Aujourd'hui, en essayant de faire en sorte que chaque balle soit parfaite, tu accumules les chances contre toi. Tu prends trop de risques. Tu n'as pas besoin d'assumer tant de risques. Au diable tout ça. Fais juste bouger la balle. D'avant en arrière. Bien et facilement. De manière régulière. Comporte-toi comme la gravité, mec, comme cette bonne vieille putain de gravité. Quand tu vises la perfection, quand tu en fais ton but ultime, tu sais ce que tu fais en réalité ? Tu poursuis un idéal qui n'existe pas. Tu rends tout le monde malheureux autour de toi. Tu te rends malheureux toi-même. La perfection ? Il doit arriver cinq fois par an que tu t'éveilles parfait et que tu ne puisses perdre contre personne, mais ces cinq fois par an ne suffisent pas à faire un joueur de tennis. Ni un être humain, sur ce point. Ce sont les autres fois qui comptent. Tout est dans ta tête, mon gars. Avec le talent que tu as, si tu es attentif au jeu à cinquante pour cent mais bien dans ta tête à quatre-vingt-dix pour cent, tu vas gagner. Mais si tu es attentif au jeu à quatre-vingt-dix pour cent et bien dans ta tête à cinquante pour cent, tu vas perdre, perdre et encore perdre. Mais encore une fois, puisque tu viens de Vegas, tu n'as qu'à voir les choses de cette manière. Il faut vingt et un sets pour gagner un tournoi du Grand Chelem. C'est tout. Tu n'as qu'à gagner vingt et un sets. Sept matchs, les cinq meilleurs. Ça fait vingt et un. Au tennis comme aux cartes, vingt et un est un chiffre gagnant. Black-jack ! Concentre-toi sur ce nombre et tu ne pourras pas te tromper. Simplifie, simplifie. À chaque set que tu remportes, dis-toi : « En voilà un de fait. Un que j'ai dans la poche. » Au début d'un tournoi, fais le compte à rebours à partir de vingt et un. C'est une façon positive de penser, tu vois ? Bien sûr, en ce qui me concerne, quand je joue au black-jack, j'aime autant gagner avec seize parce que c'est une façon de gagner sauvage. Pas besoin d'aller jusqu'à vingt et un pour gagner. Pas besoin d'être parfait.

Cela fait un quart d'heure qu'il parle. Perry et moi nous ne l'avons pas interrompu, nous n'avons pas échangé un seul regard, nous n'avons même pas bu notre vin. À la fin, Brad écluse sa deuxième bière et dit :

— Où sont les toilettes dans cet endroit ? Il faut que j'aille pisser.

Dès qu'il est parti je dis à Perry :

— C'est le gars qu'il nous faut.

— Absolument.

Quand Brad est de retour, le serveur vient prendre la commande. Brad choisit des penne à l'arrabiata avec du poulet grillé et de la mozzarella. Perry commande du poulet au parmesan. Brad le regarde d'un air dégoûté.

— Mauvais choix, dit-il.

Le serveur cesse de noter.

— Ce que vous devez faire, dit Brad, c'est commander une poitrine de poulet séparément, puis de la mozzarella et de la sauce à côté. En procédant ainsi, on a un poulet frais pas détrempé et en plus on peut contrôler la proportion de sauce et de fromage par rapport à la viande.

Perry remercie Brad pour son coaching culinaire mais dit qu'il maintient sa commande. Le serveur se tourne vers moi. Je montre Brad du doigt :

— Je prendrai la même chose que lui, dis-je.

Brad sourit.

Perry s'éclaircit la gorge et dit :

— Voilà, Brad, est-ce que ça vous intéresserait de devenir le coach d'Andre ?

Brad réfléchit. Pendant trois secondes.

— Ouais, dit-il je crois que j'aimerais bien. Je crois pouvoir être utile.

— Quand pouvons-nous commencer ?

— Demain, répond Brad. Je te retrouve sur le court à dix heures du matin.

— Heu. Bon. Il va peut-être y avoir un problème. Je ne joue jamais avant treize heures.

— Andre, dit-il. On démarre à dix heures.


Je suis en retard, naturellement. Brad regarde sa montre.

— On n'avait pas dit dix heures ?

— Écoute, je ne sais même pas ce que ça veut dire, dix heures du matin.

On commence à frapper des balles et Brad se met à parler. Il ne s'arrête jamais, comme si les heures entre le monologue de la veille au soir et cet entraînement matinal étaient une simple parenthèse. Il décortique mon jeu, anticipant et analysant mes coups au moment où je les envoie. Il insiste surtout sur le revers sur la ligne.

— À l'instant où tu as l'occasion d'envoyer un revers sur la ligne, dit-il, il faut le faire. C'est un coup en or. C'est un coup qui rapporte. Tu peux te payer plein de choses avec un coup comme celui-là.

On joue quelques jeux et à chaque balle qui va dans le filet, il s'interrompt pour m'expliquer pourquoi j'ai fait la chose la plus bête qui soit.

— Pourquoi avoir fait cela ? D'accord, c'est un coup très puissant, mais tous les coups n'ont pas besoin d'être aussi puissants. Parfois le meilleur coup est un coup plus retenu, un coup normal, un coup qui laisse à l'adversaire la possibilité de le rater. Il faut laisser l'autre jouer.

J'aime bien sa façon de voir les choses. J'apprécie les idées de Brad, son enthousiasme, son énergie. Cela m'apaise de l'entendre dire que le perfectionnisme résulte de ma volonté, que c'est un choix que j'ai fait et qu'il est en train de me détruire mais que je peux toujours choisir autre chose. Je dois choisir autre chose. Personne ne m'a jamais parlé ainsi. J'ai toujours pensé que le perfectionnisme était comme mes cheveux clairsemés ou ma colonne vertébrale déformée. Qu'il faisait partie intégrante de moi.

Après un déjeuner léger, je me détends, regarde la télévision, feuillette les journaux assis à l'ombre d'un arbre, puis je vais jouer et je gagne mon match contre Mark Petchey, un Britannique de mon âge. Mon adversaire suivant est Boris Becker qui a désormais Nick pour coach. Après avoir publiquement déclaré qu'il ne pouvait envisager d'être le coach d'aucun de mes rivaux, Nick coache désormais mon pire rival. En fait, Nick est même assis dans la loge de Becker. Becker a un service puissant, comme d'habitude, plus de 200 kilomètres à l'heure, mais en apercevant Nick du coin de l'œil je suis dopé à l'adrénaline et capable de faire face à tout ce qu'il me sert. Et Becker le sait bien. Il cesse de lutter et ne joue plus que pour le public. Devancé d'un set et d'un break, il tend sa raquette à la ramasseuse de balles avec l'air de dire : « Vas-y, tu peux faire aussi bien que moi. »

Je me dis : C'est cela. Laisse-la jouer. Je pourrai vous battre tous les deux.

Après avoir éliminé Becker, je me retrouve en finale. Mon adversaire : Pete. Comme toujours, Pete.

Le match est retransmis par la télévision nationale. Brad et moi arrivons très tendus dans le vestiaire et nous y découvrons Pete couché par terre. Un médecin et un soigneur sont penchés sur lui. Le directeur du tournoi attend un peu en retrait. Pete ramène ses genoux vers sa poitrine et grogne.

— Intoxication alimentaire, dit le médecin.

Brad me murmure : « Imagine-toi que tu viens de remporter Key Biscayne. »

Le directeur nous prend à part Brad et moi, et demande si je suis d'accord pour laisser à Pete le temps de récupérer. Je sens Brad se raidir. Je sais bien ce qu'il veut que je réponde. Mais je dis au directeur :

— Accordez à Pete tout le temps dont il a besoin.

Le directeur soupire et pose la main sur mon bras.

— Merci, dit-il, nous avons quatorze mille personnes là-dehors. Sans parler des télévisions.

Nous traînons, Brad et moi, dans le vestiaire, zappant sur les postes de télévision, passant des coups de fil. J'appelle Brooke qui passe une audition pour *Grease* à Broadway. Sinon elle serait venue.

Brad me lance un regard mauvais.

— Du calme, lui dis-je. Pete ne va probablement pas aller mieux.

Le médecin fait une piqûre à Pete puis l'aide à se mettre debout. Pete titube. On dirait un poulain nouveau-né. Il n'y arrivera jamais.

Le directeur du tournoi vient vers nous.

— Pete est prêt, dit-il.

— Putain, dit Brad, nous y voilà.

— Cela devrait aller vite, réponds-je.

Mais Pete a repris du poil de la bête. C'est son double agressif qu'il a envoyé sur le court. Ce n'est pas le Pete qui était recroquevillé par terre dans le vestiaire. Ce n'est pas le Pete à qui on a fait une piqûre et qui titubait. Ce Pete-là est en pleine jeunesse, il sert à une vitesse fulgurante et transpire à peine. Il joue son meilleur tennis, il est imbattable et il mène rapidement 5-1.

Je me mets en colère. C'est comme si j'avais recueilli un oiseau blessé, que je l'avais rapporté à la maison, que je l'avais soigné, pour qu'il vienne finalement essayer de me crever les yeux. Je riposte et remporte le set. J'ai sûrement repoussé la seule attaque dont Pete était encore capable. Il doit forcément être épuisé.

Mais dans le deuxième set, il est encore meilleur. Et dans le troisième, il est terrible. Il remporte ce match qui se jouait en trois sets.

Je déboule dans le vestiaire. Brad m'y attend, en ébullition. Il me redit qu'à ma place il aurait obligé Pete à déclarer forfait. Il aurait exigé du directeur le chèque destiné au vainqueur.

— Ce n'est pas mon genre, dis-je à Brad. Je ne veux pas gagner de cette façon. De plus, si je ne suis pas capable de battre un gars malade, couché par terre, c'est que je ne le mérite pas.

Brad s'arrête brusquement de parler. Il ouvre de grands yeux, approuve d'un hochement de tête. Il ne peut pas discuter là-dessus. Il respecte mes principes, même s'il n'est pas d'accord.

Nous sortons du stade ensemble, comme Bogart et Claude Rains à la fin de *Casablanca*. C'est le début d'une belle amitié. Voilà un nouveau membre vital pour mon équipe.


Et puis l'équipe se met à connaître une série de revers épiques.

Adopter les concepts de Brad, c'est pour moi comme apprendre à écrire de la main gauche. Il appelle sa philosophie Bradtennis. Moi je l'appelle Braditude. Mais, quel qu'en soit le nom, c'est rude. J'ai l'impression de me retrouver à l'école quand je ne comprenais rien et désirais vivement être ailleurs. Brad me répète inlassablement que je dois être consistant, ferme, comme la gravité. Il le dit sans cesse. « Sois comme la gravité, maintiens la pression, pèse sur ton adversaire. » Il essaie de me vendre la joie de gagner salement, l'art de gagner salement, mais tout ce que je sais faire, c'est perdre salement. Et penser salement. Je fais confiance à Brad, je sais que ses conseils sont avisés et je fais tout ce qu'il me dit ; mais alors, pourquoi est-ce que je ne gagne pas ? J'ai renoncé au perfectionnisme, alors pourquoi ne suis-je pas parfait ?

Je me rends à Osaka et perds une fois de plus contre Pete. En fait de gravité, j'ai l'impression d'être en compote.

Je vais à Monte-Carlo et je perds contre Evgueni Kafelnikov ; dès le premier round.

Pour ajouter l'insulte à la défaite, on demande à Kafelnikov, lors de la conférence de presse qui suit le match, quel effet ça lui a fait de me battre compte tenu que de nombreux fans me soutenaient.

— Cela a été difficile, répond Kafelnikov, parce que Agassi est comme Jésus.

Je ne sais pas ce qu'il veut dire par là, mais je ne prends pas cela pour un compliment.

Je vais à Duluth, en Géorgie, où je suis battu par MaliVai Washington. Après le match, dans le vestiaire, je suis effondré. Brad arrive, souriant. « De bonnes choses vont se produire », dit-il.

Je le regarde d'un air incrédule.

— Il faut que tu souffres, dit-il. Tu vas devoir perdre tout un tas de matchs serrés. Et un beau jour tu vas gagner un de ces matchs serrés et le ciel va s'ouvrir et tu vas percer. Ce qu'il te faut, c'est juste cette percée, cette ouverture, et après cela plus rien ne t'empêchera d'être le meilleur joueur au monde.

— Tu es fou.

— Tu es en train d'apprendre.

— Tu es cinglé.

— Tu verras bien.


Je participe aux Internationaux de France 1994 et joue cinq méchants sets contre Thomas Muster. Mené 1-5 dans le cinquième set, il se produit tout à coup quelque chose. J'entends toujours les préceptes philosophiques de Brad dans ma tête, mais cette fois ils me viennent de l'intérieur et non plus de l'extérieur. Je les ai intégrés comme autrefois la voix de mon père. Je me raccroche et remonte à 5. Muster prend mon service. Il a une balle de match et pourtant j'arrive à remonter à 30-40. Je reprends espoir. Je suis sur la pointe des pieds, fin prêt, mais il envoie un revers que je ne parviens pas à rattraper. Je frappe trop large.

Vainqueur Muster.

Au filet, il me frotte la tête, m'ébouriffe les cheveux. Non seulement son geste est condescendant mais il dérange ma perruque.

— Bien essayé, dit-il.

Je lui lance un regard plein de haine.

— Tu as fait une grossière erreur, Muster. Ne me touche pas les cheveux. Ne t'avise jamais de me toucher les cheveux. Rien que pour cela, lui dis-je au filet, je te promets que tu ne me battras plus jamais.

Dans le vestiaire, Brad me félicite.

— De bonnes choses vont arriver.

— Quoi ?

— Crois-moi, de bonnes choses, fait-il en hochant la tête.

Il ne comprend manifestement pas la souffrance que me causent les défaites. Et quand quelqu'un ne comprend pas, c'est inutile d'essayer de l'expliquer.

À Wimbledon, en 1994, j'atteins le quatrième tour mais perds un match très serré contre Todd Martin. Je me sens blessé, effrayé, déçu. Dans le vestiaire, Brad sourit et me dit :

— De bonnes choses.

Nous allons à l'Open canadien. Brad me choque dès le début du tournoi en déclarant : « De bonnes choses ne vont pas arriver. » Il voit au contraire se profiler à l'horizon un certain nombre de choses très fâcheuses.

Il consulte mon tirage :

— PB, dit-il.

— Que diable signifie PB ?

— Pas bon. Ton tirage est très mauvais.

— Laisse-moi voir.

Je lui arrache le papier des mains. Il a raison. Mon premier match est une sinécure contre le Suisse Jakob Hlasek mais au deuxième tour j'affronte David Wheaton qui m'a toujours posé des tas de problèmes. Ce que j'aime le plus, pourtant, c'est quand l'affaire se présente mal. Quand on me dit que je ne peux rien faire. J'annonce à Brad que je vais remporter le tournoi.

— Et quand j'aurai gagné, il faudra que tu portes une boucle d'oreille, lui dis-je.

— Je n'aime pas les bijoux.

Et puis il réfléchit.

— OK, dit-il, donnant, donnant.


Le court de l'Open canadien me semble incroyablement petit, ce qui fait paraître mon adversaire encore plus grand.

Wheaton est très grand mais ici, au Canada, il a l'air de faire trois mètres de haut. C'est une illusion d'optique mais tout de même, j'ai l'impression qu'il se dresse à quelques centimètres de mon visage. Distrait, je me laisse distancer de deux points dans le troisième set.

Puis, de manière inattendue, je me ressaisis. Je me débarrasse de toutes les distractions et des illusions d'optique, je reviens dans le jeu et je gagne. Je fais ce que Brad avait prédit. Je gagne un match serré. Plus tard, je le lui dis :

— C'est le match dont tu avais dit que je le gagnerais. C'est celui qui d'après toi devait changer les choses.

Il sourit comme si je venais de m'asseoir dans un restaurant, tout seul, et de commander du poulet au parmesan en précisant bien que la sauce et le fromage soient servis à part.

— Très bien, petite sauterelle. Continue, tu progresses.

Mon jeu devient de plus en plus efficace, mon esprit de moins en moins présent, je balaie le reste du tirage au sort et remporte l'Open canadien.

Brad se met un diamant à l'oreille.


Quand je me rends à l'US Open en 1994, je suis numéro 20 et je ne suis donc pas classé. Aucun joueur non classé n'a remporté l'US Open depuis les années 1960.

Brad aime bien ça. Il dit que ça lui plaît que je ne sois pas classé. Il voudrait que je joue le rôle du joker :

— Tu vas affronter quelques adversaires très forts lors des premiers tours, et si tu les bats tu remporteras le tournoi.

Il en est sûr. Tellement sûr qu'il fait le vœu de se raser entièrement le corps quand j'aurai gagné. Je reproche toujours à Brad d'être trop velu. Auprès de lui, le Sasquatch ressemblerait à Kojak. Il faut qu'il peigne ce torse velu, ces bras et ces sourcils. Qu'il les peigne ou qu'il les rase.

— Crois-moi, lui dis-je, rase-toi le torse et tu connaîtras des sensations que tu n'as jamais éprouvées auparavant.

— Gagne l'US Open, dit-il, et il t'arrivera la même chose.

À cause de mon rang très bas, j'attire toute l'attention à cet US Open (davantage encore peut-être si Brooke n'était pas venue, elle qui déclenche une rafale de photos chaque fois qu'elle tourne la tête). Je ne pense qu'au jeu et je m'habille en conséquence. Je porte une casquette noire, un short noir, des chaussettes noires, des chaussures noir et blanc. Mais dès le début du premier tour contre Robert Eriksson je sens que mes nerfs craquent. J'ai la nausée. J'essaie de lutter contre cela en pensant à Brad, en refusant de céder à la tentation de la perfection. Je me concentre pour rester solide et pour laisser Eriksson perdre, ce qu'il fait, m'expédiant ainsi vers le deuxième tour.

Alors, après m'être à moitié effondré, je bats le Français Guy Forget. Puis j'élimine Wayne Ferreira, joueur d'Afrique du Sud, en trois sets.

Le suivant, c'est Chang. Je m'éveille le matin du match avec une terrible diarrhée. Quand arrive l'heure du match, je suis faible, à plat, et je bredouille comme Peaches. Gil me fait boire une dose supplémentaire de son eau. Mais ce breuvage a l'épaisseur et la densité de l'huile. Je me force à l'avaler en manquant plusieurs fois de vomir. Gil pendant ce temps soupire :

— Merci de me faire confiance.

Puis je m'engage dans une série d'allers-retours classiques avec Chang. Il représente un phénomène rare : un adversaire qui a envie de gagner exactement autant que moi, ni plus ni moins. Nous savons tous les deux depuis le premier service que le match va durer longtemps, qu'on sera départagés au finish. Pas moyen de faire autrement. Mais au cours du cinquième set, pensant que nous allons vers un tie-break, je change de rythme et prends son service, je me mets à tirer des coups de folie et je sens qu'il perd en puissance. C'est presque injuste, après tous ces échanges réguliers, la façon dont je prends de l'avance. Je devrais avoir plus de mal dans les dernières minutes mais tout se passe avec une facilité presque scandaleuse.

Lors de la conférence de presse, Chang raconte aux journalistes un match bien différent de celui que je viens de jouer. Il prétend qu'il aurait pu jouer encore deux sets. Andre a eu de la chance, dit-il. De plus, il se vante beaucoup d'avoir mis en évidence des failles dans mon jeu, il prédit que d'autres joueurs du tournoi lui en sauront gré. Il affirme que désormais je suis vulnérable. Je suis cuit.

Ensuite j'affronte Muster. Je me raccroche au vœu que j'ai fait de ne plus jamais perdre contre lui. J'ai beaucoup de mal à me contrôler pour ne pas lui frotter la tête à la fin du match.

Me voici en demi-finale. Je dois jouer samedi contre Martin. Le vendredi après-midi, Gil et moi déjeunons chez P. J. Clarkes. Nous commandons la même chose que d'habitude quand on vient là, des cheeseburgers sur des muffins anglais grillés. Nous sommes installés dans la partie de la salle où opère notre serveuse préférée, celle qui a toujours une histoire à raconter si quelqu'un a le courage de lui demander de le faire. En attendant notre commande, nous feuilletons un tas de journaux new-yorkais. Je vois une chronique de Lupica me concernant. Je ne devrais pas la lire mais je le fais quand même. Il écrit que je vais perdre l'US Open mais qu'on peut être sûr que je vais trouver un moyen particulier de le perdre. Agassi, écrit Lupica, n'est tout simplement pas un champion.

Je referme le journal et j'ai l'impression que les murs se resserrent autour de moi, comme si mon champ de vision se réduisait à une tête d'épingle. Lupica a l'air tellement sûr de lui, comme s'il lisait l'avenir. Et s'il avait raison ? Et si c'était là mon moment de vérité et que j'étais démasqué comme un imposteur ? Et si je n'y arrive pas cette fois-ci, quand se représentera pour moi l'occasion de gagner un US Open ? Tant de choses peuvent arriver. Les finales ne poussent pas aux arbres. Et si je ne gagne jamais ce tournoi ? Si je passe ma vie à regretter ce moment ? Et si j'ai fait une erreur en embauchant Brad ? Et si Brooke n'était pas la fille qu'il me faut ? Et si mon équipe, si soigneusement constituée, n'était pas la bonne ?

Gil lève les yeux et me voit pâlir.

— Qu'est-ce qui ne va pas ?

Je lui lis l'article. Il ne réagit pas.

— J'aimerais bien rencontrer ce Lupica un jour, dit-il.

— Et s'il avait raison ?

— Contrôle ce que tu peux contrôler.

— Ouais.

— Contrôle ce que tu peux contrôler.

— Bien.

— Voici notre repas.

Martin, qui vient de me battre à Wimbledon, est un adversaire redoutable. Il a un bon jeu de défense et un jeu d'attaque très solide. Il est immense, il mesure deux mètres et renvoie les services des deux côtés avec force et précision. Il est capable de démolir un service pas très bon, ce qui met une pression énorme sur un serveur moyen comme moi. Quant à son propre service, il est étonnamment précis. Quand il le rate, c'est seulement d'un cheveu. Il touche la ligne, et il ne cherche jamais à toucher sa partie interne mais le bord extérieur. Je ne sais pas pourquoi, mais je suis meilleur contre des serveurs puissants qui manquent leur cible. J'aime bien essayer de deviner, de prévoir où va aller la balle, et avec des adversaires comme Martin je me trompe la plupart du temps, me mettant ainsi trop à découvert. C'est vraiment un rude adversaire pour un joueur dans mon genre, et au moment où commence notre demi-finale, je parierais sur ses chances ou celles de Lupica plutôt que sur les miennes.

Pourtant, je m'aperçois dès les premiers jeux qu'un certain nombre d'éléments sont en ma faveur. Martin est meilleur sur gazon que sur surface dure. Ici c'est ma surface. De plus, comme moi, il ne sait pas exploiter toutes ses possibilités. Il est tout comme moi esclave de ses nerfs. Je comprends l'homme contre lequel je joue, je le comprends intimement. Le fait de bien connaître son adversaire est déjà un énorme avantage.

Et, surtout, Martin a un tic, une manie. Certains joueurs, au moment de servir, regardent leur adversaire. D'autres ne regardent rien. Martin, lui, regarde un endroit précis sur l'autre moitié du court. S'il fixe cet endroit un long moment, il sert exactement dans la direction opposée. S'il se contente d'un bref coup d'œil, il sert exactement à cet endroit. On peut ne pas y faire attention quand le score est de 0-0 ou de 15-0, mais au moment de la balle de match il regarde cet endroit avec des yeux de fou, comme le tueur dans un film d'horreur, ou alors il jette un coup d'œil et regarde ailleurs, comme un débutant à une table de poker.

Le match se déroule si facilement que je n'ai même pas besoin d'observer la manie de Martin. Il paraît instable, écrasé par la situation, tandis que je joue avec une détermination peu commune. Je le vois douter de lui-même, je peux presque l'entendre exprimer ses doutes, et je sympathise avec lui. Tandis que je quitte le court après avoir remporté la victoire en quatre sets, je me dis : Il a encore besoin de mûrir. Puis tout à coup je me reprends. Est-ce bien moi qui viens de dire cela, et à propos de quelqu'un d'autre ?

En finale je joue contre l'Allemand Michael Stich. Il a participé à la finale de trois tournois du Grand Chelem lui aussi, et, contrairement à Martin, il représente une menace sur tous les types de surface. C'est aussi un superbe athlète doté d'une envergure incroyable. Il a un premier service très puissant, lourd et rapide, et quand ça marche, ce qui est généralement le cas, il est capable de continuer à servir pendant une semaine. Il est si précis que l'on est choqué quand il manque son coup et il faut surmonter ce choc pour rester dans le jeu. Mais, même lorsqu'il rate vous n'êtes pas tiré d'affaire pour autant, parce qu'il revient alors à sa manière la plus sûre de servir, un boulet capable de vous terrasser. Et pour vous mettre encore un peu plus mal à l'aise, Stich est imprévisible, il n'obéit à aucun schéma. On ne sait jamais s'il va servir puis frapper une volée ou bien se tenir en retrait au fond du court.

En espérant prendre le contrôle, imposer le jeu, je démarre en force, frappe des balles fermes et nettes en faisant semblant de n'avoir peur de rien. J'aime le bruit que fait la balle en quittant ma raquette. J'aime la rumeur du public, les Oh ! et les Ah ! Pendant ce temps Stich devient bizarre. Quand on perd le premier set aussi vite qu'il le fait 6-1, la réaction instinctive c'est de paniquer. Je vois à son langage corporel qu'il est en train de céder à cet instinct.

Il se ressaisit dans le second set et me livre une bataille serrée. Je gagne 7-6, mais j'ai le sentiment d'avoir eu de la chance. Je sais bien que cela aurait pu se passer autrement.

Au troisième set, nous plaçons tous les deux la barre encore plus haut. Je commence à entrevoir la dernière ligne droite mais lui est maintenant engagé tout entier dans la bataille. Il est déjà arrivé par le passé qu'il renonce contre moi, en prenant des risques inutiles parce qu'il n'avait pas suffisamment confiance en lui. Pas cette fois-ci. Il joue très bien pour me montrer que je vais devoir me battre pour lui arracher le trophée si j'ai vraiment envie de l'avoir. Et j'ai vraiment envie de l'avoir. Je vais le lui arracher. Nous avons de longs échanges sur mon service jusqu'à ce qu'il comprenne que je suis réellement déterminé. Je suis prêt à me battre contre lui toute la journée. Je vois qu'il se touche discrètement le côté, le souffle court. Je commence à imaginer l'effet que va faire le trophée dans mon logement de célibataire, à Vegas.

Aucun de nous ne fait de break au cours du troisième set. Jusqu'à 5 partout. Je finis par lui prendre son service. Je sers pour le match. J'entends la voix de Brad aussi nettement que s'il se tenait derrière moi. *Attaque-le sur son coup droit. Quand tu doutes, coup droit, coup droit*. J'attaque donc Stich sur son coup droit. Il rate chaque fois. Le dénouement nous semble, à l'un comme à l'autre, inévitable.

Je tombe à genoux, les yeux pleins de larmes. Je regarde vers ma loge en direction de Perry, de Philly, de Gil et surtout de Brad. On sait tout ce qu'il y a à savoir des gens quand on regarde leur visage au moment des plus grands triomphes. J'ai toujours cru au talent de Brad, depuis le début, mais en ce moment, quand je vois l'expression de bonheur pur et sans retenue qu'il affiche pour moi, je crois en lui sans retenue non plus.

Des journalistes me font remarquer que je suis le premier joueur non classé à remporter l'US Open depuis 1966. Ce qui est plus important encore, c'est que le tout premier vainqueur était un certain Frank Shields, grand-père de la cinquième personne qui occupe ma loge, Brooke, qui est venue assister à tous les matchs et qui semble aussi heureuse que Brad.

Ma nouvelle petite amie, mon nouveau coach, mon nouveau manager, mon père de substitution.

Enfin mon équipe est fermement, irrévocablement en place.

# 16

— Je pense que tu devrais te débarrasser de cette perruque, me dit Brooke, et de cette queue-de-cheval. Coupe-toi les cheveux très court, à ras, et tu seras tranquille.

— Impossible. Je me sentirais nu.

— Tu te sentiras libéré.

— Je me sentirais en danger.

C'est comme si elle me suggérait de me faire arracher toutes les dents. Je lui dis de ne plus y penser. Puis je dois voyager et j'y repense pendant quelques jours. Je pense à toute la souffrance que m'ont causée ces cheveux, aux inconvénients des perruques, à l'hypocrisie qu'il y a à faire semblant et à mentir. Ce n'est peut-être pas si fou que cela après tout. C'est peut-être même le premier pas vers la raison.

Je me tiens devant Brooke un matin et je lui dis :

— Faisons-le.

— Faire quoi ?

— Me couper les cheveux. Tout couper.

Nous fixons la cérémonie de la tondeuse tard le soir, à une heure normalement réservée aux soirées et aux raves. Elle doit se dérouler dans la cuisine de l'appartement de Brooke quand elle sera rentrée du théâtre. (Elle a obtenu son rôle dans *Grease*.) « On va en faire une fête, dit-elle, et inviter quelques amis. »

Perry est là et, en dépit de notre rupture, Wendi aussi. Brooke est manifestement agacée par la présence de Wendi, et vice versa. Perry, lui, en est stupéfait. J'explique à Brooke et à Perry que même si nous avons eu une liaison, Wendi reste pour moi une amie très proche, une amie pour la vie. Être rasé est une épreuve dramatique et j'ai besoin d'avoir des amis autour de moi pour me soutenir le moral, exactement comme j'avais besoin de Gil quand on m'a opéré du poignet. En fait, je me demande si cette fois-ci je n'aurais pas aussi besoin d'une sorte d'anesthésie. On envoie chercher du vin.

Le coiffeur de Brooke, Matthew, place ma tête au-dessus de l'évier, me lave les cheveux puis les tient serrés dans sa main.

— Andre, vous êtes sûr ?

— Non.

— Vous êtes prêt ?

— Non.

— Voulez-vous qu'on le fasse devant la glace ?

— Non. Je ne veux pas regarder.

Il me fait asseoir sur une chaise en bois et taille. Ainsi disparaît ma queue-de-cheval.

Tout le monde applaudit.

Il se met à me couper les cheveux sur les côtés, très court, au ras du crâne. Je repense à la coupe d'Iroquois au Bradenton Mall. Je ferme les yeux, je sens battre mon cœur comme au moment de disputer une finale. J'ai fait une erreur. Peut-être la plus grosse erreur de ma vie. J.P. m'avait bien dit de ne pas le faire. J.P. m'a raconté que chaque fois qu'il assiste à un de mes matchs, il entend dans le public des gens parler de mes cheveux. C'est à cause d'eux que les femmes m'aiment et que les hommes me détestent. À présent que J.P. a quitté ses fonctions de pasteur pour se consacrer à la musique, il travaille plus ou moins dans la publicité, il écrit des musiques pour des publicités à la radio ou à la télévision, il sait donc de quoi il parle quand il affirme : « Dans le monde des sponsors, Agassi ne vaut que pour ses cheveux. Si ses cheveux disparaissent les sponsors disparaîtront aussi. »

Il m'a aussi suggéré d'un ton sarcastique de relire dans la Bible l'épisode de Samson et Dalila.

Pendant que Mathews coupe, coupe et coupe encore, je me dis que j'aurais mieux fait d'écouter J.P. Quand J.P. m'a-t-il mal conseillé ? J'ai l'impression de sombrer pendant que mes cheveux tombent à terre par touffes entières.

Cela prend en tout onze minutes. Puis Matthew m'enlève la blouse en disant *Ta-Da* !

Je me regarde dans la glace. Je vois quelqu'un que je ne reconnais pas. Devant moi se tient un parfait étranger. Mon reflet n'est pas différent. Simplement ce n'est pas moi. Mais, au fond, qu'est-ce que j'ai donc perdu ? Cela va peut-être s'avérer plus facile pour moi d'être ce gars-là ? Depuis le temps que j'essaie avec Brad de mettre en place ce que j'ai *dans* la tête, il ne m'était jamais venu à l'idée de m'occuper de ce que j'avais *sur* la tête. Je souris à mon reflet, passe une main sur mon crâne chauve. Hello, ravi de te rencontrer.

Tandis que la nuit est en train de se transformer en jour et que nous éclusons plusieurs bouteilles de vin, je me sens de plus en plus joyeux et reconnaissant envers Brooke.

— C'est toi qui avais raison, lui dis-je. Ma perruque était un esclavage et mes cheveux naturels que j'avais laissés pousser absurdement et teints de différentes couleurs étaient aussi un poids. Qui me tirait vers le bas. Cela paraît si trivial, des cheveux. Mais les cheveux ont été au cœur de mon image publique et de mon image personnelle, et tout cela n'a été qu'une imposture.

À présent cette imposture gît au sol, chez Brooke, en petits tas. Je suis content d'en être débarrassé. Je me sens vrai. Je me sens libre.

Et mon jeu s'en ressent. À l'Open d'Australie, en 1995, j'apparais comme l'Incroyable Hulk. Je ne rate pas un seul set dans une guerre éclair sans merci jusqu'à la finale. C'est la première fois que je joue en Australie et je me demande pourquoi j'ai attendu si longtemps. J'aime la surface, le cadre, la température. Ayant grandi à Vegas, je ne ressens pas la chaleur comme la plupart des gens. Et la principale caractéristique de l'Open d'Australie, c'est son climat épouvantable. De même que la fumée de pipe et de cigare vous reste en mémoire après avoir joué à Roland-Garros, l'impression brumeuse d'avoir joué dans un four géant vous reste pendant des semaines après avoir quitté Melbourne.

De plus j'aime bien les Australiens, et apparemment c'est réciproque, même si je ne suis plus vraiment moi-même. Je suis le nouveau gars chauve avec un bandana, un petit bouc et une boucle d'oreille. Les journaux arrivent en ville, affichant mon nouveau look. Chacun a son opinion. Les fans qui me soutenaient sont désorientés. Ceux qui ne m'aiment pas ont trouvé une raison supplémentaire de me détester. Je lis et j'entends une quantité incroyable de blagues. Je n'aurais jamais imaginé qu'il pouvait en exister autant. Mais je m'en fiche. Je me dis que tout le monde va devoir revoir ces blagues, les accepter, lorsque je brandirai le trophée.

En finale, je me retrouve face à Pete. Je perds le premier set, mais pas simplement. Je suis battu à plate couture sur une double faute. Et c'est reparti.

Je prends un peu de temps avant le deuxième set pour me ressaisir. Je jette un coup d'œil en direction de ma loge. Brad a l'air déçu. Il n'a jamais pensé que Pete était meilleur que moi. Tout son visage me dit : « C'est toi le meilleur, Andre. Ne le respecte pas autant. »

Les services de Pete ressemblent à des grenades, il les expédie l'un après l'autre, une fusillade typique, bien dans sa manière. Mais au milieu du deuxième set je sens qu'il commence à se fatiguer. Ses grenades ne sont plus dégoupillées. Il commence à s'épuiser physiquement et moralement parce qu'il a vécu des moments infernaux ces derniers jours. Tim Gullickson, qui est son coach de longue date, a été victime de deux attaques, puis on lui a découvert une tumeur au cerveau. Pete en est traumatisé. Tandis que le match tourne à mon avantage, je me sens coupable. Je voudrais tout arrêter, laisser Pete rentrer au vestiaire pour se faire faire une piqûre et revenir comme l'autre Pete, celui qui aime tant me botter le cul lors des grands tournois.

Je prends deux fois son service. Il laisse tomber ses épaules et me concède le set.

Le troisième set s'achève sur un tie-break tendu. Je prends la tête à 3-0, puis Pete gagne les quatre points suivants. Il se retrouve soudain en tête, 6-5, et au service. Je pousse un cri d'homme des cavernes comme si j'étais au gymnase avec Gil et mets toutes mes forces dans un retour qui effleure le filet et tombe en deçà de la ligne. Pete regarde fixement la balle, puis me regarde moi.

Sur le point suivant, il joue un revers très long. Nous sommes à égalité à 6 partout. Un échange furieux se termine lorsque je le surprends en montant au filet pour frapper un revers amorti. Cela marche si bien que je recommence. Set, Agassi. Dynamique, *idem*.

Le quatrième set semble joué d'avance. Je continue de foncer et gagne 6-4. Pete semble résigné. La pente est trop raide. De fait, il paraît extraordinairement calme quand il me rejoint au filet.

C'est mon second Grand Chelem d'affilée, mon troisième en tout. Tout le monde dit que c'est mon meilleur parce que c'est la première fois que je bats Pete dans une finale de Grand Chelem. Mais je me dis que dans vingt ans je me souviendrai encore de cette finale comme de la première que j'ai gagnée en étant chauve.

On commence immédiatement à parler de ma possible accession au rang de numéro 1 mondial. Pete a occupé ce rang pendant soixante-dix semaines, et tout le monde dans mon équipe affirme que je suis destiné à le déloger de ce glorieux sommet. Je leur réponds que le tennis n'a rien à voir avec le destin. Le destin a mieux à faire qu'à calculer des points ATP.

Et pourtant je me fixe comme but de devenir numéro 1. Parce que c'est ce que mon équipe désire.

Je m'enferme dans la salle de gym de Gil pour m'entraîner furieusement. Je lui parle de mon but et il met au point un plan de bataille. D'abord il établit un projet de recherche. Il se met à collectionner une liste impressionnante de numéros de téléphone et d'adresses, celles des médecins sportifs et des nutritionnistes les plus réputés, et il les contacte tous, les transforme en consultants privés. Il rencontre des experts du Centre américain d'entraînement olympique de Colorado Springs. Il voyage en avion d'une côte à l'autre pour interviewer les spécialistes les plus réputés en matière de santé et de bien-être, et il note soigneusement chacun de leurs propos dans ses petits carnets « Léonard de Vinci ». Il lit tout, depuis des magazines de body-building jusqu'à d'obscurs traités médicaux et les études les plus pointues. Il s'abonne au *New England Journal of Medicine.* En un rien de temps, il se transforme en université portative avec un seul professeur et un seul sujet d'étude. Le corps de l'étudiant, à savoir moi-même.

Ensuite, il détermine mes limites physiques et me pousse à les dépasser. Il m'impose des exercices de musculation qui représentent pratiquement le double de mon poids. Il me fait soulever des poids de vingt-trois kilos dans des exercices épuisants en trois temps. Des flexions du dos qui doivent brûler certains muscles de mes épaules. Ensuite il travaille sur les biceps et les triceps. Nous réduisons mes muscles en cendres. J'aime bien quand Gil parle de brûler mes muscles, d'y mettre le feu. Cela me plaît de pouvoir utiliser mes instincts de pyromane dans un sens constructif.

Ensuite on se concentre sur mon ventre en utilisant un appareil que Gil a dessiné et construit spécialement. Comme pour tous les appareils, il l'a revu, retaillé, transformé. (Les schémas dans ses carnets de Vinci sont impressionnants à cet égard.) C'est la seule machine de ce genre dans le monde, dit-il, parce qu'elle me permet de travailler mes abdominaux sans endommager mon dos fragile. On va mettre le paquet sur tes abdominaux, dit-il, jusqu'à ce qu'ils s'enflamment, et ensuite on va pratiquer les torsades russes : tu soulèves un poids de fer de vingt kilos, une grosse roue, puis tu la fais tourner à gauche, à droite, à gauche, à droite. Cela va te brûler les muscles latéraux et les obliques.

Pour finir, on se tourne vers l'appareil fabriqué par Gil pour travailler les hanches. Contrairement à toutes les autres machines de ce genre, celle de Gil est conçue pour ne pas faire mal ni au dos ni au cou. La barre que je soulève est placée juste devant moi. Je ne suis jamais obligé d'adopter des positions bizarres.

Pendant que je m'entraîne, Gil n'arrête pas de m'alimenter, toutes les vingt minutes. Il me fait prendre quatre parts de glucides pour une de protéines, et il programme l'horaire de mes prises à la nanoseconde près. Le moment où l'on mange et la nature de ce qu'on mange, c'est cela qui est important. Je le trouve sans arrêt en train de me tendre un bol de céréales à haute teneur en protéines ou un sandwich au bacon, ou un bagel au beurre de cacahuète et au miel.

Finalement, le haut de mon corps et mes boyaux implorant grâce, nous sortons pour aller courir sur la colline derrière chez Gil. La « colline de Gil ». De grandes bouffées de vitesse et d'énergie, de haut en bas, encore et encore. Je cours jusqu'à ce que mon esprit me supplie d'arrêter, et puis je continue encore un peu, sans tenir compte de son avis.

Le soir venu, quand je me glisse dans ma voiture, je me rends souvent compte que je suis incapable de conduire jusqu'à chez moi. Parfois je n'essaie même pas. Je n'ai même plus la force de tourner la clef de contact. Je retourne chez Gil, je me couche sur un de ses bancs et je m'endors.

Après mon camp d'entraînement chez Gil, j'ai l'impression d'avoir échangé mon corps contre un nouveau modèle plus performant. Il y a néanmoins encore du progrès à faire. Je pourrais mieux surveiller mon alimentation en dehors de la salle de gym. Gil pourtant ne me reproche pas mes écarts. Il n'apprécie certainement pas la manière dont je me nourris quand je ne suis pas avec lui, Taco Bell, Burger King. Mais il reconnaît que j'ai besoin de nourritures réconfortantes de temps en temps. Mon mental, dit-il, est encore plus fragile que mon dos, et cela ne sert à rien de provoquer trop de stress. De plus, un homme a besoin d'avoir un vice ou deux.

Gil est un paradoxe, et nous le savons bien tous les deux. Il peut me faire un cours sur la nutrition tout en me regardant siroter un milk-shake. Il ne me l'arrache pas des mains. Au contraire, il est même capable d'en prendre une gorgée. J'aime les gens remplis de contradictions, bien sûr. J'apprécie aussi que Gil ne soit pas trop directif. J'en ai connu assez dans ma vie, des gens directifs. Gil me comprend, me dorlote, et de temps en temps, mais seulement de temps en temps, me laisse céder à mes mauvaises habitudes alimentaires, peut-être parce qu'il partage les mêmes goûts. À Indian Wells, je me retrouve encore face à Pete. Si je parviens à le battre je serai à deux doigts du sommet. Je suis dans une forme superbe mais nous jouons un match relâché, émaillé de grossières erreurs. Nous sommes tous les deux distraits. Pete est toujours angoissé au sujet de son coach. Et moi je m'inquiète pour mon père qui doit subir une opération du cœur dans quelques jours. Cette fois-ci, Pete parvient à surmonter ses tourments tandis que moi je me consume. Je perds en trois sets.

Je fonce au Medical Center de l'UCLA et je trouve mon père sanglé dans des appareils pourvus de longs tubes. Ils me rappellent le lanceur de balles de ma jeunesse. *On ne peut pas battre le dragon.* Ma mère me serre dans ses bras.

— Il t'a regardé jouer hier, dit-elle. Il t'a vu perdre contre Pete.

— Je suis désolé, Papa.

Il est couché sur le dos, drogué, sans défense. Ses paupières se soulèvent. Il me voit et me fait signe de venir plus près.

Je me penche. Il est incapable de parler. Il a un tube dans la bouche qui s'enfonce dans sa gorge. Il marmonne quelque chose.

— Je ne comprends pas, Papa.

De nouveaux gestes. Je ne comprends pas ce qu'il cherche à me dire. Il commence à se fâcher. S'il en avait la force, il se lèverait de son lit et me flanquerait un coup de poing.

Il fait signe qu'il veut de quoi écrire.

— Tu me le diras plus tard, Papa.

— *Non, non.*

Il secoue la tête. Il faut qu'il me le dise tout de suite.

Les infirmières lui donnent un crayon et un carnet. Il griffonne quelques mots puis mime un coup de pinceau. Comme un peintre, à petites touches. Je finis par comprendre.

— *Revers*, c'est ce qu'il essaie de dire. Attaque Pete sur son revers. *Tu aurais dû insister davantage sur le revers de Pete.*

*Trafaille tes folées.* Frappe *plus fort*.

Je reste là debout et je suis submergé par le besoin de pardonner parce que je m'aperçois que mon père ne peut s'empêcher d'être comme il est, qu'il n'a jamais pu s'en empêcher, qu'il ne se comprend pas lui-même. Mon père est ce qu'il est et il ne changera jamais, et même s'il n'y peut rien il est incapable d'exprimer la différence entre le fait de m'aimer et celui d'aimer le tennis ; de toute façon, c'est toujours de l'amour. Peu d'entre nous ont la chance de se connaître eux-mêmes, et tant qu'on n'y est pas arrivé, la seule chose à faire c'est peut-être de se montrer cohérent. Mon père est tout ce qu'il y a de plus cohérent.

Je replace la main de mon père à côté de lui, je l'oblige à cesser de gesticuler, je lui dis que j'ai compris.

— Oui, oui, le revers. J'attaquerai Pete sur son revers la semaine prochaine à Key Biscayne. Et je le battrai. Ne t'en fais pas Papa. Je vais le battre. Repose-toi à présent.

Il hoche la tête. Sa main s'agite toujours à son côté, ses yeux se ferment et il se rendort.

La semaine suivante, je bats Pete en finale à Key Biscayne.

Après le match, nous prenons ensemble l'avion pour New York où nous devons rejoindre un vol pour l'Europe et la Coupe Davis. Mais d'abord, dès notre arrivée, j'entraîne Pete au théâtre Eugène-O'Neill pour voir Brooke jouer le rôle de Rizzo dans *Grease*. C'est la première fois, je pense, que Pete va assister à un spectacle à Broadway. Moi, c'est la cinquantième fois que je vois *Grease*. Je peux réciter par cœur *We go together*, je me suis d'ailleurs amusé à faire ce numéro, en restant de marbre, avec grand succès lors de mon passage dans *Late show with David Letterman*.

J'aime Broadway, j'aime l'esprit du théâtre familial. Le travail d'un acteur de Broadway est une performance physique, exténuante, exigeante, et la pression nocturne est intense. Les meilleurs acteurs de Broadway me font penser à des athlètes. S'ils ne se donnent pas à fond, ils le savent bien ; et si eux ne le savent pas, le public est là pour le leur rappeler. Tout cela échappe à Pete. Dès le début il bâille, il agite les doigts, consulte sa montre. Il n'aime pas le théâtre et ne comprend pas les acteurs puisque lui n'a jamais fait semblant dans sa vie. Dans la demi-pénombre de la salle, je souris de le voir aussi mal à l'aise. D'une certaine façon, je suis encore plus content de l'avoir obligé à assister à une représentation de *Grease* que de l'avoir battu à Key Biscayne. Nous faisons vraiment la paire...

Le matin nous prenons le Concorde pour Paris puis un avion privé pour Palerme. À peine suis-je installé à l'hôtel que le téléphone sonne.

— Perry. Je tiens à la main les tout derniers classements.

— Vas-y balance-le-moi.

— Tu es numéro 1.

J'ai détrôné Pete du sommet de sa montagne. Après quatre-vingt-deux semaines en tête de classement, Pete me regarde d'en bas. Je suis le douzième joueur de tennis à occuper ce rang en deux décennies, depuis que le classement électronique existe. Le coup de fil suivant est celui d'un journaliste. Je lui dis que je suis heureux de mon classement, que c'est bon d'être le meilleur qu'on puisse être.

C'est un mensonge. Ce n'est pas du tout ce que je ressens. C'est ce que j'aimerais ressentir. C'est ce que je suis censé ressentir, ce que je m'efforce de ressentir. La vérité, c'est que je ne ressens rien.

# 17

Je traîne dans les rues de Palerme pendant des heures, à boire du café noir, à me demander ce qui peut bien clocher chez moi. J'y suis enfin arrivé – je suis premier mondial, et malgré cela je sens un vide. Si être à la première place inspire un tel sentiment d'insatisfaction, quel intérêt ? Pourquoi ne pas prendre ma retraite directement ?

Je m'imagine en train d'annoncer que j'arrête tout. Je choisis les paroles que je prononcerai à la conférence de presse. Puis plusieurs images me viennent à l'esprit. Brad, Perry, mon père, tous déçus, atterrés. Je me dis aussi que cela ne résoudra pas mon problème essentiel : savoir ce que je veux faire de ma vie. Après avoir arrêté mes études en troisième, je vais me retrouver retraité à vingt-cinq ans.

Non, ce qu'il me faut c'est un nouvel objectif. Pendant tout ce temps, je me suis fixé de mauvais objectifs. Je n'ai jamais vraiment voulu être le meilleur, on l'a voulu pour moi. Ce que j'ai toujours désiré, depuis que je suis tout petit, ce que je désire maintenant, c'est quelque chose de beaucoup plus difficile à atteindre, de bien plus grand. Je veux remporter Roland-Garros. Avoir quatre Grands Chelems à mon palmarès. Toute la série au complet. Je serai alors le cinquième homme à accomplir un tel exploit à l'ère Open – le tout premier Américain.

Je ne me suis jamais préoccupé des classements informatiques, ni du nombre de Chelems à mon actif. Je sais juste que c'est Roy Emerson qui en a remporté le plus grand nombre (douze), pourtant personne ne le considère comme un meilleur joueur que Rod Laver. Personne. Mes confrères et tous les historiens ou experts du tennis que je respecte tombent d'accord : Laver était le meilleur, le roi, celui qui a remporté les quatre tournois du Grand Chelem, et ce au cours d'une seule et même année – à deux reprises. Digne d'un dieu. Inimitable. Soit, il n'y avait alors que deux surfaces, gazon et terre battue, mais tout de même.

Je repense aux grands des époques passées, comment ils ont tous tenté de rattraper Laver, combien ils ont rêvé de réitérer son exploit. Du coup, ils ont laissé passer quelques Chelems, se foutant royalement de la quantité. C'était la polyvalence qui les intéressait. Ils avaient peur de ne pas pouvoir figurer parmi les plus grands si leur parcours était incomplet, si une ou deux des quatre victoires leur échappaient.

Plus je pense à ces quatre victoires, plus je suis emballé. Un soudain éclair de perspicacité sur mes propres désirs enfouis. Je me rends compte que c'est ce que je veux depuis longtemps. Mais je l'avais refoulé car cet exploit me paraissait hors d'atteinte, surtout après que mes deux finales de Roland-Garros se furent soldées par un échec. Et puis, je me suis laissé distraire par des chroniqueurs sportifs et des fans qui n'ont rien compris, qui comptent le nombre de Grands Chelems remportés et se servent de ces chiffres bidon pour évaluer ce qu'un joueur laissera à la postérité. Le vrai Graal, c'est de gagner les quatre. Alors, en 1995, à Palerme, je décide de poursuivre ce Graal. En avant toutes !

Brooke, elle, ne flanche jamais dans la quête de son Graal personnel – la célébrité. Son passage à Broadway a remporté un franc succès, et elle ne ressent aucun vide. Elle a faim. Elle en veut plus. Elle a les yeux tournés vers la suite. Mais les propositions n'affluent pas. J'essaie de l'aider. Je lui dis que le public ne la connaît pas. Il croit la connaître, mais c'est faux. C'est un problème qui m'est familier. Certains la prennent pour un mannequin, d'autres pour une actrice. Elle doit se concentrer sur l'image qu'elle renvoie. Je demande à Perry d'intervenir, de jeter un coup d'œil à sa carrière.

Il ne lui faut pas longtemps pour se forger une opinion et élaborer un plan : ce qu'il faut à Brooke, c'est une émission de télé. D'après lui, son avenir est dans la télévision. Elle se met immédiatement en quête de scénarios et d'émissions pilotes susceptibles de la faire briller.

En 1995, juste avant que démarre Roland-Garros, Brooke et moi partons quelques jours à Fisher Island, en Floride. Nous avons tous les deux besoin de sommeil et de repos. Mais le séjour ne m'apporte aucun des deux. Paris hante toutes mes pensées. La nuit je reste éveillé, tendu comme un fil électrique, à disputer des matchs imaginaires au plafond.

Dans l'avion qui nous emmène à Paris je poursuis encore mon idée fixe, malgré la présence de Brooke. Elle n'a pas de travail en ce moment, alors elle peut s'absenter un peu.

— Notre toute première escapade à Paris, murmure-t-elle en m'embrassant.

— Oui, je réponds en lui caressant la main.

Comment lui expliquer que ce voyage n'a rien, mais alors rien du tout, d'une partie de plaisir ? Que cette virée ne sera pas amoureuse ?

Nous logeons à l'hôtel Raphaël, à deux pas de l'Arc de triomphe. Brooke affectionne le vieil ascenseur à la grille en fer que l'on doit refermer manuellement. Moi, c'est le petit bar éclairé à la bougie qui me plaît. Les chambres sont petites elles aussi, et il n'y a pas de télé, ce qui stupéfie Brad. Il a tellement de mal à s'y faire qu'il quitte l'hôtel quelques minutes à peine après notre arrivée, pour poser ses valises dans un établissement plus moderne.

Brooke parle français, et avec elle je vois Paris d'un point de vue nouveau, plus éclairé. J'explore la ville avec plaisir, sans la peur de me perdre, car elle est là pour traduire. Je lui raconte ma première venue ici, avec Philly. Je lui parle du Louvre, de cette peinture qui nous avait foutu les jetons. Fascinée, elle me demande de l'y emmener.

— Peut-être une autre fois, lui dis-je.

Nous mangeons dans des restaurants chic, visitons des quartiers excentrés où je ne me serais jamais aventuré tout seul. Quelquefois je suis séduit, mais la plupart du temps je reste de marbre, car je déteste perturber ma concentration. Le gérant d'un café nous invite à descendre dans sa vieille cave à vin, un tombeau moisi et moyenâgeux rempli de bouteilles poussiéreuses. Il en tend une à Brooke, qui regarde attentivement la date figurant sur l'étiquette : 1787. Elle tient délicatement la bouteille comme elle bercerait un enfant, avant de me la montrer, incrédule.

— Je ne comprends pas, je chuchote. C'est une bouteille. Pleine de poussière.

Brooke me jette un regard furieux, elle semble avoir envie de me la briser sur la tête.

Une nuit, alors qu'il est déjà tard, nous sortons nous promener le long de la Seine. C'est son trentième anniversaire. Nous nous arrêtons devant un escalier de pierre qui descend vers les berges, et je lui offre un bracelet de tennis en diamants. Elle rit pendant que je le lui glisse au poignet et que je tripote le fermoir. Nous admirons sa façon d'accrocher le clair de lune. Puis, juste derrière l'épaule de Brooke, sur les marches en pierre, un Français soûl arrive en titubant et décoche un arc d'urine, haut et cambré, dans la Seine. Je me suis fait une règle de ne pas croire aux présages, mais celui-ci me paraît de mauvais augure. Je n'arrive pas à déterminer s'il s'agit de Roland-Garros ou de ma relation avec Brooke.

Enfin le tournoi commence. Je gagne mes quatre premiers matchs sans laisser passer un seul set. Pour les journalistes et les commentateurs, il devient évident que je ne suis plus le même joueur. Je suis plus fort, plus concentré. Déterminé. Pour mes pairs, c'est manifeste. J'ai toujours remarqué cette façon dont les joueurs sacraient en silence le meneur parmi eux, celui qui ressent les choses, qui a le plus de chances de gagner. À ce tournoi-ci, pour la première fois, je suis ce joueur. Je les sens tous qui m'observent dans les vestiaires. Ils sont attentifs à chacun de mes gestes, à chaque petite chose que je fais, ils vont jusqu'à étudier l'organisation de mon sac. Ils s'effacent plus rapidement quand je veux passer, me cèdent avec empressement la place à la table de massage. On me témoigne d'un nouveau degré de respect, et si j'essaie de ne pas le prendre trop au sérieux, je ne peux m'empêcher d'en tirer un certain plaisir. Si quelqu'un doit en profiter, autant que ce soit moi.

Quant à Brooke, elle ne semble pas avoir remarqué une quelconque différence, son comportement envers moi est le même que d'habitude. La nuit je reste assis dans la chambre d'hôtel à contempler Paris par la fenêtre, tel un aigle sur la falaise ; mais elle me parle de ceci et de cela, de *Grease* et de Paris, et de ce qu'Untel a dit de telle ou telle chose. Elle ne comprend pas le travail que j'ai effectué dans la salle de gym de Gil au cours du mois précédent, les épreuves, les sacrifices, la concentration qui m'ont permis d'acquérir cette nouvelle confiance en moi – ni le redoutable défi à venir. Et elle ne cherche pas à comprendre. Ce qui l'intéresse, c'est où nous allons manger, la prochaine cave à vin que nous allons explorer. Il va de soi que je vais gagner, et ce serait même pas mal que je me dépêche un peu, histoire qu'on commence à s'amuser. Ce n'est pas de l'égoïsme de sa part, tout simplement la fausse impression que gagner est normal, et que perdre ne l'est pas.

En quart de finale j'affronte Kafelnikov, ce Russe qui m'avait comparé à Jésus. Quand le match débute, je le regarde en ricanant. Jésus est sur le point de te foutre une belle branlée. Je sais que je peux battre Kafelnikov. Il le sait aussi. C'est écrit sur son visage. Mais au début du premier set, je plonge vers une balle et sens un craquement. Le fléchisseur de ma hanche. Je n'en tiens pas compte et poursuis comme si rien ne s'était passé, comme si je n'avais pas de hanche, mais celle-ci envoie des décharges de douleur le long de ma jambe.

Je ne peux pas me pencher. Je ne peux pas bouger. Je demande à voir le soigneur ; il me donne deux aspirines et me dit qu'il ne peut rien faire de plus. Il a les yeux de la taille de jetons de poker.

Je perds le premier set. Puis le deuxième. Au troisième je me ressaisis. Je sers à 4-1, sous les encouragements du public. *Allez, Agassi !* Mais à chaque minute qui passe, je suis de moins en moins mobile. Kafelnikov, qui se déplace sans problèmes, amène le set à égalité, et je sens mes membres se relâcher. Jésus est à terre, le Russe ressuscité. Adieu, Graal. Je quitte le court sans prendre la peine de ramasser mes raquettes.

La vraie épreuve n'était pas censée être Kafelnikov mais Muster l'ébouriffeur, qui domine sur terre battue ces derniers temps. Si j'avais réussi à dépasser Kafelnikov, je ne sais pas dans quel état j'aurais dû affronter Muster. Je ne plaisantais pas en promettant de ne jamais plus perdre un match contre lui, j'en étais persuadé. Je suis convaincu que j'aurais pu faire quelque chose de grand, quel que soit l'adversaire de l'autre côté du filet. En quittant Paris je ne me sens pas vaincu ; plutôt lésé. C'était le moment ou jamais, j'en suis certain. Ma dernière chance. Jamais plus je ne reviendrai à Paris en me sentant aussi fort, aussi jeune. Jamais plus je n'inspirerai une telle peur dans les vestiaires.

L'occasion en or de remporter les quatre tournois du Grand Chelem qui se présentait à moi s'est évanouie.

Brooke est déjà rentrée, alors je fais le trajet seul avec Gil, Gil qui m'explique comment on va soigner mon fléchisseur, comment on va s'adapter après ce qu'on vient d'endurer, comment on va se préparer pour la prochaine étape – le gazon. On passe une semaine à Vegas, à regarder des films et attendre que ma hanche se remette. Un IRM nous informe que les dégâts ne seront pas permanents. Piètre consolation.

On s'envole pour l'Angleterre. Comme je suis encore premier mondial, je suis tête de série à Wimbledon. Les fans m'accueillent avec un enthousiasme et une joie qui détonnent franchement avec mon humeur. Nike est déjà passé par là pour amorcer l'hystérie, des panoplies Agassi ont été distribuées – pattes adhésives, moustaches à la Fu Manchu et bandanas. Mon nouveau look : je suis passé du pirate au bandit. C'est toujours surréaliste de voir des types essayer de me ressembler. Ça l'est encore plus lorsqu'il s'agit de filles. Des filles avec des Fu Manchu et des pattes – ça me donnerait presque envie de me fendre d'un sourire. Presque.

Il pleut tous les jours, mais cela n'empêche pas les fans de se ruer à Wimbledon. Ils affrontent la pluie et le froid, font la queue le long de Church Road, tout cela par amour pour le tennis. J'aurais envie de les rejoindre, de les questionner, de tenter de comprendre cet engouement. Je me demande ce que ça doit faire d'éprouver une telle passion pour le tennis. Je me demande si les fausses Fu Manchu résistent à la pluie, ou si elles se désintègrent comme mes vieux postiches.

Je gagne mes deux premiers matchs haut la main, avant de vaincre Wheaton en quatre sets. Mais la grande nouvelle de la journée, c'est Tarango qui, à la suite d'une défaite, s'est battu avec un arbitre avant de quitter le court. Ensuite l'épouse de Tarango a giflé le juge. Un des plus grands scandales de toute l'histoire de Wimbledon. Au lieu d'affronter Tarango, c'est donc à l'Allemand Mronz que je vais me mesurer. Les journalistes me demandent contre qui j'aurais préféré jouer ; j'ai une furieuse envie de raconter la fois où Tarango a triché contre moi quand j'avais huit ans. Mais je préfère m'abstenir. Je n'ai aucune intention de me lancer dans une dispute publique avec Tarango, et je préfère ne pas avoir sa femme pour ennemie. Je me contente de rester diplomate et de déclarer que peu m'importe contre qui je joue, même si Tarango aurait été le plus dangereux des deux.

Je bats Mronz en trois sets faciles.

En demi-finale, je retrouve Becker. C'est moi qui ai gagné nos huit derniers matchs. Pete est déjà en finale et il attend le résultat de l'affrontement Agassi-Becker, c'est-à-dire qu'il m'attend, vu que chaque finale de Grand Chelem semble devoir être un rendez-vous entre Pete et moi.

Je remporte le premier set sans problème. Au second set, je fais un bond en avant et mène 4-1. J'arrive, Pete. Prépare-toi, Pete. Et puis, tout à coup, le jeu de Becker se fait plus dur, plus violent. Il gagne plusieurs points par-ci par-là. Après avoir gratté mon assurance avec un petit clou, il sort carrément le marteau. Il frappe du fond du court, ce qui ne lui ressemble pas, et son jeu est bien plus musclé que le mien. Il fait le break, et j'ai beau mener encore 4-2, je sens quelque chose craquer. Pas ma hanche – mon esprit. Je suis soudain incapable de contrôler mes pensées. Je songe à Pete, qui attend. Je songe à ma sœur Rita, dont le mari Pancho vient de perdre sa longue lutte contre le cancer de l'estomac. Je songe à Becker, toujours entraîné par Nick. Plus bronzé que jamais, couleur côte de bœuf, il est assis au-dessus de nous, dans la tribune de Becker. Je me demande si Nick a confié mes secrets à Becker – par exemple, le fait que j'aie décrypté son service. (Juste avant de lancer la balle il tire la langue, et comme une minuscule flèche rouge elle indique l'endroit qu'il vise.)

Je songe à Brooke, qui a fait du shopping chez Harrods cette semaine avec la petite amie de Pete, une étudiante en droit du nom de Delaina Mulcahy. Toutes ces pensées s'entrechoquent dans mon esprit, me laissant une impression d'éparpillement, de fracture, qui permet à Becker de prendre son envol. Pour ne plus jamais le perdre. Il gagne en quatre sets.

Cet échec est l'un des plus accablants de mon existence. Je ne dis plus un mot, à qui que ce soit. Gil, Brad, Brooke – je ne leur parle pas, je ne le peux pas. Je suis brisé au fond de mon âme, comme si on m'avait tiré dans le ventre.

Brooke et moi avons prévu de partir en vacances. Ça fait des semaines qu'on les prépare. On cherchait un endroit éloigné, sans téléphone, sans personne d'autre, alors on a réservé Indigo Island, à quatre cents kilomètres de Nassau. Après le fiasco qu'a été Wimbledon, j'aurais bien envie d'annuler, mais Brooke me rappelle qu'on a réservé l'île tout entière et que notre dépôt de garantie n'est pas remboursable.

— Et puis, c'est censé être le paradis, dit-elle. Cela nous fera du bien.

Je fronce les sourcils.

Comme je le craignais, dès notre arrivée le paradis me fait penser à une prison haute sécurité. Sur toute l'île il n'y a qu'une seule maison, pas assez grande pour nous trois – Brooke, moi, et mon humeur maussade.

Brooke s'allonge au soleil et attend que je daigne parler. Mon silence ne l'effraie pas, mais elle ne le comprend pas pour autant. Dans son monde on fait semblant, alors que dans le mien il y a des choses qui ne peuvent pas être cachées.

Après deux journées de silence je la remercie pour sa patience et lui dis que je reviens tout de suite.

Je pars faire un jogging sur la plage.

Je commence à une allure tranquille, avant de me rendre compte que je pique des sprints sur 100 mètres. Je pense déjà à me remettre en forme, à recharger les batteries pour les surfaces dures de l'été.

Je me rends à Washington DC pour le tournoi Legg Mason. Il fait une chaleur infernale. Brad et moi tentons de nous y habituer en nous entraînant en plein après-midi. L'entraînement terminé, des fans s'agglutinent et lancent des questions. La plupart des autres joueurs ne restent pas à discuter avec les fans, mais moi si. J'aime ça. Pour moi, ils seront toujours préférables aux journalistes.

Après avoir signé notre dernier autographe et répondu à la dernière question, Brad affirme qu'il lui faut une bière. Il a l'air de celui qui prépare un coup. Quelque chose se mijote. Je l'emmène à The Tombs, l'endroit que je fréquentais avec Perry quand je lui rendais visite à Georgetown. On entre dans le bar par une porte minuscule, puis il faut descendre une marche dans l'obscurité humide et les odeurs de toilettes sales. La cuisine est ouverte pour permettre à la clientèle de voir les cuisiniers à l'œuvre – si c'est une bonne idée dans certains endroits, ce n'est pas un atout ici. On se trouve une table et on passe commande. Brad est déçu qu'ils n'aient pas de Bud Ice. Il se contente donc d'une Bud toute simple. Cette séance d'entraînement m'a mis le moral au beau fixe, je me sens détendu, en forme, calme. Ça fait au moins vingt minutes que je ne pense pas à Becker. Mais Brad rompt cette accalmie. Il sort une liasse de papiers de la poche intérieure de son pull-over en cachemire noir et, tout agité, la laisse tomber sur la table.

— Becker ! s'exclame-t-il.

— Quoi ?

— Voici ce qu'il a dit après t'avoir battu à Wimbledon.

— Qu'est-ce que j'en ai à foutre ?

— Il raconte des conneries.

— Quel genre de conneries ?

Brad se met à lire.

Becker a profité de sa conférence de presse d'après-match pour accuser Wimbledon de me favoriser par rapport aux autres joueurs. Il reproche aux officiels de s'être pliés en quatre pour programmer mes matchs sur le court central. Il se plaint que tous les tournois majeurs me lèchent le cul. Puis ses propos prennent une tournure plus personnelle : il me traite d'élitiste. Il fait remarquer que je ne me mêle pas aux autres joueurs. Qu'on ne m'aime pas trop sur le circuit. Il dit que je ne suis pas très ouvert sur les autres et que, si je l'étais un peu plus, peut-être alors les joueurs ne me craindraient pas autant.

En bref, c'est une déclaration de guerre.

Brad n'a jamais vraiment aimé Becker. Il l'a toujours appelé BB Socrate, parce qu'il trouve que Becker essaie de se faire passer pour un intellectuel alors qu'il n'est rien de plus qu'un garçon de ferme. Mais Brad est si scandalisé qu'il ne tient pas en place dans le bar.

— Andre, lance-t-il, ça va saigner, *putain*. Écoute bien ce que je te dis. On le recroisera, cet enfoiré. Il sera à l'US Open. D'ici là, on va se préparer, s'entraîner, ruminer notre vengeance.

Je relis les citations de Becker. Je n'arrive pas à y croire. Je savais que ce type ne m'aimait pas, mais à ce point... Je baisse les yeux et me rends compte que je suis en train de serrer et de desserrer le poing.

— Tu m'entends ? poursuit Brad. Je veux que tu *bousilles-ce-connard*.

C'est comme si c'était fait.

Nous trinquons avec nos bouteilles de bière, faisons un serment.

Et puis, je ne vais pas m'en tenir à Becker. Je compte bien ne plus jamais perdre. Ou alors, pas avant un certain âge. J'en ai assez de perdre, assez d'être déçu, marre que des types méprisent mon jeu autant que je le méprise moi-même.

C'est ainsi que l'été 1995 est devenu l'été de la Vengeance. Boosté à l'animosité, je progresse dans le tournoi de Washington, aussi implacable qu'un rouleau compresseur. En finale j'affronte Edberg. Je suis meilleur joueur que lui, mais il fait plus de 37 degrés, et ce genre de chaleur extrême a pour effet d'égaliser les chances. Tous les hommes sont égaux quand il fait aussi chaud. Au début du match je n'arrive pas à réfléchir ni à trouver un rythme. Heureusement, Edberg est dans la même situation. Je gagne le premier set, lui le deuxième, et au troisième je mène 5-2. Les fans applaudissent – du moins ceux qui ne souffrent pas d'un coup de chaleur. Le match est interrompu plusieurs fois pour dispenser des soins médicaux dans les gradins.

Je sers pour le match. Enfin, c'est ce qu'on me dit. En proie à des hallucinations, je ne sais plus à quel jeu je joue. C'est du ping-pong ? Je suis censé faire passer cette petite balle jaune de l'autre côté du filet ? Vers qui ? Je claque des dents. Je vois trois balles venir vers moi, je frappe celle du milieu.

Mon seul espoir est que Edberg hallucine également. Peut-être qu'il s'évanouira avant moi et que je gagnerai par forfait. J'attends, je l'observe attentivement, mais mon état s'aggrave. Mon estomac se contracte. Edberg prend mon service.

C'est désormais à lui de servir. Je demande un temps mort, m'éloigne et renvoie mon petit déjeuner dans une jardinière qui décore l'arrière du court. Quand je me remets en position, Edberg n'a bien sûr aucun mal à gagner son service.

C'est encore à moi de servir pour le match. On fait quelques échanges faiblards, chacun de nous frappe des coups timides en milieu de court, on dirait des gamines de dix ans qui jouent au badminton. Il prend mon service – une fois de plus.

Cinq partout. Je laisse tomber ma raquette au sol et quitte le court en trébuchant.

Il y a une règle non écrite, ou peut-être bien qu'elle est écrite quelque part, selon laquelle quitter le court avec sa raquette est synonyme d'abandon. Alors je la laisse sur le court pour signifier que je vais revenir. Dans mon état délirant, je me préoccupe encore des règles du tennis, sans pour autant négliger celles de la physique. Par cette chaleur, ce qui descend doit remonter, et vite. Je vomis plusieurs fois sur le chemin du vestiaire. Je cours jusqu'aux toilettes où je renvoie un repas que j'ai pris quelques jours plus tôt. J'ai l'impression d'être en état de choc. Enfin, l'air conditionné ajouté à la purge complète de mon estomac commencent à me raviver.

L'arbitre frappe à la porte.

— Andre ! Tu vas perdre des points si tu ne rejoins pas le court immédiatement.

L'estomac vide et la tête qui tourne, je regagne le court. Je prends le service d'Edberg. Comment, je ne sais pas. Je persévère et gagne le match.

Je trébuche jusqu'au filet où Edberg prend appui, à deux doigts de s'évanouir. On a tous les deux du mal à rester sur le court pour la cérémonie. J'ai envie de dégueuler dans le trophée qu'on me tend. Quand on me fait passer un micro pour que je prononce quelques mots, je suis à deux doigts de vomir dessus. Je m'excuse pour ma conduite, notamment auprès des gens assis près du pot de fleurs que j'ai tant maltraité. J'aimerais suggérer aux officiels de relocaliser ce tournoi en Islande, mais je suis repris de nausées. Je laisse tomber le micro et bats en retraite.

Brooke me demande pourquoi je n'ai pas simplement abandonné.

— Parce que c'est l'été de la Vengeance.

336

Après le match, Tarango proteste publiquement contre mon comportement. Il réclame une explication : pourquoi ai-je quitté le court ? Il dit qu'il attendait son match de double et que je l'ai retardé. Il est agacé. Je suis ravi. J'ai envie de retourner sur le court, de retrouver le pot de fleurs et de l'envoyer en paquet cadeau à Tarango, accompagné du mot suivant : « Et *ça*, c'est *out*, espèce de tricheur ? »

Je n'oublie jamais. C'est ce que Becker va bientôt apprendre à ses dépens.

Je quitte Washington pour Montréal, où il fait divinement frais. Je bats Pete en finale. Trois sets défendus bec et ongles. Vaincre Pete est toujours réjouissant, mais cette fois-ci je m'en rends à peine compte. C'est Becker que je veux. Je bats Chang à Cincinnati, Dieu soit loué, avant de me rendre à New Haven, dans la fournaise estivale du nord-est. J'arrive en finale et me retrouve face à Krajicek. C'est un grand gaillard baraqué d'un mètre quatre-vingt-quinze au moins, mais à la démarche étonnamment légère. Deux enjambées et il est déjà au filet, prêt à mordre, à ne faire qu'une bouchée de son adversaire. Et puis, son service est monstrueux. Je n'ai aucune envie de passer trois heures à essayer d'en venir à bout. Après avoir remporté trois tournois successifs, il ne me reste pas beaucoup de jus. Mais Brad ne tolère pas ce genre de discours.

— Tu es en plein entraînement, tu te souviens ? dit-il. LE règlement de comptes des règlements de comptes ? Vas-y à fond.

Alors j'y vais à fond. Le problème, c'est que Krajicek fait de même. Il gagne le premier set, 6-3. Au deuxième, il a deux balles de match. Mais je ne cède pas. J'égalise, gagne le tie-break, ainsi que la troisième manche. C'est la vingtième fois de suite que je gagne un match, ma quatrième victoire de tournoi d'affilée. Cette année, j'ai gagné soixante-trois matchs sur soixante-dix. Parmi ceux-ci, quarante-quatre sur les quarante-six disputés sur surface dure. Les journalistes me demandent si je me sens invincible et je réponds que non. Ils croient que je fais preuve de modestie, mais je ne dis que la vérité. C'est ce que je ressens. Je ne peux pas me permettre d'en ressentir plus au cours de cet été de la Vengeance. La fierté c'est mal, le stress c'est bien. Je refuse de me sentir confiant. Pas maintenant. C'est la rage qui doit m'envahir. Une rage infinie et dévorante.

Sur le circuit, on ne parle que de ma rivalité avec Pete. Nike a lancé une nouvelle campagne : un spot publicitaire populaire, dans lequel nous bondissons hors d'un taxi en plein New York avant d'installer un filet pour entamer un match. Le *New York Times Sunday Magazine* fait paraître un long article sur cette rivalité et le gouffre qui sépare nos deux personnalités. On y décrit combien Pete est absorbé par le tennis, on évoque son amour pour le jeu. Je me demande comment le journaliste aurait dépeint ce gouffre s'il avait su ce que le tennis m'inspire réellement. Si seulement je m'étais confié à lui.

Je mets l'article de côté. Je le prends de nouveau. Je n'ai pas envie de le lire. Je le dois. Je ne peux pas. C'est étrange, troublant, parce que ce n'est pas Pete qui me préoccupe particulièrement en ce moment. Je pense à Becker jour et nuit, et seulement à Becker. Et cependant, en parcourant l'article, je me crispe quand on demande à Pete ce qu'il aime en moi.

Rien ne lui vient à l'esprit.

Il finit par répondre : *J'aime sa façon de voyager.*

Enfin, voici le mois d'août. Gil, Brad et moi nous envolons pour New York à l'occasion de l'US Open de 1995. Lors de notre première matinée au Louis Armstrong Stadium, je retrouve Brad dans les vestiaires, le tirage au sort dans les mains.

— C'est bon, souffle-t-il, le sourire jusqu'aux oreilles. Oh, c'est vraiment bon. TB. Tout bon.

Je suis dans la même partie du tableau que Becker. Si tout se passe comme le prévoit Brad, j'affronterai Becker en demi-finale. Puis, Pete. L'espace d'un instant, je me dis : Si seulement, en naissant, on pouvait jeter un coup d'œil au résultat du tirage final, à notre chemin, jusqu'au bout.

Je traverse les premières parties en mode pilote automatique. Je sais ce que je veux, je vois ce que je veux, droit devant moi, et mes adversaires ne sont que des vulgaires cônes de signalisation. Edberg. Alex Corretja. Petr Korda. Pour atteindre ma cible je dois les dépasser et je ne me gêne pas pour le faire. Malgré mes victoires, Brad n'est pas aussi exubérant que d'habitude. Il ne sourit pas. Ne fait pas la fête. Il est préoccupé par Becker. Il suit sa progression de près, fait des graphiques de ses matchs. Il veut que Becker les remporte tous, chaque petit point.

Un jour que je quitte une nouvelle fois le court en vainqueur, Brad lâche, laconique :

— Encore une bonne journée.

— Merci. Ouais, je le sentais bien.

— Non. Je parle de BB Socrate. Il a gagné.

Pete gère son affaire. Il se retrouve en finale de son côté du tableau et attend maintenant le vainqueur du match Agassi-Becker. C'est Wimbledon qui recommence, deuxième partie. Mais cette fois-ci je ne pense pas à Pete. Je ne regarde plus vers l'avenir. C'est Becker que je cherchais, je l'ai enfin trouvé, et ma concentration est si intense qu'elle me fait peur.

Un ami me demande s'il ne m'arrive jamais d'avoir envie d'agir impulsivement quand j'ai une dent contre un adversaire, de balancer ma raquette et de me jeter sur lui. Dans le cas d'un règlement de comptes, quand il y a de l'animosité, est-ce que je ne préférerais pas trancher ça en quelques rounds, avec quelques uppercuts bien placés ? Je réponds que le tennis *c'est* de la boxe. Tôt ou tard, tous les joueurs de tennis finissent par se comparer à des boxeurs, car le tennis est une lutte, même s'il n'y a pas de contact. C'est violent, *mano a mano*, et le choix est aussi simple et brutal que sur un ring. Tuer ou se faire tuer. Cogner ou se faire cogner. Au tennis, les coups portés ne laissent aucune marque sur la peau. Ça me rappelle cette vieille combine d'usurier à Las Vegas, consistant à frapper quelqu'un avec un sac d'oranges pour ne laisser aucune trace visible.

Cela dit, je ne suis qu'un homme. Avant d'arriver sur le court, tandis que Becker et moi patientons dans le tunnel, je glisse à James, le chargé de sécurité :

— Sépare-nous. Je ne peux pas voir ce putain d'Allemand en peinture. Crois-moi James, il vaut mieux nous éloigner l'un de l'autre.

Becker ressent la même chose. Il sait ce qu'il a dit, il se doute que je l'ai lu et relu une cinquantaine de fois, que je connais ses phrases par cœur. Il devine que j'ai ruminé ses remarques tout l'été, et flaire ma soif de sang. C'est la même chose pour lui. Il ne m'a jamais aimé, et il vient également de passer l'été de la Vengeance. Nous marchons sur le court en évitant de nous regarder dans les yeux, en refusant de reconnaître la présence de la foule, concentrés sur notre matériel, nos sacs de tennis, et le sale boulot à effectuer.

Dès la sonnerie d'ouverture, tout se passe selon mes prévisions. On ricane, on jure en deux langues différentes. Je gagne le premier set, 7-6. Exaspérant combien Becker a l'air imperturbable. Mais pourquoi ne le serait-il pas ? C'est ainsi qu'a débuté notre match à Wimbledon. J'ai beau mener, cela ne l'inquiète pas outre mesure – il vient de prouver qu'il peut encaisser mon meilleur coup et revenir sur le terrain.

Je gagne le deuxième set, 7-6. Il commence à s'agiter, à chercher la faille. Il essaie de me déstabiliser mentalement. Il m'a déjà vu perdre mon calme, alors il tente de me perturber de nouveau, avec l'acte le plus castrateur qu'un joueur puisse faire à un autre : il envoie des baisers vers ma tribune. Vers Brooke.

Ça marche. Je suis tellement en rogne que je perds momentanément ma concentration. Au troisième set, alors que je mène 4-2, Becker plonge vers une balle qu'il n'aurait jamais dû atteindre. Il y arrive, remporte le point, fait le break, et gagne le set. La folie gagne les gradins. Apparemment les spectateurs ont compris que c'est une affaire personnelle, que ces deux types ne s'aiment pas, qu'on est en train de régler de vieux comptes. Ils savourent le drame qui se déroule devant eux, aimeraient en voir un peu plus, on dirait que c'est Wimbledon qui recommence. Becker se nourrit de leur énergie. Il envoie d'autres baisers vers Brooke, sourit d'un air vorace. Ça a bien marché une fois, pourquoi ne pas recommencer ? Je jette un œil à Brad, assis à côté de Brooke, et il me renvoie un regard dur, typiquement Brad, qui signifie : *Allez ! On y va !*

Au quatrième set, on est au coude à coude. Chacun de nous garde son service, cherchant une ouverture pour faire le break. Je jette un coup d'œil à l'horloge. Neuf heures et demie. Personne ici n'est près de rentrer chez soi. Verrouillez les portes, commandez des sandwichs, on ne partira pas avant d'avant réglé cette putain d'affaire. L'intensité est palpable. Je n'ai jamais autant voulu un match. Je n'ai jamais autant voulu quelque chose. Mon service tenu me permet de mener 6-5, et c'est maintenant à Becker de servir pour rester dans le match.

Il tire la langue vers la droite, sert sur la droite. Je devine juste et frappe fort. Gagné. Je réexpédie ses deux services suivants. C'est maintenant à lui de servir, 0-40, trois balles de match.

Perry lui aboie dessus. Brooke lui adresse une pluie de hurlements à glacer le sang. Becker se contente de sourire, de leur faire des signes de la main, il semble se prendre pour Miss Amérique. Il rate son premier service. Je sais que son deuxième sera plus agressif. C'est un champion, et il va servir comme un champion. De plus, sa langue est au centre de sa bouche. Ça ne manque pas, il assène un deuxième service, plus rapide, en plein centre. D'habitude il faut faire attention au rebond, aller chercher la balle, la frapper tôt avant qu'elle rebondisse par-dessus l'épaule, mais moi je joue le tout pour le tout, ne bouge pas d'un pouce, et ça marche. Voici la balle, pile poil où il faut. Je fais glisser mes hanches sur le côté pour la laisser passer et me mets en place pour frapper le coup de ma vie. Le service est un peu plus rapide que je ne l'avais anticipé, mais je m'adapte. Je suis sur le qui-vive, me sentant aussi puissant que Wyatt Earp, Spiderman et Spartacus réunis. Je frappe. Chaque poil de mon corps est hérissé. Tandis que la balle quitte ma raquette, un son purement animal s'échappe de ma bouche. Je sais que je ne reproduirai jamais plus ce cri, que je ne frapperai jamais la balle aussi fort, ni aussi parfaitement. Frapper une balle à la perfection – seule source de quiétude en ce monde. Quand elle atterrit du côté de Becker, mon cri résonne encore.

AAAAGHHHHHHHHH.

La balle dépasse Becker comme une flèche. Match, Agassi.

Becker s'avance jusqu'au filet. Qu'il y reste. Les fans se sont levés, se balancent d'un côté et de l'autre, exaltés. Je contemple Brooke, Gil, Perry et Brad, surtout Brad. Allez ! Becker est encore au filet. Je m'en fous. Je le laisse planté là comme un Témoin de Jéhovah devant ma porte. Enfin, *enfin*, j'enlève mes poignets de tennis et monte au filet pour tendre vaguement une main dans sa direction, sans regarder. Il me la serre, je la retire d'un geste brusque.

Un journaliste télé se précipite sur le court pour me poser quelques questions. Je réponds sans réfléchir. Puis je regarde la caméra et avec un sourire, je lance :

— Pete ! J'arrive !

Je cours le long du tunnel jusqu'à la salle de soins. Gil s'y trouve déjà, l'air inquiet. Il sait ce que cette victoire a dû me coûter sur le plan physique.

— Gil, ça ne va pas trop.

— Allonge-toi, mon pote.

Les oreilles me sifflent. Je suis trempé jusqu'aux os. Il est dix heures du soir et je dois jouer en finale dans moins de dix-huit heures. D'ici demain il faut que je me remette de cet état quasi psychotique, que je rentre chez moi, que j'avale un bon repas chaud, que je boive quatre litres et demi d'Eau de Gil jusqu'à en pisser un rein, et que je dorme un peu.

Gil me reconduit jusqu'à l'appartement de Brooke. Nous dînons, puis je reste une heure assis dans la douche. Une de ces douches qui vous donneraient envie de signer un chèque à plusieurs groupes de protection de l'environnement, voire de planter un arbre. À deux heures du matin, je m'allonge aux côtés de Brooke et je perds connaissance.


J'ouvre les yeux cinq heures plus tard ; où suis-je ? Je me redresse et laisse échapper un cri, une version plus dense de mon hurlement final contre Becker. Je ne peux pas bouger.

Au début, je crois qu'il s'agit d'une crampe d'estomac. Puis je comprends que c'est plus sérieux. Je dégringole du lit, me mets à quatre pattes sur le sol. Je sais ce que c'est. Ça m'est déjà arrivé. Je me suis déchiré le cartilage entre les côtes. J'ai une bonne idée du coup qui l'a déclenché. Mais cette déchirure-ci doit être particulièrement vilaine, parce que je n'arrive pas à dilater ma cage thoracique. Je peux à peine respirer.

Je me souviens vaguement qu'il faut trois semaines pour se remettre de ce genre de blessure. Mais j'affronte Pete dans neuf heures. Il est sept heures du matin, le match est à seize heures. Je crie : « Brooke ! »

Elle doit être sortie. Allongé sur le flanc, je parle à haute voix :

— Ce n'est pas possible. Non, je vous en supplie. Ça ne peut pas se passer comme ça.

Je ferme les yeux et prie de pouvoir marcher et me rendre sur le court. Quelle requête ridicule : je ne peux même pas me lever. J'ai beau essayer, impossible de me mettre debout.

— Mon Dieu, je vous en supplie. Je ne peux pas manquer la finale de l'US Open.

Je rampe jusqu'au téléphone et appelle Gil.

— Gilly, je n'arrive pas à me mettre debout. Je ne peux littéralement pas me lever.

— J'arrive tout de suite.

Le temps qu'il vienne, je suis debout, mais j'ai encore du mal à respirer. Je lui expose ce que je pense être le problème, et il est du même avis. Il me regarde boire une tasse de café avant de dire :

— Il est l'heure. Il faut y aller.

Un coup d'œil à l'horloge, et on fait la seule chose possible en un tel instant : on éclate de rire.

Gil m'emmène au stade en voiture. Sur le court d'entraînement je frappe une balle et mes côtes me lancent. J'en frappe une autre. Je hurle de douleur. Une troisième. Ça fait encore mal, mais j'arrive à tenir. Je peux respirer.

— Comment tu te sens ?

— Mieux. Je suis à peu près à trente-huit pour cent de mes capacités.

On se dévisage. Ça suffira peut-être.

Mais Pete est à cent pour cent. Il arrive remonté, prêt à encaisser une dose de ce qu'il m'a vu administrer à Becker. Je perds le premier set, 6-4. Et le deuxième, 6-3.

Je gagne le troisième, cependant. J'apprends progressivement ce que je peux me permettre de faire. Je trouve des raccourcis, des compromis, des portes dérobées. J'entrevois quelques chances d'aboutir à un miracle. Mais je ne peux pas les exploiter. Je perds le quatrième set, 7-5.

Les journalistes me demandent ce que ça fait de remporter vingt-six matchs d'affilée, de gagner tout l'été et de se prendre les jambes dans ce gigantesque filet qu'est Pete. Je me dis : À ton avis, qu'est-ce que ça me fait ? Je dis :

— L'été prochain je vais perdre un peu. J'en suis à 26-1, mais j'échangerais bien toutes ces victoires contre celle-ci.

Sur le chemin de la maison, je me tiens les côtes, le regard flottant par la fenêtre, et je revis chaque coup donné lors de cet été de la Vengeance. Tout ce travail, toute cette colère, ces victoires, ces entraînements, ces espoirs, toute cette sueur, pour aboutir au même sentiment de déception et de vide. Peu importe combien de fois on gagne, si on n'est pas le dernier à gagner, on est perdant. Et au bout du compte je finis toujours par perdre, parce qu'il y a toujours Pete. Comme toujours, Pete.

Brooke m'évite. Elle m'adresse des regards pleins de gentillesse et de compassion, qui sonnent faux parce qu'elle ne comprend pas. Elle attend que j'aille mieux, que ça passe, que tout revienne à la normale. Perdre, c'est anormal.

Brooke m'a raconté qu'elle avait un rituel quand je perdais, une façon de tuer le temps en attendant que la vie reprenne son cours. Pendant que je fais silencieusement mon deuil, elle passe en revue sa penderie et en sort tout ce qu'elle n'a pas porté depuis des mois. Elle plie des pulls et des T-shirts, réorganise ses chaussettes, leggings et chaussures dans des tiroirs et des boîtes. La nuit de ma défaite contre Pete, je jette un coup d'œil à la penderie de Brooke.

Pas un fil qui dépasse.

Au cours de notre brève relation, elle a eu beaucoup de temps à tuer.

# 18

Pour la Coupe Davis, face à Wilander, je modifie mes mouvements afin de protéger mon cartilage déchiré ; mais en préservant une partie du corps on en abîme généralement une autre. Je frappe un drôle de coup droit et sens un muscle de la poitrine me tirer. Il reste chaud pendant la durée du match, mais le lendemain je suis incapable de me lever.

Les médecins m'arrêtent pour plusieurs semaines. Brad a des envies de suicide.

— Une pause te coûtera la première place au classement mondial, m'avertit-il.

Je m'en contrefous. Peu importe ce qu'en disent les ordinateurs, c'est Pete qui est numéro 1. C'est Pete qui a gagné deux Grands Chelems cette année, ainsi que notre confrontation à New York. Et puis, j'en ai rien à branler d'être premier mondial. Bien sûr que ça m'aurait plu, mais ce n'était pas mon but. Cela dit, vaincre Pete n'était pas mon but non plus, et perdre contre lui m'a pourtant fait sombrer dans une infinie morosité.

J'ai toujours eu du mal à essuyer des grandes défaites, mais celle-ci est différente. C'est l'ultime défaite, la superdéfaite, l'alpha et l'oméga des défaites, celle qui éclipse toutes les autres. Les autres fois où j'ai perdu – contre Pete, contre Courier, contre Gomez –, ce n'étaient que des blessures superficielles comparées à celle-ci, qui me fait l'effet d'une lance dans le cœur.

Chaque jour, elle m'affecte autant que si elle venait de se produire. Chaque jour, je me dis d'arrêter d'y penser, et chaque jour j'en suis incapable. Je ne trouve de répit qu'en fantasmant sur la retraite.

Pendant ce temps, Brooke travaille sans relâche. Sa carrière d'actrice est en train de prendre son envol. Sur les conseils de Perry, elle s'est acheté une maison à Los Angeles et cherche activement des rôles à la télévision. Elle vient juste de tirer le gros lot, une petite apparition dans un épisode de *Friends*.

— C'est la première série télé au monde, dit-elle. La première !

Je grimace. Encore cette expression. Elle ne remarque rien.

Les producteurs de *Friends* ont demandé à Brooke de jouer le rôle d'une harceleuse. Je grince des dents, en pensant au cauchemar qu'elle a dû supporter face à des harceleurs et des fans trop enthousiastes. Mais Brooke pense que ce qu'elle a dû endurer l'aidera à préparer son rôle. Elle dit qu'elle comprend leur façon de penser.

— Et puis, Andre, il s'agit de *Friends*. La première série télé au monde. Peut-être que mon rôle fera d'autres apparitions. Et en plus, mon épisode sera diffusé juste après le Super Bowl – cinquante millions de téléspectateurs vont le voir. Ce sera comme mon US Open à moi.

Une analogie avec le tennis. La meilleure façon de me faire fuir. Mais je fais semblant d'être content et prononce toutes les paroles appropriées.

— Si tu es heureuse, je le suis aussi.

Elle me croit. Ou elle fait semblant de me croire. Ce qui produit souvent le même effet.

Nous convenons que Perry et moi l'accompagnerons à Hollywood pour assister au tournage. On sera dans sa loge, de la même façon qu'elle s'est toujours trouvée dans la mienne.

— Ce sera amusant, hein ? s'exclame-t-elle.

Non, je me dis.

— Oui, je dis. Amusant.

Je n'ai pas envie d'y aller. Mais je n'ai pas non plus envie de traîner dans la maison, à parler tout seul. Poitrine douloureuse, ego blessé – moi non plus je ne veux pas me retrouver seul avec moi-même.

Pendant les journées qui précèdent l'enregistrement de *Friends*, nous nous barricadons dans la maison de Brooke à Los Angeles. Un de ses amis acteurs passe tous les jours pour l'aider à apprendre son texte. Je les regarde faire. Brooke est tendue, sous pression, en session intense d'entraînement, un processus que je connais bien. Je suis fier d'elle. Je lui dis qu'elle va devenir une star. Que des choses merveilleuses vont arriver.

Nous arrivons au studio en fin d'après-midi. Une demi-douzaine d'acteurs nous accueillent chaleureusement. J'imagine qu'ils doivent être les acteurs de la série, les fameux « amis », mais pour ce que je sais d'eux, ils pourraient très bien être six comédiens au chômage. Je n'ai jamais vu la série. Brooke les prend dans ses bras, rougit, balbutie, alors que ça fait des jours qu'elle répète avec eux. Je ne l'ai jamais vue si intimidée. Je l'ai présentée à Barbra Streisand et elle n'a pas réagi ainsi.

Je reste quelques pas derrière Brooke, loin de la lumière. Je ne veux pas lui voler la vedette, et de toute façon je ne me sens pas très sociable. Mais les acteurs sont des fans de tennis et ils tiennent à m'attirer dans la conversation. Ils s'enquièrent de ma blessure, me félicitent pour cette brillante année. Je la considère comme tout sauf brillante, mais je les remercie aussi poliment que possible avant de reculer de nouveau.

Ils insistent. Ils me parlent de l'US Open. De ma rivalité avec Pete.

— Comment ça se passe ? Vous apportez vraiment beaucoup au tennis.

— Oui, enfin bon.

— Vous êtes amis ?

Amis ? Ils m'ont vraiment posé cette question ? Ils me demandent ça parce qu'ils font partie de *Friends* ? Je n'y avais jamais vraiment pensé auparavant, mais oui, j'imagine qu'on est amis, Pete et moi.

Je me tourne vers Perry, dans l'espoir qu'il me vienne en aide. Mais, comme Brooke, il est bizarrement ébloui. On dirait presque qu'il fait partie de leur monde. Il discute show-biz avec les acteurs, fait du *name-dropping*, joue à l'initié.

Par bonheur, Brooke est invitée à rejoindre sa loge. Perry et moi la suivons, patientons pendant qu'une équipe de gens fait gonfler ses cheveux, les démêle et les peigne, tandis qu'une autre équipe s'occupe de son maquillage et de sa garde-robe. Je regarde Brooke s'observer dans le miroir. Elle est si heureuse, si surexcitée, comme une jeune fille le jour de ses seize ans, et moi je ne me sens pas à ma place. Je sens que je me renferme. Je dis ce qu'il faut, je souris et articule des paroles d'encouragement, mais j'ai l'impression que quelque chose se verrouille en moi. Je me demande si Brooke ressent la même chose quand je suis tendu avant un tournoi ou que je suis triste à la suite d'une défaite. Mon intérêt simulé, mes réponses évasives, le manque général d'intérêt que je lui porte – est-ce à ça que je la réduis la plupart du temps ?

Nous marchons jusqu'au plateau, un appartement violet rempli de meubles d'occasion. On traîne dans les parages, on tue le temps pendant que des hommes baraqués bricolent les lumières et que le réalisateur s'entretient avec les scénaristes. Quelqu'un raconte des blagues pour chauffer la salle. Je trouve une place au premier rang, près d'une fausse porte que Brooke est censée franchir. Le public est en effervescence, ainsi que toute l'équipe. L'air vibre d'une excitation grandissante. Je ne peux pas m'arrêter de bâiller. Je comprend ce que Pete a ressenti quand il a été forcé de regarder *Grease*. Je me demande pourquoi j'ai autant de respect pour Broadway et autant de mépris pour cet endroit.

Quelqu'un hurle : « Silence ! » Quelqu'un d'autre : « Action ! » Brooke s'avance et frappe à la porte factice. Celle-ci tourne sur ses gonds, et Brooke lance le début de son texte. Le public rit et applaudit.

— Coupez ! fait le réalisateur.

Une femme assise quelques rangs derrière moi lance :

— Tu t'en sors super bien, Brooke !

Le réalisateur ne tarit pas d'éloges. Elle l'écoute, hoche la tête.

— Merci, répond-elle, mais je peux faire mieux.

Elle veut refaire la scène, elle veut une deuxième chance. OK, dit le réalisateur.

Pendant que l'équipe prépare la prochaine prise, Perry donne des conseils à Brooke. Il ne connaît rien du jeu d'acteur, mais Brooke manque tellement d'assurance qu'elle accepterait les remarques de n'importe qui. Elle écoute, incline la tête. Ils sont juste en dessous de moi et il s'adresse à elle comme s'il dirigeait l'Actors Studio.

— À vos places, s'il vous plaît !

Brooke remercie Perry et court vers la porte.

— Silence, tout le monde !

Brooke ferme les yeux.

— Action !

Elle frappe à la porte factice, joue la scène exactement de la même manière.

— Coupez !

— Fantastique, affirme le réalisateur.

Elle se précipite vers moi et me demande ce que j'en ai pensé.

— Formidable, je réponds.

Et je ne mens pas. Elle l'était, vraiment. Même si je n'aime pas la télé, même si toute cette comédie et ces faux-semblants m'agacent, je respecte ceux qui travaillent dur. J'admire son dévouement. Elle donne tout ce qu'elle a. Je l'embrasse et lui dis que je suis fier.

— C'est fini ?

— Non, j'ai encore une autre scène.

— Ah.

Nous passons à un autre plateau, un restaurant. Brooke-la-harceleuse a rendez-vous avec Joey, l'objet de son affection. Elle est attablée en face de l'acteur qui joue Joey. Nouvelle attente interminable. Nouveaux conseils de Perry. Enfin le réalisateur hurle :

— Action !

L'acteur qui joue Joey a l'air d'un brave type. Mais quand la scène débute, je me rends compte que je vais avoir envie de lui casser la gueule. Il est apparemment écrit dans le scénario que Brooke doit s'emparer de la main de Joey et la lécher. Mais elle va encore plus loin et la lui dévore carrément comme s'il s'agissait d'un cornet de glace.

— Coupez ! C'était super, commente le réalisateur. Mais refaisons-la une fois.

Brooke est morte de rire. Joey aussi – tout en s'essuyant la main sur une serviette. Je les regarde faire, les yeux écarquillés. Brooke ne m'avait rien dit de cette histoire de léchage. Elle savait quelle serait ma réaction.

Cette vie n'est pas la mienne, ne peut pas être la mienne. Je ne suis pas vraiment là, je ne suis pas vraiment assis au milieu de deux cents personnes, à regarder ma copine lécher la main d'un autre homme.

Je lève les yeux au plafond, aveuglé par les lumières.

Ils vont le refaire.

— Silence, s'il vous plaît !

— Action !

Brooke prend la main de Joey et l'enfourne dans sa bouche jusqu'aux articulations. Cette fois-ci elle roule des yeux et parcourt de sa langue…

Je bondis de mon siège, dévale les escaliers, pousse une porte latérale. Il fait presque noir. Comment se fait-il qu'il fasse déjà si sombre ? Devant la porte est garée la Lincoln que j'ai louée. Derrière moi arrivent Perry et Brooke. Perry est perplexe, Brooke dans tous ses états. Elle m'agrippe le bras et demande :

— Où est-ce que tu vas ? Tu ne peux pas t'en aller !

Perry s'inquiète :

— Qu'est-ce qui ne va pas ? Qu'est-ce qui se passe ?

— Tu le sais bien. Vous le savez tous les deux.

Brooke me supplie de rester. Perry aussi. Je leur réplique qu'il n'y a pas moyen, que je n'ai aucune intention de la regarder lécher la main d'un homme.

— Ne fais pas ça, supplie Brooke.

— Moi ? *Moi ?* Je ne fais rien du tout. Retournez là-bas vous amuser. Merde pour ta scène. Savoure ta main. Moi je me casse.


Je roule vite sur l'autoroute, me faufilant à travers la circulation. Je ne sais pas vraiment où je vais, sinon que je ne rentre pas chez Brooke. Qu'elle aille se faire foutre. Soudain je me rends compte que je suis en route pour Vegas, que je ne m'arrêterai qu'une fois arrivé, et que cette décision me fait un bien fou. J'écrase la pédale d'accélérateur et vrombis au-delà des limites de la ville, jusqu'au désert ; plus rien ne me sépare de mon lit qu'une étendue vide et un tourbillon d'étoiles.

Quand la radio ne diffuse plus que des grésillements, j'essaie de régler la fréquence de mes pensées sur mes émotions. Je me suis senti jaloux, bien sûr, mais aussi bouleversé, étranger à moi-même. Comme Brooke, je jouais un rôle, celui du petit ami bonne pâte, et je pensais m'en sortir plutôt bien. Mais quand elle s'est mise à lécher cette main je n'ai pas su rester dans la peau du personnage. J'ai déjà vu Brooke embrasser des hommes sur scène, bien sûr. J'ai aussi rencontré un pervers impatient de me raconter comment il s'était tapé ma copine sur un plateau de cinéma quand elle avait quinze ans. Mais là, c'est différent. On a dépassé les bornes. Je ne prétends pas savoir où ces bornes se situent exactement, mais lécher une main c'est certainement au-delà.

Quand je me gare devant la garçonnière il est deux heures du matin. La conduite m'a fatigué, a calmé ma colère. Je suis encore en rogne, mais aussi un peu penaud. J'appelle Brooke.

— Je suis désolé. J'avais juste – il fallait que je sorte de là.

Elle dit que tout le monde a demandé où j'étais passé. Elle dit que je l'ai humiliée, que j'ai compromis sa chance de percer dans le monde de la télé. Elle dit que tout le monde l'a félicitée pour sa performance, mais qu'elle n'a pas pu profiter d'une seule seconde de sa réussite, parce que la seule personne avec qui elle avait envie de la partager n'était pas là.

— C'était dur de se concentrer après ce que tu as fait, poursuit-elle en élevant la voix. J'ai dû te chasser de mes pensées pour pouvoir me focaliser sur mon texte, ce qui a rendu les choses plus difficiles. Si je te faisais une chose pareille, en plein match, tu serais révolté.

— Je ne supportais pas de te voir lécher la main de ce type.

— Je jouais la comédie, Andre. *La comédie*. Tu as oublié que j'étais *actrice*, que jouer la comédie c'est ce que je fais pour gagner ma vie ? Que je fais semblant ?

Si seulement je pouvais oublier.

Je commence à me justifier, mais Brooke décrète qu'elle ne veut rien entendre. Elle raccroche.

Debout au milieu de mon salon, je sens le sol se dérober sous mes pieds. L'espace d'un instant, je me demande si Las Vegas n'est pas victime d'un tremblement de terre. Je ne sais pas quoi faire, où me mettre. J'avance jusqu'à l'étagère où sont entreposés mes trophées de tennis et j'en prends un. Je le balance de l'autre côté du salon, jusque dans la cuisine. Il vole en éclats. J'en fracasse un autre contre le mur. Je fais subir le même sort à chacun de mes trophées, l'un après l'autre. La Coupe Davis ? Démolie. L'US Open ? Explosé. Wimbledon ? Atomisé, pulvérisé. Je sors les raquettes de mon sac de tennis et m'attaque à la table basse en verre, mais seules les raquettes se brisent. Je ramasse les trophées cassés et les balance contre les murs, puis contre d'autres objets de la maison. Quand les trophées ne peuvent plus être brisés, je me jette sur le divan, recouvert du plâtre des murs éventrés.

Plusieurs heures plus tard, j'ouvre les yeux. J'embrasse les dégâts du regard comme si quelqu'un d'autre était responsable – ce qui est vrai, en partie. C'était quelqu'un d'autre. Ce quelqu'un d'autre qui fait la moitié de mes conneries.

Le téléphone sonne. Brooke. Je m'excuse encore, lui raconte que j'ai cassé tous mes trophées. Sa voix s'adoucit. Elle est inquiète. Elle n'aime pas savoir que j'ai été si bouleversé, que j'ai été jaloux, que je souffre. Je lui dis que je l'aime.


Un mois plus tard, je suis à Stuttgart pour le début de la saison de tennis en salle. Si je devais faire une liste de tous les endroits au monde où je ne veux pas me retrouver, tous les continents et les pays, les grandes et les petites villes, les villages, hameaux et bourgs, Stuttgart figurerait en tête. Même si j'atteignais mille ans, je crois que rien de bien ne m'arrivera jamais à Stuttgart. Je n'ai rien contre cette ville. Je n'ai simplement aucune envie d'être ici, en ce moment, à jouer au tennis.

Mais j'y suis malgré tout, et ce match est important. Si je gagne, j'affirme mon statut de numéro 1, ce que Brad veut à tout prix. Je joue contre MaliVai Washington, que je connais bien. Je l'ai souvent affronté quand j'étais jeune. C'est un bon athlète, qui couvre le court comme une toile goudronnée et se débrouille toujours pour que je le batte. Ses jambes c'est du bronze, je ne peux pas m'attaquer à elles. Impossible de l'épuiser comme un adversaire moyen. La victoire se jouera donc au mental. Je suis en plein set, tout roule, quand j'ai soudain l'impression d'avoir marché dans du goudron. Je baisse les yeux. La semelle de ma chaussure est partie. Décollée.

Je n'ai pas pris de chaussures de tennis de rechange.

J'interromps le match, informe les officiels qu'il me faut de nouvelles chaussures. Les haut-parleurs diffusent une annonce urgente, dans un allemand saccadé. Est-ce que quelqu'un pourrait prêter une chaussure à M. Agassi ? Du 44 ?

Il faut que ce soit une Nike, je précise – à cause de mon contrat.

Un homme se lève dans les gradins du haut et agite sa chaussure. Il serait heureux, dit-il, de me prêter sa *Schuh*. Brad monte la chercher. L'homme fait du 42, mais je force un peu pour faire rentrer mon pied, comme une Cendrillon de bas étage, et me remets à jouer.

Cette vie est-elle la mienne ?

Elle ne peut pas être la mienne.

Je joue un match pour devenir premier mondial, avec une chaussure prêtée par un étranger à Stuttgart. Je pense à mon père, qui raccommodait nos chaussures avec des balles de tennis quand on était gamins. Là c'est encore plus inconfortable, encore plus ridicule. Je me sens émotionnellement épuisé et je me demande pourquoi je ne m'arrête pas tout simplement. Partir. Tout laisser en plan. Qu'est-ce qui me pousse à continuer ? Comment est-ce que j'arrive à frapper la balle

correctement, à tenir des services et à faire le break ?
Dans ma tête, je quitte le stade. Je pars dans les montagnes, loue un chalet, me fais cuire une omelette, m'allonge en respirant l'odeur neigeuse de la forêt.

Je me dis : Si je gagne ce match, je prends ma retraite. Et si je le perds, je prends ma retraite.

Je perds.

Je ne prends pas ma retraite. Je fais même le contraire. Je m'envole pour l'Australie, disputer un match de Grand Chelem. L'Open d'Australie de 1996 est dans quelques jours, et c'est moi le tenant du titre. Je ne suis pas d'humeur. J'ai l'air d'un fou. Mes yeux sont injectés de sang, mes traits tirés. Le personnel de bord devrait me flanquer dehors. Je le ferais bien moi-même. Quelques minutes après être monté à bord avec Brad, je suis à deux doigts de bondir de mon siège et de prendre mes jambes à mon cou. En voyant l'expression de mon visage, Brad m'agrippe le bras.

— Allez, souffle-t-il. Détends-toi. On ne sait jamais. Ça va peut-être bien se passer.

J'avale un somnifère, descends une vodka, et quand j'ouvre les yeux l'avion roule sur la piste de Melbourne. Brad nous conduit à l'hôtel, le Como. J'ai l'esprit embrumé, la tête dans un brouillard épais comme de la purée. Un groom me montre ma chambre, équipée d'un piano et, au centre, d'un escalier en colimaçon avec des marches en bois qui brillent. Je pianote vaguement, monte les marches en chancelant jusqu'au lit. Je tombe à la renverse. Mon genou percute le rebord d'une balustrade métallique et se déchire. Je descends les marches en titubant. Il y a du sang partout.

J'appelle Gil. Deux minutes plus tard, il est là. Il dit que c'est la rotule. C'est une vilaine blessure, précise-t-il. Il m'applique un pansement, m'allonge sur le divan. Le lendemain matin, il me met à l'arrêt. Je n'ai pas le droit de m'entraîner. Il ne faut pas faire n'importe quoi avec cette rotule, insiste-t-il. Ce sera un miracle si elle tient les sept matchs.

Je boite nettement et traverse le premier tour avec un pansement sur le genou et un voile devant les yeux. Il n'échappe pas aux fans, aux chroniqueurs et aux commentateurs sportifs que je ne suis plus le même joueur qu'il y a un an. Je perds le premier set et suis vite mené de deux breaks dans le second. Je vais être le premier tenant du titre depuis Roscoe Tanner à perdre un match de premier tour en Grand Chelem.

J'affronte l'Argentin Gastón Etlis, que je ne connais ni d'Ève ni d'Adam. Il ne ressemble même pas à un joueur de tennis. On dirait plutôt un instit. Il a des frisettes dégoulinantes de sueur et une sinistre barbe de un jour. C'est un joueur de double qui s'est retrouvé en simple par un miracle quelconque. Il a l'air stupéfait d'être ici. Habituellement, avec un type comme ça, je m'assure la victoire dès les vestiaires en le fixant d'un long regard glacial, mais il a déjà remporté le premier set, et il mène au deuxième. Merde. En plus, c'est lui qui souffre. Si j'ai l'air affligé, lui paraît affolé. On dirait qu'il a une grenouille de quarante kilos coincée dans la gorge. J'espère qu'il va avoir les couilles de me liquider, de m'achever, parce qu'il vaudrait mieux pour moi que je perde et que je sorte vite.

Mais Etlis se fige, s'étouffe, prend des décisions navrantes.

Je commence à me sentir faible. Ce matin je me suis rasé le crâne, à blanc, pour me punir. Pourquoi ? Parce que je m'en veux encore d'avoir gâché l'apparition de Brooke dans *Friends*, parce que j'ai brisé tous mes trophées, parce que je suis venu dans un match de Grand Chelem sans l'entraînement nécessaire – et parce que j'ai été vaincu par Pete à ce putain d'US Open. Comme dit Gil, on ne peut pas tromper le type dans le miroir, alors je vais le faire payer. Sur le circuit on m'appelle « le tortionnaire » parce que je fais courir mes adversaires d'un côté et de l'autre. Maintenant je suis déterminé à punir mon adversaire le plus indomptable – moi-même – en lui cramant la caboche.

Mission accomplie. Le soleil australien me grille la peau du crâne. Je me réprimande, me pardonne, remets les compteurs à zéro et trouve le moyen d'égaliser au deuxième set. Puis je gagne le tie-break.

Mon esprit est bavard comme une pie. Que faire d'autre de ma vie ? Devrais-je rompre avec Brooke ? L'épouser ? Je perds le troisième set. Une fois de plus, Etlis ne supporte pas le succès. Je gagne la quatrième manche à la suite d'un autre tie-break. Au cinquième set Etlis est à bout, il capitule. Je ne me sens ni fier ni soulagé. Je me sens gêné. Ma tête ressemble à une gigantesque cloque. *Une cloque sur son cerveau.*

Plus tard, les journalistes me demandent si je m'inquiète des coups de soleil. J'éclate de rire. Franchement, je réponds, les coups de soleil, c'est le cadet de mes soucis. J'ai envie d'ajouter : j'ai déjà le cerveau complètement cramé. Mais je m'abstiens.

En quart de finale je joue contre Courier. Il m'a déjà vaincu six fois d'affilée. On a livré de superbes batailles, sur le court et dans les journaux. Après m'avoir battu à Roland-Garros en 1989, il s'est plaint que j'attirais toute l'attention. Il a dit qu'il avait l'impression de toujours jouer les seconds rôles à côté de moi.

« Ça m'a tout l'air d'être un problème d'anxiété », ai-je glissé aux journalistes.

Ce à quoi Courier a répliqué : « C'est *moi* qui ai un problème d'anxiété ? »

Il a aussi fait preuve d'un certain agacement en évoquant mon apparence et mon comportement changeants. Quand on lui a demandé ce qu'il pensait du nouvel Agassi, il a répondu : « Vous parlez du nouvel

Agassi, ou du *nouveau* nouvel Agassi ? » On a fait la paix depuis. J'ai dit à Courier que je souhaitais sa réussite, que je le considérais comme un ami, et il m'a rendu la pareille. Cependant un rideau crispé continue de nous séparer et ne disparaîtra peut-être jamais, du moins jusqu'à ce que l'un d'entre nous prenne sa retraite ; après tout, notre rivalité remonte à la puberté, à Nick.

Le match commence tard, à cause des quarts de finale dames. Il est près de minuit quand nous entrons sur le court, et nous jouons neuf jeux avec services tenus. Ça va donc se passer comme ça. Puis il se met à pleuvoir. Les officiels pourraient fermer le toit, mais ça prendrait quarante minutes. Ils demandent si on préfère reporter le match au lendemain. Nous sommes tous les deux d'accord.

Dormir me fait du bien. Je me réveille reposé, avec l'envie de battre Courier. Mais ce n'est pas Courier que je vois de l'autre côté du filet, c'est une pâle copie. Il a beau mener deux manches à zéro, il semble hésitant, éteint. Ce regard, je le connais. Je l'ai vu tant de fois dans le miroir. Je fonds sur ma proie et remporte le match, battant Courier pour la première fois depuis des années.

Quand des journalistes me posent des questions sur le jeu de Courier, je réponds : « Il ne fait pas ce qu'il veut. »

J'ai envie d'ajouter : Et il n'est pas le seul.

Cette victoire me permet de redevenir numéro 1 mondial. Je détrône Pete une fois de plus, mais cela me rappelle ces fois où je ne l'ai pas battu, où je n'ai pas pu le battre.

En demi-finale, je suis face à Chang. Je sais que je peux gagner, mais je sais aussi que je vais perdre. À dire vrai je veux perdre, je dois perdre, parce que c'est Becker qui attend en finale. La dernière chose qu'il me faut en ce moment, c'est bien une nouvelle croisade contre Becker. Je ne pourrais pas le supporter.

Je ne pourrais pas l'encaisser, et donc je perdrais. À choisir entre Becker et Chang, je préfère laisser la victoire à Chang. Et puis, il est toujours psychologiquement plus facile de perdre en demi-finale qu'en finale.

Alors aujourd'hui, je vais perdre. Félicitations, Chang. J'espère que vous serez très heureux, toi et ton Messie.

Mais ce n'est pas si facile de perdre délibérément. C'est presque plus dur que de gagner. Il faut faire en sorte que le public ne s'en rende pas compte et se mentir aussi à soi-même – car bien sûr, on n'est jamais pleinement conscient de vouloir perdre. Ni même partiellement. L'esprit fait peut-être de l'anti-jeu, mais le corps continue de se battre. C'est la mémoire des muscles. Ce n'est même pas l'esprit tout entier qui veut perdre, mais une faction rebelle, un groupe dissident. Les mauvaises décisions délibérées sont prises dans un coin sombre, bien en dessous de la surface. On escamote les détails nécessaires. On ne court pas les quelques mètres de plus qui auraient fait la différence, on ne plonge pas vers la balle. On est lent au démarrage. On hésite à se pencher, à enfoncer les talons. On se sert trop de ses mains, pas assez de ses jambes et de ses hanches. On fait une erreur due à la négligence, on compense par un coup spectaculaire, puis on commet deux erreurs de plus, et on finit par se retrouver à la traîne. Lentement mais sûrement. On ne se dit jamais vraiment : Je vais envoyer cette balle dans le filet. C'est plus compliqué que ça, plus insidieux.

Après le match, à la conférence de presse, Brad déclare aux journalistes : « Aujourd'hui, Andre a percuté le mur. »

C'est vrai, je me dis. Si vrai. Mais je ne révèle pas à Brad que ça m'arrive tous les jours. Il serait effondré de savoir qu'aujourd'hui ce mur m'a fait du bien, que je l'ai embrassé, que je suis heureux d'avoir perdu, que je préfère prendre cet avion pour Los Angeles que de nouer mes lacets pour une nouvelle confrontation avec notre vieil ami BB Socrate. Je préfère être n'importe où sauf ici – même à Hollywood, mon prochain arrêt. Comme j'ai perdu, je serai rentré juste à temps pour voir le Super Bowl et l'épisode exceptionnel de *Friends* avec Brooke Shields en guest-star.

# 19

Perry me travaille un peu tous les jours pour savoir ce que j'ai, ce qui ne va pas. Je ne peux pas le lui dire. Je ne le sais pas moi-même. Plus précisément, je ne veux pas le savoir. Je ne veux pas admettre face à Perry et à moi-même que cette défaite contre Pete m'a affecté de façon si durable. Cette fois, je n'ai aucune envie de m'asseoir avec Perry et de tenter de dérouler la pelote de mon inconscient. J'ai abandonné l'idée de me comprendre. Je ne m'intéresse absolument pas à l'autoanalyse. Je suis parti perdant dans cette longue lutte contre moi-même, et je commence à perdre pied.

Je me rends à San Jose où je me fais anéantir par Pete. Ce n'est pas vraiment ce qu'il me fallait. Je pique des colères plusieurs fois pendant le match, insulte ma raquette, hurle contre moi-même. Pete a l'air perplexe. Le juge-arbitre me pénalise pour injure.

Ah ! ça te plaît ? Tiens, prends ça.

Je frappe un coup vers le haut.

À Indian Wells, je perds contre Chang en quart de finale. Après le match, je n'ai pas le courage de me rendre à la conférence de presse. Je la fais sauter et paie une amende bien salée. À Monte-Carlo, je suis vaincu par l'Espagnol Alberto Costa en cinquante-quatre minutes. En quittant le court j'entends des gens siffler. Mon cœur aurait pu faire de même. J'ai envie de hurler au public : « Vous avez bien raison ! »

— Qu'est-ce que tu as ? me demande Gil.

Je lui dis. Je me livre.

— Depuis que j'ai perdu contre Pete à l'US Open, j'ai perdu la volonté de continuer.

— Alors on arrête tout. Il faut qu'on soit clair sur nos intentions.

— J'ai envie de tout laisser tomber, mais je ne sais pas comment – ni quand.

À Roland-Garros, en 1996, je craque. Je me gueule dessus pendant tout mon match de premier tour. Je reçois un avertissement officiel. Je gueule plus fort. On me pénalise d'un point. Encore un *enculé de fils de pute* de plus et je me fais disqualifier du tournoi. La pluie se met à tomber et je reste assis dans les vestiaires, les yeux perdus dans le vague, comme hypnotisé. Quand le match reprend, je survis à mon adversaire, Jacobo Diaz, que je ne vois même pas. Il est aussi flou et aqueux que les reflets dans les flaques d'eau qui longent le court.

Battre Diaz ne fait que repousser l'inévitable. Au tour suivant, je perds contre Chris Woodruff, joueur du Tennessee. Il m'a toujours fait penser à un chanteur de country, quand il joue on dirait qu'il préférerait figurer dans un rodéo. Il est encore plus mal à l'aise sur terre battue, alors pour compenser il devient agressif, notamment en revers. Je n'arrive pas à le contrer. Je commets soixante-trois fautes directes. Il réagit avec une joie effrénée, et je le regarde faire, jaloux non de sa victoire mais de son enthousiasme.

Les chroniqueurs sportifs m'accusent de faire de l'antijeu, de laisser passer des balles exprès. Ils ne comprennent jamais rien. Quand je fais de l'antijeu, ils disent que je ne suis pas assez bon ; quand je ne suis pas assez bon, ils m'accusent de faire de l'antijeu. Je suis à deux doigts de leur dire qu'ils se trompent, que c'était moi-même que je torturais parce que j'étais trop mauvais. Quand je sais que je ne mérite pas de gagner, que j'en suis indigne, c'est ce que je m'inflige. Ce serait facile à vérifier.

Mais je n'en dis rien. Une fois de plus, je quitte le court sans assister à la conférence de presse obligatoire. Une fois de plus, je paie l'amende avec plaisir. De l'argent bien dépensé.

Brooke m'amène dans un endroit de Manhattan dont l'entrée est plus petite qu'une cabine téléphonique, mais où la salle à manger est grande et chaleureuse, avec des murs jaune moutarde. Campagnola. J'aime la façon qu'elle a de le prononcer, j'aime l'odeur qui s'en dégage, j'aime l'état d'esprit qui s'empare de nous en entrant. J'aime la photo autographiée de Sinatra accrochée à côté du vestiaire.

C'est mon endroit *préféré* à New York, déclare Brooke, alors je le baptise de la même façon. Nous prenons place dans un coin et mangeons un repas léger dans cet intervalle flou, entre la foule de midi et le coup de feu du soir. Habituellement, on ne sert pas à cette heure-ci, mais le gérant a accepté de faire une exception.

Le Campagnola devient rapidement une annexe de notre cuisine, puis un élément important de notre relation tout entière. Nous nous y rendons avec Brooke pour nous rappeler les raisons pour lesquelles nous sommes bien ensemble. Nous y allons pour les grandes occasions et pour que les jours ordinaires prennent l'allure de grandes occasions. Nous y allons si souvent et si machinalement après chaque match de l'US Open que les chefs et les serveurs se mettent à régler leurs montres sur nous. En cinquième set, je me surprends parfois à penser à toute la bande du Campagnola, car je sais qu'ils gardent un œil sur la télé tout en préparant la mozzarella, les tomates et le jambon de Parme. Je sais, tandis que je fais rebondir la balle, prêt à servir, que je serai bientôt attablé dans un coin de la salle, savourant des crevettes revenues au beurre avec leur sauce au vin blanc et au citron, accompagnées de raviolis si doux et sucrés qu'on devrait les considérer comme un dessert. Je sais que lorsque je franchirai cette porte avec Brooke, que j'aie perdu ou gagné, la salle croulera sous les applaudissements.

Frankie, le gérant du Campagnola, est toujours tiré à quatre épingles, à la Gil. Costume italien, cravate fleurie, mouchoir de soie. Il nous accueille toujours avec un sourire aux dents écartées et une nouvelle fournée d'histoires drôles. Il est comme un second père pour moi, dit Brooke en nous présentant, et ce sont des mots magiques. Père de substitution, voilà un rôle qui force mon respect : Frankie me plaît tout de suite. Puis il nous offre une bouteille de rouge, nous parle des célébrités, des escrocs, des banquiers et des truands qui traînent dans son restau, fait rire Brooke jusqu'à ce que ses joues rosissent, et je finis par l'aimer pour mes propres raisons.

Frank lance :

— John Gotti ? Vous voulez que je vous parle de Gotti ? Il s'assied toujours par là-bas, à la table du coin, tourné vers l'entrée. S'il doit se faire descendre, il préfère que ce soit de face.

— C'est pareil pour moi, dis-je.

Frankie a un rire sinistre, puis il hoche la tête. C'est vrai, ça.

Frankie est honnête, travailleur, sincère, bref, le genre de type que j'aime. Dès qu'on entre dans le restaurant, je cherche son visage. Quand Frankie ouvre les bras avec un sourire et nous accompagne vivement à notre table, je me sens mieux, mes angoisses et mes douleurs s'estompent. Il arrive même qu'il mette des clients à la porte pour pouvoir nous placer. Avec Brooke nous faisons mine de ne pas remarquer leur air désapprobateur, de ne pas entendre leurs protestations.

Selon moi, la principale qualité de Frankie se résume à la façon qu'il a de parler de ses gosses. Il les adore, ne cesse de vanter leurs mérites, sort des photos de sa progéniture dès que l'occasion se présente. Mais leur avenir le préoccupe. Un soir, en passant une main sur son visage fatigué, il me confie que ses gamins ont beau n'être qu'en primaire, il s'inquiète déjà pour la fac. Il gémit en évoquant le coût de l'enseignement supérieur. Il ne sait pas comment il va y arriver.

Quelques jours plus tard, je discute avec Perry et lui demande de mettre de côté une partie de mes actions Nike au nom de Frankie. Quand Brooke et moi repassons par le Campagnola, je lui en touche deux mots :

— Vous ne pourrez pas toucher aux actions avant dix ans, je lui explique, mais d'ici là elles devraient avoir pris suffisamment de valeur pour t'aider à payer les frais de scolarité.

Sa lèvre inférieure se met à trembler.

— Andre, articule-t-il, je n'arrive pas à croire que tu aies fait ça pour moi.

Je suis complètement stupéfait en constatant l'expression de son visage. Je n'avais pas bien saisi la signification et la valeur de l'éducation, les privations et les angoisses que cela peut représenter pour des parents et leurs enfants. Je n'avais jamais pensé à l'éducation en ces termes. Pour moi, l'école a toujours été un endroit dont j'avais réussi à m'échapper, pas quelque chose à chérir. En mettant ces actions de côté, je pensais simplement aider Frankie. Mais quand j'ai compris ce que ça signifiait pour lui, c'est moi qui en ai tiré quelque chose.

Aider Frankie me procure plus de satisfaction, me fait me sentir plus solidaire, plus vivant, plus *moi-même* que tout ce qui a pu survenir d'autre en 1996. Je me dis : Souviens-t'en. Accroche-toi à ça. C'est la seule perfection qui existe, celle d'aider les autres. Le seul acte qui ait une valeur durable, une signification. C'est pour ça qu'on est ici. Pour s'apporter réconfort et sécurité mutuels.

Et au fil de l'année 1996, la sécurité s'avère devenir une chose particulièrement précieuse. Brooke – et moi aussi, parfois – reçoit régulièrement des lettres de personnes qui la harcèlent et la menacent de mort et d'autres horreurs innommables. Les missives sont détaillées, horribles, malsaines. Nous les faisons passer au FBI. Nous demandons aussi à Gil de collaborer avec les agents, de suivre de près l'évolution de leur travail. Plusieurs fois, quand on peut remonter la trace d'une lettre, Gil s'en occupe personnellement. Il prend l'avion pour payer une petite visite au désaxé qui nous harcèle. Il se pointe généralement tôt le matin, juste après l'aube, dans sa maison ou sur son lieu de travail. Il brandit la lettre et dit très doucement : « Je sais qui tu es, où tu vis. Maintenant regarde-moi bien, parce que si jamais tu ennuies encore Brooke et Andre, tu me reverras, et ce n'est pas ce que tu veux, parce que alors ça va *saigner*. »

Certaines des lettres les plus effrayantes ne peuvent pas être dépistées. Quand elles dépassent un seuil particulièrement horrible, quand elles nous menacent d'un événement à une date précise, Gil monte la garde devant l'immeuble de Brooke pendant notre sommeil. Quand je dis qu'il monte la garde, je n'exagère pas. Le dos voûté. Les bras croisés. Il se poste là, jette des coups d'œil à gauche, puis à droite, et ainsi de suite toute la nuit.

Nuit après nuit.

La pression, l'ambiance sordide, tout cela ébranle sérieusement Gil. Il a toujours peur de ne pas en faire assez, d'avoir oublié quelque chose, de cligner des yeux ou de les détourner l'espace d'un instant et de laisser passer un détraqué. Ça devient une idée fixe. Il tombe en dépression et moi avec lui, parce que j'en devine la raison. C'est moi qui ai infligé ça à Gil. La culpabilité me ronge, et je ne cesse d'être assailli de pressentiments lugubres.

J'essaie de chasser ces sentiments. Je me dis qu'il est impossible d'être malheureux quand on a de l'argent sur son compte en banque et qu'on possède son propre avion. Mais je ne peux pas m'en empêcher, je me sens apathique, sans espoir, pris au piège d'une vie que je n'ai pas choisie, traqué par des personnes invisibles. Je ne peux pas en parler à Brooke parce que je refuse d'admettre une telle fragilité. Se sentir déprimé après une défaite est une chose, c'en est une tout autre quand la déprime n'est fondée sur rien de tangible, sur la vie en général. Je n'ai pas le droit de ressentir cela. Je refuse d'assumer ces sentiments.

Et même si j'avais voulu me confier à Brooke, on ne communique pas très bien ces jours-ci. On n'est pas sur la même longueur d'onde. Par exemple, quand j'essaie de lui parler de Frankie, du sentiment de satisfaction que j'éprouve en l'aidant, elle n'a pas l'air de m'entendre. Passé le premier divertissement des présentations, elle est devenue distante à son égard, indifférente, comme s'il avait joué son rôle et que le temps était venu pour lui de quitter la scène. Ce genre de comportement a des antécédents, il suit un schéma qui s'est déjà déroulé dans de nombreux endroits et avec de nombreuses personnes que Brooke a fait entrer dans ma vie. Musées, galeries, célébrités, écrivains, spectacles, amis, tout cela m'apporte souvent plus qu'à elle. Quand je commence tout juste à apprécier quelque chose, à en tirer un apprentissage, elle le rejette.

J'en viens à me demander si nous sommes bien assortis. J'en doute. Et malgré tout je n'arrive pas à prendre de la distance, à suggérer qu'on fasse un break, parce que je suis déjà en train de m'éloigner du tennis. Sans Brooke et sans tennis, il ne me restera plus rien. J'ai peur du vide, de l'obscurité. Alors je m'accroche à Brooke et elle s'accroche aussi. On a l'impression que c'est salutaire, mais on ressemble plutôt à cette fameuse peinture au Louvre où les personnages s'agrippent les uns aux autres. Se cramponner pour ne pas sombrer.

Alors que nous approchons du second anniversaire de notre relation, je prends la décision d'officialiser nos cramponnements. Deux ans, c'est une étape importante dans la vie d'un couple. Dans toutes mes relations précédentes, le cap des deux ans a toujours été l'instant décisif – et j'ai toujours fait le choix de rompre. Tous les deux ans, je me lasse de ma copine, ou elle se lasse de moi, comme si un signal d'alarme résonnait dans mon cœur. Je suis resté deux ans avec Wendi avant qu'elle déclare qu'elle concevait notre relation comme une relation libre, ce qui en a sonné le glas. Avant Wendi je suis resté avec une fille à Memphis pendant deux ans exactement, et puis je me suis fait la malle. Je ne saurais dire pour quelle raison ma vie amoureuse évolue par cycles de deux ans. Je n'en étais même pas conscient avant que Perry me le fasse remarquer.

Quelle qu'en soit la cause, je suis résolu à changer. À l'âge de vingt-six ans il me semble que ce schéma doit être rompu si je ne veux pas risquer de me retrouver à trente-six ans en train de me lamenter sur des relations de deux ans qui n'ont abouti à rien. Si je veux fonder une famille, être heureux, je dois briser ce cycle et faire l'effort de passer le cap des deux ans, me forcer à m'engager.

Bien sûr, quand on y pense, je ne suis pas vraiment resté deux ans avec Brooke. Si on considère nos emplois du temps surchargés, entre mes matchs et ses tournages, on n'a guère été réellement ensemble plus de quelques mois. On est encore en train d'apprendre à se connaître. Une partie de moi sait que je ne devrais pas brusquer cette décision. Une partie de moi ne veut simplement pas se marier tout de suite. Mais peu importe ce que je veux. Depuis quand mes désirs indiquent-ils ce que je dois faire ? Combien de fois cela m'est-il arrivé de commencer un tournoi gonflé à bloc, pour perdre dès les premiers tours ? Combien de fois cela m'arrive-t-il au contraire de participer à contre-cœur, mal en point, et de gagner ? Si ça se trouve, le mariage – l'ultime coup du match, l'ultime tournoi d'élimination en simple – c'est la même chose.

Et puis, autour de moi tout le monde se marie. Perry, J.P., Philly. En fait, Philly et J.P. ont rencontré leurs épouses respectives le même soir. Après l'été de la Vengeance, voici l'hiver du Mariage.

Je demande son avis à Perry. Nous discutons pendant des heures à Vegas et au téléphone. Il penche en faveur du mariage. « Brooke est la femme de ta vie, affirme-t-il. Un top model élevé à Princeton, que rêver de mieux ? Après tout, on fantasmait bien sur elle, il y a des années de ça. » N'avait-il pas prédit qu'elle viendrait ? Et maintenant la voici : le fruit du destin. Où est le problème ? Il me rappelle ce film, *Les Ombres du cœur*. C.S. Lewis ne se sent pas complètement vivant, n'avance pas vraiment avant de s'ouvrir à l'amour. L'amour c'est ce qui nous fait grandir, révèle le film. Et comme Lewis lui-même le rappelle à ses élèves : *Dieu nous veut capables de grandir ensemble*.

Perry me dit qu'il connaît un excellent bijoutier à Los Angeles. C'est là qu'il s'est lui-même rendu quand il s'est fiancé. « Arrête de te demander si tu dois l'épouser ou pas, conseille-t-il : concentre-toi plutôt sur la bague. »

Je sais quel genre de bague voudrait Brooke (ronde, de style Tiffany), parce qu'elle me l'a dit. Sans y aller par quatre chemins. Elle n'a jamais eu peur de partager ses opinions en matière de bijoux, de vêtements, de voitures, de chaussures. En fait, nos conversations les plus animées évoluent autour de *choses*. Avant nous parlions de nos rêves, de notre enfance, de nos sentiments. Désormais nous débattons avidement des divans les plus confortables, des chaînes stéréo les plus performantes, des cheeseburgers les plus savoureux, et si je trouve ça plutôt intéressant, si je juge que c'est un aspect essentiel de notre art de vivre, je crains que Brooke et moi n'y attachions trop d'importance.

Je m'arme de courage, appelle le joaillier et lui explique que je souhaite acheter une bague de fiançailles. J'ai la voix rauque. Le cœur qui s'emballe. Cet instant ne devrait-il pas être joyeux, un des instants phare de l'existence ? Avant même que j'aie le temps d'y réfléchir, la vendeuse m'assaille de ses propres questions. Taille ? Carat ? Couleur ? Clarté ? Elle n'arrête pas de me parler de clarté, de me demander ce qu'il en est de la clarté.

Je me dis : *Ma petite dame, si vous voulez qu'on vous parle de clarté, vous ne vous adressez pas à la bonne personne.*

Mais je dis :

— Je sais seulement qu'elle doit être ronde et de style Tiffany.

— Vous en avez besoin pour quand ?

— Pour bientôt ?

— C'est possible. Je crois que j'ai la bague qu'il vous faut.

Quelques jours plus tard, un coursier apporte la bague. Elle est dans une grande boîte. Je la garde dans ma poche pendant deux semaines. L'écrin me semble lourd comme du plomb, dangereux, tout comme moi.

Brooke est absente, sur le tournage d'un film. Nous discutons tous les soirs au téléphone, et parfois je tiens le combiné d'une main en caressant la bague de l'autre. Elle est en Caroline où il fait un froid mordant, mais dans le scénario il est écrit que la température est douce, alors le réalisateur la force, elle et les autres acteurs, à sucer des glaçons. Ça les empêche de faire de la buée en respirant.

C'est toujours mieux que de lécher des mains.

Elle déclame quelques lignes de son texte, et on rit parce que ça sonne faux. Ça sonne comme du texte.

Une fois qu'on a raccroché, je sors faire un tour en voiture, le chauffage à fond, pendant que les lumières du Strip clignotent comme des diamants. Je repasse notre conversation en revue et je n'arrive pas à faire la différence entre le texte de son script et nos paroles échangées. Je sors l'écrin de la poche de mon manteau et l'ouvre. La bague accroche la lumière et la renvoie, je la pose sur le tableau de bord.

La clarté.


Pendant que Brooke termine son film, j'arrive au bout d'une période de tennis lamentable qui pousse les commentateurs sportifs à déclarer ouvertement, parfois même avec jubilation, que c'est terminé pour moi. Brooke affirme qu'il nous faut des vacances. Loin d'ici. Cette fois-ci notre choix se porte sur Hawaii. Je prends la bague dans mes bagages.

Tandis que l'avion descend en piqué vers les volcans, je contemple les palmiers, le littoral baigné d'écume, les forêts brumeuses, et je songe : Encore une île paradisiaque. Pourquoi ressentons-nous toujours le besoin impérieux de nous réfugier dans ces endroits ? À croire qu'on est atteint du syndrome du Lagon bleu. J'ai des fantasmes de moteur qui lâche, de l'avion qui descend en vrille dans la bouche du volcan. À ma grande déception, nous atterrissons sans encombre.

J'ai loué un charmant bungalow dans le complexe hôtelier de Mauna Lani. Deux chambres à coucher, une cuisine, une salle à manger, une piscine, un cuisinier à plein temps. Le tout agrémenté d'un bout de plage blanche rien qu'à nous.

Nous passons les premiers jours à traîner autour du bungalow, à nous détendre au bord de la piscine. Brooke est absorbée par un bouquin qui explique comment être célibataire et heureuse à trente ans. Elle le tient au-dessus de son visage et se lèche le doigt pour tourner les pages bruyamment. Il ne me vient pas à l'esprit qu'elle veut me signifier quelque chose. Rien ne me vient à l'esprit, excepté la demande en mariage que je suis sur le point de faire.

— Andre, tu as l'air distrait.

— Non. Je suis là.

— Tout va bien ?

Laisse-moi tranquille, je me dis, je suis en train d'essayer de déterminer où et comment te demander de m'épouser.

J'ai des airs d'assassin à force de comploter, de réfléchir sans cesse à l'heure et au lieu adéquats. Sauf qu'un assassin a un mobile.

Le troisième soir, alors qu'on avait prévu de dîner à la villa, je propose de s'habiller comme pour une grande occasion. Brooke approuve. Une heure plus tard, elle surgit de la chambre vêtue d'une robe blanche fluide qui lui tombe aux chevilles. J'ai choisi de porter une chemise en lin assortie d'un pantalon beige, tout ce qu'il y a de moins approprié, parce que les poches sont peu profondes et que l'écrin n'y rentre pas. Je garde la main sur la poche, histoire de cacher la bosse.

Je m'étire comme si je m'apprêtais à participer à la finale d'un tournoi. Je secoue les jambes, puis je propose qu'on aille faire un tour. « Oui, fait Brooke, c'est une excellente idée. » Elle boit une gorgée de vin, sourit d'un air désinvolte, ignorant ce qui va arriver. Nous marchons pendant dix minutes avant d'atteindre un coin de plage éloigné de toute trace de civilisation. Je tends le cou pour m'assurer que personne ne vient. Aucun touriste. Aucun paparazzi. La voie est libre. Je pense à cette réplique de *Top Gun* : *Je l'ai tiré, il n'y avait aucun danger, je l'ai shooté.*

Je me laisse distancer de quelques pas par Brooke et tombe sur un genou dans le sable. Elle se retourne, baisse les yeux et pâlit soudain, tandis que le coucher de soleil se fait plus coloré.

— Brooke Christa Shields ?

Elle a souvent insisté sur le fait que l'homme qui demandera sa main aura intérêt à s'adresser à elle avec son nom complet, Brooke Christa Shields. Je n'ai jamais compris pourquoi, et n'ai jamais pensé à le lui demander, mais ça me revient aujourd'hui.

Je répète :

— Brooke Christa Shields ?

Elle a posé une main sur son front.

— Attends, proteste-t-elle. Quoi ? Tu… ? Attends. Je ne suis pas prête.

On est deux.

Elle essuie des larmes pendant que je sors l'écrin de ma poche et l'ouvre d'un geste pour en extraire la bague et la lui glisser au doigt.

— Brooke Christa Shields ? Veux-tu…

Elle me relève. En l'embrassant je songe : Si seulement j'y avais bien réfléchi. Est-ce vraiment avec elle qu'Andre Kirk Agassi est censé passer les quatre-vingt-dix années à venir ?

— Oui, dit-elle. Oui, oui, oui.

Attends, je me dis. Attends, attends, attends.


Elle déclare qu'on doit refaire la scène.

Le lendemain elle me dit qu'elle était dans un tel état de choc sur la plage qu'elle ne m'a pas entendu. Elle veut que je réitère ma demande en mariage, mot pour mot.

— J'ai besoin que tu me le redises, insiste-t-elle, parce que je n'arrive pas à y croire.

Moi non plus.

Elle entame les préparatifs pour le mariage avant même d'avoir quitté l'île. Et en regagnant Los Angeles, je reprends simplement mon bout de carrière déstructuré. Je passe d'un tournoi à l'autre comme un somnambule. Je perds dès les premiers tours, et du coup je suis souvent à la maison, ce qui fait plaisir à Brooke. Je suis calme, hébété, disponible pour discuter gâteaux et faire-part de mariage.

Nous nous envolons pour l'Angleterre à l'occasion du tournoi de Wimbledon 1996. Juste avant le premier match, Brooke tient à ce que nous allions prendre le thé au Dorchester Hotel. J'essaie d'y échapper mais elle insiste. On est entouré de vieux couples, tous vêtus de tweed, de nœuds papillons et de rubans. Ils ont l'air à moitié endormis. En guise d'amuse-gueule, on nous sert des petits sandwichs dont on a découpé la croûte, des assiettes remplies à ras bord de salades d'œuf, et des scones accompagnés de beurre et de confiture – des aliments spécialement conçus pour boucher les artères humaines. La nourriture me rend grincheux et le décor me paraît ridicule, comme un goûter d'enfants dans une maison de retraite. Je suis sur le point de suggérer qu'on demande l'addition quand je me rends compte que Brooke est aux anges. Elle s'amuse comme une folle. Elle veut plus de confiture.

Au premier tour j'affronte Doug Flach, numéro 281 mondial, issu des qualifications et complètement dépassé par les événements, même si cela ne transparaît pas dans notre confrontation. Il joue comme s'il canalisait toutes les forces de Rod Laver, et moi je joue comme Ralph Nader. On est sur le Cimetière, le court numéro 2 de Wimbledon. Avec tout le temps que j'y ai passé, on se demande pourquoi on ne m'y a pas érigé une plaque. Je perds aussi vite que possible, et Brooke et moi reprenons rapidement l'avion pour Los Angeles, où nous poursuivons des conversations hautement philosophiques sur la dentelle Battenberg et les tentes doublées de mousseline.

Avec l'été qui approche, une seule page d'histoire m'intéresse et m'inspire. Et il ne s'agit pas de mon mariage. Ce sont les jeux Olympiques d'Atlanta. Je ne sais pas pourquoi. Peut-être parce que c'est quelque chose de nouveau. Peut-être parce que j'ai l'impression que ça m'est complètement étranger. Je vais défendre les couleurs de mon pays, faire partie d'une équipe de trois cents membres. Je vais boucler une boucle. Mon père était un athlète olympique, c'est désormais mon tour.

Je prépare un régime avec Gil, un régime d'athlète olympique, et pendant nos sessions d'entraînement, je donne tout ce que j'ai. Je passe deux heures avec Gil chaque matin, suivies de quelques échanges avec Brad pendant deux heures, puis je monte et je descends la fameuse colline de Gil aux heures les plus chaudes de la journée. Je réclame la chaleur. Je réclame la douleur.

Quand les Jeux commencent, les chroniqueurs sportifs me descendent parce que je n'ai pas assisté aux cérémonies d'ouverture. Perry m'en veut aussi. Mais je ne suis pas à Atlanta pour faire dans le cérémonial, j'y suis pour la médaille d'or, et il me faut stocker le peu de concentration et d'énergie que j'arrive à mobiliser ces jours-ci. Le tennis se déroule à Stone Mountain, à une heure de voiture des cérémonies d'ouverture qui se déroulent en centre-ville. Rester planté là, en cravate et veste, dans la chaleur et la moiteur de l'État de Géorgie, à attendre pendant des heures d'avoir l'honneur de marcher autour de la piste avant de prendre la voiture pour Stone Mountain et donner le maximum ? Non. C'est impossible. J'adorerais faire partie de tout cela, savourer le spectacle des jeux Olympiques, mais pas la veille de mon premier match. Voilà ce que c'est que la concentration, me dis-je. Voilà ce que ça signifie d'accorder plus d'importance à l'essence qu'à l'image.

Une bonne nuit de sommeil derrière moi, je gagne mon premier tour contre le Suédois Jonas Björkman. Au deuxième tour, je remporte la victoire haut la main contre le Slovaque Karol Kucera. Quand arrive le troisième tour, Andrea Gaudenzi me met à rude épreuve. Son jeu est particulièrement musclé. Il aime administrer des uppercuts, et si on le respecte trop il devient encore plus macho. Je ne lui montre aucun respect. Mais la balle ne me respecte pas non plus. J'accumule les fautes directes. J'ai à peine le temps de me retourner que je suis déjà mené d'un set et d'un break. Je jette un coup d'œil vers Brad. *Que dois-je faire ?* Il crie :

— Arrête de tout laisser passer !

OK. Sage conseil. J'arrête de manquer la balle, d'essayer de frapper des coups gagnants, je remets la pression à Gaudenzi. C'est vraiment aussi simple que ça, et je remporte de justesse une vilaine victoire bien satisfaisante.

En quart de finale, je suis sur le point d'être éliminé par Wayne Ferreira, le Sud-Africain. Il mène 5-4 au troisième set et sert pour le match. Mais il ne m'a encore jamais battu, et moi je sais exactement ce qui se passe à l'intérieur de son corps. Il me revient soudain une phrase que mon père me disait : *Si tu lui fous un bout de charbon dans le cul, tu en tireras un diamant.* Rond, style Tiffany. Je sais que le sphincter de Ferreira est bien serré, et ça me donne de l'assurance. Je rebondis, fais le break, gagne le match.

En demi-finale, j'affronte l'Indien Leander Paes. Il saute dans tous les sens, une boule d'énergie hyperactive, avec les mains les plus rapides que j'aie jamais vues sur le circuit. Cela dit, il ne sait pas frapper une balle de tennis. Il frappe trop tôt ou trop tard, slice, coupe, lobe – c'est le Brad de Bombay. Puis, derrière tout ce bazar, il vole jusqu'au filet où il se défend si bien qu'on pourrait presque croire que ça va marcher. Au bout d'une heure, on a l'impression qu'il n'a pas frappé une seule balle correctement, et pourtant il est en train de vous battre à plate couture. Comme je suis entraîné, je reste patient, je garde mon calme, et je bats Paes 7-6, 6-3.

En finale, j'affronte l'Espagnol Sergi Bruguera. Le match est retardé par des orages et les météorologues annoncent qu'il va falloir patienter cinq heures avant de pouvoir rejoindre le court. Alors j'engloutis un sandwich au poulet épicé de chez Wendy's. Le réconfort dans la bouffe. Le jour d'un match, je ne me préoccupe pas des calories ni des problèmes de nutrition. L'essentiel, c'est d'avoir de l'énergie et de se sentir rassasié. Et, de toute façon, comme je suis anxieux, j'ai rarement faim le jour d'un match, alors dès que j'ai de l'appétit j'essaie d'en tirer parti. J'accorde à mon estomac tout ce qu'il réclame. Cependant, alors que j'avale ma dernière bouchée, les nuages s'écartent, l'orage s'éloigne et la chaleur revient. J'ai désormais un sandwich au poulet épicé sur le ventre, il fait plus de 30 degrés, et l'air est lourd comme de la crème. Je ne peux pas bouger. Comment ça, je dois disputer une médaille d'or ? Bonjour le réconfort ; j'ai d'affreux problèmes gastriques.

Mais je m'en fiche. Gil me demande comment je me sens, et je lui réponds :

— Super bien. Je vais me démener pour chaque balle, ce type je vais le faire courir, et s'il croit rentrer en Espagne avec la médaille d'or, il se fourre le doigt dans l'œil.

Gil se fend d'un large sourire. Vas-y, mon petit.

C'est une des rares fois, me confie Gil, où il me voit arriver sur le court sans percevoir une lueur de peur au fond de mes yeux.

Dès le premier service je tape comme un sourd, faisant courir Bruguera d'un coin à l'autre, le forçant à couvrir une parcelle de terrain de la taille de Barcelone. Chaque point est un coup de poing dans le ventre. Au milieu du deuxième set, nous avons un échange titanesque. Il gagne le point et revient à égalité. Il prend tellement de temps pour se remettre en place que je pourrais en aviser l'arbitre. J'aurais même raison de le faire, Bruguera devrait recevoir un avertissement. Mais je me contente de prendre le temps de m'avancer vers le ramasseur de balles, d'attraper une serviette et de murmurer à l'oreille de Gil :

— Comment il s'en sort, le petit ?

Gil sourit. Il en rirait bien, sauf que Gil ne rit jamais pendant un combat.

Même si Bruguera vient de marquer, Gil sait et je sais aussi que ce petit point va lui coûter les six prochains jeux.

Gil crie :

— Vas-y, mon petit !

En montant sur le podium, je me demande : Quelle impression ça va faire ? J'ai vu cette scène à la télé tellement de fois, sera-t-elle à la hauteur de mes espérances ? Vais-je être déçu, comme si souvent ?

Je regarde sur ma gauche, sur ma droite. Paes, le médaillé de bronze, se tient d'un côté. De l'autre, Bruguera, médaille d'argent. Ma plate-forme domine de trente centimètres – une des rares occasions où je dépasse mes adversaires en taille. Mais quel que soit le contexte, aujourd'hui j'ai l'impression de mesurer trois mètres de haut. Un homme me passe la médaille d'or autour du cou. L'hymne national résonne. Je sens mon cœur se gonfler. Ça n'a rien à voir avec le tennis, ni avec moi, tout cela est au-delà de mes attentes.

Je parcours la foule des yeux et aperçois Gil, Brooke, Brad. Je cherche mon père, mais il se cache. La veille, il m'a confié que j'ai réussi à reconquérir une chose qu'on lui avait prise il y a des années de cela, et pourtant il ne veut pas se montrer ni diminuer le caractère exceptionnel de cet instant qui m'appartient. Il ne comprend pas que si cet instant est si exceptionnel, c'est justement parce qu'il ne m'appartient pas.


Quelques jours plus tard, pour des raisons que j'ignore, l'éclat des jeux Olympiques s'est terni. Je suis sur le court, à Cincinnati, en train de péter les plombs. Je ne joue plus pour les autres mais pour moi, je balance ma raquette dans des crises de colère. Je gagne malgré tout le tournoi, ce qui me paraît ridicule et ne fait que renforcer mon impression que tout ça n'est qu'une vaste blague.

Au mois d'août, à Indianapolis, pendant un match de premier tour contre Daniel Nestor, je mène largement. Mais quand il fait le break, je me sens piqué au vif. Impossible de contrôler cette colère soudaine. Je lève les yeux au ciel, rêve de m'envoler. Comme c'est impossible, permettons au moins à cette balle de tennis de prendre son envol. Libère-toi, petite balle. Je la fouette vers le ciel, loin au-dessus des gradins, loin du stade.

Avertissement automatique.

Dana Leconte, l'arbitre, annonce au micro :

— Violation du code. Avertissement. Mauvais usage de la balle.

— Va te faire foutre, Dana.

Il demande au juge-arbitre de venir. Il lui dit qu'Agassi a lancé : « Va te faire foutre, Dana. »

Le juge-arbitre s'approche de moi et demande :

— Vous avez dit ça ?

— Oui.

— Ce match est terminé.

— Génial. Va te faire foutre, toi aussi. Et j'emmerde l'arbitre qui t'a fait venir.

Les fans se déchaînent. Ils ne m'entendent pas, ne comprennent pas ce qui se passe. Ils savent seulement qu'ils ont payé pour voir un match et que celui-ci est annulé. Ils huent, bombardent le court de coussins de siège et de bouteilles d'eau. La mascotte du tournoi d'Indianapolis est un bull-terrier du même type que l'effigie de Spuds McKenzie, et il trottine en esquivant les coussins et les bouteilles d'eau. Il atteint le centre du filet, lève une patte arrière et se met à pisser.

Je suis on ne peut plus d'accord avec lui.

Il quitte le court d'une démarche enjouée. Je le suis de près, tête baissée, traînant mon sac de tennis derrière moi. La foule explose, on se croirait dans l'arène d'un combat de gladiateurs. Ils arrosent le court de déchets.

Dans les vestiaires, Brad me demande :

— Qu'est-ce que… ?

— Ils m'ont pénalisé.

— Pourquoi ?

Je lui explique.

Il secoue la tête.

Zack, son fils de sept ans, est en larmes parce que les gens sont méchants avec Tonton Andre et parce que

Spuds McKenzie a fait pipi sur le filet. Je les congédie tous les deux avant de rester assis dans les vestiaires pendant une heure, le dos voûté. Alors nous y voilà. J'ai atteint un nouveau fond. Pas de problème. Je peux le supporter. Je peux même m'y sentir bien. M'y installer. Ça peut être agréable de toucher le fond, parce qu'on ne peut pas tomber plus bas. On sait au moins qu'on ne bougera pas pour un moment.

Mais malgré tout, on tombe encore. À l'US Open 1996, une polémique éclate dès le début. Quelque chose à voir avec le classement. Certains autres joueurs prétendent que j'ai eu droit à un traitement de faveur, qu'on a trafiqué les tirages au sort parce que les officiels du tournoi et la chaîne CBS voulaient me voir affronter Pete en finale. Muster me traite de *prima donna*. Je prends donc un plaisir tout particulier à botter son cul d'ébouriffeur hors du quart de finale, tenant la promesse que je m'étais faite de ne jamais plus perdre contre lui.

J'arrive en demi-finale contre Chang. J'ai hâte de lui mettre une branlée après l'avoir laissé gagner quelques mois plus tôt à Indian Wells. Ça ne devrait pas poser de problèmes. Sa carrière bat de l'aile, affirme Brad. La mienne aussi, dit-on. Mais moi, j'ai une médaille d'or. J'aurais presque envie de la porter pendant le match, mais Chang n'en a rien à foutre de ma médaille. Il mitraille seize aces, efface trois balles de break, me pousse à commettre quarante-cinq fautes directes. Sept ans après avoir remporté son dernier tournoi du Grand Chelem, Chang est tout-puissant, omnipotent. Il s'est relevé, et moi je suis tombé.

Le lendemain matin, je me fais sabrer par les chroniqueurs sportifs. Je me suis débiné. Je l'ai laissé gagner. Je m'en foutais. On dirait presque qu'ils m'en veulent. Et je sais pourquoi. Comme j'ai perdu, ils vont devoir se coltiner Chang quelques jours de plus.

Je ne regarde pas la finale à la télé, quand Pete bat Chang en trois sets. Mais je lis les journaux. Chaque article dit, très simplement, que Pete est le meilleur joueur de sa génération.

Tandis que l'année tire à sa fin, je me rends à Munich, dans un tourbillon de huées assourdissantes. Je perds contre Mark Woodforde, que j'avais battu 6-0, 6-0 deux ans auparavant. Brad est au bord de l'apoplexie. Il me supplie de lui dire ce qui ne va pas.

— Je ne sais pas.

— Raconte-moi, mec. Raconte-moi.

— Je le ferais si je le pouvais.

Nous tombons d'accord pour dire que j'ai besoin de repos, que je ferais mieux de me retirer de l'Open d'Australie.

— Rentre à la maison, me conseille-t-il. Repose-toi. Passe un peu de temps avec ta fiancée. C'est le meilleur remède que je connaisse.

# 20

Brooke et moi achetons une maison à Pacific Palisa-des. Ce n'est pas celle que je voulais. Je rêvais d'une grande ferme familiale pleine de coins et de recoins, avec un séjour qui donne sur la cuisine. Mais elle est tombée amoureuse de celle-ci, alors nous voici, vivant dans une tour de glace à plusieurs niveaux, ultra-moderne et collée à la falaise. La maison parfaite pour un couple sans enfants qui compte passer beaucoup de temps dans des pièces différentes.

L'agent immobilier n'a pas tari d'éloges sur la vue à couper le souffle. Au premier plan, Sunset Boulevard. La nuit, je distingue le Holiday Inn où j'ai dormi après notre premier rendez-vous. Je me retrouve souvent à fixer l'enseigne du regard et à me demander ce qui se serait passé si j'avais poursuivi ma route, si je n'avais jamais rappelé Brooke. Je finis par trouver la vue plus belle quand elle est voilée de brouillard ou de pollution, quand je ne distingue pas ce Holiday Inn.

À la fin de 1996, pour fêter à la fois notre pendaison de crémaillère et le nouvel an, nous invitons toute la bande de Vegas et les amis hollywoodiens de Brooke. Nous discutons avec Gil des mesures de sécurité à prendre. Comme les lettres inquiétantes affluent encore, nous devons interdire l'entrée aux intrus. Gil passe la majeure partie de la nuit au bout de l'allée, à contrôler l'arrivée des invités. Quand McEnroe appa-raît, je le félicite en rigolant d'avoir pu passer malgré

Gil. Il reste assis sous la véranda à discuter tennis, le sujet de conversation que j'aime le moins ces jours-ci, alors j'erre d'une pièce à l'autre. Je passe la nuit à préparer des margaritas, à regarder J.P. jouer de la batterie avec les mêmes balais métalliques que Buddy Rich, et à rester assis face à la cheminée. J'alimente le feu, les yeux perdus dans les flammes. Je me dis que 1997 sera meilleure que 1996. Je jure que 1997 sera mon année.


J'accompagne Brooke à la cérémonie des Golden Globe Awards quand je reçois un coup de fil de Gil. Kacey, sa fille de douze ans, vient d'avoir un accident. Lors d'une sortie de catéchisme au mont Charleston, à une heure au nord de Vegas, elle a foncé avec sa luge dans un talus de neige gelée. Elle s'est brisé la nuque. Laissant Brooke en plan, je prends l'avion pour Vegas et arrive à l'hôpital en smoking. Je retrouve Gil et Gaye dans le couloir. Ils ont l'air désespéré. Je les serre dans mes bras, ils me disent que c'est grave, très grave. Kacey va devoir être opérée. D'après les médecins, il y a des risques qu'elle reste paralysée.

Nous passons des jours entiers à l'hôpital, à discuter avec les médecins, à essayer de faire en sorte que Kacey se sente bien. Gil devrait rentrer, dormir un peu. Il est debout mais il refuse de partir, il tient à veiller sur sa fille. Une idée me vient : j'ai un minivan amélioré que j'ai racheté au père de Perry. Il est doté d'une antenne parabolique et d'un lit pliant. Je le gare juste devant l'entrée principale de l'hôpital et je dis à Gil :

— Désormais, si tu ne veux pas rentrer chez toi pendant que les visites sont interdites, tu n'auras qu'à descendre piquer un roupillon à l'arrière de ton nouveau van. Et comme le parking est payant, j'ai rempli les porte-gobelets de pièces de vingt-cinq cents.

Gil me jette un regard étrange ; je me rends compte que c'est la première fois que j'échange les rôles avec lui. L'espace de quelques jours, c'est à *moi* de le rendre plus fort.


Une semaine plus tard, quand l'hôpital laisse sortir Kacey, les médecins déclarent qu'elle est tirée d'affaire. Son opération a réussi et elle sera sur pied en moins de temps qu'il ne faut pour le dire. J'ai tout de même envie de la suivre jusque chez eux, de rester à Vegas pour voir comment elle se remet.

Gil ne veut rien entendre. Il sait qu'on m'attend à San Jose.

Je réponds que je me retire du tournoi.

— Certainement pas, rétorque-t-il. Il n'y a plus rien à faire d'autre, maintenant, que d'attendre et de prier. Je t'appellerai s'il y a du nouveau. Allez. Va jouer.

Je ne me suis encore jamais disputé avec Gil, et il n'est pas question de s'y mettre. À contrecœur, je me rends à San Jose pour jouer mon premier match en trois mois. J'affronte Mark Knowles, un de mes anciens camarades de chambrée à la Bollettieri Academy. Après une solide carrière en double, il essaie de s'imposer en simple. C'est un très bon athlète, mais je ne devrais pas avoir trop de mal à le battre. Je connais son jeu mieux qu'il le connaît lui-même. Malgré cela, nous nous retrouvons en troisième set. J'ai beau gagner, ça me reste en travers de la gorge. J'avance tant bien que mal dans le tournoi, apparemment en route pour un affrontement avec Pete, mais je flanche en demi-finale contre Greg Rusedski, le Canadien. Mon esprit reprend vite le chemin de Las Vegas, bien avant mon corps.


Je suis dans ma garçonnière, en train de regarder la télé avec Slim, mon assistant. Je ne vais pas très bien. Kacey a du mal à récupérer et les médecins ne savent pas pourquoi. Gil est au bord du gouffre. Mon mariage est imminent et je ne cesse de me dire qu'il faudrait le repousser ou carrément l'annuler, mais je ne sais pas comment.

Slim est stressé, lui aussi. Dernièrement, il était avec sa copine, raconte-t-il, et le préservatif a lâché. Maintenant, ses règles tardent à venir. Pendant une coupure de pub, il se lève et déclare qu'il n'y a plus qu'une seule chose à faire. Se défoncer.

— Tu veux te défoncer avec moi ? dit-il.

— Me défoncer ?

— Ouais.

— Avec quoi ?

— Du gack.

— C'est quoi ça ?

— Du cristal, de la méta-amphétamine.

— Pourquoi on appelle ça du gack ?

— Parce que c'est le bruit qu'on fait quand on se défonce. Tout va si vite dans sa tête qu'on ne peut dire que gack, gack, gack.

— C'est tous les jours comme ça pour moi. Quel intérêt ?

— Tu vas te prendre pour Superman, mon pote. Crois-moi.

Comme si les mots sortaient de la bouche de quelqu'un d'autre, de quelqu'un qui serait posté derrière moi, je m'entends dire :

— Tu sais quoi ? Rien à foutre. Ouais. Défonçons-nous.

Slim déverse un petit tas de poudre sur la table basse. Il la coupe, la sniffe. La coupe de nouveau, je sniffe. Je me laisse glisser sur le divan et considère le Rubicon que je viens de franchir. J'ai un instant de regret suivi d'une profonde tristesse. Puis je suis emporté par une immense vague d'euphorie qui balaie toutes les pensées négatives de mon esprit, toutes celles que j'aie jamais eues. Comme une piqûre de cortisone dans le sous-cortex. Jamais je ne me suis senti si vivant, si plein d'espoir – et, par-dessus tout, je n'ai jamais débordé d'une telle énergie. Je suis soudain pris d'une forte envie de nettoyer. Je me précipite dans les différentes pièces de ma maison, que j'astique de fond en comble. Je dépoussière. Récure la baignoire. Fais les lits. Balaie par terre. Une fois qu'il n'y a plus rien à nettoyer, je m'occupe du linge. Tout le linge. Je plie chaque pull et chaque T-shirt, mon énergie est toujours intacte. Pas question de m'asseoir. Si j'avais de l'argenterie, je l'astiquerais. Des chaussures en cuir, je les cirerais. Un pot rempli de pièces, je les emballerais. Je cherche Slim partout – il est dans le garage, où il démonte le moteur de sa voiture pour le remonter. Je lui dis que je pourrais faire n'importe quoi tout de suite, tout et n'importe quoi, mec, tout, tout, *bordeldemerde*. Je pourrais rouler jusqu'à Palm Springs et faire dix-huit trous au golf avant de rentrer, de faire la cuisine et puis quelques longueurs de piscine.

Je ne dors pas pendant deux jours. Quand j'y parviens enfin, je m'enfonce dans le sommeil des morts et des innocents.

Quelques semaines plus tard, j'affronte tant bien que mal Scott Draper. Ce talentueux gaucher est un bon joueur, mais je l'ai déjà battu dans les grandes largeurs par le passé. Il ne devrait pas me poser trop de problèmes, et pourtant il m'administre une belle raclée. Je suis d'ailleurs tellement loin de le battre que j'en viens à me demander si c'est bien moi qui ai gagné contre lui la dernière fois. Comment ai-je pu baisser autant en si peu de temps ? Il domine du début jusqu'à la fin.

Le match fini, les journalistes me demandent si je vais bien. Le ton n'est ni accusateur ni méchant. Ils posent la question comme le feraient Perry ou Brad. Ils se font du souci, ils sont curieux, essaient de comprendre ce qui ne va pas.

Brooke, quant à elle, s'inquiète étonnamment peu. Je perds tout le temps désormais, et si je ne perds pas c'est que je me suis retiré d'un tournoi. Pour tout commentaire, elle se contente de faire remarquer que je suis plus souvent à la maison et que ça lui plaît. Et puis, comme de façon générale je joue moins, elle dit que je suis de meilleure humeur.

Cette insouciance s'explique en partie par les préparatifs de mariage, mais aussi par le rigoureux régime d'entraînement qu'elle suit en prévision du jour J. Elle travaille avec Gil pour être belle en robe blanche. Elle court, soulève, étire, compte chaque calorie. Pour se motiver, elle scotche une photo sur la porte du réfrigérateur, et elle pose autour un cadre aimanté en forme de cœur. Une photo de la femme parfaite, dit-elle. La femme parfaite, avec des jambes parfaites – celles que convoite Brooke.

Stupéfait, je contemple la photo. Je tends le bras, effleure le cadre.

— C'est… ?

— Ouaip, acquiesce Brooke. Steffi Graf.


En avril, je participe à la Coupe Davis, en quête d'une étincelle. Mon entraînement est intense. Nous affrontons les Pays-Bas. Mon premier match, à Newport Beach, est contre Sjeng Schalken. Il mesure un mètre quatre-vingt-dix-huit et joue comme s'il faisait trente centimètres de moins. Mais sa frappe est précise, et comme moi c'est un tortionnaire, un joueur de fond de court, qui tente d'épuiser son adversaire. Je sais ce qui m'attend. C'est une journée ensoleillée, balayée par les vents, étrange – les fans néerlandais portent des sandales en bois et agitent des tulipes. Je bats Schalken en trois sets éreintants.

Deux jours plus tard je me mesure à Jan Siemerink, *alias* l'Homme-poubelle. C'est un gaucher, un excellent volleyeur, qui monte vite au filet et se défend bien. Mais pour ce qui est du reste, son jeu est douteux, comique. Chacun de ses coups droits ressemble à un coup manqué, chacun de ses revers a l'air massacré. Même son service a une qualité loufoque, sournoise. Tout à jeter, rien à garder. J'entame le match plein d'assurance avant de me souvenir que son jeu bordélique est une arme puissante. Ses coups exécrables sont déstabilisants. On n'a jamais l'impression d'être synchro. Au bout de deux heures, en proie à un horrible mal de crâne, je suis à contre-pied et j'ai le souffle court. Je suis mené deux sets à zéro. Je réussis malgré tout à gagner, je ne sais trop comment, ce qui me propulse à un score de 24-4 pour la Coupe Davis, un des meilleurs records détenus par un Américain. Les chroniqueurs sportifs vantent les mérites de cette petite partie de mon jeu et demandent pourquoi je n'arrive pas à jouer comme cela tout le temps. Leurs éloges ont beau être relatifs, je les savoure. Ça fait du bien. Je remercie la Coupe Davis.

D'un autre côté, le tournoi perturbe sérieusement mon planning de manucure. Brooke a plusieurs requêtes pour le mariage, mais elle exige que mes ongles soient parfaits, et c'est non négociable. Je ne cesse d'arracher mes cuticules, un tic nerveux que j'ai depuis l'enfance. Quand elle me mettra l'anneau au doigt, dit-elle, elle veut que mes mains soient parfaites. Juste avant mon match avec l'Homme-poubelle, et encore juste après, je m'y plie. Assis dans le fauteuil de la manucure, j'observe la femme s'occuper de mes mains, me sentant aussi déstabilisé et désynchronisé que dans mon match contre l'Homme-poubelle.

Je me dis : *Ça*, c'est pour la poubelle.


Le 19 avril 1997, quatre hélicoptères de paparazzi postés au-dessus de nos têtes, j'épouse Brooke. La cérémonie a lieu à Carmel, dans une minuscule église où il fait une chaleur suffocante, criminelle. Je donnerais n'importe quoi pour une bouffée d'air frais, mais les fenêtres doivent rester fermées pour étouffer le bruit des hélicos.

La chaleur explique en partie ma transpiration pendant la cérémonie. Mais la raison principale, c'est que mon corps et mes nerfs sont à bout. Tandis que le pasteur débite son discours, la sueur goutte de mon front, de mon menton, de mes oreilles. Tout le monde regarde. Nos invités aussi transpirent, mais pas comme moi. La veste de mon nouveau smoking Dunhill est trempée. J'ai l'impression de patauger dans mes chaussures. On les a garnies de talonnettes, autre exigence non négociable de Brooke. Elle fait près d'un mètre quatre-vingts, et comme elle ne veut pas être plus grande que moi sur les photos, elle a mis des pompes classiques avec un tout petit talon ; quant à moi, avec ce que j'ai aux pieds, j'ai l'impression d'être monté sur échasses.

Avant que nous quittions l'église, un leurre de mariée, une fausse Brooke, nous devance. Elle est censée envoyer les paparazzi sur une mauvaise piste. La première fois que j'ai entendu parler de ce plan d'action, j'ai fait la sourde oreille, j'ai refusé d'y prêter attention. Maintenant, en voyant le sosie de Brooke s'en aller, j'émets une pensée qu'aucun homme ne devrait avoir le jour de son mariage : Moi aussi j'aimerais partir. J'aimerais qu'un faux marié prenne ma place.

Un carrosse de Cendrillon tiré par des chevaux nous attend pour nous emmener, Brooke et moi, à la réception, dans un ranch du nom de Stonepine. Mais d'abord une voiture doit nous amener au carrosse. Assis à côté de Brooke, j'ai les yeux dans le vague. Je suis mortifié d'avoir eu cette crise de suée hystérique. Brooke m'assure que ce n'est pas grave, que ça va. Elle est gentille comme tout, mais si, c'est grave. Rien ne va.

Nous voici à la réception. Nous pénétrons dans un épais mur de bruit. Je distingue un manège tourbillonnant de visages – Philly, Gil, J.P., Brad, Slim, mes parents. Je discerne les traits de célébrités que je ne connais pas, que je n'ai jamais rencontrées mais que je reconnais vaguement. Des amis de Brooke ? Des amis d'amis ? Des amis de *Friends* ? J'aperçois Perry, mon témoin et le producteur autodéclaré du mariage. Il porte un micro à la Madonna pour pouvoir être en liaison permanente avec les photographes, les fleuristes et les traiteurs. Il est si énervé, si tendu, qu'il me rend encore plus anxieux, ce que je n'aurais pas cru possible.

À la fin de la soirée, Brooke et moi montons d'un pas chancelant jusqu'à notre suite nuptiale, dans laquelle j'ai demandé qu'on installe des centaines de bougies. Il y en a trop, on se croirait dans un four. Il fait plus chaud que dans l'église. Je me remets à transpirer. Nous commençons à éteindre les bougies et les détecteurs de fumée s'enclenchent. Nous les mettons hors tension et ouvrons les fenêtres. En attendant que la chambre se rafraîchisse, nous redescendons à la réception pour manger de la mousse au chocolat avec les invités.

L'après-midi suivant, un barbecue est organisé pour les amis et les membres de la famille. Brooke et moi faisons une entrée grandiose. C'est son idée d'arriver à cheval, avec des chapeaux de cow-boy et des chemises en jean. Ma monture s'appelle Sugar. Ses yeux tristes et ternes me rappellent Peaches. On se presse autour de moi, on me parle, on me félicite, on me claque dans le dos, et j'ai envie de m'enfuir. Je passe une bonne partie du barbecue avec mon neveu, Skyler, le fils de Rita et de Pancho. Nous trouvons un arc et une flèche et nous entraînons à viser un chêne éloigné.

En bandant l'arc, une douleur brusque m'envahit le poignet.

Je me retire des Internationaux de France 1997. De toutes les surfaces, la terre battue est la pire quand on a un poignet fragile. Pas moyen que je joue cinq sets contre ces pros de la terre qui se sont entraînés et exercés sur cette surface pendant que je faisais des manucures et que je chevauchais Sugar.

Mais j'irai à Wimbledon. J'en ai envie. Brooke a trouvé du travail en Angleterre, ce qui signifie qu'elle viendra avec moi. Ce sera bien, me dis-je. Un changement de décor. Un voyage, notre premier en tant que mari et femme, ailleurs que sur une île.

Cela dit, quand on y pense, l'Angleterre est une île.

À Londres, nous passons quelques belles soirées. Des dîners avec des amis. Une pièce expérimentale. Une promenade le long de la Tamise. Wimbledon va commencer sous les meilleurs auspices. Et malgré cela, je préférerais me jeter dans le fleuve. Je n'arrive pas à m'entraîner.

Je dis à Brad et à Gil que je ne vais pas participer au tournoi. Je fais un blocage.

— Comment ça, un blocage ? gronde Brad.

— J'ai pratiqué ce sport pour de nombreuses raisons, et j'ai l'impression que ce n'étaient pas les miennes.

Les mots sortent anarchiquement de ma bouche, sans réflexion préalable, de la même façon qu'ils m'ont échappé l'autre nuit avec Slim. Mais ils sonnent remarquablement vrai. Tellement, d'ailleurs, que je les écris. Je les répète aux journalistes. Et aux miroirs.

Une fois que j'ai renoncé au tournoi, je traîne mes guêtres à Londres en attendant que Brooke termine son film. Un soir, nous sortons avec un groupe d'acteurs dans un restaurant mondialement connu que Brooke a hâte d'essayer. The Ivy. Brooke et ses collègues passent la soirée à se soûler de paroles pendant que, le dos voûté, je mange en silence à l'autre bout de la table. Pour être exact, je me goinfre. Je commande cinq plats, et pour le dessert j'enfourne trois puddings au caramel.

Une actrice finit par remarquer les quantités de nourriture qui disparaissent à mon bout de table. Elle lève les yeux vers moi, l'air effaré.

— Tu manges toujours autant ?

Je joue à Washington DC, où j'affronte Flach. Brad m'exhorte à prendre ma revanche sur la défaite de l'année dernière à Wimbledon, mais cela me semble si dérisoire. Une revanche ? Une de plus ? On n'est pas déjà passé par là ? Je suis triste et las de constater que Brad puisse être aveugle au point de se contenter d'être Brad, qu'il est incapable de comprendre ce que je ressens. Pour qui se prend-il – Brooke ?

Je perds, bien sûr, puis j'annonce à Brad que j'arrête pour l'été.

— Pour tout l'été ? me demande-t-il.

— On se reverra en automne.

Brooke est à Los Angeles, mais je passe le plus clair de l'été à Vegas. Slim s'y trouve aussi, et on se défonce régulièrement. Ça fait du bien d'avoir de l'énergie à revendre, pour changer, de se sentir heureux, d'évacuer ce blocage. J'aime me sentir de nouveau inspiré, même si cette inspiration est chimiquement provoquée. Je reste éveillé toute la nuit, plusieurs nuits de suite, à savourer le silence. Pas de coups de téléphone, pas de fax, on me fiche la paix. Rien d'autre à faire que de danser d'un bout à l'autre de la maison, de plier le linge, de réfléchir.

— Je veux me débarrasser de ce vide, dis-je à Slim en confidence.

— Ouais, dit-il. Ouais. Le vide.

Mise à part l'exaltation de la came, je tire une satisfaction indéniable du fait de me faire du mal et de raccourcir ma carrière. Après avoir tâté du masochisme pendant des années, j'en fais désormais une vocation.

Mais le tribut physique à payer est horriblement lourd. Après deux journées de défonce et d'insomnie, je ressemble à un extra-terrestre. J'ai l'audace de me demander pourquoi je me sens aussi mal fichu. Je suis un athlète, mon corps devrait pouvoir encaisser ça. Slim se défonce tout le temps, et il a l'air d'aller bien.

Et puis tout à coup, Slim va mal. Il est méconnaissable, et ce n'est pas uniquement à cause de la drogue.

Il était déjà dans tous ses états à l'idée de devenir père ; une nuit, il m'appelle de l'hôpital et m'annonce :

— C'est arrivé.

— Quoi ?

— Elle vient d'accoucher. Plusieurs mois plus tôt que prévu. D'un petit garçon. Andre, il ne pèse que six cent trente grammes. Les médecins ne savent pas s'il va survivre.

Je me précipite au Sunrise Hospital, l'hôpital qui a vu ma naissance et celle de Slim à vingt-quatre heures d'intervalle. De l'autre côté de la vitre, je fixe du regard ce qu'on me dit être un bébé mais qui n'est guère plus grand que ma paume ouverte. Les médecins nous annoncent que le petit est très malade. Ils doivent lui administrer des antibiotiques en intraveineuse.

Le lendemain, ils nous apprennent que l'intraveineuse est sortie de son bras. Le liquide a coulé sur sa jambe et l'a brûlée. Le bébé n'arrive pas à respirer par lui-même. Ils vont devoir le mettre sous respirateur. C'est risqué. Les médecins ont peur que ses poumons ne soient pas suffisamment développés, mais sans respirateur il mourra.

Slim se tait.

— Faites pour le mieux, dis-je aux médecins.

Comme ils le craignaient, quelques heures plus tard un des poumons du bébé lâche. Puis le second. Maintenant, les médecins nous annoncent que les poumons ne pourront *certainement* pas supporter le respirateur, mais que s'ils l'enlèvent, le bébé mourra. Ils sont démunis.

Il reste un ultime espoir. Une machine qui agirait comme un respirateur, mais sans endommager les poumons. Une machine qui prend le sang du bébé pour l'oxygéner et le renvoyer dans son corps. Mais la plus proche se trouve à Phoenix.

Je prends des dispositions pour faire venir un avion médical. Une équipe de médecins et d'infirmières débranche le bébé du respirateur et le maintient en vie manuellement tout en le transportant comme un œuf jusqu'à la piste. Puis Slim, sa petite amie et moi-même embarquons sur un autre avion. Une infirmière nous donne un numéro à appeler dès l'atterrissage, pour savoir si le petit a survécu au vol.

Quand les roues percutent le sol de Phoenix, je respire profondément et compose le numéro.

— Il a survécu ?

— Oui. Il est sain et sauf. Maintenant il faut qu'on l'amène jusqu'à la machine.

Une fois à l'hôpital, nous attendons, encore et encore. Les aiguilles de l'horloge sont bloquées. Slim fume clope sur clope. Sa copine sanglote en silence, un magazine à la main. Je m'éloigne un instant pour appeler Gil.

— Kacey ne va pas très bien, dit-il. Elle souffre constamment.

On ne dirait pas Gil. On dirait moi.

Je regagne la salle d'attente. Un médecin apparaît, retire son masque chirurgical. Je ne sais pas si je supporterai une mauvaise nouvelle de plus.

— On a réussi à le mettre sous respirateur, nous annonce-t-il. Jusqu'ici, tout va bien. On verra comment se passeront les six prochains mois.

Je loue une maison près de l'hôpital pour Slim et sa petite amie. Puis je reprends l'avion pour Los Angeles. Je devrais dormir pendant le vol, mais je fixe l'arrière du siège qui se trouve devant moi en me disant que tout est si fragile. *On verra comment se passeront les six prochains mois.* Qui ne se sentirait pas concerné par cette sinistre déclaration ?

À la maison, assis dans la cuisine, je raconte à Brooke toute cette histoire si triste, si horrible, si miraculeuse. Elle est fascinée, mais perplexe.

— Comment as-tu pu t'impliquer à ce point ?

— Comment ne pas m'impliquer ?

Quelques semaines plus tard, Brad me persuade de participer aux championnats ATP de Cincinnati, où j'affronte le Brésilien Gustavo Kuerten. Il me bat en quarante-six minutes. C'est la troisième fois d'affilée que je perds dès le premier tour. Gullickson m'annonce qu'il me vire de l'équipe de la Coupe Davis. Je suis un des meilleurs joueurs américains de tous les temps, mais je ne lui en veux pas. Qui pourrait lui en vouloir ?

À l'US Open de 1997, je suis non classé pour la première fois en trois ans. Je porte un T-shirt couleur pêche, et à la boutique ils vident leur stock avec une rapidité déconcertante. Incroyable. On veut encore s'habiller comme moi. On veut me ressembler. Ils m'ont bien regardé, ces derniers temps ?

En huitième de finale, je joue contre Patrick Rafter, qui a le vent en poupe cette année. Il est arrivé en demi-finale de Roland-Garros, et c'est mon favori pour ce tournoi-ci. Son superbe service-volée rappelle celui de Pete, mais je me suis toujours dit que Rafter et moi livrons de plus beaux combats, parce que Rafter est plus constant. Il arrive que Pete massacre son jeu pendant trente-huit minutes, puis me fasse voir trente-six chandelles pendant une minute et remporte le set, alors que Rafter joue bien tout le temps. Il fait un mètre quatre-vingt-huit, son centre de gravité est bas, et il change de direction à la vitesse d'une voiture de course. C'est un des plus difficiles à battre sur le circuit, et il est encore plus dur de le détester. Il reste classe, qu'il perde ou qu'il gagne, et aujourd'hui il gagne. Il me serre la main avec un sourire courtois indéniablement teinté de pitié.

Je joue à Stuttgart dans dix jours. Je devrais faire profil bas, me reposer, m'entraîner, mais je me rends en Caroline du Nord, dans une petite ville du nom de Mount Pleasant, à cause de Brooke. Elle est proche de

David Strickland, un acteur qui joue avec elle dans sa nouvelle émission, *Suddenly Susan*, et David va en Caroline du Nord pour fêter son anniversaire en famille. Brooke tient à ce que nous l'accompagnions. Elle pense que ça nous fera du bien de nous promener à la campagne, de respirer de l'air frais, et je ne trouve pas de bonne excuse pour refuser.

Mount Pleasant, petite ville pittoresque, porte assez mal son nom : ni montagne à l'horizon, ni rien de franchement plaisant... La maison des Strickland est accueillante et douillette, avec des vieux parquets, baignée dans l'odeur chaude et enveloppante de la cannelle et de la pâte à tarte. Mais, fait incongru, elle a été construite sur un parcours de golf, et le green n'est qu'à cinq ou six mètres de la véranda. La maîtresse de maison, Granny Strickland, a une ample poitrine et des joues comme des pommes ; à la voir éternellement plantée devant sa cuisinière à confectionner des gâteaux ou préparer une nouvelle paella, on la croirait sortie d'une sitcom. Par politesse, je fais une entorse à mon régime d'entraînement, vide mon assiette et en redemande.

Brooke se croit au paradis, et d'une certaine façon je la comprends. La maison est entourée de collines et d'arbres anciens, les feuilles ont commencé à se teinter de neuf nuances orangées différentes, et elle adore David. Ils ont une relation privilégiée, une langue bien à eux, truffée de plaisanteries et de blagues d'initiés. De temps à autre, il leur arrive d'entrer dans leur personnage télé, de jouer une scène et de rire à gorge déployée. Puis ils m'expliquent rapidement ce qu'ils viennent de faire ou de dire, histoire de me mettre au parfum, pour que je ne me sente pas exclu. Mais c'est toujours trop tard. Je suis la cinquième roue du carrosse et je le sais.

Quand vient la nuit, la température chute. L'air frais apporte une odeur de pin et de terre qui me rend triste. Debout sous la véranda, je contemple les étoiles et me demande ce qui cloche chez moi, pourquoi cet endroit n'a pas le pouvoir de me charmer. Je repense à cet instant, il y a si longtemps, où Philly et moi avons décidé que j'allais tout laisser tomber. C'est alors qu'on m'a appelé pour venir jouer ici, en Caroline du Nord. Le reste appartient à l'histoire. Encore et encore, je me pose la question, et si... ?

Je juge que j'ai besoin de travailler. Comme toujours, le travail est la solution. Stuttgart est dans quelques jours, après tout. Une victoire serait la bienvenue. J'appelle Brad, qui me trouve un court de tennis à une heure de là. Il déniche également un partenaire d'entraînement, un jeune amateur ravi d'échanger quelques balles avec moi tous les matins. Je roule jusqu'aux Blue Ridge Mountains dans la brume matinale pour le rencontrer. Je le remercie de me consacrer du temps, mais il répond que tout le plaisir est pour lui. C'est un honneur, monsieur Agassi. Je me sens méritant – je travaille, même ici, dans ces montagnes éloignées – et nous nous rendons sur le court. À cette altitude, la balle vole dans tous les sens, défiant la gravité. C'est comme jouer dans l'espace. Ça n'a aucun intérêt.

Puis le jeune amateur se démet l'épaule.

Je passe les deux journées suivantes à engloutir de la paëlla et à broyer du noir. Quand je m'ennuie tellement que j'en viendrais à me taper la tête contre un pin, je sors sur le terrain de golf où je tente un birdie à partir de la véranda.

Il est enfin temps pour moi de partir. J'embrasse Brooke, j'embrasse Granny Strickland et je me rends compte que j'y mets la même passion. Je m'envole pour Miami, d'où je prends un avion direct pour Stuttgart. Arrivé à la porte d'embarquement, je tombe sur Pete. Pete, comme toujours. Il semble avoir passé le mois entier à s'entraîner, et quand ce n'était pas le cas, à se reposer sur un lit de camp placé dans une cellule de moine, sans aucune autre pensée que celle de me battre. Il est détendu, concentré, d'un calme olympien. Je m'étais toujours dit que les chroniqueurs sportifs exagéraient les différences entre Pete et moi. Ça paraissait trop facile, trop important pour les fans, pour Nike et pour le tennis que Pete et moi soyons aux antipodes l'un de l'autre, les Yankees et les Red Sox du tennis. Le meilleur serveur contre le meilleur relanceur. Le timide Californien contre l'effronté de Las Vegas. Une belle connerie. Ou, pour citer un des mots préférés de Pete, un tas d'absurdités. Mais à cet instant, tandis que nous échangeons des banalités à l'aéroport, le fossé qui nous sépare me paraît effectivement effroyablement large, comme celui qui sépare le bien du mal. J'ai souvent dit à Brad que le tennis prenait une place trop importante dans la vie de Pete et trop petite dans la mienne, mais en ce moment, Pete semble avoir trouvé l'équation parfaite. Le tennis c'est son boulot, et il le fait avec brio et professionnalisme, alors que toutes mes belles paroles concernant une vie en dehors du tennis ne sont rien d'autre que cela : de belles paroles. Une jolie façon de rationaliser mon manque de concentration. Pour la première fois depuis que je le connais – y compris les fois où il m'a battu à plate couture – j'envie à Pete sa banalité. J'aimerais pouvoir imiter son spectaculaire manque d'inspiration et le fait qu'il n'ait pas *besoin* de se sentir inspiré.

À Stuttgart, je perds contre Martin dès le premier tour. Dans la voiture, Brad est d'une humeur que je n'aurais jamais soupçonnée chez lui. Il me regarde avec stupéfaction, tristesse, et une pitié proche de celle de Rafter. Quand nous nous garons devant l'hôtel, il me demande de le suivre dans sa chambre.

Il farfouille dans le minibar et en extrait deux bouteilles de bière. Sans même un regard pour les étiquettes. Il se moque qu'elles soient allemandes. Quand Brad boit de la bière allemande sans le remarquer ni s'en plaindre, c'est que quelque chose ne va pas.

Il porte un jean et un col roulé noir. Il a l'air sombre, sévère – plus âgé. Je l'ai usé.

— Andre, on a une grande décision à prendre, et pas question de quitter cette chambre avant qu'elle soit prise.

— Qu'est-ce qu'il y a, Brad ?

— On ne peut pas continuer comme ça. Tu vaux mieux que ça. Enfin, tu valais mieux que ça, avant. Tu as deux options : abandonner, ou repartir de zéro. Mais tu ne peux pas continuer à t'humilier ainsi.

— Qu'est-ce que… ?

— Laisse-moi finir. Tu as encore des ressources. Enfin je pense. Tu peux encore gagner. Il peut encore t'arriver des choses positives. Mais va falloir faire une révision complète. Repartir de zéro. Tout arrêter et se ressaisir. Retour à la case départ.

Quand Brad dit qu'il faut arrêter les tournois, je sais que c'est sérieux.

— Voici ce que tu devrais faire, poursuit-il. Tu devrais t'entraîner comme tu ne l'as pas fait depuis des années. À la dure. Remettre ton esprit sur les rails, ton corps aussi, et puis recommencer du début. Je te parle de jouer dans des tournois du circuit Challenger, contre des types qui n'auraient jamais imaginé avoir un jour la chance de te rencontrer, et encore moins de t'affronter.

Il s'interrompt. Prend une longue gorgée de bière. Je me tais. Nous y voici, au croisement fatidique, et on dirait que ça fait des mois qu'on en prenait la direction. Des années. Par la fenêtre, je regarde les voitures circuler dans Stuttgart. Je hais le tennis plus que jamais, mais je me hais encore plus. Je me dis : Tu détestes le tennis, et alors ? Tout le monde s'en fout. Tous ces gens, ces millions de personnes qui détestent leur boulot, ils le font quand même. Peut-être que ce qui importe c'est de faire ce qu'on déteste mais de le faire

400

bien et dans la bonne humeur. Alors comme ça tu détestes le tennis. Déteste-le autant que tu veux. Au bout du compte, tu devras tout de même le respecter – pour te respecter toi-même.

— OK, Brad, je ne suis pas prêt à ce que ça se termine, dis-je. Tu peux compter sur moi. Dis-moi quoi faire, et je le ferai.

# 21

Changer.

Il est temps de changer, Andre. Tu ne peux pas continuer comme ça. Changer, changer, changer – je me répète ce mot plusieurs fois par jour, tous les jours, en beurrant mes tartines, en brossant mes dents, moins comme un avertissement que comme une prière apaisante. Loin de me déprimer ou de me faire honte, l'idée d'un changement complet, de A à Z, me recentre. Pour une fois, je ne ressens pas ce doute insistant qui accompagne chacune de mes résolutions personnelles. Cette fois-ci, je n'échouerai pas, je ne peux pas échouer : je dois changer maintenant ou jamais. L'idée de stagner, de rester cet Andre-ci jusqu'à la fin de ma vie, voilà ce que je trouve déprimant et honteux.

Et pourtant. Nos meilleures intentions sont souvent contrariées par des forces extérieures – des forces que nous avons lancées nous-mêmes il y a longtemps. Les décisions, surtout les mauvaises, génèrent leur propre dynamique qu'on a toutes les peines du monde à arrêter, comme le sait tout athlète. Même quand on fait le serment de changer, même quand on déplore ses erreurs et qu'on jure de les racheter, la dynamique que nous avons mise en route par le passé continue de nous entraîner sur la mauvaise pente. La dynamique, voilà ce qui régit le monde. Elle dit : « Minute papillon, c'est moi qui dirige ici. » Un de mes amis aime à citer ce vieux poète grec : « L'esprit des dieux éternels ne change point aussi vite. »

Quelques semaines après Stuttgart, je reçois un coup de fil à l'aéroport LaGuardia. L'homme qui m'appelle a la voix bourrue, la voix du jugement et de la condamnation. La voix de l'Autorité. Il se présente comme étant un des médecins travaillant pour l'ATP (les initiales de *Association of Tennis Professionals*). Il y a quelque chose de lugubre dans sa voix, comme s'il s'apprêtait à m'annoncer que j'allais mourir. Et c'est exactement ce qui se passe.

Lors d'un tournoi récent, il avait eu pour tâche d'analyser un échantillon de mon urine.

— Il est de mon devoir, dit-il, de vous informer que vous avez été testé positif lors du contrôle antidopage. Nous avons trouvé des traces de méta-amphétamine cristallisée dans votre urine.

Je m'effondre dans un fauteuil près de la zone de livraison des bagages. Je fais glisser mon sac à dos par terre.

— Monsieur Agassi ?

— Oui. Je suis là. Bon. Et maintenant ?

— Eh bien, il y a une procédure à suivre. Vous allez devoir écrire une lettre à l'ATP, dans laquelle vous admettrez votre culpabilité ou vous clamerez votre innocence.

— Ah.

— Étiez-vous au courant de la présence éventuelle de cette drogue dans votre organisme ?

— Oui. Oui, je le savais.

— En ce cas, vous devrez en expliquer les circonstances dans votre lettre.

— Et après ?

— Elle sera lue par une commission d'enquête.

— Et après ?

— Si vous avez ingéré cette drogue intentionnellement – si, en quelque sorte, vous plaidez coupable –, vous serez bien entendu sanctionné.

— Comment ?

Il me rappelle qu'au tennis il existe trois paliers de violation en ce qui concerne les drogues. Celles qui améliorent la performance, bien sûr, correspondent à la classe 1 et entraînent une suspension de deux ans. Mais dans votre cas, ajoute-t-il, la méta-amphétamine cristallisée appartient clairement à la classe 2. Les drogues récréatives.

Je me dis : Récréatives. Récréation. *Re-création*.

— Ce qui signifie ? dis-je.

— Trois mois de suspension.

— Et une fois que j'aurai écrit cette lettre, qu'est-ce que je dois faire ?

— J'ai une adresse à vous donner. Vous avez de quoi écrire ?

Je cherche mon carnet dans mon sac. Il me donne la rue, la ville, le code postal, et je note tout, hébété, sans aucune intention d'écrire cette lettre.

Le médecin continue de parler mais je n'écoute pas, et puis je le remercie et je raccroche. Je quitte l'aéroport en trébuchant et je hèle un taxi. En traversant Manhattan, le regard fixé sur la vitre sale, je lance à l'arrière du crâne du conducteur de taxi :

— Adieu le changement.

Je me rends directement à l'appartement de Brooke. Heureusement, elle est à Los Angeles. Je n'aurais jamais pu lui dissimuler mes émotions. J'aurais dû tout lui raconter et je ne l'aurais pas supporté. Je m'effondre sur le lit, où je perds immédiatement connaissance. Je me réveille une heure plus tard : ce n'était qu'un cauchemar. Quel soulagement.

Il me faut plusieurs minutes pour comprendre que non, ce coup de fil était bel et bien réel. Ce médecin était réel. La meth, que trop réelle.

Mon nom, ma carrière, tout ne tient maintenant qu'à un fil, dans ce jeu de poker où personne ne gagne. Tout ce que j'ai pu accomplir, tout le travail que j'ai dû fournir, tout cela ne signifiera peut-être plus rien. Une partie de mon malaise intérieur découlait de l'impression tenace que tout cela était vide de sens. Eh bien, je suis sur le point de faire l'expérience intense de la vacuité.

Ça m'apprendra.

Je reste éveillé jusqu'à l'aurore, me demandant que faire, à qui me confier. J'essaie de m'imaginer ce que je vais ressentir quand je serai publiquement montré du doigt, pas pour mes vêtements ni ma façon de jouer, pas pour un quelconque slogan publicitaire, mais à cause de ma propre stupidité, à moi tout seul. Je serai un paria. On racontera mon histoire en guise d'avertissement.

Mais malgré mes soucis, je ne panique pas au cours des jours suivants. Pas encore, pas vraiment. Je ne peux pas me le permettre, car d'autres problèmes plus pénibles m'assaillent de tous côtés. Autour de moi, des gens que j'aime sont en souffrance.

La petite Kacey doit se faire opérer du cou une seconde fois. La première opération a été bâclée. Je fais affréter un avion pour Los Angeles, où elle reçoit le meilleur traitement possible. Mais pendant son temps de récupération postopératoire, elle est de nouveau immobilisée, allongée sur le dos dans un lit d'hôpital, et elle souffre terriblement. Elle est incapable de remuer la tête et elle se plaint de ce que sa peau et son crâne brûlent. Il fait une chaleur intenable dans sa chambre, et elle est comme son père : elle ne supporte pas la chaleur. Je lui embrasse la joue : Ne t'en fais pas. On va arranger ça.

Je jette un coup d'œil à Gil. Il rapetisse sous mes yeux.

Je me précipite au magasin d'électroménager le plus proche, où j'achète l'appareil à air conditionné le plus gros, le plus performant qui existe. Nous l'installons à la fenêtre de Kacey. Quand je tourne le bouton vers « Froid Max » et que je mets l'appareil sous tension, Gil et moi applaudissons, et Kacey sourit tandis que l'air frais soulève les cheveux qui encadrent son joli visage tout rond.

Ensuite je me rends au rayon piscine d'un magasin de jouets, où j'achète une de ces minuscules bouées pour bébé. Je la glisse sous Kacey, place son crâne au centre puis la gonfle doucement jusqu'à ce que sa tête se soulève sans altérer l'angle de son cou. Une expression de soulagement, de gratitude et de joie passe sur son visage, et c'est dans le regard de cette courageuse petite fille que je trouve enfin ce que je cherchais, la pierre philosophale qui unit toutes les expériences, bonnes ou mauvaises, de ces quelques dernières années. Sa souffrance, son sourire entêté malgré cette souffrance, le fait que j'aie pu la soulager quelque peu, *voilà* la raison de tout. Combien de fois faut-il me le montrer ? C'est pour ça qu'on est ici. Pour lutter contre la souffrance et, si possible, soulager celle des autres. C'est si simple. Et si difficile à voir.

Je me tourne vers Gil. Il comprend tout, et ses joues brillent de larmes.

Plus tard, une fois que Kacey dort et que Gil fait semblant de ne pas dormir dans un coin, je m'assois près du lit sur une chaise au dossier raide, un bloc-notes sur les genoux, et je rédige une lettre pour l'ATP. Une lettre truffée de mensonges entrecoupés de vérités.

Je reconnais que cette drogue était dans mon organisme, mais j'affirme que je ne l'ai pas prise sciemment. Je dis que Slim, que j'ai renvoyé depuis, est un consommateur de drogues notoire et qu'il agrémente souvent ses sodas de méta-amphétamine – ce qui est vrai. Puis j'en viens à mon mensonge principal. J'explique que j'ai bu accidentellement dans un des verres de Slim, que j'ai ingéré de la drogue à mon insu. Je reconnais avoir été conscient de l'intoxication, mais je me suis dit que la drogue quitterait rapidement mon organisme. Apparemment, cela n'a pas été le cas.

J'implore leur compréhension et leur indulgence, et signe rapidement : Veuillez agréer...

Je reste assis là, la lettre sur mes genoux, à fixer le visage de Kacey. J'ai honte, bien sûr. J'ai toujours dit la vérité. S'il m'arrive de mentir, c'est presque toujours sans le savoir, ou c'est à moi que je mens. Mais quand j'imagine le regard de Kacey en apprenant que l'oncle Andre est un consommateur de drogues, interdit de tennis pendant trois mois, et que je multiplie ce regard par plusieurs millions, je ne sais pas quoi faire d'autre que de mentir.

Je me fais la promesse que ce mensonge sera le dernier. Une fois la lettre envoyée, je ne ferai rien de plus. Je laisserai mes avocats s'en occuper. Je refuse de me présenter devant une commission d'enquête, je refuse de leur mentir droit dans les yeux. Je ne mentirai jamais publiquement. À partir de maintenant, cette affaire est entre les mains du destin et des hommes en costard. S'ils peuvent régler ça discrètement, tant mieux. Sinon, j'endurerai ce qui est à venir.

Gil se réveille. Je plie la lettre et l'accompagne dans le couloir.

Sous les lumières fluorescentes, il est d'une pâleur fantomatique. Il a l'air – je n'arrive pas à le croire – *fragile*. Je l'avais oublié : c'est dans les couloirs d'un hôpital qu'on apprend quel est le sens de la vie. Je le prends dans mes bras, lui dis que je l'aime, qu'on va s'en sortir.

Il acquiesce d'un signe de la tête, me remercie, marmonne quelques paroles incohérentes. Nous restons sans parler pendant une éternité. Au fond de ses yeux, je vois ses pensées tourner autour de l'abîme. Puis il tente de songer à autre chose. Il a besoin de parler, de parler de n'importe quoi, du moment qu'il ne pense ni à la peur ni aux soucis. Il me demande où j'en suis.

Je lui raconte que j'ai pris la décision de me remettre vraiment au tennis, de reprendre au niveau le plus bas pour remonter. Je lui dis que Kacey a été mon inspiration, qu'elle m'a montré le chemin à suivre.

Gil dit vouloir m'aider.

— Non, tu as déjà beaucoup à faire.

— Hé. Monte sur mes épaules, tu te souviens ? Tends les bras ?

Je n'arrive pas à croire qu'il ait encore la foi ; je lui ai donné tellement de raisons de douter. J'ai vingt-sept ans, l'âge où les joueurs de tennis commencent à décliner, je parle de deuxième chance, et malgré cela Gil ne détourne pas les yeux, ne fronce pas les sourcils. « Tope là , dit-il. Ça va saigner. »

Nous repartons de zéro, comme si j'étais un adolescent, comme si je n'avais jamais fait d'entraînement jusqu'à présent, ce qui pourrait presque être vrai. Je suis lent, gras, aussi faible qu'un chaton. Je n'ai pas soulevé un seul haltère dans l'année. L'objet le plus lourd que j'aie porté doit être l'appareil à air conditionné de Kacey. Il me faut redécouvrir mon corps, le renforcer graduellement, précautionneusement.

Mais, d'abord : nous sommes dans la salle de gym de Gil. Je suis assis sur un banc de muscu, il appuie sur la presse à cuisses. Je lui raconte ce que j'ai fait à mon corps. La drogue. Le fait que je risque d'être suspendu. Je ne peux pas lui demander de m'extirper des profondeurs s'il ne sait pas jusqu'où je suis tombé. Il a l'air aussi accablé que lorsqu'il était dans la chambre de sa fille, à l'hôpital. Gil m'a toujours fait penser à une statue d'Atlas, mais aujourd'hui on dirait qu'il porte littéralement le poids du monde sur ses épaules, comme s'il était travaillé par les problèmes de six milliards de personnes. Il parle d'une voix étranglée.

Je ne me suis jamais autant dégoûté moi-même.

Je lui dis que j'en ai fini avec la drogue, que je n'y toucherai jamais plus, mais ça va sans dire. Il le sait aussi bien que moi. Il se racle la gorge, me remercie pour mon honnêteté, puis balaie tout d'un geste.

— Peu importe jusqu'où tu es allé, dit-il. À partir de maintenant, on se concentre uniquement sur là où tu vas.

— Où nous allons, je rectifie.

— C'est ça.

Il élabore un plan d'attaque. Met en place un régime approprié.

— Maintenant c'est fini, avertit-il. Plus d'écarts de conduite, plus de fast-food, plus d'excuse... Il va même falloir que tu arrêtes de boire, ajoute-t-il.

Par-dessus tout, il va s'assurer que je respecte un emploi du temps strict. Manger, faire de l'exercice, soulever des poids, échanger quelques balles, à des heures bien précises.

Dans cette nouvelle vie d'ascète, je verrai moins ma femme. Je me demande si elle s'en rendra compte.

Je passe un rude mois acharné avec Gil, aussi rude que notre minicamp d'entraînement militaire début 1995, puis je participe à un tournoi de Challenger, tout en bas de l'échelle professionnelle. Le gagnant empochera un chèque de trois mille cinq cents dollars. Les spectateurs sont moins nombreux que pour un match de foot au lycée.

Ça se passe à l'université du Nevada, à Las Vegas. Un terrain familier pour une situation qui ne l'est pas. Tandis que Gil et moi nous garons sur le parking, je pense à tout le chemin parcouru mais aussi à la brièveté de ce chemin. J'ai joué sur ces courts quand j'avais sept ans. C'est ici que je suis venu le jour où Gil a démissionné de son travail pour m'accompagner. Je me tenais juste là, devant son bureau, sautillant sur un pied tellement j'étais surexcité par tout ce qui nous attendait. Aujourd'hui, à deux pas de cet endroit, je joue contre des amateurs et des *has-been*.

En d'autres termes, mes pairs.

Un tournoi de Challenger, c'est la définition même de la médiocrité, et c'est encore plus visible dans le foyer des joueurs. Le repas d'avant-match ressemble à de la bouffe servie en avion : poulet au goût de caoutchouc, légumes mous, soda sans bulles. Il y a bien longtemps, quand je jouais un Grand Chelem, je longeais l'interminable buffet, bavardant avec les chefs à toque blanche pendant qu'ils me préparaient des omelettes légères comme des plumes et des pâtes faites maison. C'est fini, tout ça.

Mais les désagréments ne s'arrêtent pas là. Lors d'une compétition, les ramasseurs de balles sont moins nombreux. Trois par match. De part et d'autre du court, il y a des rangées d'autres courts sur lesquels se déroulent d'autres matchs, en simultané. Quand on s'apprête à servir, on peut voir les joueurs à droite et à gauche. On les entend se disputer. Ils se moquent de troubler votre concentration. Allez-vous faire foutre, vous et votre concentration. De temps en temps, une balle échappée d'un autre court rebondit devant vos pieds, et vous entendez : « Hep, vous pouvez m'aider ? » Il faut arrêter ce que vous êtes en train de faire pour renvoyer la balle. C'est *vous* le ramasseur de balles. De nouveau.

C'est aussi à vous de vous occuper du tableau d'affichage. Manuellement. Pendant le changement de côté, je fais basculer les petits chiffres en plastique, comme dans un jeu pour gamins. Des fans éclatent de rire et lancent des remarques. Comme tombent les puissants ! « Tout est dans l'image », hein, mon pote ? Un officiel haut placé décrète publiquement que voir Andre Agassi jouer dans un Challenger, c'est comme de voir Bruce Springsteen donner un concert dans un petit troquet du coin.

Et alors, où est le problème ? Moi je trouverais ça cool que Springsteen joue parfois dans des bars.

Je suis cent quarante et unième mondial. C'est le classement le plus bas que j'aie jamais eu dans ma vie d'adulte, le plus bas que j'aurais jamais pu imaginer. Les chroniqueurs sportifs décrètent que je m'humilie. Ils adorent dire ce genre de choses. Ils ont tort. Je me suis senti humilié dans cette chambre d'hôtel avec Brad. Je me suis humilié en fumant de la meth avec Slim. Mais maintenant, je suis tout simplement heureux d'être là.

Brad partage mes sentiments. Il ne trouve rien de dégradant dans l'idée de participer à une compétition. Il a repris de l'énergie, regagné sa foi, et ça me fait plaisir. Il aborde la compétition avec enthousiasme, m'entraîne comme si on était à Wimbledon. Il ne doute pas un seul instant que c'est le premier pas vers la première place. Inévitablement, je ne tarde pas à mettre sa confiance à rude épreuve. Je ne suis plus que l'ombre de ce que j'étais avant. Mes jambes et mes bras sont peut-être en voie de guérison, mais mon esprit est encore terriblement mal en point. Je vais jusqu'en finale, et puis mon esprit craque. Fragilisé par la pression, l'étrangeté, les railleries du public, je finis par perdre.

Brad, lui, ne perd pas courage :

— Tu vas devoir réapprendre certaines techniques, affirme-t-il. Choisir le coup le plus approprié, par exemple. Il va te falloir reformer ce muscle qui permet à un joueur de décider dans le feu de l'action quel coup sera le bon. Tu dois te souvenir qu'il importe peu de frapper le meilleur coup au monde – tu te souviens ? Si ce n'est pas le bon moment, le coup sera mauvais.

Chaque balle frappée est le résultat d'un pari, et ça fait longtemps que je ne joue plus à ce jeu-là. Je suis encore plus novice que quand j'étais junior. Il m'a fallu vingt-deux ans pour découvrir mon propre talent, pour remporter mon premier tournoi du Grand Chelem, et deux ans pour le perdre.

Une semaine après Vegas, je participe à une compétition à Burbank, dans un parc public. Sur le bord du court central s'élève un grand arbre qui projette une ombre de six mètres. J'en ai vu des courts dans ma carrière, mais jamais d'aussi piteux. Au loin, j'entends des gamins jouer au kickball et au ballon prisonnier, des pétarades de voitures, des chaînes hi-fi poussées à fond.

Le tournoi tombe un week-end de novembre, et j'atteins le troisième tour le jour de Thanksgiving. Plutôt que de m'empiffrer de dinde chez moi, je me bagarre dans un parc public à Burbank, cent vingt places plus bas que je ne l'étais il y a deux ans à la même période. Pendant ce temps, à Göteborg, la Coupe Davis suit son cours. Chang et Sampras contre la Suède. C'est triste mais de circonstance que je n'y sois pas. Je n'ai rien à faire là-bas. C'est ici que je dois être, sous ce ridicule arbre en bordure de court. À moins d'accepter que je suis à ma place ici et maintenant, jamais plus je ne me retrouverai *là-bas*.

Pendant que je m'échauffe avant le match, je prends conscience que je ne suis qu'à quatre minutes du studio où Brooke tourne *Suddenly Susan*, dont Perry est désormais le producteur. L'émission remporte un grand succès et Brooke, débordée, travaille douze heures par jour. Malgré tout, je trouve étrange qu'elle ne passe pas me dire bonjour pour assister à quelques points. Même quand je rentre, elle ne me pose aucune question.

Cela dit, je ne lui demande rien à propos de *Suddenly Susan* non plus.

On parle de tout et de rien. On ne parle de rien.


Je n'interromps l'entraînement qu'une seule fois, pour rejoindre Perry qui m'aide à établir les bases de ma fondation caritative. C'est de cela qu'on parlait il y a quinze ans, deux adolescents idéalistes, des Chipwiches plein la bouche. On voulait pouvoir donner, nous aussi, et cette possibilité nous est enfin offerte. J'ai négocié un contrat à long terme avec Nike, qui va me verser des dizaines de millions de dollars dans les dix ans à venir. J'ai acheté une maison à mes parents. Je me suis occupé de tous les membres de mon équipe. Maintenant, je suis financièrement capable de voir plus loin, plus grand, et en 1997, même si je touche le fond, ou peut-être parce que je touche le fond, je suis prêt.

Je m'inquiète surtout pour les enfants en danger. Un adulte peut toujours demander de l'aide, mais un enfant est sans voix, sans défense. Alors la première opération entreprise par ma fondation sera la construction d'un abri pour enfants maltraités, délaissés, placés sous tutelle préventive. On y trouvera un petit hôpital pour les enfants ayant des problèmes de santé, ainsi qu'une petite école. Puis nous lançons un programme pour habiller chaque année trois mille gamins issus des quartiers sensibles. Quelques bourses pour entrer à l'université du Nevada. Un centre aéré. Ma fondation s'empare d'un bâtiment en ruine de 670 mètres carrés et le transforme en un lieu de vie de 7 620 mètres carrés, équipé d'une salle d'ordinateurs, d'une cafétéria, d'une bibliothèque et de courts de tennis. Colin Powell prononce le discours d'inauguration.

Je passe de nombreuses heures insouciantes dans le nouveau centre aéré, à rencontrer des enfants, à écouter leurs histoires. Je les emmène sur le court de tennis, leur apprends comment tenir une raquette, remarque l'éclat au fond de leur regard parce qu'ils n'en ont jamais tenu une auparavant. Je m'assois avec eux dans la salle d'ordinateurs, où la demande est si grande que les files d'attente sont interminables. Ce qui me frappe et m'attriste, c'est de voir leur immense désir d'apprendre. Il m'arrive aussi de rester tout simplement dans la salle de jeux, à jouer au ping-pong avec les gosses. Je ne rentre jamais dans cette salle sans penser à celle de Bollettieri Academy, où j'ai eu si peur cette nuit-là, adossé au mur. Ce simple souvenir me donne envie d'adopter tous les enfants effrayés que je croise.

Un jour, je suis assis dans la salle de jeux avec Stan, le moniteur du centre. Je lui demande :

— Qu'est-ce que je peux faire d'autre ? Comment les aider encore plus ?

Stan répond :

— Il faut que tu trouves un moyen d'occuper leurs journées. Sinon ce n'est qu'un pas en avant pour deux en arrière. Tu veux vraiment faire une différence ? Avoir une vraie portée ? Il faut que tu occupes davantage leurs journées. Du matin jusqu'au soir.

En 1997, au cours d'un nouveau brain-storming avec Perry, l'idée nous vient d'ajouter l'éducation à notre programme. Puis de faire de l'éducation notre travail. Mais comment ? L'espace d'un instant, nous envisageons d'ouvrir une école privée, mais les obstacles administratifs et financiers sont effrayants. Je tombe par hasard sur un reportage de l'émission *60 minutes*, évoquant les écoles privées hors contrat, et je m'écrie : « Eurêka ! » Ce sont des établissements en partie financés par l'État et en partie par des investissements privés. Le défi sera de collecter des fonds, mais en contrepartie on a le contrôle absolu. On pourrait l'agencer comme on l'entend. Construire quelque chose d'unique. D'exceptionnel. Et si ça marche, le bouche à oreille fonctionnera à merveille. Elle pourrait devenir un modèle pour toutes les écoles privées hors contrat de la nation. La notion d'éducation pourrait changer du tout au tout.

Quelle ironie du sort. C'est un reportage de *60 minutes* qui a poussé mon père à m'envoyer loin de lui, à me briser le cœur, et c'est la même émission qui, aujourd'hui, m'ouvre un chemin, qui me fournit la carte nécessaire pour trouver le sens de ma vie, de ma mission. Perry et moi jurons de bâtir la meilleure école privée d'Amérique. Nous jurons de recruter les enseignants les plus qualifiés, de leur verser un salaire important et de les rendre responsables des notes de leurs élèves tout au long de l'année. Nous jurons de montrer au monde ce qu'on peut accomplir quand on met la barre incroyablement haut et qu'on ouvre grand son porte-monnaie. Nous topons là.

Je vais verser des millions de mon propre compte en banque pour lancer l'école, mais il va falloir trouver de nombreux autres millions. Nous allons verser une caution de quarante millions de dollars, que nous rembourserons en exploitant ma notoriété. Enfin elle aura un sens. Toutes ces célébrités que j'ai rencontrées à des galas, à travers Brooke, je vais leur demander de mettre leur temps et leur talent au service de mon école, de rendre visite aux enfants et de se produire lors d'une soirée annuelle que l'on appellera le *Grand Slam For Children*.

Tandis que Perry et moi recherchons l'endroit idéal pour notre école, je reçois un coup de fil de Gary Muller, un ancien joueur sud-africain et entraîneur sur le circuit. Il organise une manifestation de tennis à Cape Town afin de collecter des fonds pour la Fondation Nelson-Mandela. Il me demande si je souhaiterais en faire partie.

— On ne sait pas encore si Mandela sera présent, précise-t-il.

Même si la chance est minime, j'en suis.

Gary me rappelle juste après.

— Bonne nouvelle, annonce-t-il. Tu vas pouvoir le rencontrer en personne.

— C'est une blague.

— Il vient de confirmer. Il y sera.

Je m'agrippe au combiné. J'admire Mandela depuis des années. J'ai suivi sa lutte, son emprisonnement, sa miraculeuse libération et son incroyable carrière politique, avec respect et admiration. À l'idée de le rencontrer en personne, de lui parler, j'en ai la tête qui tourne.

Je le dis à Brooke. Ça fait longtemps qu'elle ne m'a pas vu si heureux, et elle est ravie aussi. Elle veut venir. Ce ne sera pas très loin de l'endroit où elle résidait pendant son tournage en Afrique, en 1993, quand on avait commencé à communiquer par fax.

Elle va immédiatement faire les magasins pour trouver des tenues de safari coordonnées.

J.P. partage mon profond respect pour Mandela, alors je l'invite à se joindre à nous avec son épouse Joni, que Brooke et moi adorons. Nous nous envolons tous les quatre pour l'Amérique du Sud, où nous prenons une correspondance pour Johannesburg. Puis nous embarquons dans un avion à hélices branlant qui nous amène au cœur de l'Afrique.

Un orage nous force à faire un atterrissage imprévu. Nous nous réfugions dans une hutte à toit de paille au beau milieu de nulle part, et par-dessus le bruit du tonnerre nous entendons des centaines d'animaux courir se mettre à l'abri. À couvert sous la hutte, le regard survolant l'immense savane, scrutant les nuages noirs qui tourbillonnent à l'horizon, J.P. et moi tombons d'accord : cet instant est unique. Nous sommes tous les deux en pleine lecture de l'autobiographie de Mandela, *Un long chemin vers la liberté*, qui nous donne plutôt l'impression de lire un roman d'Hemingway. Je songe à ce que Mandela a dit au cours d'une interview : « Où que vous soyez dans la vie, il vous restera toujours un voyage à accomplir. » Il me vient une des citations préférées de Mandela, extraite du poème *Invictus*, qui l'a porté en ces moments où il a cru que son propre voyage tirait à sa fin : *Je suis le maître de mon destin : Je suis le capitaine de mon âme*.

Une fois l'orage passé, nous regagnons notre avion qui nous dépose dans une réserve naturelle. Nous passons trois jours en safari. Tous les matins, avant l'aube, nous grimpons dans une Jeep. Nous roulons, roulons, puis freinons brusquement. Nous passons vingt minutes assis dans l'obscurité la plus totale, le moteur encore en marche. Avec le lever du jour, nous découvrons que nous sommes sur les rives d'un immense marécage embrumé, entourés de dizaines d'animaux différents. Des centaines d'impalas. Au moins soixante-quinze zèbres. Un nombre incroyable de girafes hautes comme des maisons de deux étages, qui dansent autour de nous et glissent à travers les arbres, grignotant les branches les plus hautes comme si elles croquaient du céleri. Nous sentons que le paysage s'adresse à nous : tous ces animaux entament leur journée dans un monde dangereux, et pourtant ce sont des modèles de calme et d'acceptation – pourquoi ne pouvez-vous faire de même ?

Un chauffeur et un tireur nous accompagnent. Ce dernier s'appelle Johnson. Nous l'adorons. C'est notre Gil africain. Il monte la garde. Il sait qu'on l'aime bien et il sourit avec la fierté d'un tireur d'élite. En plus, il connaît les environs mieux que les impalas eux-mêmes. À un moment donné, il agite la main en direction des arbres, et un millier de petits singes tombent au sol comme des feuilles d'automne.

Un matin, alors que nous nous enfonçons dans le bush, notre Jeep émet une secousse, fait une embardée et part en vrille sur la droite.

Qu'est-ce qui s'est passé ?

Nous avons failli écraser un lion endormi au milieu de la route.

Le félin se relève et nous fixe l'air de dire : *Vous m'avez réveillé.* Il a une tête énorme. Des yeux couleur Gatorade citron vert. Il dégage une odeur si musquée et primitive qu'on en a le vertige.

Sa crinière me rappelle mon ancienne coiffure.

— Pas un bruit, murmure le chauffeur.

— Quoi que vous fassiez, ne vous levez pas, chuchote Johnson.

— Pourquoi ?

— Le lion nous considère comme un seul gros prédateur. Il nous craint. Si l'un de vous se lève, il verra que nous ne sommes qu'un groupe de plus petites personnes.

— Compris.

Après quelques minutes, le lion se recule et regagne le bush. Nous poursuivons notre route.

Plus tard, en rentrant à notre campement, je me penche vers J.P. et lui glisse à voix basse :

— J'ai quelque chose à te dire.

— Je t'écoute.

— Je suis en train de vivre, eh bien, une période difficile en ce moment. J'essaie de laisser certaines choses de mon passé derrière moi.

— Quel est le problème ?

— Je ne peux pas développer. Mais je voulais m'excuser si j'ai pu te sembler… différent.

— Bon, maintenant que tu le dis, c'est vrai. Tu as l'air changé. Mais qu'est-ce qui se passe ?

— Je te le dirai quand tu en sauras un peu plus.

Il éclate de rire.

Puis il voit que je ne rigole pas.

— Ça va ? s'inquiète-t-il.

— Je ne sais pas. Franchement, je ne sais pas.

Je voudrais lui parler de ma dépression, de ma confusion, de cette fois avec Slim, du risque d'être suspendu de l'ATP. Mais je ne peux pas. Pas maintenant. Pas tant que ce n'est pas loin derrière moi. J'ai l'impression que le lion est juste en face, prêt à bondir. Je ne veux pas énoncer mes problèmes, les dire à haute voix, par peur de les éveiller et qu'ils me sautent à la gorge. Je tiens simplement à avertir J.P. de leur présence.

Je lui dis aussi que je mets le paquet sur le tennis, et que si je sors de cette période difficile, si j'arrive à revenir, alors tout sera différent. Mais que même si je n'y arrive pas, même si je suis fini, même si je perds tout, eh bien je serai tout de même différent.

— Ça y est, tu as terminé ? demande-t-il.

— Je voulais seulement que tu le saches.

C'est comme une confession, une déposition. J.P. me regarde avec tristesse. Il me serre le bras et me dit, mot pour mot, que je suis le capitaine de mon destin.

*Fin 1997 : safari avec Brooke en Afrique du Sud,*
*quelques jours avant de rencontrer Mandela.*

Nous voyageons jusqu'à Cape Town, où je joue avec une impatience évidente, comme un gamin qui fait ses devoirs le samedi matin. Enfin, l'heure arrive. Un hélicoptère nous dépose, et c'est Mandela lui-même qui nous accueille à l'héliport. Il est entouré de photographes, de dignitaires, de journalistes, de conseillers, et il les dépasse tous en taille. Non seulement il a l'air plus grand que je ne croyais, mais aussi plus fort, plus solide. On dirait un ancien athlète, ce qui me surprend, compte tenu de ses années de dur labeur et de torture. Mais c'est vrai qu'il a été boxeur dans sa jeunesse – et en prison, révèle-t-il dans son autobiographie, il gardait la forme en courant sur place dans sa cellule et en jouant parfois au tennis sur un court de fortune. Malgré sa force imposante, il a un sourire radieux, presque angélique.

Je dis à J.P. que je le considère comme un saint. L'égal de Gandhi, dépourvu de toute amertume. Ses yeux, abîmés par des années de travail forcé dans les carrières de chaux de la prison, sont emplis de sagesse. Ses yeux révèlent qu'il a compris quelque chose du monde, quelque chose d'essentiel.

Je lui serre la main en bafouillant, il me fixe de ces yeux incroyables et me dit combien il admire mon jeu.

Nous le suivons dans une grande salle où un dîner officiel est servi. On nous fait assoir à la table de Mandela : Brooke à ma droite, Mandela à sa droite. Il raconte des histoires pendant le repas. J'aurais tant de questions à lui poser, mais je n'ose pas l'interrompre. Il parle de Robben Island, où il a été incarcéré pendant dix-huit de ses vingt-sept années de prison. Il raconte comment il a réussi à amadouer quelques gardiens. Pour lui faire plaisir, ils l'emmenaient parfois au bord d'un petit lac et lui prêtaient une canne à pêche pour qu'il puisse attraper son propre dîner. À l'évocation de ce souvenir il sourit, presque nostalgique.

À la fin du repas, Mandela se lève et livre un discours vibrant. Le sujet : nous devons tous nous occuper les uns des autres, c'est là notre tâche dans la vie. Mais nous devons aussi nous occuper de nous-mêmes, ce qui signifie qu'il nous faut être *prudents* dans nos décisions, *prudents* dans nos relations, *prudents* dans nos affirmations. Nous devons mener nos vies avec prudence, afin de ne pas devenir des victimes. J'ai l'impression qu'il s'adresse directement à moi, comme s'il savait que j'avais manqué de prudence avec mon talent, avec ma santé.

Il parle de racisme, pas seulement en Afrique du Sud mais partout dans le monde. Ce n'est que de l'ignorance, affirme-t-il, et l'éducation est le seul remède. En prison, Mandela passait ses seules heures de liberté à s'éduquer. Il a créé une sorte d'université dans laquelle chaque prisonnier partageait son savoir avec les autres détenus. Il a survécu à la solitude de l'incarcération grâce à la lecture ; il adorait notamment Tolstoï. Une des pires punitions que lui ont infligée ses gardiens a été de le priver de son droit d'étudier pendant quatre ans. Encore une fois, ses mots semblent me renvoyer à mon cas personnel. Je pense au travail que Perry et moi avons entrepris à Vegas, à notre école, et je me sens revigoré. Et gêné. Pour la première fois depuis des années, je suis pleinement conscient de mon manque d'éducation. Je sens le poids de ce manque, le handicap qu'il représente. C'est un crime dont je me suis rendu complice. Je pense aux milliers de personnes, dans ma ville natale, qui en sont victimes en ce moment, qui sont privées d'éducation et ignorent ce qu'elles perdent.

Enfin, Mandela évoque le chemin qu'il a parcouru. Il décrit les difficultés de tout voyage humain, et cependant, précise-t-il, il y a de la clarté et de la noblesse à n'être qu'un simple voyageur. Quand il se tait et regagne sa chaise, je sais que, comparé au sien, mon chemin n'est rien, et cependant ce n'est pas ce qu'il exprime. Mandela veut dire que chaque voyage est important, qu'aucun n'est impossible.

Je dis au revoir à Mandela avec la sensation qu'il m'a indiqué la direction à suivre. Plus tard, un ami me fait lire un passage d'un roman lauréat du Pulitzer, *Une mort dans la famille*, dans lequel une femme en deuil émet les pensées suivantes :

*Maintenant me voici, dans la race humaine, quelqu'un de presque adulte… Elle pensa que jamais, jusque-là, il ne lui avait été donné de mesurer la capacité de résistance des êtres humains ; elle aima et révéra tous ceux à qui il avait été donné de souffrir, même ceux qui n'avaient pas supporté l'épreuve.*

Ces paroles reflètent les sentiments qui sont les miens en quittant Mandela, tandis que l'hélicoptère s'élève dans les airs. J'aime et j'admire ceux qui souffrent, ceux qui ont souffert. Maintenant me voici, dans la race humaine, quelqu'un de presque adulte.

Dieu veut que nous grandissions.

Nous voici à la veille du nouvel an, les dernières heures de cette détestable année 1997. Brooke et moi organisons encore une fête, et le lendemain je me réveille tôt. Je me réfugie sous les couvertures avant de me souvenir que j'avais prévu une session d'entraînement avec un gamin du circuit, Vince Spadea. Je décide d'annuler. Puis je m'engueule. Tu ne peux pas annuler. Fini tout ça. Tu ne vas pas commencer 1998 par une grasse matinée et l'annulation d'un entraînement.

Je me force à me lever et retrouve Spadea. Même si ce n'est qu'une session d'entraînement, on en veut tous les deux. Il en fait une partie de bras de fer, ce qui ne me déplaît pas, surtout quand je gagne. En quittant le court, je me sens essoufflé mais puissant. Comme avant.

Cette année sera mon année, dis-je à Spadea. 1998, mon année.

Brooke m'accompagne à l'Open d'Australie 1998, où elle me voit descendre mes trois premiers adversaires avant d'assister, malheureusement, à ma confrontation avec l'Espagnol Alberto Berasategui. Je mène deux sets à zéro, et puis, comme ça, sans raison apparente, je perds. Berasategui a beau être un adversaire de taille, j'aurais dû gagner. Cette défaite est inexplicable, une des seules fois où j'ai perdu un match alors que je menais deux manches à zéro. Est-ce une déviation sur le chemin du retour, ou un cul-de-sac ?

À San Jose, je joue bien. J'affronte Pete en finale. Il a l'air content de me revoir de l'autre côté du filet, comme si je lui avais manqué. Je dois admettre qu'il m'a manqué lui aussi. Je gagne, 6-2, 6-4, et vers la fin on dirait presque qu'une partie de lui a envie que je gagne. Il sait ce que j'essaie de faire, la distance qu'il me reste à parcourir.

Dans les vestiaires, je le taquine en lui disant que je l'ai vaincu avec une facilité déconcertante.

— Qu'est-ce que ça fait de perdre face à un joueur qui n'est même pas dans les cent premiers ?

— Ça ne m'inquiète pas trop, rétorque-t-il. Ça n'arrivera plus.

Puis je plaisante sur les dernières nouvelles de sa vie privée. Il vient de quitter son étudiante en droit et a rencontré une actrice.

— Mal joué, lui dis-je.

Ces paroles nous prennent tous deux au dépourvu.

À la conférence de presse, des journalistes me posent des questions au sujet de Pete et de Marcelo Ríos, qui vont se disputer la première place mondiale :

— À votre avis, qui terminera premier ?

— Aucun des deux.

Des rires nerveux fusent.

— Je pense que ce sera moi.

On rit franchement.

— Non. Vraiment. Je suis sérieux.

Les journalistes me regardent fixement, puis consignent consciencieusement ma prédiction insensée dans leurs carnets.

En mars je me rends à Scottsdale, où je remporte mon second tournoi d'affilée. Je bats l'Australien Jason Stoltenberg. En bon Australien, il est solide et régulier, avec un jeu polyvalent exemplaire qui force ses adversaires à commettre des fautes. Ce match me permet de tester mes réflexes et l'état de mes nerfs ; l'essai est concluant. Malheur à ceux qui croiseront mon chemin.

À Indian Wells, je bats Rafter, avant de perdre face à un jeune phénomène du nom de Jan-Michael Gambill. On dit qu'il est le meilleur des jeunes loups du moment. Je le contemple en me demandant s'il est conscient de ce qui l'attend, s'il est prêt, s'il est possible d'être prêt un jour.

Je me rends à Key Biscayne. Je veux gagner, je me damnerais pour gagner. Cela ne me ressemble pas de vouloir quelque chose avec autant de passion. D'habitude, je suis plutôt porté par le désir de ne pas perdre. Mais en m'échauffant pour mon premier tour, je me dis que je veux vraiment le remporter, et je comprends précisément pourquoi. Cela n'a rien à voir avec mon retour sur le devant de la scène. Il s'agit de mon équipe. Ma *nouvelle* équipe, ma vraie équipe. Je joue pour lever des fonds et donner de la visibilité à mon école. Après toutes ces années, j'ai enfin atteint ce à quoi j'aspirais : pouvoir jouer au nom de quelque chose qui me dépasse, et qui pourtant m'est lié. Quelque chose qui porte mon nom mais qui n'a rien à voir avec moi. L'*Andre Agassi College Preparatory Academy*.

Au début, je ne voulais pas donner mon nom à cette école. Mais des amis ont insisté, arguant qu'il lui apporterait du cachet et de la crédibilité. Que ce serait plus facile d'obtenir des subventions. Perry choisit les mots *Preparatory* et *Academy*, et ce n'est que bien plus tard que j'apprécie la façon dont ils lient à tout jamais mon école à mon passé, à la Bradenton Preparatory Academy et la Bollettieri Academy, mes prisons de jeunesse.


Je n'ai pas beaucoup d'amis à Los Angeles et Brooke en a un nombre incalculable, alors la plupart du temps elle sort le soir, me laissant seul à la maison.

Heureusement, il y a J.P. Comme il habite comté d'Orange, il lui est facile de monter me voir en voiture ; assis au coin du feu, nous fumons des cigares en évoquant les choses de la vie. Ses jours de prêche sont désormais de l'histoire ancienne, mais quand nous discutons ainsi j'ai l'impression qu'il s'adresse à moi d'une chaire invisible. Cela ne me dérange pas. J'aime constituer sa congrégation personnelle, son unique fidèle. Dès les premiers mois de 1998, il passe en revue tous les sujets importants. Motivation, inspiration, postérité, destin, renaissance. Il m'aide à alimenter le sens d'une mission que j'ai sentie bourgeonner en la présence de Mandela.

Un soir, je confie à J.P. que je perçois une remarquable assurance dans mon jeu, une nouvelle raison d'aller sur le court.

— Alors pourquoi est-ce que j'ai encore peur ? Cette angoisse ne s'en ira-t-elle donc jamais ?

— J'espère bien que non, rétorque-t-il. La peur, c'est ce qui te nourrit, Andre. Je n'aimerais pas voir dans quel état tu serais si jamais elle s'éteignait.

Puis J.P. parcourt ma maison du regard, tire sur son cigare et me fait remarquer que ma femme n'est jamais dans les parages. Quelle que soit l'heure, quel que soit le jour, chaque fois qu'il vient, elle est sortie avec des amis.

Il me demande si ça me gêne.

Je ne m'en étais pas rendu compte.


En avril 1998, je me rends à Monte-Carlo où je perds contre Pete. Il me montre le poing. C'est fini, il n'est plus de mon côté. On est de nouveau rivaux.

Je prends l'avion pour Rome. Allongé sur mon lit d'hôtel, je me repose après un match.

Deux coups de fil, l'un après l'autre.

D'abord, Philly. Il renifle, à deux doigts de sangloter. Il me dit que sa femme, Marti, vient de donner naissance à une petite fille. Ils vont l'appeler Carter Bailey. La voix de mon frère me paraît changée. Elle est empreinte de bonheur, bien sûr, et débordante de fierté, mais il y a autre chose : on dirait qu'il se sent béni des dieux. J'ai l'impression que Philly se sent incroyablement *chanceux*.

Je lui dis à quel point je suis heureux pour lui et pour Marti, lui promets de rentrer le plus vite possible.

Brooke et moi, on viendra directement voir ma toute nouvelle nièce, dis-je, la voix enrouée.

Le téléphone sonne de nouveau. Une heure plus tard ? Trois ? Dans mon esprit, ces deux coups de fil se sont fondus en un seul instant confus, mais peut-être que plusieurs jours les séparaient. Ce sont mes avocats, sur haut-parleur.

— Andre ? Vous nous entendez ?

— Oui, je vous entends. Allez-y.

— Eh bien, l'ATP a lu attentivement votre déclaration d'innocence et est convaincue de votre sincérité. Je suis ravi de vous annoncer que votre explication a été acceptée. C'est comme si vous n'aviez jamais été testé positif. Nous pouvons considérer que l'affaire est close.

— Je ne suis pas suspendu ?

— Non.

— Je suis libre de poursuivre ma carrière ? Ma vie ?

— Oui.

Je réitère plusieurs fois ma question.

— Vous êtes sûr ? Vous voulez dire que tout ça, c'est fini ?

— En ce qui concerne l'ATP, oui. Votre explication les a convaincus, et ils l'ont volontiers acceptée. Je pense que tout le monde a hâte d'oublier cette histoire.

Je raccroche, le regard dans le vague, tandis que ces mots tournent dans ma tête : Nouvelle vie.


À Roland-Garros, j'affronte le Russe Marat Safin, et je me fais mal à l'épaule. J'oublie toujours combien la balle peut être lourde sur cette terre battue. C'est comme si on frappait un poids. Cette épaule me fait traverser mille agonies, mais je suis reconnaissant malgré tout ; jamais plus je ne prendrai pour argent comptant le fait de souffrir sur un court.

Les médecins me disent que je me suis coincé quelque chose. Que j'ai appuyé sur le nerf. Je m'arrête pour deux semaines. Pas de préparation, pas d'entraînement, rien. Jouer me manque. J'encourage ce sentiment, je m'en fais même une fête.

À Wimbledon, je me mesure à l'Allemand Tommy Haas. Au troisième set, pendant un tie-break acharné, le juge de ligne commet une bourde atroce. Haas frappe une balle qui est visiblement faute, mais le juge de ligne la décrète bonne, ce qui donne à Haas l'avantage considérable de 6-3. C'est le pire verdict de ma carrière. Je sais que cette balle était faute, je n'ai aucun doute, mais j'ai beau argumenter, cela n'aboutit à rien. L'autre juge de ligne et l'arbitre maintiennent la décision. Je finis par perdre le tie-break. Mené deux sets à un, j'ai l'impression d'avoir chuté dans un trou profond.

En raison de l'obscurité, les officiels interrompent le match et le remettent à plus tard. De retour à l'hôtel, au journal télévisé, je vois clairement que la balle était faute de plusieurs centimètres. Je rigole.

Le lendemain, je ris encore en regagnant le court. Je me fous de cet arbitrage. Je suis simplement content d'être là. Je ne sais visiblement pas jouer correctement en étant content : Haas gagne le quatrième set. Par la suite, il raconte aux journalistes qu'il a grandi en m'idolâtrant. « J'étais un grand admirateur d'Agassi quand j'étais jeune, dit-il. Pour moi, cette victoire est significative : j'ai battu Andre Agassi, champion de Wimbledon en 1992, anciennement premier mondial, vainqueur de plusieurs tournois du Grand Chelem. »

On dirait une oraison funèbre. Ce type pense-t-il qu'il m'a battu, ou carrément enterré ?

Et pourquoi personne, à cette conférence de presse, n'a pris la peine de lui préciser que j'avais remporté *trois* Grands Chelems ?

Brooke décroche un rôle dans un film d'auteur, *Black and White*. Elle jubile, parce que le réalisateur est un génie, que le film parle des relations raciales, qu'elle va pouvoir improviser son texte et porter des dreadlocks. Elle va aussi camper dans les bois pendant un mois avec les autres acteurs. Lorsque nous parlons au téléphone, elle me dit qu'ils sont toujours dans la peau de leurs personnages.

— Vingt-quatre heures sur vingt-quatre. Ça a l'air super, non ?

— Super, je réponds en levant les yeux au ciel.

Le matin de son retour de tournage, à la table du petit déjeuner, elle ne tarit pas d'histoires sur Robert Downey Jr, Mike Tyson, Marla Maples, et d'autres stars du film. Je fais mine de m'y intéresser. Elle me pose des questions sur le tennis, fait mine de s'y intéresser. Nous sommes hésitants, comme des étrangers. On ne dirait pas des conjoints partageant une cuisine, plutôt des adolescents en auberge de jeunesse. Nous sommes courtois, polis, attentionnés même, mais l'ambiance est fragile, susceptible de se briser d'un instant à l'autre.

Je mets une autre bûche dans la cheminée de la cuisine.

— Bon, j'ai quelque chose à te dire, poursuit Brooke. Pendant que j'étais là-bas, je me suis fait faire un tatouage.

Je me retourne.

— Tu rigoles.

Nous allons dans la salle de bains, où il y a plus de lumière, et elle tire sur la ceinture de son jean pour me montrer. Sur sa hanche. Un chien.

— Ça ne t'est pas venu à l'esprit de m'en parler avant ?

Précisément ce qu'il ne fallait pas dire. Elle m'accuse de vouloir tout contrôler. Depuis quand lui faut-il ma permission pour décorer son *propre* corps ? Je retourne à la cuisine, me verse une deuxième tasse de café, et mon regard transperce le feu. Il le *transperce*.

Avec nos emplois du temps incompatibles, Brooke et moi n'avons pas encore pu partir en lune de miel. Mais maintenant qu'elle est venue à bout de son film et moi de mes forces, c'est le moment idéal. Nous nous décidons pour Necker Island, dans les îles Vierges britanniques, à l'est d'Indigo Island. L'île appartient au milliardaire Richard Branson, qui nous assure que nous allons l'adorer.

— C'est une île paradisiaque ! s'extasie-t-il.

Dès l'atterrissage, nous nous trouvons dans des mondes différents. Nous sommes mal à l'aise, il nous est impossible de tomber d'accord sur quoi que ce soit. Moi, je souhaite me détendre. Brooke a envie de faire de la plongée sous-marine, et elle veut que je l'accompagne. Nous devons prendre des cours. Je lui réplique que, de toutes les activités auxquelles je pourrais me consacrer pendant ma lune de miel, celle-ci me fait autant envie que de subir une coloscopie.

En regardant un épisode de *Friends*.

Elle insiste.

Nous passons des heures dans la piscine, où un moniteur nous enseigne l'art des combinaisons de plongée, des masques et des bouteilles à oxygène. L'eau ne cesse de filtrer dans le mien parce que j'ai une barbe de un jour et que mes poils l'empêchent d'adhérer à ma peau. Je monte dans la chambre pour me raser.

Quand je redescends, le moniteur nous annonce que la dernière partie de la formation consiste en un jeu de cartes sous l'eau. Si nous sommes capables de rester tranquillement assis au fond de la piscine et de jouer aux cartes, si nous parvenons au terme de la partie sans remonter à la surface, alors nous serons prêts à faire de la plongée sous-marine. C'est ainsi que je me retrouve en attirail de plongée, au beau milieu des Caraïbes, à disputer une partie de bataille au fond d'une piscine. Je n'ai pas l'impression d'être un plongeur mais plutôt Dustin Hoffman dans *Le Lauréat*. Je sors de la piscine, je déclare à Brooke :

— Je ne peux pas.

— Tu ne veux jamais rien faire de nouveau.

— Amuse-toi bien. Va au milieu de l'océan si ça te chante. Tu passeras le bonjour à la petite sirène. Moi, je serai dans la chambre.

Dans la cuisine, je commande une grande assiette de frites. Puis je monte dans la chambre, me débarrasse de mes chaussures, m'allonge sur le divan et regarde la télé jusqu'au soir.

Nous quittons l'île paradisiaque trois jours plus tôt que prévu. Fin de la lune de miel.

Je suis à Washington DC pour le tournoi Legg Mason de 1998. Encore une canicule en juillet, encore un tournoi suffocant à DC. Les autres joueurs se plaignent de la chaleur. En temps normal je ferais de même, mais je ne ressens qu'une reconnaissance toute fraîche et une détermination d'acier, que je réussis à entretenir en me levant tôt tous les jours et en écrivant mes objectifs. Une fois que je les ai couchés sur papier et prononcés à voix haute, je me jure solennellement : Pas de compromis.

Juste avant le début du tournoi, alors que je m'entraîne avec Brad, je trouve mes efforts insuffisants. Perry me ramène à l'hôtel. Assis dans la voiture, je regarde par la fenêtre, silencieux.

— Arrête-toi là, dis-je.

— Pourquoi ?

— Arrête-toi, c'est tout.

Il se range sur le bas-côté.

— Attends-moi dans trois kilomètres.

— De quoi tu parles ? Tu es fou ou quoi ?

— Je n'ai pas fini. Je n'ai pas encore tout donné aujourd'hui.

Je cours trois kilomètres à travers Rock Creek Park, le même où j'ai fait cadeau de mes raquettes à des clochards en 1987. Chacun de mes pas me rapproche de l'évanouissement, mais je m'en fous. Cette course, même si elle provoque un coup de chaleur, m'apaisera ce soir, lors des dix minutes essentielles qui précèdent le sommeil. Désormais je ne vis plus que pour ces dix minutes. Des milliers de personnes m'ont applaudi, m'ont sifflé, mais rien n'est pire que les huées qui résonnent dans ma tête pendant ces dix minutes.

Je regagne la voiture, le visage pourpre. Je me glisse sur le siège du passager, monte l'air conditionné et adresse un sourire à Perry.

— C'est comme ça qu'on fait chez nous, lance-t-il, et il me tend une serviette en redémarrant la voiture.

J'arrive en finale. Je me retrouve encore face à Draper. Je me souviens qu'il n'y a pas si longtemps je me demandais comment j'avais fait pour le battre un jour. Je me rappelle avoir secoué la tête, incrédule. Une des périodes les moins reluisantes de ma vie. Aujourd'hui je l'élimine en cinquante minutes, 6-2, 6-0. Je remporte le tournoi pour la quatrième fois.

À la Coupe Mercedes-Benz, j'atteins les demi-finales sans perdre un seul set, et je finis par gagner le tout. Je retrouve Pete à l'Open Du Maurier de Toronto. Il joue superbement au premier set mais se fatigue au deuxième. Je le bats, ce qui lui coûte son classement de premier et me propulse neuvième.

En demi-finale, j'affronte Krajicek, encore tout fier d'avoir gagné le tournoi de Wimbledon en 1996, le seul Néerlandais à l'avoir jamais fait. Au passage, il a battu Pete en quart de finale, lui infligeant sa première défaite à Wimbledon depuis des années. Mais je ne suis pas Pete, et je ne suis pas moi. Krajicek est mené d'une manche, c'est à lui de servir à 3-4 au deuxième set, 0-40. Trois balles de break. Je fais claquer le meilleur retour de ma carrière d'adulte. La balle semble dépasser le filet d'un bon centimètre, laissant derrière elle des traces de dérapage fumantes. Un bon vieux crameur de tapis à l'ancienne. Krajicek ferme les yeux, sort sa raquette, frappe une volée. Le coup pourrait partir n'importe où, il n'a aucune idée de l'endroit où il va tomber, mais il atterrit pile où il faut. Si la position de sa raquette avait été ouverte d'un demi-degré de plus, la balle aurait frappé un spectateur du premier rang, j'aurais fait le break et pris le contrôle du match. Mais il remporte le point, garde son service, me bat en trois sets et met fin à ma série de victoires consécutives. J'en étais à quinze. Dans le temps, j'aurais eu du mal à m'en remettre. Mais j'ai bien changé. Je lance à Brad :

— C'est ça le tennis.


Quand je commence l'US Open, je suis huitième mondial. J'ai le public avec moi, ce qui me file toujours le moral et une impression de légèreté. En huitième de finale j'affronte Kucera, qui me crispe avec son service. Il lance la balle, se fige, la rattrape, puis la lance de nouveau. Ce type mène deux sets à zéro, et il m'énerve sacrément. Et puis je me souviens : mieux on joue contre lui, mieux il jouera lui-même. Si on lui envoie des coups merdiques, il ne pourra que relancer merdiquement. C'est ça le problème, je joue trop bien ! Mes services sont trop adroits. Alors quand je sers, j'imite Kucera. Le public éclate de rire. Puis j'envoie de grosses chandelles bien gauches. J'agace mon adversaire et je reprends la tête du match à force d'irritation.

Il se met à pleuvoir. Le match est repoussé au lendemain.

Je sors dîner avec Brooke et quelques-uns de ses amis. Des acteurs. Comme toujours. Comme le ciel s'est dégagé, nous nous installons sur la terrasse d'un restaurant du centre-ville qui a disposé des tables sur le toit. Le repas terminé, on se dit au revoir dans la rue.

— Bonne chance pour demain ! lancent les acteurs en hélant des taxis pour aller poursuivre la soirée ailleurs.

Brooke les observe, se tourne vers moi. Elle fait la moue. Elle hésite. On dirait une gamine qui n'arrive pas à se décider entre ce qu'elle doit faire et ce qu'elle a envie de faire.

Je bois une lampée de ma bouteille d'Eau de Gil.

— Vas-y, lui dis-je.

— Vraiment ? Ça ne te dérange pas ?

— Non, non. Amuse-toi.

Je prends un taxi jusqu'à son appartement. Elle a vendu l'autre pour acheter celui-ci, dans l'Upper East Side. L'ancien me manque. J'aimais le perron où Gil montait la garde. J'aimais même ces masques africains sans yeux, peut-être tout simplement parce qu'ils étaient là quand Brooke et moi ne faisions pas semblant. J'achève mon Eau de Gil, me glisse dans le lit. Je m'assoupis pour me réveiller en sursaut quand Brooke arrive, plusieurs heures plus tard.

— Rendors-toi, murmure-t-elle.

J'essaie. En vain. Je me lève et avale un somnifère.

Le lendemain, je livre une bataille sans merci contre Kucera. Je parviens à amener le match à égalité. Mais il a plus de souffle, plus d'endurance. Il gagne le duel en un cinquième set âprement défendu.


Assis dans un coin de notre salle de bains, à Los Angeles, j'observe Brooke se préparer à sortir. Je reste à la maison – une fois de plus. Pourquoi est-ce toujours ainsi ? Nous en discutons.

Elle m'accuse de refuser de m'intégrer à son monde. Elle dit que je ne m'ouvre pas à de nouvelles expériences, à de nouvelles rencontres. Que cela ne m'intéresse pas de rencontrer ses amis. Je pourrais côtoyer des génies tous les soirs – des écrivains, des artistes, des acteurs, des musiciens, des réalisateurs. Je pourrais me rendre à des vernissages de galeries d'art, des premières mondiales, de nouvelles pièces, des projections privées. Mais tout ce que je veux faire, c'est rester à la maison, regarder la télé, et peut-être, mais vraiment peut-être, si je suis d'humeur, inviter J.P. et Joni à dîner.

Impossible de mentir : voilà à quoi ressemble pour moi une soirée parfaite.

— Andre, reprend-elle, ils ne sont pas bien pour toi. Perry, J.P., Philly, Brad, ils te dorlotent, se plient à tous tes caprices, te facilitent la tâche. Aucun d'eux ne pense à ton bien.

— Tu trouves que tous mes amis me font du mal ?

— Tous, sauf Gil.

— *Tous ?*

— Tous. Surtout Perry.

Je sais qu'elle est remontée contre Perry depuis quelque temps, qu'il a abandonné son rôle de producteur de *Suddenly Susan*. Je sais que ça l'énerve que je n'aie pas automatiquement pris parti pour elle. Mais je ne m'attendais pas qu'elle fasse une croix sur mon équipe tout entière.

Debout devant le miroir, elle se tourne vers moi et dit :

— Andre, je te considère comme une rose parmi des épines.

— Une rose parmi… ?

— Un innocent, avec un entourage qui te saigne aux quatre veines.

— Je ne suis pas si innocent que ça. Et ces épines m'épaulent depuis que je suis tout gamin. Ces épines m'ont sauvé la vie.

— Ils t'empêchent d'avancer. Ils t'empêchent de grandir. D'évoluer. Tu es complètement sclérosé, Andre.


Avec Perry, nous choisissons d'installer l'école dans le pire quartier de l'ouest de Las Vegas, où elle agira comme un symbole. Au bout de plusieurs mois de quête d'un terrain à prix abordable et capable de contenir un campus en évolution, nous finissons par trouver une parcelle de quatre hectares qui correspond à tous nos besoins. Elle est située au beau milieu d'un terrain vague, entourée de prêteurs sur gages et de maisons sur le point d'être démolies. À l'emplacement même du Vegas originel, cet avant-poste tombé dans l'oubli depuis longtemps, où les premiers colons sont arrivés avant de déserter l'endroit. J'aime l'idée que notre école soit construite sur les vestiges d'un site possédant une histoire d'abandon. Quel meilleur endroit pour amener le changement dont nous rêvons dans la vie de ces enfants ?

Lors de la cérémonie d'inauguration des travaux, des dizaines d'hommes politiques, de dignitaires et de chefs de quartier répondent présents. Journalistes, caméras de télévision, discours. Nous enfonçons la pelle dorée dans la terre pleine de détritus. Je regarde autour de moi et j'entends déjà les enfants rire, jouer, poser des questions. Je sens les existences qui vont défiler à cet endroit, qui vont y puiser l'impulsion nécessaire pour poursuivre ailleurs. Ma tête est emplie des rêves qui vont naître ici, des vies qui vont s'y former et y être sauvées. Je suis tellement emporté par l'idée de ce qui va se dérouler ici dans quelques années, voire plusieurs dizaines d'années après ma propre mort, que je n'entends pas les discours. L'avenir éclipse le présent.

Puis quelqu'un me tire de ma rêverie, me demande de le suivre pour une photo de groupe. Un flash, une occasion heureuse, mais si intimidante. Nous avons tant de chemin à parcourir. La bataille à livrer pour l'ouverture de l'école, pour son accréditation et son financement, sera rude. Si je n'avais pas autant progressé au cours de ces quelques derniers mois, si je ne m'étais pas battu pour reconstituer ma carrière de tennis, pour reconquérir ma santé et mon équilibre, je ne sais pas si j'en aurais eu le courage.

On me demande où est Brooke, pourquoi elle est absente. Je leur dis la vérité. Je n'en sais rien.

La soirée du nouvel an, l'année 1998 qui se termine. Brooke et moi organisons notre traditionnelle fête du réveillon. Nous avons beau être de plus en plus étrangers l'un à l'autre, elle insiste pour que nous n'en montrions rien à nos amis et familles pendant cette période de fêtes. Nous sommes comme des acteurs face à un public constitué de nos hôtes. Et même en l'absence de spectateurs, elle joue la comédie, et moi aussi. Quelques heures avant l'arrivée des invités, nous mimons le bonheur – une répétition générale pour ainsi dire. Et des heures après qu'ils sont partis, nous continuons de faire semblant. Comme une fête des acteurs après le spectacle.

Ce soir, il semble y avoir plus d'amis et de parents de Brooke qu'il n'y en a des miens dans le public. J'inclus dans ce groupe son nouveau chien, un pit-bull albinos du nom de Sam. Il montre les dents à mes amis. On dirait que Brooke l'a briefé sur le comportement à adopter.

J.P. et moi sommes assis dans un coin du salon. Nous fixons le chien qui, allongé aux pieds de Brooke, nous rend la pareille.

— Ce clébard serait super, fait remarquer J.P., s'il était assis *ici*.

Il montre du doigt le sol, devant mes pieds.

J'éclate de rire.

— Non. Vraiment. Ce n'est pas un bon chien. Ce n'est pas *ton* chien. Ce n'est pas *ta* maison. Ce n'est pas *ta* vie.

— Hmmm.

— Andre, il y a des fleurs rouges sur l'imprimé de ce fauteuil.

Je regarde le siège sur lequel il est assis comme si je le voyais pour la première fois.

— Andre, insiste-t-il. Des fleurs rouges. *Des fleurs rouges*.

Pendant que je fais mes valises pour l'Open d'Australie 1999, Brooke fronce les sourcils et traverse la maison d'un pas lourd. Ma tentative de come-back l'agace. Compte tenu de la tension qu'il y a entre nous, elle ne peut m'en vouloir de vider les lieux. J'en déduis qu'elle trouve que je perds mon temps. Et elle n'est certainement pas la seule.

Je l'embrasse pour lui dire au revoir. Elle me souhaite bonne chance.

J'arrive en huitième de finale. La veille de mon match, je l'appelle.

— C'est vraiment difficile, souffle-t-elle.

— Quoi donc ?

— Nous. Ça.

— Oui. C'est vrai.

— On est si éloignés l'un de l'autre.

— L'Australie, c'est vraiment loin.

— Non. Même quand on est dans la même pièce... il y a de la distance.

Je me dis : Tu m'as dit que tous mes amis étaient des nuls. Comment veux-tu qu'il n'y ait pas de distance ?

— Je sais, dis-je.

— Quand tu rentreras, poursuit-elle, il faudra qu'on parle. Vraiment.

— De quoi ?

— Quand tu rentreras, répète-t-elle.

Sa voix est voilée. Est-elle en train de pleurer ? Elle essaie de changer de sujet.

— Tu joues contre qui demain ?

Je lui dis qui sera mon adversaire. Elle ne reconnaît jamais les noms, ne comprend pas ce qu'ils signifient.

— Ça passera à la télé ? demande-t-elle.

— Je ne sais pas. Sûrement.

— Je regarderai.

— OK.

— OK.

— Bonne nuit.

Quelques heures plus tard je joue contre Spadea, avec qui je m'étais entraîné le jour du nouvel an, une année plus tôt. En tant que joueur, il ne m'arrive pas à la cheville. Dans ma jeunesse, il y a des jours où j'aurais pu le battre avec une spatule. Mais j'ai été sur la route pendant trente-deux des cinquante-deux dernières semaines, sans parler de l'entraînement avec Gil, des difficultés avec l'école, et des problèmes avec Brooke. Dans mon esprit, je suis encore au téléphone avec elle. Spadea m'évince en quatre sets.

Les journaux sont cruels. Ils font remarquer que je me suis rapidement fait éjecter de mes six derniers tournois. D'accord. Mais ils disent que ça devient gênant. Je suis resté trop longtemps sur le devant de la scène, prétendent-ils. Agassi n'a pas l'air de savoir s'arrêter. Il a gagné trois tournois du Grand Chelem. Il a presque vingt-neuf ans. Qu'est-ce qu'il espère encore accomplir ?

Un article sur deux contient cette phrase usée jusqu'à la corde : « À un âge où la plupart de ses pairs pensent à prendre leur retraite… »

Je passe la porte et appelle Brooke. Rien. C'est le matin, elle doit être au studio. Je passe la journée à l'attendre. J'essaie de me reposer, mais ce n'est pas facile avec un pit-bull albinos qui me dévisage.

Quand elle rentre, il fait sombre et le temps s'est dégradé. Une soirée pluvieuse, battue par le vent. Elle propose que nous allions dîner.

— Sushi ?

— Parfait.

Nous prenons la voiture pour nous rendre à l'un de nos restaus préférés, le Matsuhira, où nous prenons place au bar. Elle prend un saké. Je suis affamé. Je commande tous mes plats préférés. Le sashimi de thon rouge, le témaki de crabe au concombre et à l'avocat. Brooke soupire.

— Tu manges toujours la même chose.

Je suis trop épuisé et affamé pour me préoccuper de sa désapprobation.

Elle soupire de nouveau.

— Qu'est-ce qui ne va pas ?

— Je ne peux même pas te regarder en face.

Ses yeux sont baignés de larmes.

— Brooke ?

— Non, vraiment, je ne peux pas te regarder.

— Doucement. Respire un coup. Je t'en supplie, essaie de ne pas pleurer. Prenons l'addition et allons-nous-en. On en parlera à la maison.

Je ne sais pas pourquoi, mais après tout ce qu'on a écrit sur mon compte ces quelques derniers jours, il est essentiel qu'il n'apparaisse pas dans les gros titres que je me suis disputé avec ma femme.

Dans la voiture, Brooke pleure encore.

— Je ne suis pas heureuse, dit-elle. Nous ne sommes pas heureux. Ça fait tellement longtemps. Et je ne sais pas si on pourra un jour être heureux ensemble.

Bon. Voilà. C'est comme ça.

J'entre dans la maison, un vrai zombie. Je tire une valise du placard si impeccablement rangé que c'en est inquiétant. Je me rends compte à quel point tout cela doit être difficile pour Brooke, de vivre avec mes défaites, mes silences, mes chutes et mes envolées. Mais je constate aussi le peu d'espace qui m'est alloué dans ce placard. Tout un symbole. Je pense à J.P. : *Ce n'est pas ta maison.*

J'attrape les quelques cintres sur lesquels pendent mes habits et les apporte en bas.

Brooke sanglote dans la cuisine. Elle ne pleure pas, comme au restaurant et dans la voiture, elle sanglote. Assise sur un tabouret en bois des îles. Les îles, encore et toujours. D'une façon ou d'une autre, nous passons notre temps sur des îles. Nous *sommes* des îles. Deux îles. Et je n'arrive pas à me souvenir d'un temps où cela n'a pas été le cas.

— Qu'est-ce que tu fais ? demande-t-elle. Qu'est-ce qui se passe ?

— Qu'est-ce que tu veux dire ? Je m'en vais.

— Il pleut. Attends jusqu'au matin.

— Pourquoi attendre ? Rien ne vaut le présent.

J'empile le strict minimum : vêtements, mixeur, graines de café jamaïcain, cafetière à piston, et un cadeau que Brooke m'a fait récemment. Cette peinture effrayante que nous avions vue avec Philly, il y a des années de cela, au Louvre. Elle a passé commande auprès d'un artiste qui a exécuté une réplique exacte de l'œuvre. Je regarde cet homme accroché à la falaise. Comment se fait-il qu'il ne soit pas encore tombé ? Je balance le tout à l'arrière de ma voiture, un cabriolet Eldorado Cadillac de 1976, la dernière année où on l'a construit, trouvé à l'état neuf. La carrosserie est d'un blanc pur et brillant, blanc comme le lis, alors je l'appelle Lily, comme la fleur. Je démarre Lily, et le tableau de bord s'illumine comme un vieux poste de télé. Le compteur affiche 37 000 kilomètres. Je suis frappé par le fait que Lily est aux antipodes de moi-même. Vieille, mais avec un petit kilométrage.

Je démarre en trombe.

Deux kilomètres plus loin, je me mets à pleurer. À travers les larmes et le brouillard qui s'épaissit, je distingue à peine la couronne chromée qui orne le capot. Mais je continue de rouler, encore et encore, jusqu'à atteindre San Bernardino. Le brouillard s'est transformé en neige. Le col qui traverse la montagne est fermé. J'appelle Perry et lui demande s'il y a une autre route pour Las Vegas.

— Qu'est-ce qui ne va pas ?

Je le mets au courant.

— Séparation à l'essai, lui dis-je. On ne se connaît plus.

Je pense au jour où Wendi a cassé avec moi, quand je me suis arrêté sur le bas-côté pour appeler Perry. Je pense à tout ce qui est arrivé depuis, et cependant me voici, de nouveau sur le bas-côté, avec Perry au bout du fil et le cœur brisé.

Il me dit qu'il n'y a pas d'autre route, alors je dois faire demi-tour, direction la côte, et m'arrêter dans le premier motel qui aura une chambre disponible. Je conduis lentement à travers la neige, mes roues patinent et dérapent sur l'autoroute glissante. Je m'arrête à tous les motels. Complet. Je finis enfin par obtenir le dernier lit d'un bouge dans un bled quelconque. Allongé sur le couvre-lit miteux, je m'interroge. Comment as-tu fait pour te retrouver ici ? Comment en est-on arrivé là ? Pourquoi tu réagis comme ça ? Ton mariage est loin d'être parfait, tu ne sais même pas vraiment pourquoi tu t'es marié, ou si tu l'as vraiment voulu un jour – alors pourquoi es-tu dans un tel état de nerfs ?

*Parce que tu détestes perdre. Et que le divorce, c'est une sacrée défaite.*

Mais tu as déjà essuyé pas mal de défaites, pourquoi celle-ci serait-elle si différente ?

*Parce que tu ne vois pas d'amélioration possible après ça.*

Deux jours plus tard, j'appelle Brooke. Je suis penaud et elle s'est endurcie.

— Il nous faut du temps pour réfléchir, dit-elle. On ne devrait pas se parler pendant un petit moment. On a besoin de comprendre ce qui se passe à l'intérieur de nous-mêmes, sans se gêner l'un l'autre.

À l'intérieur de nous-mêmes ? (Je ne suis pas sûr de comprendre.) Pour combien de temps ?

— Trois semaines.

— Trois ? D'où tu sors ce chiffre ?

Elle ne répond pas.

Elle me suggère d'en profiter pour voir un thérapeute.

C'est une petite femme brune dans un petit bureau sombre de Las Vegas. Je suis installé dans une causeuse, ce qui semble à la fois ironique et approprié. Elle se tient dans un fauteuil, à un mètre de moi. Elle écoute sans m'interrompre. Je préférerais qu'elle le fasse. J'ai besoin de réponses. Plus je parle, plus je suis conscient de parler tout seul. Comme toujours. Ce n'est pas comme ça qu'on sauve un mariage. Pas en discutant tout seul.

Je me réveille en pleine nuit, allongé par terre, le dos raide. Je vais dans le salon et m'assois dans un divan, armé d'un bloc-notes et d'un stylo. J'écris des pages et des pages. Encore une lettre suppliante, mais celle-ci est sincère. Le matin venu, je faxe les pages à Brooke. En regardant les feuilles passer par la machine, je repense à la façon dont tout cela a commencé, il y a cinq ans : je glissais les pages dans le fax de Philly, retenant mon souffle, en attente de la réponse spirituelle d'une jeune actrice perdue dans une hutte, quelque part en Afrique.

Pas de réponse cette fois-ci.

Je la faxe encore. Et encore.

Elle est bien plus loin que l'Afrique.

Je téléphone.

— Je sais que tu avais dit trois semaines, mais j'ai besoin de te parler. Je pense qu'on devrait se voir, qu'on réfléchisse ensemble à tout ça.

— Oh Andre ! laisse-t-elle échapper.

J'attends.

— Oh Andre ! répète-t-elle. Tu ne comprends pas. Tu n'y es pas du tout. Ça n'a rien à voir avec nous. Le problème c'est toi en tant que personne, et moi en tant que personne.

Je lui réponds qu'elle a raison, que non, je ne comprends pas. Je lui dis que je ne sais pas comment on a fait pour en arriver là. Que je suis malheureux depuis si longtemps. Que je suis désolé qu'on soit devenus étrangers l'un à l'autre, que je sois devenu si froid. Je lui parle du tourbillon, du tourbillon constant, de la force centrifuge qui régit cette putain de vie de tennis. Je lui dis que ça fait très longtemps que je ne sais plus qui je suis, peut-être même que je ne l'ai jamais su. Je lui parle de cette quête de mon moi, de ce monologue sans fin qui a lieu dans ma tête, de ma dépression. Je lui déverse tout ce que j'ai sur le cœur, et ça sort de façon hésitante, maladroite, inintelligible. C'est embarrassant mais nécessaire, parce que je ne veux pas la perdre, j'en ai assez de perdre, et je sais que si je suis sincère elle me donnera une seconde chance.

Elle réplique qu'elle est désolée que je souffre, mais qu'elle ne peut pas résoudre mes problèmes. Ce n'est pas à elle de me remettre sur le droit chemin. C'est quelque chose que je dois faire par moi-même. Tout seul.

Quand la tonalité du téléphone retentit, je me sens calme et résigné. Ce coup de fil me rappelle la brève poignée de main au filet, entre deux adversaires mal assortis.

Je mange un morceau, regarde la télé, me couche tôt. Le lendemain matin, j'appelle Perry pour lui dire que je veux le divorce le plus rapide de l'histoire des divorces.

Je refile mon anneau de mariage en platine à un ami et lui donne l'adresse d'un prêteur sur gages. Accepte leur première offre, je lui dis. Avec l'argent qu'il me ramène, je fais une donation à la nouvelle école au nom de Brooke Christa Shields. Pour le meilleur et pour le pire, dans la maladie et dans la santé, à tout jamais, elle sera l'une des premières bienfaitrices.

# 22

Le premier tournoi de ma nouvelle vie sans Brooke a lieu à San Jose. J.P. monte du comté d'Orange pour quelques conseils d'urgence. Il m'encourage, me cajole, me promet que les jours à venir seront meilleurs. Il comprend que j'ai mes bons et mes mauvais moments. À un moment je veux qu'elle aille se faire voir, et l'instant suivant elle me manque. Il dit que c'est dans l'ordre des choses. Selon lui, mon esprit a été un vrai marécage ces dernières années, embourbé, fétide, suintant dans tous les sens. Il est temps qu'il se fasse rivière – une rivière déchaînée, canalisée –, et donc qu'il se purifie. L'image me plaît. Je lui dis que je vais tenter de la garder à l'esprit. Il parle et parle encore, et tant qu'il parle, je vais bien. Je gère. Ses conseils sont comme un masque à oxygène.

Puis il s'en va, repart vers le comté d'Orange, et je ne suis de nouveau bon à rien. Sur le court, en plein match, je pense à tout sauf à mon adversaire. Je me demande : Si tu as fait vœu de mariage, devant Dieu et ta famille, si tu as dit oui, et que maintenant tu dis non, qu'est-ce que ça fait de toi ?

Un raté.

Je tourne en rond, à m'insulter. Le juge de ligne, qui m'entend me traiter moi-même de noms d'oiseau, traverse le court jusqu'à la chaise de l'arbitre et me dénonce.

L'arbitre me donne un avertissement.

Voici le juge de ligne qui revient, qui traverse le court de nouveau, me passe devant et se remet en position. Je lui jette un regard furieux. Mouchard hypocrite. Minable rapporteur. Je sais que je ne devrais pas, je sais que je vais le regretter, mais je ne peux pas m'en empêcher.

— Espèce d'*enculé*.

Il s'arrête, se retourne, refait le chemin inverse jusqu'à l'arbitre, à qui il me dénonce de nouveau.

Cette fois-ci, on me pénalise d'un point.

Le juge de ligne revient, me passe devant, reprend sa position.

Je lâche :

— T'es *vraiment* un enculé.

Il s'arrête, fait demi-tour, rejoint l'arbitre qui pousse un soupir et tangue en avant sur sa chaise. Il appelle le juge-arbitre, qui soupire également, avant de me faire signe d'approcher.

— Andre. Vous avez traité le juge de ligne d'enculé ?

— Vous voulez un mensonge ou la vérité ?

— Je dois savoir si c'est vrai.

— C'est vrai. Et vous savez quoi ? C'est un enculé *de première*.

Je me fais virer du tournoi.


Retour à Las Vegas. Coup de fil de Brad. Indian Wells est dans peu de temps, annonce-t-il. Je lui dis que j'ai des problèmes en ce moment, mais que je ne peux pas entrer dans les détails. Et qu'Indian Wells est hors de question.

Il faut que je me soigne, que je me remette sur les rails, ce qui implique que je passe le plus clair de mon temps avec Gil. Tous les soirs, nous commandons un paquet de hamburgers et nous nous baladons dans la ville en voiture. Je laisse l'entraînement de côté, et pas qu'un peu, mais Gil comprend que j'ai besoin de réconfort. Et aussi qu'il risquerait de perdre un doigt s'il essayait de m'enlever le hamburger de la bouche.

Nous allons dans la montagne, longeons le Strip, glissons dans l'autoradio un CD gravé spécialement par Gil. Il l'a baptisé *Crampes d'estomac*. Sa philosophie, c'est de trouver la souffrance, de l'apprivoiser, de reconnaître qu'elle fait partie de l'existence. Si tu as le cœur brisé, me dit-il, ne t'en cache pas. Laisse-toi submerger. Nous faisons souffrir, alors souffrons à notre tour. *Crampes d'estomac* est sa compilation des chansons les plus tristes jamais écrites. Nous les écoutons, encore et encore, jusqu'à ce que nous en connaissions les paroles par cœur. Quand un morceau se termine, Gil prononce les paroles à haute voix. À mon avis, il parle mieux que n'importe quel artiste peut chanter. À côté de lui, les chanteurs ne valent pas un clou. Je préfère entendre Gil réciter une chanson que Sinatra la fredonner.

Avec les années qui passent, la voix de Gil gagne en profondeur, en richesse et en douceur, et lorsqu'il récite le refrain d'une chanson triste, on dirait que Moïse et Elvis se retrouvent en lui. Il mériterait un Grammy Award pour son interprétation de *Please don't be scared* de Barry Manilow :

> *Souffrir c'est apprendre à ses dépens*
> *Qu'on est toujours en vie*[1].

Mais sa version de *We can't build a fire in the rain* de Roy Clark me fait toujours autant d'effet. Un couplet en particulier touche une corde sensible :

> *Faisons mine de faire semblant*
> *Qu'il nous reste quelque chose à gagner*[2].

---

1. Cause feeling pain's a hard way / To know you're still alive.
2. Just going through the motions of pretending / We have something left to gain.

Quand je ne suis pas avec Gil, je suis enfermé dans ma nouvelle maison, celle qu'on avait achetée avec Brooke pour ces rares occasions où on rentrait à Las Vegas. Maintenant, je l'appelle ma garçonnière numéro 2. J'aime bien cette maison, elle me ressemble plus que celle de Pacific Palisades, mais elle n'a pas de cheminée. Alors je paie un type pour qu'il m'en construise une.

Pendant les travaux, la maison est zone sinistrée. D'immenses toiles de plastique pendent des murs. Les meubles sont dissimulés sous des bâches. Une épaisse couche de poussière recouvre tout. Un matin, le regard perdu dans la cheminée en construction, je songe à Mandela. Je pense à ces promesses que je me suis faites, à moi et à d'autres. J'attrape le téléphone et appelle Brad.

— Viens à Las Vegas. Je suis prêt à jouer.

— J'arrive, dit-il.

Incroyable. Ce type garde toujours la foi, quoi qu'il arrive. Il pourrait m'abandonner à mon sort – personne ne lui en voudrait –, mais au lieu de ça, il laisse tout en plan dès l'instant où je l'appelle. Je l'adore. Mais maintenant qu'il est en route, je m'inquiète pour son confort, à cause des travaux dans la maison. Puis je souris. J'ai deux fauteuils en cuir en face d'une télévision à grand écran et un bar de salon rempli de Bud Ice. Largement de quoi satisfaire les besoins vitaux de Brad.

Cinq heures plus tard, il franchit la porte, se vautre dans un des fauteuils et s'ouvre une bière, l'air de s'être blotti dans les bras de sa mère. Je me sers une mousse pour l'accompagner. Arrive dix-huit heures. Nous passons aux margaritas. À vingt heures on est encore dans les fauteuils tandis que Brad passe d'une chaîne à l'autre, en quête de résumés sportifs.

Je lance :

— Écoute, Brad, je dois te dire quelque chose. Quelque chose dont j'aurais dû te parler il y a longtemps.

Il a le regard braqué sur l'écran. Moi, je fixe la future cheminée dans laquelle j'imagine déjà des flammes.

— Tu as vu ce match l'autre soir ? demande-t-il. Personne ne va battre Duke cette année.

— Brad, c'est vraiment important. Il faut que tu saches quelque chose. Brooke et moi... c'est fini. On ne va pas pouvoir continuer.

Il se tourne vers moi. Plonge ses yeux dans les miens. Puis il pose les coudes sur ses genoux et baisse la tête. Je ne pensais pas qu'il le prendrait aussi mal. Il reste comme ça pendant trois bonnes secondes. Enfin il lève les yeux vers moi et m'adresse un grand sourire.

— Cette année va être excellente, déclare-t-il.

— Hein ?

— On va passer une *super* année.

— Mais...

— C'est la meilleure chose qui puisse arriver à ton tennis.

— Je suis malheureux. De quoi tu parles ?

— Malheureux ? Alors c'est que tu ne vois pas ça sous le bon angle. Tu n'as pas de gamins. Tu es libre comme l'air. Si tu en avais, alors d'accord, il y aurait problème. Mais là, tu t'en tires à bon compte.

— Peut-être.

— Tu tiens le monde par les couilles. T'es en solo, fini tous ces drames !

Il a l'air fou. Délirant. Il me dit que Key Biscayne arrive bientôt, et puis qu'il y aura la saison sur terre battue, et puis... que des bonnes choses vont arriver.

— Tu t'es débarrassé de ce fardeau, poursuit-il. Au lieu de traîner à Las Vegas à te lamenter sur ta propre souffrance, on ferait mieux d'aller faire souffrir tes adversaires.

— Tu sais quoi ? T'as raison. Nouvelle tournée de margaritas !

À vingt et une heures, je dis :

— Il faudrait peut-être qu'on mange.

Mais Brad est paisiblement en train de lécher le sel sur le rebord de son verre, et il a trouvé du tennis à la télé, un match de nuit à Indian Wells. Steffi Graf contre Serena Williams.

Il se tourne vers moi et me refait le coup du grand sourire.

— C'est à toi de jouer, là !

Il montre l'écran du doigt.

— Steffi Graf ! C'est avec *elle* que tu devrais te mettre.

— Ouais. Bien sûr. Elle n'en a rien à faire, de moi.

J'ai déjà tout raconté à Brad. Roland-Garros 1991. Le bal de Wimbledon en 1992. J'ai essayé plus d'une fois. Steffi Graf, c'est comme Roland-Garros. Impossible de franchir la ligne d'arrivée.

— Mais c'est du passé, insiste Brad. Et puis, ton approche de l'époque ne te ressemblait vraiment pas. Abandonner au bout d'une seule fois ? Strictement amateur. Depuis quand est-ce que tu laisses d'autres personnes jouer à ta place ? Depuis quand est-ce que tu acceptes un refus ?

Je hoche la tête.

— Peut-être.

— Tu as juste besoin d'un regard, assure Brad. Un filet de lumière. Une fenêtre. Une ouverture.

Notre prochain tournoi commun se trouve être Key Biscayne. Brad me dit de me détendre, qu'il va m'arranger le coup. Il connaît Heinz Gunthardt, l'entraîneur de Steffi. Il va essayer de prévoir un match d'entraînement.

Dès notre arrivée à Key Biscayne, Brad appelle Heinz, qui est surpris par la proposition. Il refuse. Il dit que Steffi n'acceptera jamais de bousculer son emploi du temps pour un match d'entraînement avec quelqu'un qu'elle ne connaît pas. Elle est trop rigoureuse pour ça. Et puis, elle est timide. Elle serait très mal à l'aise. Mais Brad insiste, et Heinz doit avoir la fibre romantique. Il suggère que Brad et moi réservions le court juste après l'entraînement de Steffi et que nous arrivions en avance. Heinz pourra alors proposer à Steffi d'échanger quelques balles avec moi si le cœur lui en dit.

C'est fait, annonce Brad. Au douzième coup de midi. Toi. Moi. Steffi. Heinz. Que la fête commence.

Chaque chose en son temps. J'appelle J.P. et lui dis de ramener illico son cul en Floride. J'ai besoin de conseils. D'un complice. De quelqu'un sur qui tester mes répliques. Puis je pars pour ma séance d'entraînement.

Le jour J, Brad et moi arrivons sur le court quarante minutes en avance. Je n'ai jamais eu autant de mal à respirer. Malgré mes sept finales de Grand Chelem, jamais je ne me suis senti aussi stressé. Heinz et Steffi sont profondément absorbés par leur séance d'entraînement. Nous restons sur le côté. Quelques minutes plus tard, Heinz appelle Steffi au filet et lui dit quelque chose. Il nous montre du doigt.

Elle nous jette un regard.

Je souris.

Pas elle.

Elle glisse quelques mots à Heinz, qui lui répond, et elle secoue la tête. Mais lorsqu'elle regagne le fond de court, Heinz me fait signe d'approcher.

Je noue rapidement les lacets de mes chaussures, tire une raquette de mon sac et avance sur le court, puis je tombe le T-shirt. Je me rends bien compte que c'est culotté, mais je suis désespéré. Steffi lève les yeux vers moi et a un sursaut à peine visible. Merci, Gil.

Nous commençons à échanger quelques coups. Elle est parfaite, bien sûr, et moi j'ai du mal à faire passer la balle au-dessus du filet. *Le filet est ton pire ennemi.* Du calme, je me dis. Arrête de réfléchir. Allez, Andre, ce n'est qu'un entraînement.

Mais je ne peux pas m'en empêcher. Je n'ai jamais vu une femme aussi belle. Immobile, c'est une déesse ; en mouvement, un poème. Je suis un prétendant, mais aussi un fan. Cela fait si longtemps que je me demande la sensation que son coup droit peut bien produire. Je l'ai regardée à la télévision et pendant les tournois, et je me suis toujours demandé l'effet que cette balle faisait en quittant sa raquette. On ne ressent pas la même chose selon l'adversaire. Il y a des subtilités de vitesse et de puissance minuscules, mais bien concrètes. Maintenant, en recevant ses balles, je sens ces subtilités. On a beau être à douze mètres l'un de l'autre, c'est comme si on se touchait. Chacun de ses coups droits me fait de l'effet.

Elle frappe quelques revers, taillant le court de son célèbre coup coupé. Il faut que je l'impressionne, que je prenne le contrôle de la balle. Mais c'est plus difficile que prévu. J'en rate une. Je crie à Steffi :

— Tu ne vas pas t'en sortir comme ça !

Elle ne répond rien. Se contente de slicer la balle de nouveau. Je cogne un revers aussi fort que possible.

Elle renvoie la balle dans le filet.

Je gueule :

— C'est le genre de coup qui me paie le loyer !

Encore rien. Elle s'applique encore plus sur la suivante.

D'habitude, pendant mes sessions d'entraînement, Brad aime s'occuper. Il court après les balles, multiplie les conseils, n'arrête pas de jacasser. Pas cette fois-ci. Il est assis dans la chaise de l'arbitre, attentif à chaque coup, tel un garde-côte sur une plage infestée de requins.

Chaque fois que je regarde dans sa direction, il marmonne un seul mot. *Magnifique*.

Autour du court, les gens commencent à se rassembler, à nous observer, bouche bée. Quelques photographes prennent des clichés. Je me demande pourquoi. Est-ce dû au fait qu'il est rare de voir un homme et une femme s'entraîner ensemble ? Ou est-ce parce que je suis complètement passif et que je rate une balle sur trois ? De loin, on dirait que Steffi administre une leçon de tennis à un muet rigolard qui a perdu son T-shirt.

Au bout d'une heure et dix minutes, elle agite la main et avance jusqu'au filet.

— Merci beaucoup, dit-elle.

Je trotte jusqu'au filet :

— Le plaisir était pour moi.

J'arrive à prendre un air désinvolte jusqu'à ce qu'elle commence à s'étirer les jambes sur le poteau du filet. Le sang me monte à la tête. Il faut que je fasse quelque chose de physique, sinon je vais tomber dans les pommes. Je n'ai encore jamais fait d'étirements, mais autant m'y mettre. Je pose une jambe sur le poteau, fais semblant d'avoir le dos flexible. Nous nous étirons, discutons du circuit, nous plaignons des voyages, échangeons nos points de vue sur les différentes villes que nous avons visitées.

Je lui demande :

— Quelle est ta ville préférée ? Une fois que tu en auras fini avec le tennis, où est-ce que tu voudrais t'installer ?

— Oh. Je choisirais entre deux villes, je pense. New York ou San Francisco.

Je me dis : Et Las Vegas, tu n'y as jamais pensé ?

— Oui, moi aussi ce sont mes préférées, dis-je.

Elle sourit.

— Eh bien, dit-elle. Merci encore.

— Quand tu veux.

On s'embrasse à l'européenne, une bise sur chaque joue.

Brad et moi reprenons le ferry pour Fisher Island, où nous attend J.P. Nous passons la soirée à discuter tous les trois de Steffi comme s'il s'agissait d'une adversaire, ce qui est le cas. Brad parle d'elle comme il parlerait de Rafter ou de Pete. Elle a des points forts et des points faibles. Il décompose son jeu, me prépare. De temps à autre, J.P. appelle Joni et enclenche le haut-parleur pour qu'on puisse profiter du point de vue féminin.

La conversation se poursuit sur les deux jours suivants. Au dîner, au hammam, au bar de l'hôtel, Steffi domine toutes nos conversations. Nous complotons, employons un jargon militaire, comme *reco* et *info*. J'ai l'impression de préméditer l'invasion de l'Allemagne par terre et par mer.

Je fais remarquer qu'elle m'a eu l'air plutôt réservée.

— Elle ne sait pas que tu as cassé avec ta nana, réplique Brad. Les journaux ne s'en sont pas encore emparés. Personne n'est au courant. Il faut que tu lui dises où tu en es, ce que tu éprouves pour elle.

— Je vais lui envoyer des fleurs.

— Oui, approuve J.P. Des fleurs, c'est bien. Mais il ne faut pas que tu le fasses toi-même. Sinon, il y aura des fuites dans les journaux. On va demander à Joni de s'en occuper et de mettre ton nom sur la carte.

— Bonne idée.

Joni se rend chez un fleuriste à South Beach et, sur mes instructions, achète toutes les roses qu'il possède. En gros, elle passe commande pour qu'une roseraie soit transplantée dans la chambre de Steffi. Sur la carte, je la remercie pour la session d'entraînement et l'invite à dîner. Puis j'attends la réponse.

Aucun coup de fil. De toute la journée.

Le lendemain non plus.

J'ai beau le fixer du regard, j'ai beau lui crier dessus, ce foutu téléphone refuse de sonner. Je fais les cent pas, me ronge les ongles jusqu'au sang. Brad vient me voir dans ma chambre et craint de devoir m'administrer un calmant. Je gueule :

— Tout ça c'est de la connerie ! Bon, d'accord, elle n'est pas intéressée, j'ai bien compris, mais elle aurait au moins pu me remercier, non ? Si elle n'appelle pas ce soir, je jure que je le fais moi-même.

Nous sortons sur la terrasse. Brad regarde au loin et murmure :

— Oh-oh.

— Quoi ?

J.P. surenchérit :

— Je crois apercevoir tes fleurs.

Ils désignent la terrasse de la chambre d'en face. Celle de Steffi, apparemment, puisque mes énormes bouquets de roses rouges à longue tige trônent sur la table de la terrasse.

— Pas sûr que ce soit bon signe, observe J.P.

— Non, ajoute Brad. PB. Pas bien.


Nous décidons d'attendre que Steffi ait remporté son premier match – c'est couru d'avance – et de téléphoner ensuite. J.P. me fait répéter. Il joue le rôle de Steffi. Nous envisageons tous les scénarios possibles. Il me lance toutes les paroles qu'elle serait susceptible de prononcer.

Steffi bat sa malheureuse adversaire du premier tour en quarante-deux minutes. J'ai donné un pourboire aux capitaines du ferry pour qu'ils m'avertissent dès qu'ils la verront. Cinquante minutes après le match, je reçois un appel : elle est à bord.

Je lui donne un quart d'heure pour rejoindre l'île, dix minutes pour aller de la jetée à son hôtel, puis j'appelle le standardiste et demande à la joindre. Je connais le numéro de sa chambre, parce que je vois encore ces foutues fleurs patienter, abattues, sur la table de sa terrasse.

Elle décroche dès la deuxième sonnerie.

— Salut. C'est Andre.

— Ah.

— J'appelais juste pour savoir si tu avais bien reçu mes fleurs.

— Je les ai reçues.

— Ah.

Silence.

Elle reprend :

— Je ne veux pas de malentendu entre nous. Mon petit ami est ici.

— Je vois. Bon, OK, j'ai compris.

Silence.

— Bonne chance pour le tournoi.

— Merci. Toi aussi.

Un canyon entier de silence.

— Bon, eh bien, au revoir.

— Au revoir.

Je m'effondre sur le divan, les yeux fixés au sol.

— J'ai une question, lance J.P. Qu'est-ce qu'elle a bien pu dire pour que tu fasses cette tête-là ? Il y a un scénario auquel on n'a pas pensé ?

— Son petit ami est ici.

— Ah.

Puis je souris. J'emprunte une page à la feuille de route optimiste de Brad :

— Peut-être qu'elle me faisait passer un message. Il est *évident* que son copain était assis à côté d'elle.

— Alors ?

— Alors elle ne pouvait pas parler, et plutôt que de dire : J'ai un petit ami, fin de l'histoire, elle m'a dit : Mon petit ami est *ici*.

— *Alors ?*

— Je crois qu'elle sous-entend que j'ai une chance.

J.P. tient à me servir un verre.


Le tournoi offre une distraction qui, malheureusement, ne dure que quelques heures. Au premier tour, contre le Slovène Dominik Hrbaty, j'imagine Steffi et son amoureux en train de contempler les roses, ou alors de faire semblant de ne pas les voir. Hrbaty m'évince en trois sets.

Le tournoi est fini pour moi. Je devrais quitter Fisher Island. Mais je traîne dans les parages, assis sur la plage, à comploter avec J.P. et Brad.

— Il est possible que le copain de Steffi se soit pointé à l'improviste, avance Brad. En plus, elle ne sait toujours pas que tu es divorcé. Elle croit que tu es encore marié à Brooke. Laisse-lui du temps. Laisse circuler l'information. Alors tu pourras tenter une approche.

— Oui, oui, tu as raison.

Brad fait allusion à Hong-Kong. Au vu de ma performance contre Hrbaty, j'ai clairement besoin d'un autre tournoi avant de jouer sur terre battue.

— Allons à Hong-Kong, propose-t-il. Ne restons pas assis à discuter de Steffi.

À peine le temps de réfléchir que je suis à bord d'un avion en partance pour la Chine. Je regarde l'écran à l'avant de la cabine. *Temps de vol estimé : 15 heures, 37 minutes.*

Je jette un coup d'œil à Brad. Quinze heures et trente-sept minutes ? Avec Steffi en tête ? Inconcevable.

Je défais ma ceinture et me lève.

— Où tu vas comme ça ?

— Je descends de cet avion.

— Ne sois pas ridicule. Assieds-toi. Détends-toi. On est là. Parés. Prêts à jouer.

Je reprends place, commande deux Belvedere, avale un somnifère et me réveille dans une voiture à l'autre bout du monde, à Hong-Kong, roulant le long d'une autoroute qui passe devant l'immense centre international des finances.

J'appelle Perry.

— Quand la nouvelle de mon divorce avec Brooke va-t-elle être rendue publique ?

— Les avocats sont en train de discuter des derniers détails. Toi et Brooke, vous devez vous entendre sur une déclaration.

Nous nous faxons des brouillons. Son équipe, la mienne. Les avocats et les publicistes s'y mettent, puis Brooke ajoute un mot, moi j'en enlève un. Fax sur fax. Ce qui commence par un fax se termine sur un fax.

— La déclaration publique est sur le point de sortir, assure Perry. Elle devrait figurer dans les journaux d'un jour à l'autre.

Avec Brad, nous descendons dans le hall de l'hôtel tous les matins, achetons tous les journaux et les parcourons rapidement pendant le déjeuner, en quête du gros titre. De mémoire, c'est la première fois que j'ai hâte que les journaux fassent des révélations sur ma vie privée. Tous les jours, j'adresse une prière silencieuse : Faites que ce jour-ci soit celui où Steffi apprendra que je suis disponible.

Jour après jour, notre quête se révèle vaine. C'est comme quand j'attendais le coup de fil de Steffi. Si seulement j'avais des cheveux, je pourrais me les arracher. Enfin, la couverture de *People* affiche une photo de Brooke et de moi. Le gros titre : *Soudain séparés*. C'est le 26 avril 1999, trois jours avant mon vingt-neuvième anniversaire, presque deux ans jour pour jour après notre mariage.

J'ai l'impression de renaître, de revenir, je gagne le tournoi de Hong-Kong. Mais sur le vol du retour je n'arrive pas à lever le bras. Dès mon arrivée à l'aéroport, je me précipite chez Gil. Il y jette un coup d'œil, fait la grimace. Ce qu'il voit ne lui plaît pas.

— Il va peut-être falloir tout arrêter et laisser passer la saison sur terre battue.

— Non, non, non, intervient Brad. Il faut qu'on soit à Rome pour l'Open d'Italie.

— Je t'en prie. Je ne gagne jamais là-bas. Laissons tomber.

— Non, insiste Brad. Allons à Rome, on verra bien comment se porte l'épaule. Tu ne voulais pas aller à Hong-Kong, hein ? Mais tu as gagné quand même, hein ? J'y vois le début d'une tendance.

Je le laisse me traîner dans un avion, et à Rome je perds au troisième tour contre Rafter, que je viens de battre à Indian Wells. Maintenant j'ai vraiment envie de faire une pause. Mais Brad me persuade de participer à la World Team Cup, en Allemagne. Je n'ai pas la force de refuser.

En Allemagne le temps est froid et maussade, ce qui signifie que la balle s'alourdit. Je regarde Brad, une envie de meurtre au fond des yeux. Je n'arrive pas à croire qu'il m'a traîné jusqu'à Düsseldorf avec une épaule en vrac. Au milieu du premier set, alors que mon adversaire mène 4-3, je suis incapable de frapper un coup de plus. J'abandonne. C'est fini. Je demande à Brad de rentrer. Il faut que je m'occupe de mon épaule. Et que je sois fixé une bonne fois pour toutes en ce qui concerne Steffi.

Nous embarquons pour San Francisco, et je n'adresse pas la parole à Brad. Je suis en rogne. Nous allons passer douze heures l'un à côté de l'autre, et je lui dis :

— Voici comment ça va se passer, Brad. À cause de mon épaule, je n'ai pas dormi de la nuit. Je vais prendre deux somnifères tout de suite, je ne vais pas t'entendre pendant les douze heures à venir et ce sera le paradis. Tu m'entends ? Et quand on atterrira, la première chose que je veux que tu fasses, c'est me rayer de la liste de Roland-Garros.

Il se penche vers moi et m'assaille pendant deux heures.

— Tu ne rentres *pas* à Las Vegas. Tu ne te retires *pas* de Roland-Garros. Tu viens chez moi à San Francisco. J'ai fait préparer le cottage pour les invités, avec une pile de bois pour la cheminée, exactement comme tu aimes. Après, on prendra l'avion ensemble pour Paris et tu joueras. C'est le seul tournoi que tu n'as pas à ton actif, tu l'as toujours voulu, et tu le gagneras uniquement si tu y participes.

— Roland-Garros ? Tu veux rire. C'est fini tout ça.

458

— Qu'est-ce que t'en sais ? Cette année sera peut-être la bonne.

— Fais-moi confiance. 1999 ne pourra jamais être mon année.

— Écoute, tu commençais tout juste à redevenir le joueur que tu as été. J'ai vu quelque chose en toi que je n'avais plus vu depuis des années. Il faut absolument continuer.

Je vois où il veut en venir. Ce n'est pas qu'il pense que je suis capable de remporter Roland-Garros. Mais si je me retire, ce sera d'autant plus facile de faire sauter Wimbledon, et c'est l'année tout entière qui tombe à l'eau. Adieu come-back. Bonjour retraite.

Arrivé à San Francisco, je suis une fois de plus trop épuisé pour argumenter. Je me glisse dans la voiture de Brad, il m'emmène chez lui et m'installe dans son cottage. Je dors douze heures d'affilée. À mon réveil, un chiropracteur est là pour s'occuper de moi.

— Ça ne marchera jamais, je gronde.

— Ça va marcher, persévère Brad.

Je reçois des soins deux fois par jour. Le reste du temps, je contemple le brouillard et alimente le feu. Quand arrive le vendredi, je dois admettre que je me sens mieux. Brad sourit. On échange quelques balles sur le court à l'arrière de sa maison, puis je fais quelques services.

Je lance :

— Appelle Gilly ! En route pour Paris.


Dans notre hôtel parisien, Brad passe le tirage au sort en revue. Je demande :

— Alors ?

Il ne répond rien.

— Brad ?

— Ça n'aurait pas pu être pire.

— Vraiment ?

— Un vrai cauchemar. Au premier tour tu affrontes Franco Squillari, un Argentin gaucher, le joueur le plus redoutable qui ne soit pas tête de série. Une vraie bête sur terre battue.

— Je n'arrive pas à croire que tu m'aies persuadé de venir.

Entraînement samedi et dimanche. Lundi, tout commence. Je suis dans les vestiaires, en train de me faire bander les pieds, et je me rends compte que j'ai oublié d'emmener des sous-vêtements dans mon sac. Le match est dans cinq minutes. Est-ce que je peux jouer sans slip ? Je ne sais même pas si c'est physiquement possible.

Brad propose en plaisantant de me prêter le sien.

Je suis prêt à tout pour gagner, mais quand même.

Et puis je me dis : C'est parfait, tout ça. De toute façon, je n'avais aucune intention d'être ici, je devrais être ailleurs, je m'apprête à affronter la bête de la terre battue dès le premier tour, sur le court central. Pourquoi ne pas sortir sans rien en dessous ?

Six mille spectateurs hurlent dans les gradins comme des paysans sur le point d'envahir Versailles. Je n'ai même pas eu le temps de transpirer que mon adversaire mène déjà d'un set et un break. Je regarde vers ma loge, où se trouvent Gil et Brad. *Aidez-moi.* Brad me regarde à son tour, le visage de marbre : Aide-toi toi-même.

Je retrousse mon short, respire le plus profondément possible et expire lentement. Je me dis que ça ne peut pas empirer. Je me dis : Gagne juste un set. Contre ce type, ce serait un accomplissement. Un set. Tente ton coup. Réduire la tâche me la rend plus accessible, je me sens plus libéré. Je me mets à claquer mes revers, à frapper là où il faut. La foule s'agite. Cela fait longtemps qu'ils ne m'ont pas vu jouer aussi bien. À l'intérieur de moi, quelque chose s'agite aussi.

La deuxième manche tourne au pugilat, à la lutte, au duel aux pistolets. Squillari ne cède pas d'un pouce et je dois reprendre le contrôle du set à coups de matraque, 7-5. Puis le choc. Je gagne la troisième manche. Je sens poindre l'espoir, le vrai espoir. Mon corps est parcouru de frissons. Je lève les yeux vers Squillari : tout espoir l'a abandonné. Son visage ne renvoie aucune expression. C'est un des types les plus performants du circuit, et il est incapable d'avancer. C'est fini pour lui. Au quatrième set je le fume, et tout d'un coup je quitte le court avec l'une des victoires les plus improbables de ma carrière.

De retour à l'hôtel, couvert de poussière, je dis à Gil :

— Tu l'as vu ? Tu as vu ce pro de la terre ? On lui a refilé des crampes, Gil !

— J'ai vu.

L'ascenseur est minuscule. Il y a de la place pour cinq êtres humains de taille normale, ou alors pour moi et Gil. Brad nous dit de monter, qu'il prendra le suivant. J'appuie sur le bouton, et pendant la montée Gil se cale dans un coin de l'ascenseur, et moi dans l'autre. Je sens son regard posé sur moi.

— Quoi ?

— Rien.

Il continue de me regarder.

— Qu'est-ce qu'il y a, Gil ?

— Rien. (Il sourit et répète :) Rien.

Au deuxième tour, je continue sans sous-vêtements. (Je n'en mettrai jamais plus. Si quelque chose fonctionne, surtout ne rien changer.) J'affronte le Français Arnaud Clément et gagne le premier set, 6-2. Je mène au deuxième, je n'ai jamais aussi bien joué sur terre battue. Je berce mon adversaire jusqu'à ce qu'il s'endorme. Puis Clément se réveille. Il gagne la deuxième manche… et la troisième. Qu'est-ce qui s'est passé ? Je sers à 4-5, 0-30, au quatrième set. Je suis à deux points de me faire éjecter du tournoi.

Je me dis : Deux points. *Deux points.*

Il frappe un coup droit sur la ligne. Je vais vérifier. La balle est faute. Avec ma raquette, je trace un cercle autour de la marque. Le juge de ligne accourt pour confirmer. Il l'examine avec la précision d'un Hercule Poirot. Il lève la main. Faute !

Si cette balle était tombée sur la ligne, j'aurais trois balles de match contre moi. Au lieu de cela, j'en suis à 15-30. Quelle différence. Quel revirement.

Mais je dois absolument arrêter de me demander ce qui se serait passé si... Arrête de réfléchir, Andre. Débranche ton esprit. Pendant deux minutes, je joue le meilleur tennis dont je suis capable. Je garde mon service. 5 partout.

C'est à Clément de servir. Si j'étais un autre joueur, il aurait l'avantage. Mais je suis le fils de mon père. Je suis un relanceur. Je ne laisse rien passer. Et puis je le fais courir d'un côté à l'autre. D'avant en arrière. Il a la langue qui pend. Il pense, et les spectateurs aussi, que je ne peux pas le faire courir plus ; mais je les détrompe tous. On dirait un métronome. Il est foutu. Il tangue en avant comme s'il venait de se prendre une balle dans la tête. Ses crampes ont des crampes. Il a besoin de soins médicaux.

Je fais le break. Puis je garde facilement le service, ce qui me permet de gagner la quatrième manche.

Je remporte le cinquième set, 6-0.

Dans les vestiaires, Brad parle tout seul, s'adresse à moi, à quiconque veut bien l'écouter.

— Sa roue arrière a explosé ! Tu as vu ? Putain de merde ! Sa roue arrière... *boum*.

Les journalistes me demandent si je considère les crampes de Clément comme une chance.

— Une chance ? J'ai travaillé dur pour ces crampes.

À l'hôtel, je me retrouve à nouveau avec Gil dans le minuscule ascenseur. J'ai le visage couvert de poussière. Les yeux et les oreilles pleins de poussière. Les vêtements maculés de terre. Je baisse les yeux. Je ne m'étais encore jamais rendu compte à quel point la terre de Roland-Garros, quand elle sèche, ressemblait à du sang. Je suis en train d'essayer de l'enlever quand je sens une nouvelle fois le regard de Gil posé sur moi.

— Qu'est-ce qu'il y a ?

— Rien, dit-il, le sourire aux lèvres.


Au troisième tour, je joue contre Chris Woodruff. Je me suis déjà mesuré à lui ici en 1996, et j'ai perdu. Une défaite désastreuse. Cette année-là, je pensais secrètement avoir des chances. Cette fois-ci, je sais que je vais gagner. Je ne doute pas une seule seconde de ma revanche, servie glacée. Je le bats, 6-3, 6-4, 6-4, sur le même court où il m'avait battu la fois d'avant. C'est Brad qui l'a demandé, parce qu'il voulait que je me souvienne, que ça vire au règlement de comptes.

Je suis en huitième de finale à Roland-Garros pour la première fois depuis 1995. Ma récompense, c'est Carlos Moya, le champion en titre.

— Pas de soucis, assure Brad. Même si Moya est le champion, et superfort sur terre battue, tu peux le prendre d'assaut. Fais-le courir, reste vers la ligne de fond de court, frappe la balle tôt et mets-lui la pression. Cherche son revers, mais s'il te donne du coup droit, débrouille-toi pour qu'il le regrette. Ne te contente pas de renvoyer la balle, cogne-la de toutes tes forces, qu'elle puisse remonter la rue principale. Fais en sorte qu'il en bave.

Au premier set, c'est moi qui en bave. Je perds rapidement la manche. Au deuxième, je suis mené de deux breaks. Je ne joue pas mon jeu. Je ne fais rien de ce que Brad m'a dit de faire. Je jette un coup d'œil vers ma loge, et Brad hurle : *Allez ! On y va !*

Revenons-en aux bases. Moya, je le fais courir. Et courir encore. J'établis un rythme sadique en chantonnant : « Cours, Moya, cours. » Je le fais courir en rond. Je le fais courir le marathon de Boston. Je gagne la deuxième manche sous les acclamations du public. À la troisième, je fais courir Moya encore plus que j'ai fait trotter mes trois derniers adversaires combinés, et soudain il est cuit. Il n'en veut plus. Quand c'est trop, c'est trop.

Avec le début du quatrième set, je déborde d'assurance. Je sautille sur place. Je veux montrer à Moya ce qu'il me reste d'énergie. Il le voit et soupire. Je l'achève et pique un sprint jusqu'aux vestiaires. En guise de félicitations, Brad me cogne le poing du sien, avec une telle force qu'il manque me le briser.

Dans l'ascenseur de l'hôtel, je sens encore Gil qui me regarde.

— Qu'est-ce qu'il y a ?

— J'ai un pressentiment.

— *Quel* pressentiment ?

— Que tu es sur ta lancée.

— Vers quoi ?

— Ton destin.

— Je ne suis pas sûr de croire au destin.

— On verra bien. On ne peut pas faire un feu sous la pluie.


On a deux jours de relâche. Deux journées pour se détendre et penser à autre chose qu'au tennis. Brad apprend que Springsteen réside dans notre hôtel. Il donne un concert à Paris. Brad suggère que nous y allions. Il nous obtient trois places, dans les premiers rangs.

Au début je ne suis pas convaincu. Je ne sais pas si c'est une bonne idée d'aller faire la bringue à Paris. Mais à la télé, on parle essentiellement du tournoi, ce qui n'est pas bon pour mon état d'esprit. Je me rappelle cet officiel du tennis qui se moquait du fait que je participais à un tournoi de Challenger, en faisant une comparaison avec Springsteen jouant dans un bar. Je finis par dire oui. Sortons ce soir. Allons voir le Boss.

Brad, Gil et moi entrons dans la salle de concert quelques secondes à peine avant que Springsteen monte sur scène. Pendant que nous nous dépêchons de gagner nos places, quelques personnes me remarquent et me montrent du doigt. Un homme hurle mon nom. Andre ! *Allez, Andre !* Quelques autres crient en chœur. Nous nous asseyons. Un projecteur passe sur la foule… et se braque soudain sur nous. Nos visages apparaissent sur l'immense écran vidéo qui surplombe la scène. La foule applaudit. Les spectateurs se mettent à scander : *Allez, Agassi ! Allez, Agassi !* Quelque six mille personnes – plus ou moins l'équivalent du public de Roland-Garros – chantent, acclament, tapent des pieds. *Allez, Agassi !* Il y a une cadence, un rythme sautillant, comme une comptine pour enfants. *Di-di, da da da.* C'est contagieux. Brad s'y met aussi. Je me lève, fais un signe de la main. Je me sens honoré. Inspiré. J'aimerais jouer mon prochain match tout de suite. Ici. *Allez, Agassi !*

Je me lève une dernière fois, le cœur gonflé d'émotion. Puis, enfin, le Boss arrive.

En quart de finale, je suis face à l'Uruguayen Marcelo Filippini. Le premier set est facile. Le deuxième aussi. Je le fais courir, il s'effondre. *Les clodos comme nous, bébé, On est faits pour courir* [1]. Ça me procure autant de plaisir que de gagner – faire en sorte que mes adversaires aient les jambes coupées, et constater, au cours d'une période concentrée de deux semaines, que toutes ces années passées avec Gil ont fini par payer. Je remporte la troisième manche sans rencontrer de résistance de la part de Filippini, 6-0.

— C'est un massacre ! crie Brad. Bon Dieu, Andre, tu es carrément en train de les massacrer.

---

1. Tramps like us, baby, We were born to run (Bruce Springsteen, *Born to run*).

Je suis en demi-finale. J'ai pour adversaire Hrbaty, qui vient de me battre à Key Biscayne, quand j'étais hébété par Steffi. Je gagne le premier set, 6-4. Et le deuxième, 7-6. Des nuages s'accumulent. Une pluie fine se met à tomber. La balle s'alourdit, ce qui m'empêche d'attaquer. Hrbaty prend l'avantage et remporte la troisième manche, 6-3. Dans la quatrième il mène 2-1, et ce match gagné d'avance me file doucement entre les doigts. Malgré son handicap d'un set, l'impulsion est clairement de son côté. Moi, j'ai tout juste l'impression de m'accrocher.

Je regarde Brad. Il lève un doigt vers le ciel. Arrête le match.

Je fais signe au superviseur et à l'arbitre, leur montre la terre battue devenue boueuse. Je refuse de jouer dans ces conditions. C'est dangereux. Ils examinent la boue comme des mineurs en quête d'or. Un temps de concertation. Interruption du match.

Au dîner avec Gil et Brad, je suis de mauvais poil parce que je sais que le match n'allait pas dans mon sens. Seule la pluie m'a sauvé. Sans ce contretemps, nous serions déjà à l'aéroport à l'heure qu'il est. Et maintenant, j'ai du mal à croire qu'il me reste encore toute une nuit à ruminer et à m'inquiéter pour demain.

Je garde les yeux fixés sur mon assiette, muet comme une carpe.

Brad et Gil parlent de moi comme si je n'étais pas là.

— Physiquement, ça va, commente Gil. Il est en forme. Alors fais-lui un bon discours, Brad. Mets-le en condition.

— Qu'est-ce que tu veux que je dise ?

— Tu trouveras bien quelque chose.

Brad prend une lampée de bière et se tourne vers moi.

— OK, Andre. Écoute. Voici ce que tu as à faire. Débrouille-toi pour tenir vingt-huit minutes, demain.

— Hein ?

— Vingt-huit minutes. Il s'agit de piquer le dernier sprint. Tu peux le faire. Tu as cinq jeux à gagner, c'est tout, et ça ne devrait pas te prendre plus de vingt-huit minutes.

— La pluie. La balle.

— Il ne pleuvra pas.

— Il paraît que si.

— Non, il va faire beau. Accorde-nous seulement vingt-huit minutes.

Brad sait comment fonctionne mon esprit. Il sait que je me nourris d'ordre, d'exactitude, de buts clairs et précis. Mais sait-il également prévoir la météo ? Pour la première fois, il me vient l'idée que Brad n'est pas un entraîneur mais un prophète.

De retour à l'hôtel, Gil et moi nous entassons dans l'ascenseur.

— Ça va aller, me glisse Gil.

— Ouais.

Avant de me coucher, il me force à boire mon Eau de Gil.

— Je n'en veux pas.

— Bois.

Quand je suis hydraté au point de pisser un liquide blanc coton, il me laisse dormir.

Le lendemain, je suis tendu. Mené 1-2 au quatrième set, je sers et me retrouve avec un handicap de deux balles de break. Non, non, non. Je me bats, remonte la pente. Garde le service. Égalité. Maintenant que j'ai évité le pire, je me sens soudain détendu, heureux. C'est si fréquent dans le sport. Vous tenez par un fil au-dessus d'un trou sans fond. Vous frôlez la mort. Quand votre adversaire, ou la vie, finit par vous épargner, vous vous sentez si chanceux que vous jouez avec une intensité toute particulière. Je gagne la quatrième manche, puis le match. Me voici en finale.

Mon premier regard est pour Brad, qui désigne, tout excité, sa montre et l'horloge digitale du court.

Vingt-huit minutes. Pas une de plus.

Mon adversaire de finale se trouve être l'Ukrainien Andrei Medvedev, ce qui est impossible. Tout bonnement impossible. Il y a quelques mois, à Monte-Carlo, Brad et moi avons croisé Medvedev en boîte de nuit. Il s'était fait larguer ce jour-là et noyait son chagrin dans l'alcool. Nous l'avons invité à se joindre à nous. Il s'est laissé tomber sur une chaise, à notre table, et nous a annoncé qu'il quittait le tennis.

— Je ne peux plus jouer à ce putain de jeu, a-t-il décrété. Terminé.

J'ai essayé de l'en dissuader.

— Comment tu peux dire ça ? Regarde-moi : vingt-neuf ans, blessé, divorcé, et c'est *toi* qui râles ? Tu as vingt-quatre ans et l'avenir devant toi.

— Je joue comme une merde.

— Et alors ? Perfectionne-toi.

Il voulait des conseils, des tuyaux. Il m'a demandé d'analyser son jeu, de la même façon que j'avais demandé à Brad d'analyser le mien. Et je me suis montré digne de Brad. J'ai fait preuve d'une honnêteté brutale. Je lui ai dit que son service était puissant, son retour profond, et son revers l'un des meilleurs au monde. Il n'est pas très fort en coup droit, bien sûr, ce n'est pas un secret, mais je lui ai assuré qu'il pouvait passer outre, parce qu'il était assez fort pour bousculer ses adversaires.

— Tu bouges bien ! ai-je crié. Reviens-en aux bases. Continue de bouger, cogne dès ton premier service et fais claquer ton coup droit le long de la ligne.

Depuis cette soirée, il a suivi mes conseils à la lettre, brûlant tout sur son passage. Il a remporté pas mal de victoire sur le circuit et a dominé bon nombre de joueurs à Roland-Garros. Chaque fois qu'on s'est croisé dans les vestiaires ou autour de Roland-Garros, on s'est échangé des clins d'œil complices et des signes de la main.

Jamais je n'aurais imaginé que nous allions nous percuter ainsi.

Gil avait donc tort. Je n'étais pas en route pour rencontrer mon destin, mais un dragon cracheur de flammes que j'avais moi-même aidé à grandir.

Où que j'aille, des Parisiens se précipitent pour me souhaiter bonne chance. On ne parle que du tournoi. Dans les restaurants et les cafés, en pleine rue, on crie mon nom, on m'embrasse sur la joue, on m'encourage. L'histoire de mon accueil au concert de Springsteen a fait la une des journaux. Tout le monde, y compris la presse, est fasciné par mon parcours improbable. Les gens s'identifient à mon destin. Ils se reconnaissent dans mon come-back, dans mon retour d'entre les morts.

Nous sommes à la veille de la finale et je suis assis dans ma chambre d'hôtel, devant la télé. Je l'éteins et m'approche de la fenêtre. J'ai envie de vomir. Je repense à l'année que je viens de passer, à ces dix-huit derniers mois, ces dix-huit dernières années. Des millions de balles, des millions de décisions. Je sais que c'est ma dernière chance de remporter Roland-Garros, ma dernière chance de gagner les quatre tournois et de faire un Grand Chelem, donc ma dernière tentative de rédemption. L'idée de perdre me fait peur, celle de gagner presque autant. Serai-je reconnaissant ? Serai-je à la hauteur ? Serai-je capable de poursuivre sur ma lancée ? Ou bien finirai-je par tout gâcher ?

Et puis, Medvedev n'est jamais loin de mes pensées. Il a mon jeu. C'est moi qui le lui ai donné. Il a même mon prénom. Andrei. Ce sera Andre contre Andrei. Moi, contre mon double.

Brad et Gil frappent à la porte.

— Prêt pour le dîner ?

J'ouvre et leur demande d'entrer une seconde.

Ils restent sur le seuil, me regardent ouvrir le minibar. Je me sers une grande rasade de vodka. Brad, bouche bée, me voit vider le verre d'un seul trait.

— Mais bordel, qu'est-ce qui te... ?

— Je suis stressé au possible, Brad. Je n'ai rien mangé de la journée. Il faut que je mange, mais d'abord je dois me calmer.

— Ne t'en fais pas, dit Gil à Brad. Ça va aller.

— Bois au moins un grand verre d'eau, supplie Brad.

En regagnant ma chambre après le dîner, je prends un somnifère et me glisse dans mon lit. J'appelle J.P. Il me dit que là-bas, c'est le début de l'après-midi.

— Il est quelle heure chez toi ?

— Tard. Vraiment très tard.

— Comment tu te sens ?

— S'il te plaît, *s'il te plaît*, on peut parler d'autre chose que de tennis pendant quelques minutes ?

— Ça va ?

— Tout sauf du tennis.

— OK. Bon. Voyons voir. Si je te lisais un poème ? Je lis pas mal de poésie, ces temps-ci.

— Ouais. Super. Tout ce que tu veux.

Il sort un livre de sa bibliothèque. Sa voix est douce.

Et si nous avons perdu cette force
Qui autrefois remuait la terre et le ciel,
Ce que nous sommes, nous le sommes,
Des cœurs héroïques et d'une même trempe
Affaiblis par le temps et le destin,
Mais forts par la volonté
De chercher, lutter, trouver, et ne rien céder.

Je sombre dans le sommeil, le combiné encore au creux de la main.

Gil frappe à ma porte, habillé comme s'il allait rencontrer de Gaulle en personne. Il a mis sa belle veste de sport noir, son pantalon à pinces noir, son chapeau noir. Et autour du cou, le collier que je lui ai offert.

Moi, je porte la boucle d'oreille assortie. Le Père, le Fils, le Saint-Esprit.

Dans l'ascenseur, il me dit :

— Ça va aller.

— Ouais.

Mais ça ne va pas. J'en prends conscience en m'échauffant. Je suis trempé de sueur. Je transpire comme si j'étais sur le point de me marier. Je suis si stressé que j'en claque des dents. Le soleil brille, ce qui devrait me réconforter, puisque la balle sera plus sèche et plus légère. Mais la chaleur me fait transpirer de plus belle.

Quand le match débute, je suis une épave dégoulinante de sueur. Je commets des erreurs stupides, des erreurs de débutant, toutes les conneries possibles et imaginables sur un court de tennis. Il ne me faut que dix-neuf minutes pour perdre la première manche, 6-1. Pendant ce temps, Medvedev est d'un calme à toute épreuve. Et pourquoi ne le serait-il pas ? Il fait tout ce qu'il faut, tout ce que je lui ai dit de faire à Monte-Carlo. Il impose son rythme, se déplace avec agilité, fait claquer son coup droit le long de la ligne. Son jeu est simple, précis, sans pitié. Si j'avance, si j'essaie de m'emparer furtivement d'un point, il me balance un revers cinglant.

Il porte un short à carreaux, comme si on était sur la plage ou en balade sur la Côte d'Azur. Il est plein d'entrain et de vigueur, comme s'il était en vacances. Il me donne l'impression d'être capable de tenir des jours et des jours sans jamais se fatiguer.

Au début du deuxième set, des nuages noirs s'amoncellent. Soudain, une pluie légère se met à tomber. Des centaines de parapluies apparaissent dans les gradins. Le jeu est interrompu. Medvedev se précipite dans les vestiaires et je le suis.

Il n'y a personne. Je fais les cent pas. De l'eau goutte d'un robinet. Le bruit résonne sur les casiers métalliques.

Je m'assois sur un banc, en sueur, le regard perdu dans un casier ouvert.

Entrent Brad et Gil. Brad, vêtu d'une veste et d'un chapeau blancs, offre un contraste saisissant avec la tenue noire de Gil. Brad claque la porte aussi fort que possible et hurle :

— Qu'est-ce qui se passe ?

— Il est trop fort, Brad. Trop fort pour moi. Je ne peux pas le battre. Ce connard me balance des missiles, ne rate jamais une balle. Son service est imparable, son revers imparable, je n'arrive pas à reprendre le point. Je n'y arrive pas.

Brad se tait. Je pense à Nick, qui se tenait à peu près au même endroit il y a huit ans de cela, muet pendant qu'on attendait la fin de la pluie et la reprise de mon match contre Courier. Certaines choses ne changent jamais. Ce même tournoi qui m'échappe, ce même sentiment de nausée, la même réaction blessante de la part de mon entraîneur.

Je crie à Brad :

— Tu te fous de moi ? Tu as choisi cet instant parmi tous les instants pour ne pas ouvrir ta gueule ? C'est *maintenant* que tu te tais ?

Il me fixe du regard et se met à hurler. Brad, qui ne dit jamais un mot plus haut que l'autre, pète les plombs.

— *Qu'est-ce que tu veux que je te dise, Andre ?* Tu veux que je te dise *quoi* exactement ? Tu trouves qu'il est trop fort. Je vois pas comment tu pourrais le savoir ! Tu es incapable de juger sa façon de jouer ! Tu es si désorienté, si aveuglé par la panique, que je suis surpris que tu arrives même à le voir. Trop fort ? C'est *toi* qui le rends fort.

— Mais…

— Relâche un peu la pression. Si tu dois perdre, autant que ce soit à ta manière. Frappe cette putain de balle.

— Mais…

— Et si tu ne sais pas où la frapper, je te donne un conseil. Calque ton jeu sur le sien. S'il te balance un revers croisé, renvoie-lui un revers croisé. Mais débrouille-toi pour que le tien soit légèrement meilleur. Tu n'as pas à être le meilleur au monde, tu te souviens ? Tu dois juste être meilleur que le type en face de toi. Tous les coups qu'il a en stock, tu les as aussi. Son service, on l'emmerde. Une fois que tu te mettras vraiment à frapper la balle, il ne vaudra plus rien. Contente-toi de frapper. Frappe, bordel. Si on doit perdre aujourd'hui, c'est pas grave, je peux vivre avec, mais que ce soit selon nos règles à nous. Ces treize derniers jours, je t'ai vu la faire atterrir sur la ligne. Je t'ai vu la claquer, même sous pression, et laminer tes adversaires. Alors je t'en prie, arrête de t'apitoyer sur ton sort, et arrête de me sortir qu'il est trop fort, et pour l'amour de Dieu arrête de chercher la perfection ! Contente-toi de voir la balle et de la frapper. Tu m'entends, Andre ? Vois la balle. Frappe la balle. Donne-lui du fil à retordre. Qu'il en bave. Tu ne bouges pas. Tu ne frappes pas. Tu penses peut-être que si, mais crois-moi, tu restes planté là. Si tu dois couler, vas-y, coule, mais pas avant d'avoir foutu le feu partout. Toujours, toujours, toujours partir au milieu des *flaaammes*.

Il ouvre un casier et le referme en le claquant. La porte se rabat avec un bruit métallique.

L'arbitre apparaît.

— Nous retournons sur le court, messieurs.

Brad et Gil quittent les vestiaires. Je remarque qu'en franchissant la porte, Gil tapote furtivement le dos de Brad.

Je regagne lentement le court. Nous nous échauffons brièvement avant de recommencer à jouer. J'ai oublié le score. Je dois jeter un coup d'œil au tableau d'affichage pour me le rappeler. Ah oui. Je mène, 1-0, au deuxième set. Mais c'est à Medvedev de servir. Je repense à la finale contre Courier en 1991, à la pluie qui a détruit mon rythme. C'est peut-être ma chance de revanche. Le karma du tennis. Peut-être que, comme la pluie m'a embrouillé la dernière fois, cette fois-ci elle va me remettre sur les rails.

Mais Medvedev compte lui aussi sur son karma ukrainien. Il reprend là où on s'est arrêté, continue de faire monter la pression, me force, encore et encore, à battre en retraite et à me défendre, ce qui n'est pas mon jeu habituel. Le temps est désormais couvert et humide, ce qui semble donner encore plus de force à Medvedev. Il aime adopter un rythme lent. On dirait un éléphant en colère, qui prend bien son temps pour m'écraser. Lors du premier jeu après la reprise, son service atteint les 190 kilomètres à l'heure. En quelques secondes, le score est à égalité, 1-1.

Puis il fait le break. Il garde son service, fait encore le break, et finit par gagner la deuxième manche avec une aisance incroyable, 6-2.

Au troisième set, nous tenons notre service pendant cinq jeux. Soudain, inexplicablement et pour la première fois du match, je fais le break. Je mène 4-2. J'entends des murmures parcourir la foule.

Mais Medvedev prend mon service suivant, gagne ensuite le sien et amène le set à 4 partout.

Le soleil refait son apparition. Il darde ses rayons. La terre commence à sécher. Le rythme s'accélère considérablement. C'est à moi de servir, et à 15 partout nous nous disputons un point effréné, que je gagne avec une belle volée de revers. Maintenant, à 30-15, j'entends Brad me dire de voir la balle, de frapper la balle. Je la laisse s'envoler. Je lâche mon premier service avec un grognement particulièrement fort. Faute. Je précipite mon deuxième service. Double faute. 30-30.

Bon. Voilà. Je vais perdre malgré tout – Medvedev n'est désormais plus qu'à six points de la victoire –, mais c'est à la manière de Brad que je vais perdre, pas à la mienne.

Je sers de nouveau. Faute. Je m'entête à ne rien changer à mon service. Encore sorti. Deux doubles fautes d'affilée.

On en est à 30-40. Balle de break. Je tourne en rond, ferme les yeux, au bord des larmes. Il faut que je me reprenne. J'empiète sur la ligne, lance la balle en l'air et rate un service de plus. Le cinquième de suite. Je m'effondre. Je suis à une faute près de laisser Medvedev servir pour le tournoi.

Il se penche en avant, prêt à anéantir mon second service. En tant que retourneur, on passe son temps à tenter de deviner les pensées de son adversaire, et Medvedev sait qu'après avoir raté cinq services d'affilée les miennes sont en miettes. Alors, avec une certaine assurance, il se dit que je n'aurai pas le cran d'être agressif. Il s'attend à un gentil petit service lifté. Il croit que je n'ai pas le choix. Il s'avance, bien derrière la ligne de fond de court, me faisant passer le message qu'il attend un coup gentillet et que, une fois qu'il aura mis la main dessus, il me le fera bouffer. Son expression signifie clairement : Vas-y, connard. Sois agressif. T'es pas cap'.

Cet instant est déterminant pour nous deux. C'est le tournant du match, peut-être même de nos vies. Une mise à l'épreuve de nos volontés, de nos cœurs, de notre virilité. Je lance la balle et refuse de m'écraser. Contrairement aux prédictions de Medvedev, je cogne fort et sers agressivement sur son revers. La balle rebondit en dérapant méchamment. Medvedev étend le bras et ramène la balle au centre du court. Je réplique d'un coup droit qui fuse derrière lui. Il arrive à temps, fouette un revers vers mes pieds. Je me penche, fais une maladroite volée de coup droit qui atterrit sur la ligne, il la renvoie par-dessus le filet, et puis je donne un tout petit coup pour qu'elle fasse le chemin inverse, où elle s'éteint, une immense victoire pour ce si petit coup.

Je gagne mon service.

Je regagne ma chaise en sautillant. La foule est déchaînée. Le vent n'a pas encore tourné mais une légère brise s'est levée. C'était le moment de Medvedev, il l'a laissé passer, et je crois lire dans ses yeux qu'il en est conscient.

*Allez, Agassi ! Allez !*

Bien jouer l'espace d'un jeu, je me dis. Un seul jeu, tu auras gagné un set, et au moins tu pourras t'en aller la tête haute.

Le vent a dispersé les nuages. Le soleil a séché la terre jusqu'à la durcir, et le rythme est désormais effréné. J'aperçois Medvedev glisser un regard inquiet au ciel tandis que nous regagnons le court. Il aimerait que ces nuages de pluie reviennent. Il ne veut pas de ce soleil éclatant. Il commence à transpirer. Ses narines se dilatent. On dirait un cheval, un dragon. *Tu peux vaincre le dragon.* Il est mené 0-40. Je le breake et remporte la troisième manche.

Désormais, on joue selon mes règles à moi. Je fais courir Medvedev d'un côté et de l'autre, cogne la balle, fais tout ce que Brad m'a dit de faire. Medvedev a un train de retard, il est visiblement distrait. Il a eu trop de temps pour rêver à la victoire. Il était à cinq point de gagner, cinq points, et ça le hante. Il tourne et retourne cette pensée dans sa tête. Il se dit : *J'étais si près du but. J'y étais. La ligne d'arrivée !* Il vit dans le passé, et moi je suis dans le présent. Il réfléchit, il ressent. Ne réfléchis pas, Andre. Frappe *plus fort*.

Au quatrième set, je fais de nouveau le break. Puis nous nous lançons dans une lutte sans merci. Nous jouons un tennis vigoureux, chacun de nous se jetant au sol, grognant, creusant profondément. Le set pourrait pencher d'un côté comme de l'autre. Mais j'ai un net avantage, ma botte secrète dans laquelle je peux puiser dès que j'ai besoin d'un point, ma montée au filet. Tout ce que je fais au filet fonctionne et trouble visiblement Medvedev, lui fait perdre pied. Il devient nerveux, presque paranoïaque. Si je fais semblant de me précipiter vers le filet, il tressaille. Si je saute, il plonge en avant.

Je remporte la quatrième manche.

Je fais le break au début du cinquième set et mène 3-2. On y est. Le vent tourne. Ce qui aurait dû m'arriver en 1990 et en 1991 et en 1995 redevient accessible. Je mène 5-3, 40-15. C'est lui qui sert. J'ai deux balles de match. Il faut que je gagne tout de suite, ou alors je vais devoir servir pour terminer le match, ce que je veux éviter à tout prix. Si je ne gagne pas le point suivant, je risque de tout perdre. Si je ne gagne pas le point suivant, je serai à la place de Medvedev, hanté par mes chances récentes de victoire. Si je ne gagne pas le point suivant, je me retrouverai à rêver de Roland-Garros dans mes vieux jours, assis dans mon rocking-chair, une couverture à carreaux sur les genoux, marmonnant au sujet de Medvedev. Cela fait déjà dix ans que je ne pense qu'à ce tournoi. Je ne peux supporter l'idée que cette obsession dure encore soixante-dix années de plus. Après tout ce travail, toute cette sueur, après ce come-back improbable et ce tournoi miraculeux, si je ne gagne pas le point suivant, je ne serai jamais plus heureux, jamais vraiment heureux. Et Brad devra se faire interner. La ligne d'arrivée est si proche que je pourrais l'embrasser. *Je la sens qui m'attire vers elle.*

Medvedev remporte les deux balles de match. Il vient d'éviter la mort. Égalité de nouveau. Mais je gagne le point suivant. Balle de match, encore une fois.

Je me crie dessus : Maintenant. *Maintenant.* Gagne maintenant.

Mais il marque le point suivant, puis remporte le jeu.

Le changement de côté prend une éternité. Je m'éponge le visage avec une serviette. Je glisse un regard vers Brad, que j'imagine aussi désespéré que moi. Mais il a l'air déterminé. Il lève quatre doigts. *Plus que quatre points.* Quatre points, quatre tournois du Grand Chelem. *Allez ! On y va !*

Si je dois perdre ce match, si je suis condamné à vivre avec des regrets éternels, ce ne sera pas parce que je n'aurai pas suivi les conseils de Brad. J'entends sa voix au creux de mon oreille : « Redescends dans le puits. »

Le coup droit de Medvedev est au fond de ce puits.

Nous regagnons le court. Je vais frapper toutes mes balles sur le coup droit de Medvedev, et il le sait. Pour le premier point, il est tendu, hésitant sur un passing-shot le long de la ligne. Il envoie la balle dans le filet.

Mais il gagne le point suivant, quand mon coup droit atterrit dans le filet.

Soudain je redécouvre mon service, et le coup part comme le bouchon d'une bouteille de champagne. Pour la première fois, je sers et il est incapable de contrer. Son coup droit est fatigué et tombe trop loin. Je fais mon premier service suivant, encore plus large, et son coup droit envoie la balle dans le filet.

Balle de match. La moitié de la foule scande mon nom, l'autre gronde : « Chuuut. » Mon premier service est cinglant, et lorsque Medvedev fait un pas de côté pour donner un coup en aile de poulet, je suis la deuxième personne à savoir que je viens de remporter Roland-Garros. Brad est là première. La balle atterrit bien au-delà de la ligne de fond de court. Cette image fait partie des plus grandes joies de ma vie.

Je lève les bras et ma raquette tombe à terre. Je suis en larmes. Je me frotte la tête. Je suis terrifié d'être submergé par une telle sensation de bonheur. Gagner ne devrait pas être aussi agréable. Gagner ne devrait jamais avoir autant d'importance. Mais si, c'est le cas, c'est le cas, je n'y peux rien. Je déborde de joie, de reconnaissance envers Brad, envers Gil, envers Paris – même envers Brooke et Nick. Sans lui, je ne serais pas ici. Sans les hauts et les bas avec Brooke, sans la souffrance des derniers jours, ceci n'aurait pas pu être possible. Je me réserve même une certaine reconnaissance envers moi-même, pour tous les choix, bons et mauvais, qui m'ont mené jusqu'ici.

Je quitte le court en envoyant des baisers dans les quatre directions, le geste le plus sincère qui me vienne à l'esprit pour exprimer la gratitude qui me parcourt, cette émotion dont semblent découler toutes les autres émotions. Je fais le vœu d'agir ainsi désormais, que je gagne ou que je perde, chaque fois que je quitterai un court de tennis. J'enverrai des baisers aux quatre coins de la planète, des remerciements au monde entier.

*Quelques secondes après avoir vaincu Medvedev*
*et remporté Roland-Garros 1999.*

Nous improvisons une petite fête au Stresa, un restaurant italien situé en plein cœur de Paris, près de la Seine, pas très loin de l'endroit où j'ai offert un bracelet de tennis à Brooke. Je bois du champagne dans mon trophée. Gil a un Coca à la main, et il est physiquement incapable de ne pas sourire. De temps à autre, il pose sa main sur la mienne – elle est aussi lourde qu'un dictionnaire – et déclare :

— Tu y es arrivé.

— *On* y est arrivé, Gilly.

McEnroe est présent. Il me passe un téléphone en me disant :

— Quelqu'un veut te dire bonjour.

— Andre ? Andre ! Félicitations. J'ai pris tellement de plaisir à te voir ce soir. Je t'envie.

Borg.

— Tu m'envies ? Pourquoi ?

— D'avoir accompli quelque chose que peu d'entre nous ont fait.

Quand Brad et moi reprenons le chemin de l'hôtel, le soleil est en train de se lever. Il passe son bras autour de moi et dit :

— Le voyage s'est terminé comme il fallait.

— Comment ça ?

— D'habitude, dans la vie, ça se termine foutrement mal. Mais pas cette fois-ci.

Je balance un bras autour de Brad. C'est une des seules choses que le prophète n'a pas comprises ce mois-ci. Le voyage ne fait que commencer.

# 23

À bord du Concorde qui nous ramène à New York, Brad m'affirme que c'est le destin – *le destin*. Il a quelques bières dans le nez.

— Tu as remporté les Internationaux de France hommes de 1999, poursuit-il. Et, comme par hasard, qui les a remportés côté dames ? Qui ? Dis-le-moi.

J'esquisse un sourire.

— Eh oui. Steffi Graf. C'est votre destin de finir ensemble. Seules deux personnes dans l'histoire du monde ont gagné les quatre tournois du Grand Chelem et une médaille d'or : toi et Steffi Graf. Le Grand Chelem d'or. C'est votre destin de vous marier. D'ailleurs, continue-t-il, voici ma prophétie.

Il tire de la poche du siège la brochure promotionnelle du Concorde et griffonne dans le coin supérieur droit : *2001 : Steffi Agassi*.

— Ça veut dire quoi, ça ?

— Qu'en 2001, vous serez mariés. Et vous aurez vos premiers gamins en 2002.

— Brad, elle a un copain. Tu l'as oublié ?

— Après les deux semaines que tu viens de passer, tu vas me dire qu'il y a quelque chose d'impossible ?

— Eh bien, je dirai la chose suivante : maintenant que j'ai remporté Roland-Garros, c'est vrai que je me sens plus... je ne sais pas. Digne ?

— Voilà. Tu vois.

Je ne crois pas qu'on soit destinés à gagner tel ou tel tournoi de tennis. Destinés à finir ensemble, pourquoi pas, mais pas à frapper plus de balles gagnantes et d'aces que l'adversaire. Malgré cela, je suis réticent à remettre en cause les propos de Brad. Alors, au cas où, et parce que ça me fait plaisir de l'imaginer, je déchire le coin du programme sur lequel il vient d'écrire sa dernière prophétie et je le glisse dans ma poche.

Nous passons les cinq jours suivants sur Fisher Island, à récupérer et à fêter ma victoire. Surtout à fêter. La bringue n'en finit pas. Kimmie, l'épouse de Brad, prend l'avion pour nous rejoindre. J.P. et Joni font de même. Tard dans la nuit, nous montons le son, écoutant inlassablement Sinatra chanter *That's Life*, pendant que Kimmie et Joni font les go-go danseuses sur la table et sur le lit.

Puis je me rends sur les courts en gazon de l'hôtel. Je m'entraîne avec Brad pendant plusieurs jours avant d'embarquer pour Londres. À mi-chemin, au-dessus de l'Atlantique, je me rends compte qu'on va atterrir le jour de l'anniversaire de Steffi. En voilà un hasard ! Et s'il nous arrivait de la croiser ? Ce serait sympa d'avoir quelque chose à lui offrir.

Je regarde Brad qui dort. Je sais qu'il va vouloir se rendre aux courts d'entraînement de Wimbledon dès notre arrivée, alors je n'aurai pas le temps de m'arrêter dans une papeterie. Je devrais confectionner une sorte de carte d'anniversaire tout de suite. Mais avec quoi ?

Je remarque que la carte du menu de la première classe est plutôt pas mal. Sur la couverture figure la photo d'une église de campagne sous un croissant de lune. J'assemble deux menus pour fabriquer une carte, et à l'intérieur j'écris : *Chère Steffi, Je voulais profiter de cette occasion pour te souhaiter un joyeux anniversaire. Tu dois être fière. Félicitations pour ce que je sais n'être qu'un éclat de ce qui t'attend.*

Je perfore les deux menus. Il me faut quelque chose pour les faire tenir ensemble. Je demande à l'hôtesse si elle a de la ficelle ou du ruban. Peut-être un morceau de guirlande ? Elle m'apporte un bout de raphia qui était enroulé autour du goulot d'une bouteille de champagne. Je le fais soigneusement passer par les trous. J'ai comme l'impression de corder une raquette.

Une fois la carte terminée, je réveille Brad pour lui faire admirer mon œuvre.

— De l'artisanat de l'Ancien Monde, commenté-je.

Il se gratte un œil, hoche la tête, l'air approbateur.

— Tout ce qu'il te faut, dit-il, c'est un regard. Une ouverture.

Je fourre la carte dans mon sac de tennis et j'attends.

Il existe trois niveaux de courts à Aorangi Park, le site d'entraînement de Wimbledon. C'est une pyramide à plusieurs étages, le temple aztèque des courts de tennis. Brad et moi nous échauffons sur le niveau intermédiaire pendant une demi-heure. À la fin de la session, je remballe mon sac en prenant mon temps, comme toujours. C'est dur de se réorganiser après un vol transatlantique. Je suis soigneusement en train d'arranger et de réarranger mes affaires avant de glisser mon T-shirt mouillé dans un sac en plastique quand Brad me tape sur l'épaule.

— Elle arrive, mec, elle arrive.

Je lève la tête comme un setter irlandais. Si j'avais une queue, elle remuerait. Steffi est à vingt-cinq mètres, vêtue d'un pantalon d'échauffement bleu, assez collant. Je remarque pour la première fois qu'elle marche légèrement les pieds en dedans, comme moi. Ses cheveux blonds sont ramassés en une queue-de-cheval et brillent au soleil. On dirait, encore une fois, qu'elle a une auréole.

Je me lève. Elle m'embrasse sur les deux joues, à l'européenne.

— Félicitations pour Roland-Garros, dit-elle. J'étais si heureuse pour toi. J'avais les larmes aux yeux.

— Moi aussi.

Elle sourit.

— Félicitations à toi aussi, je reprends. C'est toi qui as ouvert la voie. Tu m'as chauffé le court.

— Merci.

Silence.

Heureusement, pas l'ombre d'un fan ni d'un journaliste aux alentours, elle semble décontractée et n'a pas l'air pressée. Moi aussi, je me sens étrangement à l'aise. Mais Brad, lui, émet de petits couinements, comme un ballon qu'on dégonfle lentement.

— Ah ! je lâche. Au fait. Je viens de m'en souvenir. J'ai un cadeau pour toi. Je savais que c'était ton anniversaire, alors je t'ai fait une carte. Joyeux anniversaire.

Elle la prend, la regarde quelques secondes, puis lève les yeux vers moi, l'air touché.

— Comment savais-tu que c'était mon anniversaire ?

— Je… je le savais, c'est tout.

— Merci, murmure-t-elle. Vraiment.

Elle s'éloigne rapidement.


Le lendemain, elle quitte les courts d'entraînement au moment même où nous arrivons avec Brad. Cette fois-ci, il y a une foule de fans et de journalistes, et elle paraît terriblement mal à l'aise. Elle ralentit, nous adresse un petit signe de reconnaissance, et me glisse en aparté :

— Comment puis-je te joindre ?

— Je donnerai mon numéro à Heinz.

— OK.

— Au revoir.

— Salut.

Après l'entraînement, Perry, Brad et moi traînons dans la maison que nous avons louée et débattons pour savoir quand elle va appeler.

— Bientôt, assure Brad.

— Très bientôt, confirme Perry.

La journée passe sans un coup de fil.

La journée suivante de même.

Je suis à l'agonie. Wimbledon démarre lundi, mais impossible de dormir, impossible de réfléchir. Les somnifères ne sont d'aucune aide contre ce genre d'anxiété.

— Elle a intérêt à téléphoner, grommelle Brad, ou alors tu vas perdre dès le premier tour.

Samedi soir, juste après le dîner, le téléphone sonne.

— Allô ?

— Salut. C'est Stefanie.

— Stefanie ?

— Stefanie.

— Stefanie… *Graf* ?

— Oui.

— Ah. Tu te fais appeler Stefanie ?

Elle m'explique que sa mère l'appelait Steffi il y a des années de ça, mais qu'elle considère Stefanie comme son vrai prénom.

— Va pour Stefanie, je dis.

Tout en parlant, je fais des glissades en chaussettes de sport à travers le salon. Tout schuss sur le parquet. Brad me supplie d'arrêter, de m'asseoir sur une chaise. Il est convaincu que je vais me casser une jambe ou me tordre un genou. Je fais du ski de fond autour du périmètre de la pièce. Il sourit et glisse à Perry :

— Ça va être un bon tournoi. Un *bon* Wimbledon.

— Chhh, je siffle.

Puis je m'enferme dans une pièce, à l'arrière.

Je lance :

— Écoute, quand on était à Key Biscayne, tu m'as dit que tu ne voulais pas de malentendu entre nous. Eh bien, moi non plus je n'en veux pas. Alors il faut que je te dise, avant qu'on aille plus loin, que je te trouve *magnifique*. Je te respecte, je t'admire, et j'adorerais pouvoir te connaître un peu mieux. C'est mon but. Mon seul projet. Voilà où j'en suis. Dis-moi que c'est possible. Dis-moi qu'on peut dîner ensemble.

— Non.

— S'il te plaît.

— Ce n'est pas possible, pas ici.

— Pas ici. OK. Ailleurs alors ?

— Non. J'ai un copain.

Je me dis : Ce foutu copain. Encore. J'ai lu des trucs sur lui. C'est un coureur automobile. Ça fait six ans qu'ils sont ensemble. J'essaie de trouver quelque chose d'intelligent à dire, qui la convaincra de s'ouvrir à la *possibilité* d'être avec moi. Avec le silence inconfortable qui s'éternise, l'instant qui m'échappe, tout ce que je trouve à dire c'est :

— Six ans, c'est long.

— Oui. C'est vrai.

— Si tu n'avances pas, c'est que tu recules. J'ai vécu ça.

Elle se tait. Mais il y a une manière de se taire. J'ai visé juste.

Je poursuis.

— Ce n'est pas exactement ce que tu cherches. Je veux dire, je ne veux pas faire de suppositions, mais…

Je retiens mon souffle. Elle ne me contredit pas.

Je continue :

— Je ne veux pas te manquer de respect, ni me permettre quoi que ce soit, mais est-ce que tu… peut-être, s'il te plaît, tout simplement, je ne sais pas moi, tu crois que tu pourrais apprendre à me connaître un petit peu ?

— Non.

— Un café ?

— Je ne peux pas me montrer en public avec toi. Ce ne serait pas honnête.

— Et des lettres ? Je peux t'écrire ?

Elle rit.

— Je peux t'envoyer des trucs ? Je peux te permettre de me connaître, avant que tu décides si tu en as envie ou non ?

— Non.

— Même pas des lettres ?

— Quelqu'un lit mon courrier.

— Je vois.

Je me frappe le poing sur le front. Réfléchis, Andre, *réfléchis*.

Je reprends :

— OK, écoute, dis-moi ce que tu penses de ça. Ton prochain tournoi est à San Francisco. Moi j'y serai, pour un entraînement avec Brad. Tu m'as dit que tu aimais San Francisco. Voyons-nous là-bas.

— C'est... possible.

— C'est... *possible* ?

J'attends qu'elle développe un peu. Mais elle s'en tient là.

— Alors je peux t'appeler, ou tu préfères le faire ?

— Appelle-moi après ce tournoi-ci. Une fois qu'on aura joué tous les deux, appelle-moi.

Elle me donne son numéro de portable. Je l'écris sur une serviette en papier, que j'embrasse et range dans mon sac de tennis.


J'arrive en demi-finale et joue contre Rafter. Je le bats en quelques sets. Inutile de me demander qui m'attend en finale. C'est Pete. Comme toujours, Pete. Je rentre chez moi en titubant, rien d'autre en tête que douche, bouffe, dodo. Le téléphone sonne. Je suis certain qu'il s'agit de Stefanie, qui tient à me souhaiter bonne chance pour le match avec Pete et à confirmer notre rendez-vous de San Francisco.

Mais c'est Brooke. Elle est à Londres et demande si elle peut passer me voir.

Quand je raccroche et me retourne, Perry est là, à quelques centimètres de mon visage.

— Andre, s'il te plaît, dis-moi que tu as dis non. S'il te plaît, dis-moi que tu ne vas pas laisser cette nana venir ici.

— Elle vient. Demain matin.

— Juste avant la finale de Wimbledon ?

— Ça ira.


Elle arrive à dix heures, coiffée d'un immense chapeau anglais au large bord mou et décoré de fleurs en plastique. Je lui fais faire un tour rapide de la maison. Nous la comparons avec celles que nous avions l'habitude de louer, dans le temps. Je lui demande si elle veut boire quelque chose.

— Tu as du thé ?

— Bien sûr.

J'entends Brad tousser dans la pièce d'à côté. Je sais ce que cette toux signifie. C'est le matin de la finale. Un athlète ne devrait jamais changer sa routine le matin d'une finale. J'ai pris du café tous les matins depuis le début du tournoi. C'est ce que je devrais faire maintenant.

Mais je tiens à être un hôte agréable. Je remplis une théière et nous buvons le thé à la table de la cuisine, sous la fenêtre. On discute sans vraiment échanger quoi que ce soit. Je lui demande si elle avait quelque chose de spécial à me dire. Je lui manque, lâche-t-elle. Elle tenait à me le faire savoir.

Elle remarque une pile de magazines sur le coin de la table, des exemplaires du *Sports Illustrated* de la semaine. Je figure en couverture. En gros titre, *Suddenly Andre*. (Je me mets soudain à détester ce mot, *suddenly*.) J'explique à Brooke que ce sont les officiels du tournoi qui me l'ont envoyé. Ils veulent que je signe des exemplaires pour les fans ainsi que pour les officiels et les employés de Wimbledon.

Brooke en prend un, les yeux braqués sur ma photo. Je la regarde faire. Je repense à ce jour, il y a treize ans, où j'étais assis avec Perry dans sa chambre, entourés de centaines de couvertures de *Sports Illustrated*, et qu'on rêvait de Brooke. Aujourd'hui elle est là, moi je fais la couverture de *Sports Illustrated*, Perry est l'ancien producteur de son émission de télé et on se parle à peine.

Elle lit le gros titre à haute voix. « Suddenly Andre ». Elle le lit de nouveau. *Suddenly Andre* ?

Elle me regarde.

— Oh ! Andre.

— Quoi ?

— Oh ! Andre. Je suis *tellement* désolée.

— Pourquoi ?

— Ton heure arrive enfin, et ils ne parlent que de moi.


Stefanie est en finale elle aussi, mais elle perd face à Lindsay Davenport. Elle a participé au double avec McEnroe, et ils se sont retrouvés en demi-finale, mais elle a dû se rétracter à cause d'un tendon. Je suis dans les vestiaires en train de m'habiller pour mon match avec Pete, et McEnroe raconte à un groupe de joueurs que Stefanie l'a laissé en plan.

— Non mais vous y croyez, à cette *connasse* ? Elle me demande de jouer en double mixte avec moi, j'accepte, et quand on se retrouve en demi-finale elle me lâche ?

Brad pose une main sur mon épaule. Tout doux, champion.

Je commence fort avec Pete. Mon esprit part dans toutes les directions à la fois – de quel droit Mac parle-t-il de Stefanie comme ça ? C'était quoi, ce chapeau que Brooke portait ? –, mais, d'une manière ou d'une autre, mon tennis est solide et percutant. 3 partout au premier set, Pete sert à 0-40. Trois balles de break. Je vois Brad sourire, donner des coups de poing à Perry, crier : *Allez ! On y va !* Je laisse mes pensées se tourner vers Borg, le dernier à avoir remporté Roland-Garros et Wimbledon coup sur coup, un exploit désormais à ma portée.

J'imagine Borg m'appeler pour me féliciter une nouvelle fois. Andre ? Andre, c'est moi. Björn. Je t'envie.

Pete me tire de ma rêverie. Service imparable. Service imparable. Une tache floue. Ace. Jeu, Sampras.

Je regarde Pete, abasourdi. Personne, vivant ou mort, n'a jamais servi comme ça. Personne, dans l'histoire de ce jeu, n'aurait pu retourner ces services.

Il me sort en trois sets, m'achève avec deux aces, deux points d'exclamation brûlants qui ponctuent une performance parfaite. C'est le premier match d'un tournoi que je perds en quatorze matchs, un record presque sans précédent dans ma carrière. Mais ce qu'on retiendra, c'est que c'est le sixième Wimbledon de Pete, son douzième tournoi du Grand Chelem en tout, ce qui l'élève au rang des grands. Et on aura raison. Plus tard, Pete me dira qu'il ne m'a jamais vu frapper la balle aussi fort et aussi nettement qu'au cours de ces six premiers jeux, ce qui l'a contraint à jouer mieux et à accélérer son service de 30 kilomètres à l'heure.

Dans les vestiaires, je dois me soumettre à l'habituel contrôle antidopage. J'ai furieusement envie de pisser vite fait et de rentrer chez moi en courant pour appeler Stefanie, mais je ne peux pas, parce que j'ai une vessie de baleine. Ça prend des plombes. Enfin, mon corps finit par coopérer avec mon cœur.

Je lâche mon sac dans le couloir et me jette sur le téléphone, comme pour rattraper un amorti. Je compose le numéro les doigts tremblants et tombe directement sur la messagerie. Je laisse un message. *Salut.*

*C'est Andre. Le tournoi est terminé. J'ai perdu contre Pete. Je suis désolé que tu aies été vaincue par Lindsay. Appelle-moi quand tu peux.*

Je m'assieds. J'attends. Un jour passe. Pas de coup de fil. Un deuxième jour. Pas de coup de fil.

Je tiens le téléphone devant mon visage et lui ordonne : Sonne.

Je l'appelle de nouveau, laisse un second message. Toujours rien.

Je prends l'avion pour la côte ouest. Dès que je mets pied à terre, je vérifie mes messages. Rien.

Je m'envole pour New York, où se déroule un match de bienfaisance. Je vérifie ma messagerie toutes les quinze minutes. Rien.

J.P. me retrouve à New York. On sort en ville. Au PJ Clarke's et au Campagnola. Ovation dès notre entrée. J'aperçois mon ami Bo Dietl, l'ancien flic devenu vedette de télé. Il est assis à une longue table avec son équipe : Mike le Russe, Shelly le Tailleur, Al les Tomates, Joey les Fourneaux. Ils insistent pour que nous nous joignions à eux.

J.P. demande à Joey les Fourneaux d'où lui vient son surnom.

— J'adore cuisiner !

Plus tard dans la soirée, quand le téléphone portable de Joey se met à sonner, il ouvre le clapet et lance : *Ici les fourneaux !* Nous éclatons tous de rire.

Bo nous dit qu'il donne une fête aux Hamptons ce week-end. Il insiste pour qu'on vienne, avec J.P. C'est Joey qui cuisine, précise-t-il. Dites-lui ce que vous aimez, il vous le fera. Ça me rappelle, il y a si longtemps, quand j'allais chez Gil les jeudis soir.

Je réponds à Bo qu'on y sera.


Les invités que je rencontre chez Bo me font penser à un croisement entre les acteurs des *Affranchis* et ceux de *Forrest Gump*. Des petits malins d'un côté, des types un peu plus lents de l'autre. On traîne autour de la piscine, fumant des cigares et sirotant des tequilas. De temps en temps, je sors le bout de papier avec le numéro de Stefanie pour l'étudier attentivement. Je l'appelle du fixe de Bo, au cas où elle filtrerait mes appels. Je tombe directement sur sa messagerie.

Frustré, agité, je descends trois ou quatre margaritas, pose mon portefeuille et mon portable sur une chaise et fais une bombe, tout habillé, dans la piscine. Tout le monde me suit. Une heure plus tard, je vérifie encore ma messagerie. Vous avez un nouveau message.

Je ne sais pas pourquoi mon téléphone n'a pas sonné.

« Salut, dit-elle. Je suis désolée de ne pas t'avoir rappelé. J'ai été très malade. Mon corps n'a pas supporté le choc de Wimbledon. J'ai dû abandonner San Francisco et rentrer en Allemagne. Mais maintenant je vais mieux. Rappelle-moi quand tu peux. »

Elle ne me laisse pas son numéro, bien sûr, puisqu'elle me l'a déjà donné.

Je me tâte les poches. Qu'est-ce que j'en ai fait ?

Mon cœur s'arrête de battre. Je l'avais noté sur une serviette en papier qui était dans ma poche lorsque j'ai sauté dans la piscine. Je glisse délicatement les doigts dans ma poche pour en extraire la serviette. On dirait le maquillage outré de Tammy Faye Bakker.

Je me rappelle avoir appelé Stefanie du fixe de Bo. Je l'agrippe par le bras et lui dis que peu importent les efforts, les faveurs à demander, le prix à payer, qu'il faille menacer ou tuer, il me faut absolument l'historique de ses appels téléphoniques, tous ceux qu'il a passés dans la journée. Il me les faut tout de suite.

— C'est comme si c'était fait, assure Bo.

Il contacte un type qui connaît un type qui a un ami dont le cousin travaille pour la société de téléphone. Une heure plus tard, on a les informations nécessaires. On dirait que la ville de Pittsburgh tout entière a passé des coups de fil de cette maison. Bo gueule sur son équipe :

— À partir d'aujourd'hui, je vous ai à l'œil ! Je comprends maintenant pourquoi cette putain de facture de téléphone est si salée !

Mais le numéro y est. Je le recopie à six endroits différents, y compris sur ma main. J'appelle Stefanie, qui décroche à la troisième sonnerie. Je lui raconte ce que j'ai dû faire pour retrouver sa trace. Elle éclate de rire.

— On joue tous les deux près de Los Angeles bientôt. Ça te dit qu'on se voie ? Éventuellement ?

— Après ton tournoi, promet-elle.


À Los Angeles, je me défends bien. Je retrouve Pete en finale. Je perds 7-6, 7-6 et je m'en fous. Je quitte le court au petit trot, je suis l'homme le plus heureux au monde.

Je me douche, me rase, m'habille. J'attrape mon sac de tennis et me dirige vers la porte… où je tombe nez à nez avec Brooke.

Elle a entendu dire que j'étais en ville et a décidé de passer me voir jouer. Elle m'inspecte de la tête aux pieds.

— Waouh ! émet-elle. Tu es tout habillé. Tu as rendez-vous ?

— Eh bien, oui.

— Ah. Avec qui ?

Je ne réponds pas.

— Gil, insiste-t-elle, il a rendez-vous avec qui ?

— Brooke, je pense que c'est à Andre que tu dois poser cette question.

Elle me scrute du regard. Je soupire.

— J'ai rendez-vous avec Stefanie Graf.

— Stefanie ?

— Steffi.

Je sais qu'on a tous les deux en tête la photo aimantée sur la porte du frigo. Je la supplie :

— S'il te plaît, Brooke, ne le dis à personne. Elle veut garder sa vie privée, elle n'aime pas être au centre de l'attention.

— Je serai muette comme une tombe.

— Merci.

— Tu es tout beau.

— Vraiment ?

— Uh-huh.

— Merci.

Je hisse mon sac sur mon épaule. Elle m'accompagne dans le tunnel sous le stade, là où les joueurs garent leur voiture.

— Salut, Lily, dit-elle en posant la main sur le capot blanc de la Cadillac.

La capote est déjà rabattue. Je balance mon sac à l'arrière.

— Amuse-toi bien, fait Brooke.

Elle m'embrasse sur la joue.

Je démarre lentement, jetant un coup d'œil à Brooke dans le rétroviseur. Une fois de plus, Lily m'éloigne d'elle. Mais je sais que cette fois-ci sera la dernière, et qu'on ne se parlera jamais plus.


En route pour San Diego, où joue Stefanie, j'appelle J.P. pour quelques derniers conseils.

— N'en fais pas trop, dit-il. N'essaie pas d'être parfait. Reste toi-même.

Je crois pouvoir suivre ce genre de conseils sur un court de tennis, mais dans un rendez-vous, je suis perdu.

— Andre, poursuit-il, il y a des gens qui sont des thermomètres, d'autres des thermostats. Toi, tu es un thermostat. Tu n'indiques pas la température d'une pièce, tu la modifies. Alors sois sûr de toi, sois toi-même, prends les choses en main. Montre-lui qui tu es à l'intérieur.

— Je crois que je peux faire ça. À ton avis, il vaut mieux que je passe la chercher avec la capote baissée ou relevée ?

— Relevée. Les filles ont toujours peur d'être décoiffées.

— Comme nous tous. Mais il fera moins chaud si je la baisse, non ?

— Ses cheveux, Andre, ses cheveux.

Je garde la capote baissée. Je préfère être au frais que chevaleresque.


Stefanie loue une maison dans un grand complexe hôtelier. Je trouve le bâtiment principal mais pas la maison, alors je l'appelle pour qu'elle me donne des indications.

— Tu conduis quoi comme voiture ?

— Une Cadillac grande comme un paquebot de croisière.

— Ahh. Oui. Je te vois.

Je lève les yeux. Elle se tient sur une grande butte verte et me fait un signe de la main.

— Ne bouge pas ! crie-t-elle.

Elle descend la butte en courant et fait mine de sauter dans ma voiture.

— Attends, dis-je. J'ai quelque chose à te donner. Je peux monter une minute ?

— Ah. Hum.

— Juste une minute.

Elle remonte la butte à contrecœur. Je fais le tour en voiture pour me garer devant la porte principale.

Je lui donne mon cadeau, une boîte de bougies décoratives que je lui ai achetée à Los Angeles. Elles semblent lui plaire.

— OK, lance-t-elle. On est partis ?

— J'espérais boire un verre avant d'y aller.

— Un verre ? Un verre de quoi ?

— Je ne sais pas. De vin ?

Elle me réplique qu'elle n'en a pas.

— On pourrait appeler le room service.

Elle soupire, me tend la liste des vins et me propose de choisir une bouteille.

Quand l'employé du room service frappe à la porte, elle me demande de patienter dans la cuisine. Elle ne veut pas qu'on nous voie ensemble. Elle se sent mal à l'aise en rendez-vous avec moi. Coupable. Elle imagine déjà l'employé en train de tout raconter à ses collègues. Elle a un copain, me rappelle-t-elle.

— Mais on ne fait que…

— Pas le temps d'expliquer, m'interrompt-elle.

Et elle me pousse dans la cuisine.

J'entends ce brave garçon, vaguement amoureux, s'adresser à Stefanie qui est tout aussi nerveuse mais pour d'autres raisons. Elle le bouscule un peu, il tripote maladroitement la bouteille, qui finit bien sûr par lui glisser des mains. Un château-beychevelle 1989.

Une fois le type parti, j'aide Stefanie à ramasser les morceaux de verre cassé.

Je commente :

— J'ai comme l'impression qu'on est bien partis, pas toi ?


J'ai réservé une table près de la fenêtre au restaurant George on the Cove, avec vue sur l'océan. Nous commandons tous deux du poulet et des légumes sur un lit de purée de pommes de terre. Stefanie mange plus vite que moi et ne boit pas une goutte de vin. Je me rends compte que ce n'est pas une amatrice de bonne bouffe, qu'elle n'est pas du genre à s'avaler un repas entrée-plat-dessert et à traînasser après le café. Et puis, elle ne tient pas en place sur sa chaise, car une de ses connaissances est assise derrière nous.

On discute de ma fondation. Elle est fascinée par l'école que je suis en train de faire construire ; elle aussi a une fondation, qui offre une aide psychologique aux enfants touchés par la guerre et la violence dans des endroits comme l'Afrique du Sud et le Kosovo.

Bien sûr, on finit par parler de Brad. Je m'étends sur ses immenses compétences en tant qu'entraîneur et son étrange façon de résoudre les problèmes relationnels. Nous rions en évoquant ses efforts pour nous rapprocher. Je n'évoque pas sa prophétie. À aucun moment je ne pose de questions sur son copain. Je lui demande ce qu'elle aime faire pendant son temps libre. Elle me répond qu'elle adore l'océan.

— Ça te dirait d'aller à la plage demain ?
— Je croyais que tu devais partir au Canada ?
— Je pourrai toujours prendre un vol de nuit.
Elle réfléchit.
— D'accord.

Après le dîner, je la dépose à l'hôtel. Elle m'embrasse sur les deux joues, ce qui m'évoque un mouvement d'autodéfense de karaté. Elle se réfugie à l'intérieur.

Sur le chemin du retour, j'appelle Brad. Il est déjà au Canada, où il est un peu plus tard. Je l'ai tiré du sommeil. Mais il s'éveille quand je lui dis que le rendez-vous s'est bien passé.

— Allez, émet-il d'une voix ensommeillée, étouffant un bâillement. On y va !


Elle étend une serviette sur le sable et retire son jean. En dessous, elle porte un maillot de bain blanc, une pièce. Elle entre dans l'eau jusqu'aux genoux. Debout, une main sur la hanche et l'autre en visière, elle scrute l'horizon.

— Tu viens ? demande-t-elle.

— Je ne sais pas.

Je porte un short de tennis blanc ; comme je suis un gamin du désert, je n'ai pas pensé à apporter un maillot de bain. L'eau n'est pas mon élément. Mais là, tout de suite, je nagerais bien jusqu'en Chine s'il le fallait. Je m'avance jusqu'à Stefanie, vêtu uniquement de mon short de tennis. Elle se moque de mon maillot de bain et fait mine d'être choquée que je ne porte rien en dessous. Je lui révèle que c'est le cas depuis Roland-Garros, et que je ne reviendrai jamais là-dessus.

Nous évoquons le tennis pour la première fois. Quand je lui parle de ma haine pour ce sport, elle se tourne vers moi, avec un regard qui signifie : Bien sûr. Comme tout le monde, non ?

Je parle de Gil. Je lui demande comment elle se prépare physiquement. Elle évoque le fait qu'avant, elle s'entraînait dans la course avec l'équipe olympique allemande.

— Tu étais meilleure dans quelle course ?

— Sur huit cents mètres.

— Eh ben. C'est pas pour les faiblards. C'est quoi ton meilleur temps ?

Elle a un sourire en coin.

— Tu ne veux pas me le dire ?

Pas de réponse.

— Allez. Tu es rapide ou pas ?

Elle me montre au loin, à l'autre bout de la plage, un ballon rouge.

— Tu vois ce petit point rouge là-bas ?

— Ouais.

— Tu n'y arriveras jamais avant moi.

— Vraiment ?

— Vraiment.

Elle sourit. Et elle est partie. Je m'élance après elle. J'ai l'impression de l'avoir poursuivie toute ma vie, et maintenant je lui cours littéralement après. Au début, j'ai du mal à garder le rythme, mais sur la fin je comble la distance. Quand elle atteint le ballon rouge, elle a deux longueurs d'avance sur moi. Elle se retourne, et les éclats de son rire me parviennent comme des serpentins déroulés par le vent.

Jamais je n'ai été si heureux de perdre.

## 24

Je suis au Canada, elle à New York. Je vais à Las Vegas, elle à Los Angeles. On reste en contact par téléphone. Un soir, elle me réclame une liste de ce que j'aime. Chanson favorite. Livre préféré. Plat. Film.

— Je suis sûr que tu n'as jamais entendu parler de mon film préféré.

— Dis-moi ce que c'est.

— Ça fait quelques années qu'il est sorti. Il s'appelle *Les Ombres du cœur*. Ça parle de l'écrivain C.S. Lewis.

J'entends comme un bruit de téléphone qui tombe.

— C'est impossible, lâche-elle. Tout simplement *impossible*. C'est mon film préféré, à *moi*.

— Ça parle de l'engagement, de l'importance de s'ouvrir à l'amour.

— Oui, dit-elle. Oui, je sais.

— Nous sommes semblables à des blocs de pierre... Ce sont les coups de son burin, si douloureux parfois, qui peuvent nous rendre parfaits.

— Oui. Oui. Parfaits.

À Montréal, où je joue en demi-finale contre Kafelnikov, je suis incapable de remporter un seul point. Il est deuxième mondial et m'administre une telle raclée que dans les gradins les spectateurs se cachent les yeux. Je n'ai pas mon mot à dire sur l'issue de ce match. Ma voix ne compte pas dans ce qui m'arrive aujourd'hui. Ce n'est pas que je suis en train de perdre, c'est qu'on m'ôte carrément le droit de vote. Mais ce n'est pas grave. Dans les vestiaires j'aperçois Larry, l'entraîneur de Kafelnikov, adossé au mur, le sourire aux lèvres.

— Larry, c'est la démonstration de tennis la plus écœurante que j'aie jamais vue. Je vais te faire une promesse. Dis à ton poulain de s'attendre à une bonne correction de ma part.

Plus tard dans la journée, je reçois un appel de Stefanie. Elle est à l'aéroport de Los Angeles.

— Comment tu t'en es sortie au tournoi ? lui demandé-je.

— Je me suis fait mal.

— Argh. Je suis désolé.

— Oui. J'ai fini. C'est terminé.

— Tu vas où ?

— Je retourne en Allemagne. J'ai... j'ai des choses à régler là-bas.

Je sais ce que ça veut dire. Elle va voir son copain, lui parler de moi, casser avec lui. Je sens un sourire idiot gagner mes lèvres.

Quand elle sera de retour, poursuit-elle, elle me retrouvera à New York. On pourra passer un peu de temps ensemble avant l'US Open 1999. Elle dit en passant qu'elle va devoir donner une conférence de presse.

— Une conférence de presse ? Pourquoi ?

— Pour ma retraite.

— Ta... *tu vas prendre ta retraite ?*

— Je viens de te le dire. C'est terminé.

— Oui, mais je croyais que tu parlais du tournoi ! Je n'avais pas compris que tu avais... tout terminé.

Rien que d'imaginer le tennis sans Stefanie Graf, la plus grande joueuse de tous les temps, un vide se creuse en moi. Je lui demande ce que ça fait de se dire qu'elle ne brandira plus jamais sa raquette en compétition. C'est le genre de questions que les journalistes me posent tous les jours, mais je ne peux pas m'en empêcher. Je veux savoir. Je ressens un mélange de curiosité et d'envie.

Elle me répond que ça ne lui pose pas de problèmes. Elle est en paix avec elle-même, plus prête que jamais à en finir.

Je me demande si moi je suis prêt. Je médite sur ma propre mortalité dans le monde du tennis. Mais une semaine plus tard, à Washington DC, j'affronte Kafelnikov en finale. Je le bats 7-6, 6-1, et après je lance à Larry, son entraîneur, un regard insistant. Une promesse est une promesse.

Je comprends que je n'en ai pas fini. J'ai encore des promesses à tenir.

Je suis sur le point de redevenir numéro 1 mondial. Cette fois-ci, ce n'est pas le but de mon père, ni de Perry, ni de Brad, et je me souviens que ce n'est pas le mien non plus. Ce serait chouette, c'est tout. Une belle façon de couronner mon come-back. Un jalon mémorable dans le voyage. Je grimpe sur la « colline de Gil » en sprintant, puis la redescends. Je confie à Gil que je m'entraîne pour être numéro 1. Et pour l'US Open. Et, c'est drôle, mais aussi pour Stefanie.

Je lui dis que j'ai hâte qu'il fasse sa connaissance.

Dès son arrivée à New York, j'emmène Stefanie vers le nord, dans la ferme du XIXe siècle qu'un ami m'a prêtée. Il y a sept cent cinquante hectares de terrain et plusieurs grandes cheminées de pierre. Dans toutes les pièces, on peut s'asseoir au coin du feu et discuter, le regard perdu dans les flammes. Je lui dis que j'adore le feu. Moi aussi, répond-elle. Sur les arbres, les feuilles commencent à peine à jaunir, et chaque fenêtre encadre une vue de carte postale où figurent montagnes et bois cuivré-doré. Il n'y a personne à des kilomètres à la ronde.

Nous passons notre temps à nous balader, à faire des randonnées, des virées dans les villes avoisinantes, du butinage chez des antiquaires. Le soir, allongés sur le divan, nous regardons *La Panthère rose*. Au bout d'une demi-heure, nous rions si fort devant les pitreries de Peter Sellers qu'il nous faut mettre la cassette sur pause pour reprendre notre souffle.

Elle s'en va trois jours plus tard. Elle doit partir en vacances avec sa famille. Je la supplie de revenir pour le dernier week-end de l'US Open. Pour me voir. Dans ma tribune. Je me demande un instant si présumer ainsi que je jouerai ce week-end-là ne risque pas de me porter la poisse, mais au fond je m'en fous.

Elle me promet d'essayer.

J'arrive en demi-finale. Il est prévu que j'affronte Kafelnikov. Stefanie m'appelle pour m'annoncer qu'elle viendra. Mais elle refuse de s'asseoir dans ma tribune. Elle n'est pas encore prête.

— Alors laisse-moi au moins te trouver une place.

— Je m'en trouverai bien une toute seule, réplique-t-elle. Ne t'inquiète pas pour moi. Je connais l'endroit comme ma poche.

J'éclate de rire. J'imagine.

Elle assiste au match assise dans les gradins du haut, une casquette de base-ball vissée sur les yeux. Bien entendu, les caméras de la chaîne CBS la repèrent dans la foule tandis qu'elle commente le match avec McEnroe, et font remarquer que les officiels de l'US Open devraient avoir honte de ne pas avoir donné une meilleure place à Steffi Graf. Je bats Kafelnikov une fois de plus. Passe le bonjour à Larry, mon pote.

En finale, je suis face à Martin. Je m'attendais à affronter Pete. Je déclare publiquement que j'aurais préféré jouer contre Pete, mais qu'il s'est retiré du tournoi à cause de son dos. Alors ce sera Martin, qui s'est trouvé là, de l'autre côté du filet, à tant d'instants charnières. À Wimbledon, en 1994, alors que je m'évertuais à intégrer les enseignements de Brad, j'ai perdu face à lui en cinq sets coude à coude. À l'US Open de la même année, Lupica avait prédit que Martin me renverserait en demi-finale, et je l'avais cru, mais j'ai tout de même réussi à le battre et à remporter le tournoi. À Stuttgart, en 1997, c'est ma minable défaite en un set contre Martin qui a poussé Brad à péter les plombs. Et maintenant c'est lui qui va mettre à l'épreuve ma toute nouvelle maturité, qui va révéler si les changements qui se sont opérés en moi sont éphémères ou définitifs.

Dès le tout premier jeu, je fais le break. J'ai la foule avec moi. Mais Martin ne baisse pas la tête, ne perd rien de son calme. Il me tient la dragée haute pendant le premier set, avant de s'affirmer au deuxième dans un tie-break serré. Puis il gagne la troisième manche – un tie-break encore plus serré. Il mène deux sets à un, un sérieux avantage à ce stade du tournoi. Ici, personne ne remonte jamais un tel handicap en finale. En vingt-six ans, ce n'est jamais arrivé. Je vois dans les yeux de Martin qu'il le sait et qu'il compte sur les vieilles fêlures mentales de mon armure. Il attend que je m'écroule, que je redevienne cet Andre nerveux et émotif contre lequel il a si souvent joué dans le passé. Mais je ne plie pas, je n'abdique pas. Je gagne le quatrième set, 6-3, et au cinquième, alors que Martin a l'air épuisé, moi je suis frais comme une rose. Je remporte le set, 6-2 ; je quitte le court conscient d'être guéri, d'être de retour, et je me réjouis que Stefanie ait été présente. Je n'ai commis que cinq fautes directes dans les deux derniers sets. De toute la journée, je n'ai pas perdu mon service une seule fois. C'est une première dans ma vie. Et en même temps, je décroche mon cinquième Grand Chelem. Quand je serai de retour à Vegas, je compte bien miser cinq cents dollars sur le chiffre cinq.

Pendant la conférence de presse, un journaliste me demande pourquoi les New-Yorkais étaient de mon côté et m'applaudissaient si fort.

J'aimerais le savoir. Mais je tente une hypothèse : Ils m'ont vu grandir.

Bien sûr, partout dans le monde des fans m'ont vu grandir, mais à New York les attentes étaient plus fortes, ce qui m'a poussé à grandir plus vite.

C'est la première fois que je sens, ou plutôt que j'ose dire à haute voix que j'ai grandi.


Stefanie s'envole avec moi pour Las Vegas. On s'adonne à toutes les activités typiques du coin : casino, spectacle, match de boxe avec Brad et Kimmie. Oscar De La Hoya *vs* Félix Trinidad – notre première sortie publique ensemble. Notre bal des débutants. Le lendemain, une photo de nous figure dans les journaux : main dans la main, en train de nous embrasser au premier rang.

— Plus possible de revenir en arrière, j'observe.

Elle me fixe du regard puis, lentement, l'air heureux, elle sourit.

Elle passe le week-end chez moi. Puis la semaine. Puis un mois. Un jour, J.P. appelle pour me demander comment ça va.

— On ne peut mieux.

— Quand est-ce que tu comptes revoir Stefanie ?

— Elle est encore ici.

— Qu'est-ce que tu veux dire ?

Je place la main autour de ma bouche et murmure :

— On en est encore au troisième rendez-vous. Elle n'est pas repartie.

— Eh bien… quoi ?

J'imagine qu'elle finira bien par partir, qu'elle rentrera en Allemagne pour chercher ses affaires, mais on n'en parle pas et je n'ai aucune envie d'amorcer la conversation. Je ne veux rien perturber.

Il vaut mieux ne pas réveiller un somnambule.

Mais bientôt, c'est *moi* qui dois partir en Allemagne. Je dois jouer à Stuttgart. Elle veut m'accompagner – elle accepte même de s'asseoir dans ma tribune – et je suis ravi de sa présence. Après tout, Stuttgart est une ville importante pour nous deux. C'est là qu'elle est devenue professionnelle, et où je le suis redevenu. Et pourtant, on ne discute pas de tennis pendant le vol. On parle enfants. Je lui confie que j'en veux un jour, avec elle. C'est un peu risqué de dire ça, mais je ne peux pas m'en empêcher. Elle me prend la main, les larmes aux yeux, puis regarde par la fenêtre.

Lors de notre dernière matinée à Stuttgart, Stefanie doit se lever tôt car elle a un vol à prendre. Elle m'embrasse sur le front pour me dire au revoir. Je m'enfonce sous l'oreiller et me rendors. Quand je me réveille une heure plus tard et que j'atteins la salle de bains en titubant, j'aperçois, posées sur mon nécessaire de rasage, les pilules contraceptives de Stefanie. Comme pour dire : Maintenant, je ne vais plus en avoir besoin.

Non seulement je suis numéro 1 mondial, mais pour la toute première fois je termine l'année 1999 en tant que tel. J'interromps Pete sur sa lancée : six ans de suite qu'il fêtait la fin de l'année à la première place. Puis je gagne l'Open de Paris et deviens le premier homme à remporter l'Open de Paris et les Internationaux de France la même année. Mais à la coupe du monde ATP, je perds contre Pete. Notre vingt-huitième rencontre. Il mène 17-11. En finales de tournoi du Grand Chelem il mène 3-1. On ne peut pas vraiment parler de rivalité, commentent les journalistes, puisque c'est généralement Pete qui gagne. Je ne trouve rien à répondre à ça, et puis j'en ai assez de me laisser contrarier par Pete.

Je fais la seule chose possible. Je me rends chez Gil pour faire chauffer du muscle. Je monte et je descends la « colline de Gil » jusqu'à en avoir des visions. Je cours le matin, je cours le soir. Je cours la veille de Noël, chronométré par Gil. Il me dit que je respire si fort quand j'atteins le sommet de la colline qu'il m'entend d'en bas. Je cours jusqu'à en vomir dans les buissons. Il finit par me rejoindre au sommet et me demander d'arrêter. Debout en haut de la colline, nous contemplons au loin les lumières de Noël et quelques étoiles filantes.

— Je suis fier de toi, me glisse-t-il. Que tu sois ici. Ce soir. La veille de Noël. Ça en dit long.

Je le remercie d'être là, avec moi. D'avoir renoncé à sa soirée de Noël.

— Il doit y avoir un millier d'autres endroits où tu préférerais être en ce moment.

— Il n'y a nulle part où je préférerais être, rétorque-t-il.

Au début de l'Open d'Australie 2000, je bats Mariano Puerta sans perdre un seul set, et il fait l'éloge de ma concentration. Je sens que je suis de nouveau parti pour affronter Pete, et comme prévu je le retrouve en demi-finale. J'ai perdu quatre des cinq derniers matchs que nous avons joués ensemble, et aujourd'hui il est tout aussi bon. Il me mitraille de trente-sept aces, plus qu'il ne m'en a jamais infligés. Mais moi, j'ai passé le réveillon de Noël avec Gil. À deux points de perdre le match, je remonte férocement. Je gagne le match, devenant le premier homme depuis Laver à me retrouver en finale dans quatre grands tournois du Grand Chelem d'affilée.

En finale, je retrouve Kafelnikov. Il me faut du temps pour m'échauffer. Après mon empoignade avec Pete, j'ai un peu de mal à m'y remettre. Je perds le premier set, mais finis par trouver mon rythme et mon toucher. Je le descends en quatre sets. Ma sixième victoire en Grand Chelem. À la conférence de presse, je remercie Brad et Gil de m'avoir enseigné qu'il me suffit de faire de mon mieux. Un fan lance le nom de Stefanie, me demande de leur raconter l'histoire.

Je réponds sur le ton de la plaisanterie :

— Occupez-vous de vos oignons !

Mais j'aimerais en parler au monde entier. Et je vais le faire. Bientôt.

Gil confie au *New York Times* : « Je crois vraiment qu'on ne verra jamais plus Andre baisser les bras. »

Au *Washington Post*, Brad déclare : « Il détient un record de match de 27-1 sur les quatre derniers tournois du Grand Chelem. Seuls Rod Laver, Don Budge et Steffi Graf ont fait mieux.

Brad lui-même ne se rend pas compte à quel point je n'en reviens pas d'être cité aux côtés de ces noms-là.

## 25

Stefanie m'annonce que son père vient en visite à Las Vegas. (Ses parents sont divorcés depuis longtemps et sa mère, Heidi, vit déjà à un quart d'heure de chez nous.) L'instant inévitable est donc arrivé. Nos pères vont se rencontrer. Cette idée nous angoisse tous les deux.

Peter Graf est élégant, sophistiqué, cultivé. Il aime faire des blagues, beaucoup de blagues, et je n'en comprends pas une seule parce qu'il ne maîtrise pas très bien l'anglais. J'ai envie de l'aimer et je vois qu'il fait des efforts dans le même sens, mais je suis mal à l'aise en sa présence parce que je connais son histoire. Il est le Mike Agassi allemand. Un ancien joueur de foot fanatique de tennis, il a mis une raquette entre les mains de Stefanie alors qu'elle était encore en couches-culottes. Cependant, contrairement à mon père, Pete n'a jamais cessé de s'occuper de la carrière et des finances de sa fille, et il a passé deux ans en prison pour fraude fiscale. La conversation ne porte jamais là-dessus, mais parfois le non-dit est pesant.

J'aurais dû m'y attendre : dès son arrivée au Nevada, la première chose que Peter veut voir, ce n'est pas Hoover Dam ni le Strip, mais le lance-balles de mon père. Il en a tant entendu parler qu'il tient à le voir de près. Je l'emmène chez mon père, et en route il bavarde amicalement. Mais je ne comprends pas grand-chose. C'est de l'allemand ? Non, un croisement entre l'allemand, l'anglais et le tennis. Il me pose des questions sur le jeu de mon père. À quelle fréquence joue-t-il ? Est-il bon ? Il essaie de se faire une idée de l'homme qu'il est, avant de le rencontrer.

Mon père ne sait pas trop y faire avec les gens qui ne parlent pas parfaitement anglais, d'ailleurs il ne sait pas trop y faire avec les étrangers en général. Nous avons donc deux handicaps avant même d'avoir franchi le seuil de la maison. Mais je constate avec soulagement que le sport est un langage universel et que ces deux hommes, ces deux *aficionados*, ces deux anciens athlètes savent s'exprimer avec leurs corps, à force de balancements, de gestes et de grognements. Je fais savoir à mon père que Peter aimerait jeter un coup d'œil à ce fameux lance-balles. Mon père est flatté. Il nous emmène sur son court, à l'arrière de la maison, et pousse le dragon sur ses roulettes. Il met le moteur en route, élève le socle. Il parle sans arrêt, fait tout un exposé à Peter, crie pour couvrir le bruit du moteur, n'imaginant pas le moins du monde que Peter ne comprend pas un traître mot de ce qu'il raconte.

— Mets-toi là-bas, m'ordonne mon père.

Me désignant l'autre bout du court, il me tend une raquette et pointe la machine sur ma tête.

— Montre-lui, aboie-t-il.

Assailli de violents flash-backs, je me mets à trembler, et seule la pensée de la tequila qui m'attend chez moi me pousse à continuer.

Peter se positionne derrière moi et m'observe frapper la balle.

— Ahh, commente-t-il. *Ja*. Bien.

Mon père monte la vitesse. Il tourne le bouton jusqu'à ce que les balles sortent presque deux par deux. Il a dû améliorer le mécanisme du dragon. Je n'ai pas le souvenir d'un tel rythme effréné, j'ai à peine le temps de ramener ma raquette pour frapper la deuxième balle. Peter me gronde. Il me prend la raquette des mains, me pousse sur le côté. « Je vais te montrer le coup que tu aurais dû faire, dit-il. Tu ne l'as jamais joué, celui-là. » Il fait une démonstration du fameux slice de Stefanie, qu'il prétend lui avoir appris.

— Il faut que ta raquette soit plus légère, ajoute-t-il. Comme ça.

Mon père est livide. Premièrement, Peter ne prête aucune attention à son laïus. Deuxièmement, il intervient auprès de son meilleur élève. Il s'avance jusqu'au filet en criant :

— C'est de la connerie, ce slice ! Si Stefanie avait su faire ce coup-*ci*, elle s'en serait mieux sortie.

Puis il fait une démonstration du revers à deux mains qu'il m'a appris.

— Avec ça, affirme mon père, Stefanie aurait pu remporter trente-deux tournois du Grand Chelem !

Ces deux hommes ne se comprennent pas et pourtant ils ont réussi à se lancer dans une belle engueulade. Je leur tourne le dos pour me concentrer sur les balles qui m'assaillent. Je focalise toute mon attention sur le dragon. De temps à autre, j'entends Peter mentionner mes rivaux, Pete et Rafter, et mon père répliquer avec les concurrentes de Stefanie, Monica Seles et Lindsay Davenport. Il se met ensuite à parler de boxe, élaborant une comparaison avec le tennis, et Peter proteste en hurlant :

— Moi aussi j'ai été boxeur, affirme-t-il, et je te mets K-O sans problème.

On peut dire beaucoup de choses à mon père. Mais pas ça. Jamais ça. Je me raidis, attendant la suite. Je me retourne juste à temps pour voir le père de Stefanie, qui a tout de même soixante-trois ans, tomber sa chemise et lancer à mon père :

— Regarde-moi. *Regarde* cette *forme* que je tiens. Je suis plus grand que toi. Je peux te coucher avec un simple direct.

Mon père de répliquer :

— Ah bon, tu crois ? Allez ! Toi et moi.

Peter déblatère en allemand, mon père fait de même en assyrien, et ils lèvent tous deux le poing. Ils se tournent autour, feintent, esquivent. Je m'interpose juste avant que l'un d'eux balance le premier coup.

Mon père hurle :

— Ce crétin ne raconte que des conneries !

— Peut-être, Papa, mais… s'il te plaît.

Ils sont remontés, en sueur. Les yeux de mon père sont dilatés. La poitrine dénudée de Peter est perlée de transpiration. Mais ils ont compris que je n'allais pas les laisser se mettre une trempe respective, alors chacun d'eux regagne son coin. J'éteins le dragon et nous quittons le court, tous les trois.

À la maison, Stefanie m'embrasse et me demande comment ça s'est passé.

— Je te raconterai ça plus tard, lui dis-je en attrapant la bouteille de tequila.

Jamais margarita n'aura été autant appréciée.


Je me défends bien en Coupe Davis avant de perdre rapidement à Scottsdale, un tournoi qui, habituellement, ne me pose pas de problème. Je joue mal à Atlanta et me claque un tendon. À Rome, je perds au troisième tour et je comprends, à contrecœur, que les choses ne peuvent pas continuer ainsi. Je ne peux pas participer à tous les tournois. Maintenant que je me rapproche des trente ans, je dois choisir mes batailles plus soigneusement.

Désormais, une interview sur deux ne parle que de la fin. Quand j'affirme être convaincu que mes meilleures années sont devant moi, les journalistes sourient et font la grimace, comme s'ils espéraient croire à une plaisanterie. Mais je suis on ne peut plus sérieux.

Quand arrive l'heure de défendre mon titre à Roland-Garros, j'entre dans le stade convaincu que je vais être submergé par une vague de nostalgie. Mais tout a changé, l'endroit a été rénové. On a ajouté des sièges.

Les vestiaires ont été refaits. Je n'aime pas ça. Pas du tout. J'aurais souhaité que Roland-Garros reste inchangé, à tout jamais. Je veux que rien ne change. J'avais espéré arriver sur ce court central année après année et me remémorer 1999, l'année où ma vie a changé. Après ma victoire contre Medvedev, j'avais déclaré en conférence de presse que je pouvais désormais quitter le tennis sans regrets. Mais une année plus tard, je me rends compte que j'avais tort. J'aurai toujours un regret, celui de ne pas pouvoir revenir en arrière et revivre le match de 1999, encore et encore.

J'affronte Kucera au deuxième tour. Face à lui, je suis comme un pantin désarticulé. Le simple fait de me voir le booste à l'adrénaline. Même quand je le croise dans les vestiaires avant notre match, on dirait qu'il vient à peine de se remémorer sa victoire contre moi, à l'US Open 1998. Il joue superbement, me fait courir à perdre haleine, et j'ai beau garder le rythme, je me fais des ampoules tout le long du pied droit. Je clopine sur le côté et demande un temps mort médical. Un préparateur me bande le pied de nouveau, mais la vraie cloque est sur mon cerveau. À partir de cet instant, je ne gagne plus un seul jeu.

Je lève les yeux vers ma tribune. Stefanie a la tête baissée. Elle ne m'a jamais vu perdre comme ça.

Plus tard, je me confie à elle. Je ne comprends pas pourquoi il m'arrive encore de m'effondrer. Elle me donne des conseils fondés sur sa propre expérience.

— Arrête de réfléchir, me dit-elle. Ce qui est important, c'est de *ressentir* les choses. De les ressentir.

J'ai déjà entendu ça. On dirait une version plus douce, plus gentille, des propos de mon père. Mais quand c'est Stefanie qui le dit, les paroles pénètrent plus profondément.

Pendant des jours, on discute de la différence entre réfléchir et ressentir. Elle affirme que c'est une chose de ne pas réfléchir, mais qu'on ne peut pas pour autant décider, comme ça, de ressentir. Il ne s'agit pas d'*essayer*. Il faut se laisser submerger par le sentiment.

Il y a des moments où Stefanie sait qu'il n'y a rien à dire. Elle me touche la joue, penche la tête d'un côté, et je vois qu'elle a compris – qu'elle a déjà vécu ça –, et ça me suffit. J'avais besoin de ça, tout simplement.

Nous nous rendons à Wimbledon. J'observe avec plaisir Stefanie explorer Londres. Enfin, s'écrie-t-elle, elle peut vraiment voir cette ville magnifique, et pas à travers un nuage de pression et de blessures. Les joueurs de tennis voyagent autant que n'importe quel athlète, mais le stress et la rigueur liés au jeu nous empêchent de faire du tourisme. Maintenant, Stefanie peut tout voir. Elle marche partout, explore tous les magasins, tous les parcs. Elle s'arrête dans une célèbre crêperie qu'elle a toujours voulu essayer. On y sert cent cinquante sortes de crêpes différentes, et elle goûte à presque toutes, sans avoir à se préoccuper de jouer le lendemain.

Fidèle à moi-même, je ne vois rien d'autre à Londres que mon tirage au sort. Je me mets des œillères et fonce jusqu'en demi-finale, où je retrouve Rafter. Il est en train de se forger une superbe carrière. Deux fois vainqueur de l'US Open. Ex-premier mondial. On dit qu'il essaie de se remettre d'une opération à l'épaule, mais il me balance des aces à gauche et à droite. Quand ce n'est pas le cas, il sautille derrière son carré de service et ne laisse rien passer. Je tente un lob. J'ai l'impression que mes coups sont imparables, mais il les rattrape toujours à temps. Nous jouons pendant trois heures et demie, un tennis de haut vol dont tout l'enjeu repose sur le sixième jeu de la cinquième manche. En voulant en rajouter sur mon deuxième service, je commets une double faute.

Balle de break.

Je sers, il me renvoie vivement la balle, que j'envoie dans le filet.

Je n'arrive pas à débreaker. Il réussit soixante-quatorze pour cent de ses premiers services et c'est ce qui l'emmène jusqu'en finale. Il a mérité le droit de jouer contre Pete pour la victoire. Je voulais jouer contre Pete avec Stefanie en tant que spectatrice, mais le destin en a décidé autrement. Il y a un an, je battais Rafter en demi-finale alors qu'il commençait tout juste à sentir les premiers élancements dans son épaule. Aujourd'hui, son épaule complètement guérie, il revient pour me battre en demi-finale. J'aime bien Rafter, et la symétrie me plaît. Je n'ai rien à redire à ce genre d'histoire.

Stefanie et moi rentrons en avion. J'ai besoin de repos. Et puis les mauvaises nouvelles commencent à pleuvoir. On décèle un cancer du sein chez ma sœur Tami. Quelques jours plus tard, on fait le même diagnostic chez ma mère. J'abandonne ma place dans l'équipe olympique en route pour Sydney. Je veux passer autant de temps que possible avec ma famille. Il va falloir que j'interrompe mon année, au moins jusqu'à janvier.

Ma mère ne veut pas en entendre parler.

— Vas-y, me dit-elle. Joue. Fais ton boulot.

J'essaie. Je vais à Washington DC, mais, comme toujours, je joue mal parce que je ne suis pas concentré. Face à Corretja, pris de rage, je brise trois raquettes et perds en deux sets tristounets.

À l'US Open 2000, je suis tête de série n° 1. Le favori. La veille du tournoi, je me pose avec Gil au Lowell Hotel, me sentant non pas favorisé, mais foutu. Je devrais être heureux en ce moment. Je pourrais remporter ce tournoi, choquer le monde entier. Et je m'en fous.

— Gil, pourquoi continuer ?

— Peut-être que tu devrais arrêter.

— Pourquoi est-ce que je me sens encore comme ça, *comme avant* ?

C'est une question rhétorique. Kacey est complètement rétablie, elle se porte bien et a l'intention de partir
à l'université, mais Gil n'a jamais oublié ce que c'est
que de voir quelqu'un qu'on aime allongé sur un lit
d'hôpital. Il sait ce que je pense sans que j'aie besoin
de le dire : Pourquoi ceux qu'on aime doivent-ils souffrir ? Pourquoi la vie n'est-elle pas parfaite ? Pourquoi
est-ce que tous les jours, quelque part sur cette planète,
quelqu'un doit perdre ?

— Tu ne peux pas jouer si tu n'es pas inspiré, reprend
Gil. C'est ta nature. Ça l'a toujours été, depuis tes dix-
neuf ans. Mais tu ne peux te sentir inspiré que si ceux
qui t'entourent vont bien. C'est ce que j'aime chez toi.

— Si je ne joue pas, je laisse tomber pas mal de gens.
Si je joue, c'est ma famille que je laisse tomber.

Il hoche la tête.

— Pourquoi le tennis et la vie doivent-ils être si opposés ?

Il ne dit rien.

— On y est arrivé, non ? Je veux dire, la course est
terminée, tu ne crois pas ? On en a fini avec toutes ces
conneries ?

— Je ne peux pas te répondre, réplique Gil. Tout ce
que je sais, c'est qu'il te reste encore des choses à faire,
et à moi aussi. Si on abandonne, ce n'est pas grave.
Mais on n'a pas encore tout dépensé, et je crois que tu
t'es promis de continuer jusqu'à la ligne d'arrivée.

Le premier jour d'entraînement avec Brad, je suis
incapable de réussir un seul service. Je quitte le court,
Brad a la sagesse de ne poser aucune question. Je rentre à l'hôtel, m'allonge sur le lit et fixe le plafond pendant deux heures, conscient du fait que je ne vais pas
rester à New York bien longtemps.

Au premier tour, je joue contre un étudiant de Stan-
ford, Alex Kim, qui est malade d'anxiété. Il me fait de
la peine, mais je le sors en sets rapides. Au second tour,
j'affronte Clément. Il fait chaud ce jour-là, et nous
n'avons pas encore marqué un seul point que nous

sommes déjà en sueur. Je fais un bon début, breake, mène 3-1. Tout va bien. Puis, soudain, j'ai l'impression de jouer au tennis pour la première fois. Je me désintègre. Devant un stade bondé.

Une fois de plus, les chroniqueurs sportifs entament un chant funèbre. La fin est proche pour Agassi. Gil tente de leur expliquer ce qui m'arrive. Il dit : « C'est son cœur qui dirige Andre, ses émotions, ses croyances, et ceux qui lui sont chers. Quand ça ne va pas, ça se reflète dans ses actes. »

En sortant de l'Arthur Ashe Stadium, une jeune fille me lance :

— Je suis désolée que vous ayez perdu.

— Ne sois pas désolée, ma petite chérie.

Elle sourit.


Je me précipite à Vegas pour passer du temps avec ma mère. Mais, absorbée par ses livres et ses puzzles, elle n'a pas l'air préoccupé, et son calme imperturbable nous fait honte à tous. Je vois maintenant que je l'ai sous-estimée pendant toutes ces années. J'avais pris son silence pour une faiblesse, une acceptation. Je me rends compte qu'elle est devenue ce que mon père a fait d'elle, comme nous tous ; et cependant, sous la surface, il y a autre chose.

Je comprends aussi qu'en cette période périlleuse de sa vie elle aimerait qu'on la prenne un peu plus en considération. J'avais toujours cru que ma mère voulait qu'on ne fasse pas particulièrement attention à elle, qu'elle désirait se fondre dans le décor. Mais elle tient désormais à être remarquée et appréciée. Elle veut que je sache qu'elle est plus forte que je ne le croyais. Elle reçoit son traitement sans se plaindre, et si elle en tire une certaine fierté, elle veut que moi aussi j'en sois fier. Elle tient également à ce que je comprenne que je suis taillé dans le même bois. Elle a survécu à mon père, comme moi. Elle survivra à ça, et moi aussi.

Tami, qui se fait soigner à Seattle, va mieux elle aussi. Elle a dû se faire opérer, et avant d'entamer sa chimiothérapie elle vient à Vegas pour passer du temps avec sa famille. Elle me confie qu'elle redoute de perdre ses cheveux. Je lui réplique que je ne vois pas pourquoi. Perdre mes cheveux, c'est la meilleure chose qui me soit arrivée. Elle éclate de rire.

Elle me confie que ce serait peut-être une bonne idée de se débarrasser de sa crinière avant que le cancer le fasse. Un acte de défi, une façon de prendre le contrôle.

J'aime cette idée. Je lui promets de l'aider.

Nous préparons un barbecue chez moi, et avant l'arrivée des invités nous nous enfermons dans la salle de bains. Avec Philly et Stefanie comme seuls témoins, nous organisons une cérémonie solennelle de rasage de tête. Tami insiste :

— À toi l'honneur.

Elle me tend le rasoir électrique. Je règle la lame sur 000, pour couper à ras, et lui demande si elle veut d'abord que je lui fasse une crête.

— C'est peut-être ta dernière chance de voir à quoi tu ressemblerais.

— Non. Sortons le grand jeu.

Je la rase vite et de près. Elle sourit comme Elvis le jour où il a rejoint l'armée. Tandis que ses cheveux tombent en cascade, je l'assure que tout va très bien se passer.

— Maintenant tu es libre, Tami. Libre.

Et puis j'ajoute :

— Au moins, tes cheveux à toi finiront par repousser. Pour Philly et moi, on n'en aura jamais plus, mon petit.

Elle rit et rit encore, et ça fait du bien de faire rire ma sœur quand les jours qui passent s'efforcent de faire couler ses larmes.


Quand arrive novembre 2000, ma famille est en voie de guérison et je me sens prêt à reprendre l'entraînement. En janvier, nous nous envolons pour l'Australie. Dès l'atterrissage, j'ai un bon feeling. J'adore cet endroit. J'ai dû être aborigène dans une autre vie. Je me sens toujours chez moi, ici. J'aime entrer dans Rod Laver Arena, jouer sous le nom de Laver.

Je parie à Brad que je vais gagner. Je le sens bien. Et une fois la victoire en poche, il devra sauter dans le Yarra – un affluent fétide et pollué qui serpente à travers Melbourne. Je me bats pour arriver en demi-finale, où je retrouve Rafter. Nous jouons trois heures d'un tennis sans relâche, poussons grognement sur grognement. Il mène, deux sets à un. Puis il se met à dépérir. La chaleur australienne. Nous sommes tous les deux trempés de sueur, mais lui est parcouru de crampes. Je gagne les deux sets suivants.

En finale j'affronte Clément, mon match de revanche quatre mois après m'être fait sortir de l'US Open. Je quitte rarement la ligne de fond de court. Je ne commets que peu d'erreurs, et quand c'est le cas je les oublie vite. Alors que Clément marmonne tout seul en français, je me sens empreint d'un calme serein. Je suis le fils de ma mère. Je le bats en rapides sets.

C'est mon septième tournoi du Grand Chelem victorieux, ce qui me place dixième sur la liste des plus grands. Ex æquo avec McEnroe, Wilander et d'autres – devant Becker et Edberg. Wilander et moi sommes les deux seuls joueurs de l'ère moderne à avoir remporté trois Opens d'Australie. Mais pour l'instant, la seule chose qui me préoccupe, c'est de voir Brad traverser le Yarra en dos crawlé, puis de rentrer retrouver Stefanie.

Nous passons les premiers mois de 2001 à nous installer dans la garçonnière numéro deux, à en faire un vrai chez-nous. Nous achetons des meubles qui nous plaisent à tous les deux. Nous invitons des amis à dîner. Nous discutons de l'avenir jusque tard dans la nuit. Elle m'achète un tableau noir à mettre dans la cuisine pour y noter la liste des courses, mais j'en fais un tout autre usage. Je l'accroche au mur et lui annonce que j'y écrirai mon amour pour elle tous les soirs, et que le lendemain j'essuierai le tableau pour inscrire quelque chose de nouveau. J'achète aussi une caisse de château-beychevelle 1989, et nous nous promettons d'en partager une bouteille tous les ans, le jour de l'anniversaire de notre rencontre.

À Indian Wells, j'arrive en finale face à Pete. Je le bats, et dans les vestiaires, après le match, il me révèle qu'il va épouser Bridgette Wilson, l'actrice qu'il fréquente depuis quelque temps.

— Je suis encore allergique aux actrices, je réplique.

Il a beau rire, ce n'est pas une plaisanterie.

Il me dit qu'il l'a rencontrée sur le plateau d'un film, *Love Stinks*, littéralement « L'amour c'est nul ».

J'ai beau rire, il ne plaisante pas.

Il y a tellement de choses que je voudrais dire à Pete, au sujet du mariage, des actrices, mais je ne le peux pas. On n'a pas ce genre de relation. J'aimerais lui poser tant de questions… Comment fait-il pour rester si concentré, s'il regrette d'avoir dédié sa vie au tennis. Nos personnalités différentes et notre rivalité continuelle excluent une telle intimité. Je me rends compte que, malgré l'influence qu'on a eue l'un sur l'autre, malgré notre quasi-amitié, nous nous considérons comme des étrangers, et cela ne changera peut-être jamais. Je lui souhaite tout le bonheur du monde, et je suis sincère. Pour moi, être avec la femme qu'on aime, c'est ça le bonheur. Après tout ce temps passé à former ma prétendue équipe, je ne désire désormais rien de plus que de devenir un membre estimé de l'équipe de Stefanie. J'espère qu'il ressent la même chose envers sa fiancée. J'espère que la place qu'il tient dans le cœur de cette fille est aussi importante à ses yeux que la place qu'il semble vouloir occuper dans l'histoire. J'aimerais pouvoir le lui dire.

Une heure après le tournoi, Stefanie et moi donnons une leçon de tennis. Wayne Gretzky nous a acheté une action de bienfaisance, et il veut qu'on donne des cours à ses gamins. On s'amuse avec eux. Et puis, quand l'obscurité tombe, nous rentrons lentement à Los Angeles. Sur le chemin, nous discutons des gosses, qui sont si mignons. Je pense aux petits des Costner.

Stefanie regarde par la fenêtre, les yeux plissés, puis se tourne vers moi. Elle lâche :

— Je crois que j'ai du retard.

— Pour ?

— Du retard.

— Ah. Tu veux dire… *oh !*

Nous faisons plusieurs pharmacies, achetons tous les types de tests de grossesse que nous trouvons sur les étagères, puis nous nous terrons à l'hôtel Bel-Air. Stefanie entre dans la salle de bains et en sort quelques instants plus tard avec une expression indéchiffrable. Elle me tend le bâtonnet.

— C'est bleu.

— Ça veut dire quoi si c'est bleu ?

— Je crois que ça veut dire que… tu sais.

— Un garçon ?

— Je crois que ça veut dire que je suis enceinte.

Elle refait le test. Et encore une fois. Bleu, chaque fois.

C'est ce qu'on voulait tous les deux et elle est heureuse, mais aussi un peu effrayée. Tellement de choses vont changer. Que va-t-il arriver à son corps ? Il ne nous reste qu'une poignée d'heures avant que je doive prendre un vol de nuit pour Miami et qu'elle s'envole pour l'Allemagne. Nous sortons dîner au Matsuhisa. Assis au bar à sushis, main dans la main, nous nous disons que l'aventure sera fantastique. Bien plus tard, je serai frappé par cette coïncidence : c'est au même endroit que tout s'est terminé avec Brooke. C'est comme au tennis. On peut souffrir sa pire défaite sur le court qui verra notre plus grand triomphe.

Une fois que nous avons bien mangé, bien pleuré, bien fêté, je lance :

— J'imagine qu'on devrait se marier.

Elle écarquille les yeux.

— J'imagine que oui.

Nous tombons d'accord : il n'y aura pas de grand mariage, pas tout le tralala. Pas d'église. Pas de gâteau. Pas de robe. On saisira l'occasion d'une période de calme dans la saison de tennis.

Je m'assieds pour une interview de une heure avec Charlie Rose, le sympathique présentateur télé, à qui je mens comme un arracheur de dents.

Je ne le fais pas exprès, mais les questions qu'il me pose semblent toutes appeler une réponse attendue, une réponse qu'il veut entendre.

— Enfant, aimiez-vous le tennis ?

— Oui.

— Vous adoriez ce jeu.

— Je dormais avec une raquette.

— Quand vous considérez tout ce que votre père a fait pour vous, est-ce qu'aujourd'hui vous vous dites : Je suis heureux qu'il m'ait apporté tout ça dans ma jeunesse, ça a contribué à m'endurcir ?

— Je suis vraiment heureux de pouvoir faire du tennis. Je suis reconnaissant envers mon père de m'y avoir initié.

On dirait que j'ai été hypnotisé ou que j'ai subi un lavage du cerveau, ce qui n'est pas nouveau. Je répète des choses que j'ai déjà dites, des paroles que j'ai prononcées à nombre de conférences de presse, d'interviews, de conversations de cocktails. Est-ce que ce sont toujours des mensonges, si j'ai commencé à y croire un peu ? Est-ce que ce sont toujours des mensonges si, à force de les répéter, ils sont désormais recouverts du vernis de la vérité ?

Mais cette fois-ci, ils me paraissent différents. Ils restent suspendus dans l'air, me laissent un goût amer dans la bouche. Une fois l'entretien terminé, je me sens vaguement nauséeux. Non pas tourmenté par la culpabilité, mais plutôt par les regrets. L'impression d'une occasion ratée. Je me demande ce qui se serait passé, ce que Rose aurait fait ou dit, ce qu'on aurait mieux apprécié dans l'interview si j'avais été honnête avec lui, avec moi-même. En fait, Charlie, je déteste le tennis.

Ce sentiment de nausée ne me quitte pas de plusieurs jours. Il s'amplifie quand l'interview passe à l'antenne. Je me promets qu'un jour je regarderai un intervieweur de l'envergure de Rose droit dans les yeux, et que je lui livrerai la vérité brute, sans vernis.


Aux Internationaux de France 2001, une personne invisible se tient dans ma tribune. Stefanie est enceinte de quatre mois, et la présence de notre enfant à naître me donne les jambes d'un adolescent. J'arrive en huitième de finale et joue contre Squillari, que j'ai rencontré tant de fois. Quand on entre sur le court, j'ai l'impression qu'on a plus d'histoire commune qu'il n'y en a entre la France et l'Angleterre. En regardant Squillari, je me retrouve en 1999 – un des matchs les plus difficiles de ma carrière. Un des tournants. S'il m'avait battu ce jour-là, il y a deux ans, je ne sais pas si je serais ici aujourd'hui. Je ne sais pas si Stefanie serait ici, et donc si notre enfant à naître serait là.

Inspiré par ces pensées, je m'enferme au fond de moi-même. Au fil du match, je suis de plus en plus en forme, de plus en plus concentré. Imperturbable. Un fan indiscipliné crie des obscénités à mon sujet. Je rigole. Je tombe et me fais mal, me tords et me coupe le genou. Je fais comme si de rien n'était. Rien ne peut me déstabiliser, et encore moins Squillari. Je finis par ne même plus être conscient de sa présence. Je suis là tout seul, encore plus que d'habitude.

En quart de finale, j'affronte le Français Sébastien Grosjean. Je gagne le premier set sans difficulté, ne perdant qu'un seul jeu, puis Grosjean ouvre son réservoir caché de confiance. Nous sommes désormais ex æquo en termes de confiance en soi, mais ses coups sont meilleurs que les miens. Il breake et mène 2-0, puis breake encore et remporte le deuxième set aussi facilement que j'ai gagné le premier.

Au troisième, il fait immédiatement le break, et remporte le jeu avec un joli lob. Puis il gagne son service et breake de nouveau. Je suis foutu.

À la quatrième manche, quelques occasions se présentent à moi, mais je n'arrive pas à en tirer profit. Je frappe un revers faiblard, indigne de moi, et en regardant la balle voguer dans les airs, je sais que je n'ai plus beaucoup de temps. Il sert pour le match, je tiens par le bout des ongles, et puis j'envoie un coup droit dans le filet. Il conclut avec un ace.

Par la suite, les journalistes me demandent si ma concentration a été perturbée par l'arrivée du président Bill Clinton. De toutes les raisons que j'ai pu entendre et donner pour expliquer une défaite, je n'aurais pas pu en trouver une aussi nulle. Je leur dis que je ne savais même pas qu'il était là. J'avais d'autres choses en tête. D'autres spectateurs invisibles.

Sous prétexte d'une séance d'entraînement, j'emmène Stefanie dans la salle de gym de Gil. Elle est tout sourires parce qu'elle sait pourquoi nous sommes ici.

Gil demande à Stefanie si elle se sent bien, si elle a soif, si elle voudrait s'asseoir. Il lui indique un vélo d'intérieur qu'elle monte en amazone. Elle étudie l'étagère que Gil a construite le long d'un mur pour accueillir les trophées de mes tournois, y compris ceux que j'ai remplacés depuis ma crise post-*Friends*.

Tripotant un extenseur, je lance :

— Alors, euh, Gil, écoute. On a choisi un prénom pour notre fils.

— Ah ! C'est quoi ?

— Jaden.

— Ça me plaît, dit Gil en souriant et en hochant la tête. Ça oui. Ça me plaît bien.

— Et… on a aussi trouvé le second prénom parfait.

— Et c'est ?

— Gil.

Il se fige.

— Jaden Gil Agassi, je poursuis. S'il grandit pour te ressembler ne serait-ce qu'un peu, ce sera un homme accompli, et si moi j'arrive à faire pour mon fils la moitié de ce que tu as fait pour moi, j'aurai surpassé mes propres attentes.

Stefanie est en larmes. J'ai les yeux embués. Gil est à trois mètres de moi, près de la presse à jambes. Son crayon derrière l'oreille, ses lunettes sur le bout du nez, son carnet « Léonard de Vinci » ouvert. Il s'approche de moi en trois enjambées et me prend dans ses bras. Je sens son collier effleurer ma joue. Père, Fils, Saint-Esprit.


Je suis près de battre Rafter à Wimbledon. Cinquième set, au service pour le match, à deux points de la victoire, j'envoie dans le filet un coup droit hésitant. Sur le point suivant, je rate un revers facile. Il débreake. Les rôles sont désormais inversés.

Je gueule :

— *Enfoiré*.

Une juge de ligne le signale immédiatement à l'arbitre.

Je reçois un avertissement pour obscénité.

Maintenant, je ne peux penser à rien d'autre qu'à cette juge de ligne zélée. Je perds le set, 8-6, et le match avec. Je suis déçu sur le moment mais n'y prête pas grande importance.

En dehors de la santé de Stefanie et de notre famille à venir, mes pensées ne s'éloignent jamais beaucoup de mon école. Elle doit ouvrir cet automne et accueillir deux cents élèves, du CE1 au CM2, mais on a bien l'intention de la développer rapidement, de la maternelle à la terminale. Dans deux ans, on aura construit le collège. Et encore deux ans après, le lycée.

J'adore nos concepts, notre esthétique, mais je suis particulièrement fier de notre volonté de mettre de l'argent au service de nos idées. Beaucoup d'argent. Perry et moi avons appris avec horreur que l'État du Nevada dépensait moins pour l'éducation que presque n'importe quel autre État – six mille huit cents dollars par élève, sachant que la moyenne nationale est de huit mille six cents. On a juré de compenser, et même d'en faire plus. Grâce à un mélange de financement de l'État et de donations privées, nous allons investir énormément pour les gamins et prouver que pour l'éducation comme pour tout, la qualité est proportionnelle à l'investissement.

On va aussi garder nos gosses à l'école plus longtemps – huit heures par jour, au lieu des six habituelles au Nevada. Si j'ai appris quelque chose dans ma vie, c'est bien que le temps et l'entraînement mènent à l'accomplissement. De plus, on va insister pour que les parents s'investissent le plus possible dans l'école. Un parent au moins par élève devra passer douze heures par mois comme aide bénévole dans les salles de classe, ou pour surveiller les sorties scolaires. Notre but est que les parents aient l'impression d'être des actionnaires. Nous voulons qu'ils se sentent pleinement dévoués et responsables, qu'ils accompagnent leurs enfants jusqu'à l'université.

Souvent, quand je me sens triste ou diminué, je fais une virée dans le quartier pour regarder l'école prendre forme. De toutes mes contradictions, celle-ci est la plus surprenante, la plus amusante : qu'un garçon qui a autant détesté l'école soit devenu un homme inspiré et stimulé par la construction de son propre établissement scolaire.

Mais je ne peux pas être présent à la journée d'ouverture. Je participe à l'US Open 2001. Je joue pour l'école, donc je donne tout ce que j'ai. Je fonce à travers les quatre premiers tours pour me retrouver face à Pete en quart de finale. Dès l'instant où nous sortons du tunnel, nous savons que la bataille à venir sera la plus rude que nous ayons connue à ce jour. Nous le savons, c'est tout. C'est la trente-deuxième fois que nous jouons, il mène 17-14, et nous avons l'air particulièrement féroce. Ici, maintenant, c'est ce match qui décidera de la rivalité. Le vainqueur remportera tout.

Pete est censé être à la moitié de ses capacités. Il n'a pas gagné un tournoi du Grand Chelem en quatorze mois. Il s'est montré récalcitrant ces derniers temps et a ouvertement parlé de retraite. Mais rien de tout cela ne compte maintenant, puisqu'il joue contre moi. Malgré tout, je gagne le premier set lors d'un tie-break, et désormais je me dis que j'ai mes chances. Dans ce tournoi, j'ai un score de 49-1 quand je gagne la première manche.

J'aimerais bien que quelqu'un rappelle ces statistiques à Pete. Il gagne le deuxième set après un tie-break.

La troisième manche se ponctue également par un tie-break. Je commets plusieurs erreurs stupides. L'épuisement. Il gagne le troisième set.

Au quatrième, nous effectuons quelques échanges de balles épiques. Nouveau tie-break. Cela fait trois heures que nous jouons, et aucun de nous n'a encore pris le service de l'autre. Il est minuit passé. Les fans – vingt-trois mille, voire plus – se lèvent. Ils refusent de nous laisser engager le quatrième tie-break. Applaudissant, tapant des pieds, ils simulent leur propre tie-break. Avant de nous laisser continuer, ils veulent d'abord nous remercier.

Je suis ému. Je vois que Pete l'est tout autant. Mais je ne peux pas me permettre de penser aux fans. Je ne dois pas perdre ma concentration.

Pete sait que l'avantage sera de mon côté si on atteint cinq sets. Il sait qu'il va lui falloir mener le tie-break parfait s'il veut empêcher une cinquième manche. C'est donc ce qu'il fait. Cette nuit de tennis sans faille se termine sur un coup droit de ma part, envoyé dans le filet.

Pete hurle.

En vérité, je sens mon pouls qui ralentit. Je ne suis pas triste. J'essaie bien un peu, mais je n'y arrive pas. Je me demande si j'ai fini par m'habituer à me faire battre par Pete lors de matchs importants, ou si je commence simplement à me satisfaire de ma carrière et de ma vie. Quoi qu'il en soit, je pose une main sur l'épaule de Pete pour le féliciter, et si ce n'est pas tout à fait un adieu, c'est comme la répétition générale d'un adieu qui ne saurait tarder.


En octobre 2001, trois jours avant la date prévue pour l'accouchement de Stefanie, nous invitons nos mères et un juge du Nevada à la maison.

J'adore regarder Stefanie discuter avec ma mère. Les deux femmes timides de ma vie. Stefanie lui offre souvent de nouveaux puzzles. Et j'adore Heidi, la mère de Stefanie. Elle ressemble à sa fille, alors j'étais conquis dès le premier *guten Tag*. Stefanie et moi, pieds nus, en jean, nous tenons dans la cour, devant le juge. En guise d'anneaux, nous utilisons des bouts de vieux raphia que Stefanie a trouvés dans un tiroir – du même genre que celui dont je m'étais servi pour décorer sa première carte d'anniversaire. Nous ne remarquerons la coïncidence que plus tard.

Mon père me répète qu'il n'est pas du tout vexé de ne pas avoir reçu d'invitation. Il n'en veut pas, de toute façon. Il n'a aucune envie d'assister à un mariage. Il n'aime pas ça. (Il est sorti au beau milieu de mon premier mariage.) Il me dit que peu importe où j'épouse Stefanie, ni comment, l'essentiel c'est que ce soit fait.

Elle est la meilleure joueuse de tennis de tous les temps, poursuit-il. Que demander de mieux ?

Le juge débite son charabia juridique et Stefanie et moi sommes sur le point de dire oui, quand toute une équipe de jardiniers débarque. Je cours vers eux pour leur demander s'ils pourraient éteindre leurs tondeuses à gazon et souffleurs de feuilles cinq minutes, le temps de nous marier. Ils s'excusent. L'un d'eux pose un doigt sur ses lèvres.

— En vertu des pouvoirs qui me sont conférés…, reprend le juge.

Et enfin, enfin, sous le regard de deux mères et de trois jardiniers, Steffi Graf devient Stefanie Agassi.

## 26

Une saison de naissance et de renaissance. Quelques semaines après l'ouverture de mon école, mon fils arrive. Dans la salle d'accouchement, le médecin me tend Jaden Gil et j'en suis tout retourné. Je l'aime tellement que mon cœur se fend comme un fruit trop mûr. J'ai hâte d'apprendre à le connaître, et cependant, cependant… Je me demande aussi : Qui est ce magnifique intrus ? Est-ce que Stefanie et moi sommes prêts à accueillir un parfait inconnu chez nous ? Je ne me connais pas moi-même, que serai-je pour mon fils ? Me ressemblera-t-il ?

Nous ramenons Jaden à la maison, où je le contemple pendant des heures. Je lui demande qui il est, d'où il vient, ce qu'il sera. Je me demande comment je peux lui donner ce dont j'ai toujours eu besoin, ce que je n'ai jamais eu. Je veux prendre ma retraite immédiatement, passer le plus clair de mon temps avec lui. Mais maintenant plus que jamais, je dois jouer. Pour lui, pour son avenir, et pour mes autres enfants, ceux de l'école.

Mon premier match en tant que père est une victoire contre Rafter aux Tennis Masters Series de Sydney. Je déclare ensuite aux journalistes que je doute pouvoir continuer assez longtemps pour que mon nouveau fils assiste à un de mes matchs, mais c'est un beau rêve malgré tout.

Puis je me retire de l'Open d'Australie 2002. J'ai mal au poignet, je ne peux pas participer. Brad est frustré. Je n'en attendais pas moins de lui. Mais cette fois-ci, il a du mal à oublier sa frustration. Cette fois-ci, c'est différent.

Quelques jours plus tard, il me dit qu'il faut qu'on parle. On se voit pour boire un café, et il met cartes sur table.

— On a fait un superbe bout de chemin ensemble, Andre, mais la fin est proche. On commence à stagner. On va manquer de créativité. Mon sac à malice est vide, mon pote.

— Mais…

— Ça fait huit ans, et on pourrait bien continuer quelques années de plus, mais toi tu en as trente-deux. Tu as une nouvelle famille, de nouveaux centres d'intérêt. Ce ne serait pas une si mauvaise idée de te trouver une nouvelle voix pour ta dernière ligne droite. Quelqu'un susceptible de te remotiver.

Il s'interrompt, me regarde, puis détourne les yeux.

— Résultat des courses, reprend-il, on est si proches que ma plus grande peur c'est qu'on finisse par se disputer, et qu'on ne se réconcilie jamais.

Je me dis : Impossible que ça arrive, mais mieux vaut prévenir que guérir.

On s'embrasse.

Quand il franchit la porte, je suis pris d'une mélancolie semblable à celle d'un dimanche soir ponctuant un week-end idyllique. Je sais que Brad ressent la même chose. Ce n'est peut-être pas la bonne façon de mettre fin à notre aventure commune, mais c'est la meilleure façon possible.

Je ferme les yeux et essaie de m'imaginer avec quelqu'un d'autre. Le premier visage qui me vient est celui de Darren Cahill. Il vient de finir d'entraîner brillamment Lleyton Hewitt, premier mondial, l'un des joueurs les plus instinctifs de toute l'histoire du tennis,

*Je viens de battre Pete à Indian Wells et fête
ma victoire avec Brad, sans savoir que ce sera l'une
de nos dernières ensemble.*

et qui doit une grande partie de son talent à son entraîneur. Et puis, j'ai croisé Darren à Sydney il n'y a pas si
longtemps de cela et nous avons longuement discuté
de la paternité. Nous nous sommes sentis très liés.
Darren, un jeune père, comme moi, m'a conseillé un
livre pour endormir les bébés. Il ne jure que par ce bouquin, et d'après lui son fils est réputé sur le circuit pour
roupiller comme un ivrogne.

J'ai toujours bien aimé Darren. Ses airs décontractés
me plaisent. Je trouve son accent australien apaisant,
il m'endormirait presque. J'ai lu le livre qu'il m'a
recommandé, et j'ai appelé Stefanie pour lui en lire
quelques extraits. Ça a marché. Maintenant, j'appelle
Darren pour lui apprendre que Brad est parti. Je lui
demande si la place l'intéresserait.

Il me répond qu'il est flatté par la proposition, mais
qu'il est sur le point de signer avec Safin. Il me promet
cependant d'y réfléchir et de me tenir au courant.

— Pas de problème. Prends ton temps.

Je le rappelle une demi-heure plus tard :

— À quoi tu veux réfléchir, bordel ? Tu ne peux pas entraîner Safin. C'est un vrai danger public. Tu *dois* travailler avec moi. Je le sens, c'est tout. Darren, je te promets qu'il m'en reste sous le coude. Je n'ai pas encore fini ce que j'ai à faire. Je suis *déterminé*. J'ai simplement besoin de quelqu'un qui m'aidera à le rester.

— OK, lâche-t-il en riant. OK, mec.

Pas une seule fois il ne parle d'argent.

Stefanie et Jaden m'accompagnent à Key Biscayne. Nous sommes en avril 2002, quelques jours avant mon trente-deuxième anniversaire, et le tournoi fourmille de joueurs qui ont la moitié de mon âge, des jeunes Turcs comme Andy Roddick, le prochain *prochain* sauveur du tennis américain, pauvre bougre. Il y a aussi le tout nouveau *wunderkind* fraîchement débarqué de Suisse, Roger Federer.

*Quelques paroles échangées en privé*
*avec Pete Sampras après la finale de l'US Open 2002.*

533

J'aimerais remporter ce tournoi pour ma femme et notre fils de six mois, mais perdre ne m'inquiète pas, je me fous de perdre, *grâce* à eux. Tous les soirs, alors que je rentre à peine du stade, Jaden dans le creux de mes bras, Stefanie blottie contre moi, je me rappelle à peine avoir gagné ou perdu. Le tennis s'efface aussi rapidement que la lumière du jour. J'ai presque l'impression que les cals de ma main droite sont en train de disparaître, que dans mon dos les nerfs enflammés s'apaisent et guérissent. Je suis père *puis* joueur de tennis, et cette évolution se produit sans que je m'en rende compte.

Un matin, Stefanie sort visiter quelques magasins et faire un peu d'exercice. Elle ose me laisser seul avec Jaden. C'est la première fois que je dois gérer en solo.

— Ça ira, tous les deux ? demande-t-elle.

— Bien sûr.

J'assieds Jaden sur le meuble de la salle de bains, l'adosse au miroir et le laisse jouer avec ma brosse à dents, qu'il se met à sucer tout en m'observant me raser la tête à la tondeuse électrique.

Je lui demande :

— Qu'est-ce que tu penses de ton papa chauve ?

Il sourit.

— Tu sais, fiston, j'étais comme toi, avant : j'avais les cheveux qui flottaient au vent. Tu ne trompes personne avec ta mèche cache-misère.

Son sourire s'élargit ; il n'a aucune idée de ce dont je parle, bien sûr.

Je mesure ses cheveux avec mes doigts.

— Tiens, tu as quelques touffes en trop par-là, mon pote. Je vais t'arranger ça.

Je change l'embout de la tondeuse, choisis celui destiné à la coupe des cheveux. Mais quand je passe la tête de Jaden à la tondeuse, celle-ci trace une jolie rayure bien nette d'un bout à l'autre de son petit crâne, bien au centre, blanche comme une ligne de fond de court.

Je me suis trompé d'embout.

Stefanie va me tuer. Il faut absolument que j'égalise la coupe du petit avant qu'elle rentre. Mais dans ma volonté frénétique d'améliorer la situation, je coupe ses cheveux encore plus court. Avant d'avoir compris ce que j'ai fait, mon fils se retrouve encore plus chauve que moi. On dirait un mini-moi.

Stefanie passe la porte, se fige et nous regarde fixement, les yeux écarquillés.

— Qu'est-ce que... ? Andre, qu'est-ce qui ne va pas chez toi ? Je vous laisse seuls trois quarts d'heure et tu trouves le moyen de *raser la tête du bébé* ?

Elle lâche une flopée d'injures en allemand.

Je lui jure que c'était un accident. Le mauvais embout. Je la supplie de me pardonner.

Je sais, on dirait que je l'ai fait exprès. Je dis toujours en plaisantant que je vais *raser le monde entier*.

— Mais, Stefanie, je te jure que ce coup-ci c'était une erreur.

J'essaie de lui rappeler ce conte de bonne femme selon lequel, si on rase la tête d'un enfant les cheveux repousseront plus vite et plus épais, mais elle lève une main et éclate de rire. Elle est pliée en deux. Jaden commence à rire de voir sa maman rire. On est tous en train de glousser, de frotter le crâne de Jaden et le mien, de dire en rigolant qu'il ne reste plus que celui de Stefanie, et qu'elle a intérêt à ne pas dormir trop profondément si elle ne veut pas se réveiller le crâne luisant. Je ris tellement que je n'arrive pas à articuler, et quelques jours plus tard, en finale de Key Biscayne, je bats Federer. C'est une belle victoire. Il est aussi bon que tous les autres du circuit. Il est entré dans le tournoi avec vingt-trois victoires à son actif pour l'année en cours.

C'est ma cinquante et unième victoire de tournoi, la sept centième en tout. Et cependant, je sais que ce tournoi restera gravé dans ma mémoire non pour avoir battu Federer, mais pour cette explosion de rire. Je me demande si les deux sont liés. Il est plus facile de se sentir libre et souple, d'être soi-même, après avoir ri avec ceux qu'on aime. Avec ou sans cheveux.

Au début de 2002, je m'installe dans une routine tranquille avec Darren. Nous parlons la même langue, voyons le monde avec les mêmes couleurs. Et puis il scelle la confiance que j'ai en lui, ma foi inébranlable, en osant bricoler mon cordage de raquette, et en l'améliorant.

J'ai toujours joué avec des ProBlend, des cordes moitié Kevlar, moitié Nylon. On pourrait pêcher un marlin de trois cent cinquante kilos avec des ProBlend. Elles ne cassent jamais, ne pardonnent jamais, mais ne donnent pas d'effet à la balle non plus. C'est comme si on frappait avec un couvercle de poubelle. On parle beaucoup du jeu qui évolue, des joueurs qui deviennent plus puissants, des raquettes qui se font plus grandes, mais ce qui a vraiment changé au cours des quelques dernières années, c'est le cordage. L'apparition d'une nouvelle corde élastique en polyester, donnant un sacré effet lifté, a transformé des joueurs moyens en champions et les champions en légendes.

Moi, je me suis toujours méfié du changement. Darren me demande d'essayer tout de même. Nous sommes à l'Open d'Italie. Je viens de jouer au premier tour contre l'Allemand Nicolas Kiefer. Je l'ai battu, 6-3, 6-2, et j'explique à Darren que j'aurais dû perdre. J'ai joué comme une merde. Je ne me sens pas en confiance sur terre battue. Cette surface, c'est fini pour moi.

— Essaie un coup la nouvelle corde, mec.

Je fronce les sourcils. Je suis sceptique. Une fois, j'ai voulu changer de raquette. Ça ne m'a pas réussi.

Il recorde une de mes raquettes et insiste :

— Essaie, voir.

Je ne rate pas une seule balle pendant les deux heures de la session d'entraînement, puis jusqu'à la fin du tournoi. Je n'avais encore jamais remporté l'Open d'Italie, et je le remporte aujourd'hui grâce à Darren et à ses cordes magiques.

J'ai soudain hâte que commence Roland-Garros. Je suis surexcité, impatient de me battre et prudemment optimiste. Je sors tout juste d'une victoire, Jaden commence un peu à faire ses nuits et je me suis trouvé une nouvelle arme. Au quatrième tour, je suis mené de deux sets et d'un break par le bénéficiaire d'une *wild card*, un Français du nom de Paul-Henri Mathieu. Il a vingt ans, mais n'est pas aussi en forme que moi. Il n'y a pas d'horloge au tennis, gamin. Je pourrais tenir toute la journée.

Et tombe la pluie. Assis dans les vestiaires, je me remémore cette fois, en 1999, où Brad m'a gueulé dessus. J'entends sa tirade, mot pour mot. Je regagne le court le sourire aux lèvres. Je mène 40-0, et Mathieu fait le break. Je m'en fous. Je débreake. Au cinquième set, il mène 3-1. Une fois de plus, je refuse de perdre.

— Contre quelqu'un d'autre qu'Agassi, assure Mathieu aux journalistes après le match, j'aurais gagné.

Puis j'affronte l'Espagnol Juan Carlos Ferrero. Il pleut de nouveau ; cette fois-ci, je demande que le match soit interrompu jusqu'au lendemain. Ferrero est en tête et il ne veut pas s'arrêter. Il devient hargneux quand les juges acceptent de suspendre le match. Le lendemain, il déverse sa mauvaise humeur sur moi. J'entrevois une possibilité au troisième set, mais il me l'enlève rapidement. Il gagne la manche, et tandis qu'il s'empare de la victoire, je vois son assurance s'élever comme un nuage de vapeur.

En quittant le court avec Darren, je me sens paisible. J'aime ce que j'ai donné. J'ai commis des erreurs, il y a eu des failles dans mon jeu, mais je sais qu'on réussira à les travailler. J'ai mal au dos, mais cela vient surtout du fait que je me suis beaucoup penché pour aider Jaden à marcher. Un mal pour un merveilleux bien.

Quelques semaines plus tard, nous sommes à Wimbledon, et ma belle attitude me lâche en même temps que mes nouvelles cordes. Sur gazon, mon lift fraîchement augmenté pousse la balle comme un ballon à l'hélium. Au deuxième tour, je joue contre le Thaïlandais Paradorn Srichaphan. Il est bon, mais pas tant que ça. Il réduit tous mes coups en bouillie. Il est soixante-septième mondial, et je suis convaincu qu'il est impossible qu'il me batte ; puis il fait le break au premier set.

Je tente tout pour essayer de me remettre sur les rails. Rien ne fonctionne. On dirait que ma balle est un chou à la crème et que Srichaphan est là pour la dévorer. Je n'ai jamais vu un adversaire écarquiller autant les yeux que Srichaphan. Il rase le sol de sa raquette, et la seule pensée consciente et cohérente qui me traverse l'esprit est la suivante : J'aimerais pouvoir faire de même et aboutir à quelque chose. Qu'est-ce que je peux faire pour qu'on comprenne que ce n'est pas moi, que ce n'est pas ma faute ? C'est le cordage. Au deuxième set je m'ajuste et me défends, je joue bien, mais Srichaphan est extrêmement sûr de lui. Il est convaincu d'avoir gagné sa journée, et si on y croit suffisamment ça finit par se vérifier. Il frappe un coup incontrôlé qui atterrit comme par magie sur la ligne de fond, puis remporte le tie-break et mène de deux manches. Au troisième set, je rends paisiblement les armes.

Le même jour, Pete perd aussi. Maigre consolation.

Darren et moi passons les deux jours suivants à tenter de nouvelles combinaisons de cordes. Je lui dis que je ne peux pas continuer avec son nouveau polyester, mais que je ne m'imagine plus jouer avec mon ancien cordage. Si je dois revenir au ProBlend, je ne pourrai plus jouer.

Il a l'air grave. Cela ne fait pas six mois qu'il m'entraîne, il a légèrement modifié mes cordes et a peut-être accéléré, sans le vouloir, l'heure de ma retraite. Il me promet de faire tout ce qui est en son pouvoir pour trouver la combinaison de cordes parfaite.

— Trouve quelque chose qui me permette de raser le sol avec ma raquette et de frapper la balle comme je veux, je lui dis. Que je puisse jouer comme Srichaphan.

— C'est comme si c'était fait, mon pote.

Il travaille nuit et jour et finit par trouver une combinaison qui lui plaît. Nous nous rendons à Los Angeles et c'est la perfection. Je remporte la Coupe Mercedes-Benz.

À Cincinnati, je joue bien, mais pas suffisamment pour gagner. Puis, à Washington DC, je bats Enqvist, que j'ai toujours du mal à vaincre. Ensuite j'affronte un autre gamin censé être la prochaine révélation du tennis, James Blake, vingt-deux ans. Face à son jeu, beau et gracieux, je ne suis pas à la hauteur, pas aujourd'hui en tout cas. Il est tout simplement plus jeune, plus rapide, meilleur athlète. Et aussi, il estime suffisamment ce que j'ai réalisé dans le passé pour sortir le grand jeu. J'aime qu'il fasse appel à la grosse artillerie. C'est flatteur, même si cela signifie que je n'ai pas l'ombre d'une chance. Impossible de rendre mes cordes responsables de ma défaite.

Je me rends à l'US Open 2002 sans trop savoir quoi attendre de moi-même. Je gagne les premiers tours les doigts dans le nez, et en quart de finale j'affronte le Biélorusse Max Mirnyi, originaire de Minsk. On l'appelle la Bête, ce qui est en dessous de la réalité. Un mètre quatre-vingt-dix-huit, le service le plus effrayant que j'aie jamais vu. Quand il sert, on voit une queue brûlante et jaune comme une comète faire un immense arc de cercle au-dessus du filet avant de nous retomber dessus. Face à ce service, je me sens démuni. Il gagne le premier set avec une aisance bestiale. Mais au second, Mirnyi commet plusieurs fautes directes, ce qui me revigore et m'insuffle un peu de dynamisme. Je commence à comprendre son premier service. Nous jouons un tennis de grande qualité jusqu'à la fin, et lorsque son dernier coup droit va trop loin, je n'arrive pas à y croire. Me voici en demi-finale.

Pour récompenser mes efforts, on me met face à Hewitt, tête de série n° 1, vainqueur de Wimbledon l'année dernière. Fait plus troublant, il est l'ancien élève de Darren, ce qui ajoute au jeu encore un peu d'intensité et de pression. Darren veut que je batte Hewitt ; je veux battre Hewitt pour Darren. Mais dès le premier set, je me fais distancer, 0-3. J'ai toutes ces informations qui défilent dans ma tête sur Hewitt, des données de Darren et de mes expériences passées, mais il me faut du temps avant de faire le tri et de trouver la clef. Une fois que c'est fait, tout change très rapidement. Je repars à l'attaque et gagne le premier set, 6-4. Je vois la veilleuse s'éteindre dans les yeux de Hewitt. Je gagne la deuxième manche. Il riposte, gagne la troisième. Au quatrième set, tout d'un coup, il n'arrive plus à servir et je me jette sur son deuxième service. Mon Dieu, je suis en finale.

Pete, donc. Pete, comme toujours. Au cours de nos carrières respectives, nous avons joué ensemble trente-trois fois, dont quatre en finale de tournoi du Grand Chelem. L'avantage lui revient, 19-14 et 3-1 en finale de ces tournois. Il prétend que je fais ressortir le meilleur de lui, et moi je suis convaincu qu'il encourage le pire en moi. La veille de la finale, je ne peux m'empêcher de repenser à toutes ces fois où je pensais battre Pete, où je savais que j'allais le battre, où j'avais besoin de le battre, tout cela pour perdre. Et c'est ici même que son succès contre moi a commencé, à New York, il y a douze ans, quand il m'a éjecté en trois sets. J'étais le favori à l'époque, comme aujourd'hui.

En buvant l'Eau magique de Gil par petites gorgées, avant de dormir, je me dis que cette fois-ci ce sera différent. Cela fait plus de deux ans que Pete ne remporte aucun tournoi. Il est proche de la fin. Moi, je ne fais que recommencer.

Je me glisse sous les couvertures et me rappelle une soirée à Palm Springs, il y a plusieurs années. Brad et moi mangions dans un restaurant, Mama Gina's, et nous avons aperçu Pete attablé avec des amis à l'autre bout de la salle. En sortant, il est passé nous dire bonjour. Bonne chance pour demain. Toi aussi. Puis on l'a observé attendre sa voiture de l'autre côté de la fenêtre. On n'a rien dit, chacun de nous était conscient de ce que ce type avait changé dans nos vies. Tandis que Pete s'éloignait en voiture, j'ai demandé à Brad combien, à son avis, il avait donné de pourboire au voiturier.

Brad avait émis un sifflement.

— Cinq dollars, maximum.

— Ça m'étonnerait ! avais-je répliqué. Ce type a des millions. Il s'est fait quarante millions rien qu'en remportant des matchs. Il a dû refiler au moins dix dollars.

— On parie ?

— Ça marche.

On a rapidement vidé nos assiettes avant de nous précipiter dehors.

— Écoute, ai-je dit au voiturier, dis-nous la vérité : combien monsieur Sampras t'a-t-il donné de pourboire ?

Le gosse a baissé les yeux. Il ne voulait pas nous le dire. Il pesait le pour et le contre, se demandant s'il y avait une caméra cachée quelque part.

On lui a dit qu'on avait fait un pari, et que c'était pour ça qu'on insistait autant. Enfin, il a chuchoté :

— Vous voulez vraiment savoir ?

— Vas-y.

— Il m'a donné un dollar.

Brad a posé une main sur son cœur.

— Mais c'est pas tout, a poursuivi le gamin. Il m'a donné un dollar, et il m'a dit de bien le donner au gosse qui conduirait vraiment sa voiture.

Pete et moi ne pourrions être plus différents, et en m'endormant la veille de ce qui pourrait bien être notre *dernière* finale, je jure que demain le monde percevra nos différences.


À cause d'un match des New York Jets qui se prolonge, la diffusion à la télévision est retardée et nous devons attendre un peu avant de commencer, ce qui joue en ma faveur. Je suis en meilleure forme, et l'idée qu'on reste sur les courts jusqu'à minuit me plaît. Mais je prends un retard de deux sets dès le début. Une fois de plus, je me fais anéantir par Pete. Je n'arrive pas à y croire.

Puis je me rends compte que Pete est lessivé. Et vieux. Je gagne le troisième set haut la main, et le stade tout entier sent l'avantage pencher de mon côté. La foule est en délire. Peu importe qui en sortira vainqueur, ce qui compte c'est d'assister à un cinq sets Agassi-Sampras. Début de la quatrième manche ; comme toujours avec Pete, je sais au fond de mon cœur que si je tiens jusqu'à la cinquième, je pourrai gagner. Je suis plus reposé. Je joue mieux. Nous sommes les joueurs les plus âgés à s'affronter en finale de l'US Open depuis plus de trente ans, mais je me sens comme un de ces adolescents qui ont récemment botté des culs sur le circuit. J'ai l'impression de faire partie de la nouvelle génération.

3-4 : Pete au service, j'ai deux balles de break. Si je gagne ce jeu, je sers pour le set. Nous y voici, c'est le jeu pour le match. Il bloque, sauve la première, et à la deuxième balle de break je lui administre un retour brûlant. Je crois la balle loin derrière lui – je suis déjà en train de fêter ça – mais il réussit je ne sais comment à se retourner et à frapper une demi-volée qui s'écroule et meurt de mon côté du filet. Égalité.

Je suis effaré. Pete conclut le jeu, puis fait le break.

Maintenant il sert pour le match, et quand Pete sert pour le match, c'est un véritable assassin. Tout va très vite.

Ace. Flou. Volée de coup droit, impossible à atteindre.

Applaudissements. Poignée de main au filet.

Pete m'adresse un sourire amical, une petite tape dans le dos, mais je reconnaîtrais entre toutes l'expression de son visage. Je l'ai déjà vue ailleurs.

— Tiens, gamin, voici un billet. Va chercher ma voiture.

## 27

Lentement, j'ouvre les yeux. Je suis par terre, à côté de mon lit. Je me redresse pour dire bonjour à Stefanie, quand je prends conscience qu'elle est à Las Vegas et que moi je suis à Saint-Pétersbourg. Non, attendez, ça c'était la semaine dernière.

Je suis à Paris.

Non, Paris c'était juste après Saint-Pétersbourg.

C'est à Shanghai que je suis. Oui, c'est ça, en Chine.

Je m'avance vers la fenêtre, tire les rideaux. Une ligne d'horizon conçue par un type gavé de champignons. Une ligne d'horizon qui ressemble à un Las Vegas de science-fiction. Chaque bâtiment est bizarrement différent et se découpe sur un ciel d'un bleu dur. En réalité, où est-ce que je me trouve ? Des fragments de mon être sont disséminés partout, en Russie, en France, et dans les dernières dizaines d'endroits où j'ai joué récemment. Et la plus grande partie de moi, comme toujours, est restée avec Stefanie et Jaden.

Mais peu importe où je suis, le court de tennis ne change jamais, et mon objectif non plus. Je veux être premier mondial d'ici la fin de 2002. Si j'arrive à décrocher une victoire à Shanghai, rien qu'une victoire, je serai le joueur le plus âgé dans toute l'histoire du tennis hommes à être numéro 1 en fin d'année, ce qui me permettra de battre le record de Connors.

*C'est un voyou – toi, tu es une légende !*

C'est ce que je veux. Je n'en ai pas besoin, mais je le veux vraiment.

J'appelle le service d'étage et me commande un café, puis m'assois au bureau pour mettre à jour mon journal intime. Ce n'est pas dans mes habitudes de tenir un journal, mais j'en ai commencé un tout récemment et je commence à m'y accoutumer. Je me sens tenu d'écrire. Je suis obnubilé par l'idée de laisser une trace, en partie parce que je suis rongé par la peur grandissante de ne pas rester assez longtemps sur terre pour permettre à Jaden de me connaître. Je vis dans des avions, et avec le monde qui devient de plus en plus dangereux, de plus en plus imprévisible, j'ai peur de ne pas pouvoir lui transmettre tout ce que j'ai vu, tout ce que j'ai appris. Alors chaque soir, où que je sois, j'écris quelques lignes à son intention. Des idées décousues, des impressions, des leçons de vie. En ce moment, avant de me rendre au stade de Shanghai, j'écris :

Salut, fiston. Tu es avec maman à Vegas, moi je suis à Shanghai, et tu me manques. J'ai une chance de terminer premier mondial après ce tournoi. Mais je te promets qu'il me tarde surtout de rentrer te voir. Je me mets beaucoup de pression au tennis. Mais j'ai l'étrange sentiment que je dois continuer. Il m'a fallu du temps pour le comprendre. Je l'ai combattu pendant si longtemps. Maintenant, je me contente de travailler aussi dur que possible, et je laisse le reste se mettre en place. La plupart du temps, ce n'est tout de même pas le pied, mais je persévère malgré tout, en espérant qu'il en sortira du bon. Du bon pour le jeu, pour ton avenir, pour les nombreux enfants de mon école. Tiens toujours ton prochain en estime, Jaden. S'occuper des autres apporte tellement de paix. Je t'aime et je suis là pour toi, toujours.

Je ferme mon journal, quitte la pièce et pars me faire descendre par le Tchèque Jiri Novak. Une belle humiliation. Pis, je ne peux même pas rentrer chez moi. Je suis obligé de rester un jour de plus pour participer à une sorte de match de consolation.

De retour à l'hôtel, la gorge nouée, j'écris de nouveau à Jaden :

Je viens de perdre mon match et je me sens affreusement mal. Je n'ai aucune envie d'y retourner demain. À tel point que j'aurais été prêt à me blesser volontairement. Tu t'imagines ça, avoir tellement envie d'éviter quelque chose que tu en viendrais à te faire du mal. Jade, si jamais tu te sens accablé comme moi ce soir, contente-toi de garder la tête baissée et de ne pas relâcher le travail ni les efforts. Fais face au pire et rends-toi compte que ce n'est pas si terrible. C'est ce qui te permettra d'être en paix avec toi-même. Moi j'ai eu envie d'abandonner et de partir vous rejoindre, toi et maman. C'est dur de rester jouer, si facile de rentrer et d'être avec toi. C'est pour ça que je reste.

À la fin de l'année, comme prévu, Hewitt est premier mondial. Je dis à Gil qu'on va devoir mettre les bouchées doubles. Il me concocte un nouveau régime qui tient compte de mon âge. Il tire des idées de ses carnets « Léonard de Vinci », et nous consacrons des semaines à la partie inférieure de mon corps, qui est sur le déclin. Jour après jour, il se tient au-dessus de moi tandis que je travaille mes jambes, en gueulant : *Grondement de tonnerre ! L'Australie nous appelle !*

— Les jambes faibles commandent, dit Gil. Les jambes fortes obéissent.

En montant à bord de l'Ambien Express qui va nous emmener de Vegas à Melbourne, j'ai l'impression que je pourrais m'y rendre à la course ou à la nage. Je suis tête de série numéro 2 à l'Open d'Australie 2003, et j'y fais mon chemin avec des grognements féroces. En demi-finale, je bats Ferreira en quatre-vingt-dix minutes. Je n'ai perdu qu'un set en six matchs.

En finale, j'affronte l'Allemand Rainer Schuettler. Je gagne trois manches d'affilée, ne perds que cinq jeux et m'assure la victoire la plus inattendue de toute l'histoire de l'Open d'Australie. Mon huitième tournoi du Grand Chelem, la meilleure performance de ma carrière. Je dis à Stefanie en plaisantant qu'on aurait cru un de ses matchs, que jamais je ne serai aussi proche de son niveau de maîtrise.

En recevant le trophée, je dis à la foule :

— Aucune journée ne nous est jamais garantie, et les journées comme celle-ci sont assurément très rares.

Plus tard, quelqu'un dira que j'avais l'air de revenir d'entre les morts.

Je suis le joueur le plus âgé à avoir remporté un tournoi du Grand Chelem depuis trente et un ans, et les journalistes ne cessent de me relancer à ce sujet. Encore et encore, avant que je quitte l'Australie, ils me demandent si j'ai des projets de retraite. Je leur rétorque que je n'ai pas plus de projets pour la fin que je n'en avais pour le commencement. Je suis le dernier d'une génération, me disent-ils. Le dernier des Mohicans des années 1980. Chang annonce qu'il prend sa retraite. Courier l'a déjà prise depuis trois ans. On me considère comme un vieil excentrique parce que Stefanie est encore enceinte et qu'il est connu que nous roulons dans Vegas en minivan. Malgré tout, j'ai l'impression d'être éternel.

Ironie du sort, mon manque de flexibilité semble allonger ma carrière. Il m'aide à durer. Comme j'ai du mal à me retourner, je garde toujours la raquette près du corps et la balle devant moi. Du coup, je tords moins le torse. Avec une telle forme, fait remarquer Gil, mon corps supportera peut-être encore trois ans.

Après une courte pause à Vegas, nous nous envolons pour Key Biscayne. J'ai remporté ce tournoi deux ans d'affilée, cinq fois en tout, et plus rien ne peut m'arrêter. En finale, je bats Moya, mon vieil adversaire de Roland-Garros, cinquième mondial. C'est ma sixième victoire ici, ce qui dépasse le record de Stefanie. Une fois de plus, je la taquine en disant qu'enfin je fais quelque chose de mieux qu'elle. Mais elle a un tel esprit de compétition que je ne pousse pas trop la plaisanterie.

À Houston, aux championnats US sur terre battue, il me suffirait de me retrouver en finale pour être de nouveau premier mondial. Et j'y arrive. Je bats Jürgen Melzer, 6-4, 6-1, et sors fêter ça avec Darren et Gil. Je descends quelques vodkas Red Bull. Peu importe que demain je joue contre Roddick, je suis déjà premier mondial.

C'est pour cela que je le bats. Cette parfaite combinaison d'intérêt et de désintérêt, la meilleure préparation qui soit.

Quelques jours avant mon trente-troisième anniversaire, je suis le joueur le plus âgé à avoir jamais été premier mondial. Je monte dans l'avion pour Rome en me prenant pour Ponce de León, et j'atterris en sentant un élancement dans mon épaule. Au premier tour je joue mal, mais je ne m'attarde pas dessus, je pense à autre chose. Quelques semaines plus tard, aux Internationaux de France 2003, mon épaule me fait encore mal mais je reste vif aux entraînements. Darren décrète que je suis une force de la nature.

Au deuxième tour, je joue sur le court Suzanne-Lenglen, qui ne me rappelle que de mauvais souvenirs. Ma défaite contre Woodruff en 1996. Celle contre Safin en 1998. J'affronte un gamin croate, Mario Ancic. Je perds les deux premiers sets et traîne la patte au troisième. Dix-neuf ans, un mètre quatre-vingt-dix-huit, il pratique le service-volée sans avoir peur de moi. Le court Lenglen est censé être plus dense, plus lent, mais aujourd'hui la balle se déplace très rapidement. J'ai plus de mal que d'habitude à la contrôler. Mais je me reprends et remporte les deux sets suivants. Au cinquième, épuisé, mon épaule sur le point de se déboîter, j'obtiens quatre balles de match, que je rate une à une. Je fais une double faute sur trois d'entre elles. Je finis par l'emporter sur ce gamin, mais c'est seulement parce qu'il est légèrement plus effrayé de perdre que moi.

En quart de finale, j'affronte l'Argentin Guillermo Coria, encore un petit jeune. Il annonce publiquement que je suis son idole. « Écoutez, dis-je aux journalistes, je préférerais cent fois ne pas être son idole et l'affronter sur court en dur que de l'être et de devoir jouer sur terre battue. » Comme je la déteste, cette terre. Je perds quatre des cinq premiers jeux. Puis je gagne le set. Comme je l'adore, cette terre. Aucune expression sur le visage de Coria.

Au deuxième set, il fait un bond et mène 5-1. Pas un seul coup ne lui file entre les doigts. Il est de plus en plus rapide. Ai-je déjà été aussi rapide un jour ? J'essaie de le désorienter, me précipite vers le filet, en vain. Il est tout simplement meilleur que moi aujourd'hui. Il me flanque hors du tournoi, me déloge de mon rang de premier mondial.

En Angleterre, au cours d'un tournoi d'échauffement avant Wimbledon, je bats l'Australien Peter Luczak. C'est le millième match de ma carrière. Quand on me le fait remarquer, je ressens le besoin pressant de m'asseoir. Je partage un verre de vin avec Stefanie en essayant de repenser à ces mille matchs. Je lui confie que je me rappelle chacun d'entre eux.

— Bien sûr, affirme-t-elle.

Pour son anniversaire, je l'emmène voir Annie Lennox à Londres. C'est une de ses chanteuses préférées, mais ce soir c'est ma muse. Ce soir elle chante et parle à mon intention. Je dis même à Gil qu'il va falloir inclure quelques morceaux de Lennox sur la compilation *Crampes d'Estomac 2*. Je l'écouterai peut-être avant chaque match.

> *Voici le chemin que je ne prendrai jamais*
> *Voici les rêves que je rêverai plutôt[1].*

*Mes deux grandes sources de force, Gil et Stefanie, dans ma tribune à l'Open d'Australie 2003.*

Je suis l'un des favoris de Wimbledon en 2003. Comment ? Aucun père n'a remporté Wimbledon depuis les années 1980. Un père, ça ne gagne pas un tournoi du Grand Chelem. Au troisième tour, je joue contre le Marocain Younes El Aynaoui. Lui aussi est père depuis peu. En plaisantant, je dis aux journalistes que je suis heureux de jouer contre un homme qui dort aussi peu que moi.

Dans ses instructions de préparation au match, Darren me dit :

— Une fois que tu l'auras bien saigné sur son revers, en début de match, quand tu le verras tenter son slice, débrouille-toi pour qu'il ne le retente pas. Il faut qu'il

*Peu après avoir remporté l'Open d'Australie 2003.*

comprenne qu'il ne s'en sortira pas en jouant la carte de la prudence en position défensive. Il va devoir trouver des coups plus recherchés. Tu lui fais passer le message tôt dans le match et tu le forces à commettre des erreurs plus tard.

Judicieux conseils. Je mène rapidement, deux manches à une, mais El Aynaoui ne cède pas. Il se reprend à la quatrième, obtient trois balles de set. Je ne veux pas me retrouver en cinquième set. Je le refuse. Les derniers points de la quatrième manche sont éreintants et je fais tout ce qu'il faut, tout ce que Darren m'a conseillé. Quand c'est fini, quand j'ai gagné le set et le match, je suis claqué. J'ai un jour de congé, mais je sais que ce ne sera pas suffisant.

Au quatrième tour, je me mesure à Mark Philippoussis, un gamin australien doté d'un talent fou, mais qui est réputé pour le gâcher. Il est très fort en service, il est connu pour ça, et il ne l'a jamais autant été qu'aujourd'hui. Il atteint des pointes de 220 kilomètres à l'heure. Il m'inflige quarante-six aces. Malgré tout, le match évolue vers ce qui était prévisible, un cinquième set. À 3-4, il est au service, et je réussis à avoir une balle de break. Il rate son premier service. Je savoure la victoire. Il décharge un second service à 220 kilomètres à l'heure, en plein milieu du court. La vitesse est indécente, mais la balle arrive exactement là où je le voulais. Je tends le bras, relance la balle comme par réflexe, et il ne peut rien faire d'autre que de rester planté là, à regarder. Il se prend presque un coup de fouet. Et pourtant, la balle atterrit un centimètre derrière le fond de court. Faute.

Si elle avait été bonne, j'aurais fait le break, la partie aurait penché en ma faveur et j'aurais servi pour le match. Mais le destin en a décidé autrement. Philippoussis, désormais sûr de gagner, se redresse imperceptiblement et fait le break. Tout est fini en un clin d'œil. J'en suis presque à servir pour le match, et une minute plus tard mon adversaire lève les bras en signe de victoire. C'est ça, le tennis.

Dans les vestiaires, je n'ai pas les sensations habituelles. Le gazon est devenu une vraie épreuve, et après un cinq-sets je suis physiquement brisé. Cette année, à Wimbledon, les joueurs ne font pas semblant : les échanges sont plus longs, il y a plus de déplacements, de plongeons, de flexions. Soudain, mon dos est un problème. Il n'a jamais été au mieux de sa forme, mais là il me fait vraiment mal, il me gêne. Des douleurs émanent du dos et se diffusent à l'arrière, contournent le genou pour descendre dans le tibia et s'attaquer à la cheville. Je suis soulagé de ne pas avoir battu Philippoussis, de ne pas avoir avancé dans le tournoi, parce que alors j'aurais dû déclarer forfait.


Avec le début de l'US Open 2003, Pete annonce qu'il prend sa retraite. Il s'interrompt plusieurs fois au cours de la conférence de presse pour se reprendre. Moi aussi, je me sens profondément affecté. Notre rivalité a été un des moteurs de ma carrière. J'ai souffert énormément chaque fois que j'ai perdu contre lui, mais au bout du compte ça m'a aussi rendu plus résistant. Si j'avais battu Pete plus souvent, ou s'il avait fait partie d'une autre génération, mon record serait meilleur, j'aurais une meilleure réputation, mais je serais moins complet que je ne suis.

Des heures après la conférence de presse de Pete, je me sens envahi d'un sentiment de solitude extrême. Je suis le dernier survivant. Le dernier vainqueur américain de tournois de Grand Chelem encore en activité. Je dis aux journalistes : « On s'attend plus ou moins à quitter la danse avec ceux qui nous ont accompagnés. » Puis je me rends compte que l'analogie est fausse : ce n'est pas moi qui quitte la danse, c'est eux. Moi, je suis encore sur la piste.

Arrivé en quart de finale, j'affronte Coria, qui m'a déjà sorti de Roland-Garros. Je ne tiens pas en place, je brûle de mettre mes chaussures et de m'élancer sur le court, mais la pluie nous retarde pendant plusieurs jours. Nous restons confinés dans l'hôtel où il n'y a rien d'autre à faire que d'attendre et de lire. Je regarde les gouttes de pluie ruisseler sur la fenêtre, chacune aussi grise que les poils de ma barbe de trois jours. Chaque goutte ressemble à une minute qui met une éternité pour s'évaporer.

Gil me force à boire de l'Eau de Gil et à me reposer. Il me dit que ça va bien se passer, mais il n'est pas dupe. On va bientôt être à court de temps. Enfin les nuages s'écartent, et sur le court, Coria n'est plus le même qu'à Paris. Il a une blessure à la jambe, que j'exploite sans perdre de temps. Je le pousse à courir, sans pitié, lui fais mordre la poussière et remporte les deux premiers sets.

Au quatrième set, j'ai quatre balles de match – que je perds l'une après l'autre. Je regarde vers ma tribune et je vois Gil se tortiller sur son siège. De toute ma carrière, il ne s'est jamais levé pour aller pisser pendant un de mes matchs. Jamais. Pas une seule fois. Il dit qu'il ne veut pas courir le risque que je panique en ne le voyant pas à sa place. Il mérite mieux que ça. Je refais le point, jette un coup d'œil sur la gauche, la droite, et sers pour le match. Match Agassi.

Pas le temps de se reposer. La pluie a fait rétrécir les horaires du tournoi. Je dois jouer en demi-finale le lendemain, contre Ferrero, qui vient de remporter Roland-Garros. L'assurance qu'il dégage semble émaner de son corps. Il a cent ans de moins que moi, et ça se voit. Il me couche en quatre sets.

Je salue aux quatre coins et envoie des baisers vers la foule ; je leur ai tout donné, je pense qu'ils le savent. J'aperçois Jaden et Stefanie qui m'attendent devant la porte des vestiaires, Stefanie enceinte de huit mois de notre second enfant, et la déception d'avoir perdu s'évapore comme une goutte de pluie.


Notre fille est née le 3 octobre 2003, une magnifique intruse de plus. Nous l'appelons Jaz Elle. Et, comme pour notre fils, nous espérons secrètement qu'elle ne se mettra pas au tennis (nous n'avons même pas de court à l'arrière de notre maison). Mais s'il y a bien quelque chose que Jaz refuse de faire, c'est dormir. À côté d'elle, on croirait que son frère est atteint de narcolepsie. Quand je pars pour l'Open d'Australie 2004, je ressemble à un vampire. Les autres joueurs, eux, ont l'air d'avoir roupillé pendant douze heures. Ils ont l'œil vif, le muscle frétillant. Ils me paraissent plus corpulents que les autres années, comme s'ils avaient tous un Gil à eux.

Mes jambes tiennent le coup jusqu'en demi-finale, où je me trouve confronté à Safin, qui joue comme un dingo. L'année dernière, il n'a presque pas joué à cause d'une blessure au poignet. Maintenant qu'il est parfaitement guéri et reposé, il est impossible de l'arrêter. D'un côté et de l'autre, d'avant en arrière, nos échanges sont interminables. Chacun de nous refuse de manquer une balle, de commettre une faute directe, et au bout de quatre heures aucun de nous n'a perdu son envie de gagner. Le désir s'est même accru. C'est le service de Safin qui finit par nous départager. Il remporte le cinquième set, et je me demande si je viens de pousser mon chant du cygne en Australie.

Est-ce la fin ? Cela fait des mois, des années que j'entends cette question presque tous les jours, mais c'est la première fois que je la pose moi-même.


— Le repos est ton ami, décrète Gil. Il te faut plus de repos entre chaque tournoi, tu vas devoir choisir tes batailles avec plus de soin. Rome et Hambourg ? Tu passes. La Coupe Davis ? Désolé, ce ne sera pas possible. Tu dois garder ton jus pour les grands matchs, et le prochain c'est Roland-Garros.

Résultat : j'arrive à Paris avec l'impression d'avoir rajeuni de plusieurs années. Darren étudie mon tirage au sort et prévoit que j'arriverai en demi-finale.

Au premier tour, je joue contre Jérôme Haehnel, un Alsacien de vingt-trois ans, deux cent soixante et onzième mondial, qui n'a pas d'entraîneur. Pas de problème, me souffle Darren.

Gros problème. Je ne m'en sors pas. Tous mes coups droits atterrissent dans le filet. Je me gueule dessus : Tu es meilleur que ça ! C'est pas encore fini ! Ça ne peut pas se terminer comme ça ! Gil, assis au premier rang, fait la moue.

Ce n'est pas seulement dû à l'âge ni à la terre battue. Je ne frappe pas la balle comme il faut. Le repos m'a fait du bien, mais m'a aussi rouillé.

Dans les journaux, on parle de la pire défaite de ma carrière. Haehnel dit aux journalistes que ses amis l'ont gonflé à bloc avant le match en lui affirmant qu'il allait gagner, parce que je venais juste de perdre contre un joueur comme lui. Quand on lui a demandé ce qu'il voulait dire par « un joueur comme lui », il a répondu : « mauvais ».

— On est sur la dernière ligne droite, déclare Gil aux journalistes. Tout ce que je demande, c'est qu'on ne franchisse pas la ligne d'arrivée en boitillant.

Au mois de juin, je me retire de Wimbledon. J'ai perdu quatre matchs d'affilée – ma pire série de défaites depuis 1997 –, et j'ai l'impression que mes os sont en porcelaine. Gil me fait asseoir et me confie qu'il ne sait pas pendant combien de temps il va supporter de me voir continuer comme ça. Il va falloir qu'on envisage vraiment la fin, pour notre bien à tous les deux.

Je lui promets de penser à ma retraite, mais d'abord je dois songer à celle de Stefanie. Elle a été élue pour entrer dans l'International Tennis Hall of Fame, ce qui n'est pas étonnant : elle a remporté plus de tournois du Grand Chelem que quiconque dans l'histoire du tennis, Margaret Court exceptée. Elle veut que je la présente à la cérémonie. Nous prenons l'avion pour Newport, dans le Rhode Island. C'est un grand jour. La première fois que nous laissons les enfants à quelqu'un d'autre pour la nuit, et la première fois que je vois Stefanie vraiment nerveuse. Elle redoute la cérémonie. Elle ne veut pas attirer toute cette attention. Elle a peur de dire ce qu'il ne faut pas, d'oublier quelqu'un dans ses remerciements. Elle tremble.

De mon côté, je ne me sens pas particulièrement à l'aise. Cela fait des semaines que je retourne le discours dans ma tête. C'est la première fois que je parle de Stefanie en public, et c'est comme si je faisais lire à la Terre entière mes petits mots sur le tableau de la cuisine. J.P. m'aide à retravailler plusieurs ébauches. Je suis fin prêt, et je respire fort en m'approchant du podium. Mais dès que je commence à parler je me détends, parce que c'est mon sujet de conversation préféré et que je me considère comme expert en la matière. Tous les hommes devraient avoir la chance de présenter leur femme à la cérémonie d'introduction du Hall of Fame.

Je parcours le public du regard, les fans, les visages des anciens champions, et je veux leur parler de Stefanie. Je veux qu'ils sachent ce que je sais, moi. Je la compare aux artisans et aux bâtisseurs qui ont construit les grandes cathédrales médiévales : tout était important, le toit, les caves, même ce qui était invisible au simple passant. Ils poussaient leur perfectionnisme jusqu'à chaque fissure, chaque petit recoin, tout comme Stefanie. Mais elle est elle-même une cathédrale, un monument parfait. Je passe cinq minutes à louer sa conscience professionnelle, sa dignité, sa contribution, sa force, sa grâce. En conclusion, je prononce les paroles les plus vraies que j'aie jamais dites sur elle :

— Mesdames, messieurs, je vous présente la meilleure personne que j'aie rencontrée.

# 28

Autour de moi, on ne parle que de retraite. Celle de Stefanie, de Pete, la mienne. En attendant, je passe mon temps à jouer en vue du prochain tournoi. À la surprise générale, je bats Roddick en demi-finale à Cincinnati, ce qui me propulse en finale d'ATP pour la première fois depuis novembre dernier. Puis je bats Hewitt, ce qui fait de moi le plus vieux vainqueur d'un tournoi ATP depuis Connors.

Le mois suivant, à l'US Open 2004, j'affirme aux journalistes que je pense avoir des chances de gagner. Ils me prennent pour un doux dingue.

Stefanie et moi louons une maison à l'extérieur de la ville, à Westchester. C'est plus spacieux qu'un hôtel, et on n'a pas à s'inquiéter de devoir arpenter les rues agitées de Manhattan avec une poussette. Il y a une salle de jeux au sous-sol, qui devient ma chambre à coucher la veille des matchs. Je peux quitter le lit et m'allonger par terre quand mon dos me lance sans avoir à déranger Stefanie. Étant donné qu'un père ne gagne pas de tournoi du Grand Chelem, aime à dire Stefanie, tu peux descendre au sous-sol et te prendre pour un célibataire si ça te chante.

Je vois que ma vie commence à l'user. Je suis un mari distrait, un père fatigué. C'est elle qui doit s'occuper des enfants. Mais elle ne se plaint jamais. Elle comprend. Sa mission, sa passion de tous les jours est de créer une atmosphère dans laquelle je pourrai ne penser qu'au tennis. Elle se rappelle à quel point c'était important pour elle quand elle jouait. Par exemple, dans la voiture qui nous emmène au stade, elle sait précisément quelles chansons passer sur l'autoradio pour calmer Jaden et Jaz afin de me laisser parler stratégie avec Darren. Et puis, concernant la nourriture, elle est un peu comme Gil : elle n'oublie jamais que l'heure à laquelle on prend ses repas a autant d'importance que ce qu'on mange. Après un match, quand je rentre avec Darren et Gil, je sais qu'à la maison on sera accueillis par une assiette de lasagnes chaudes, le fromage encore bouillant.

Je sais aussi que les enfants de Darren tout comme Jaden et Jaz auront été nourris, lavés, bordés.

Grâce à Stefanie, j'arrive en quart de finale, où j'affronte Federer, la tête de série numéro 1. Ce n'est pas le même homme que j'ai battu à Key Biscayne. Sous mes yeux, il est en train de devenir un des grands de ce jeu. Son tennis méthodique lui permet de passer en tête, deux manches à une, et je ne peux pas m'empêcher d'admirer son immense talent et son sang-froid extraordinaire. C'est le joueur le plus royal qu'il m'ait été donné de rencontrer. Mais avant qu'il ait le temps de m'achever, le match est interrompu par la pluie.

Dans la voiture qui me ramène à Westchester, je laisse mon regard errer par la fenêtre et me dis : Ne pense pas à demain. Pas la peine non plus de songer au dîner, vu que le match a été écourté et que je rentre quelques heures plus tôt que prévu. Mais bien sûr, Stefanie a ses antennes au service météo. Quelqu'un a dû l'alerter qu'un orage en provenance d'Albany était sur le point de faire rage, et elle a sauté dans sa voiture pour rentrer à la maison et tout préparer. Nous franchissons à peine le seuil qu'elle nous embrasse tous en nous tendant des assiettes, en un seul mouvement, aussi fluide que son service. J'ai envie d'inviter un juge chez moi pour renouveler nos vœux.

Le jour suivant est balayé de vents violents. Des rafales à 60 kilomètres à l'heure. Je me bats contre les bourrasques et affronte l'ouragan Federer ; je réussis à amener le match à égalité, deux sets partout. Federer jette un coup d'œil à ses pieds, sa façon à lui d'exprimer qu'il est sous le choc.

Puis il s'adapte mieux que moi. J'ai comme l'impression qu'il est capable de s'ajuster à tout et n'importe quoi, de but en blanc. Il se tire d'un cinquième set difficile et je dis à tous ceux qui veulent bien l'entendre qu'il est parti pour devenir le meilleur de tous les temps.

Avant que les vents se calment, les discussions retraite reviennent en tourbillonnant. Les journalistes veulent savoir pourquoi je continue. Je leur explique que c'est ce que je fais pour gagner ma vie. Je dois subvenir aux besoins de ma famille, de mon école. De nombreuses personnes bénéficient de mes coups gagnants. (Un mois après l'US Open, Stefanie et moi animons le neuvième Grand Chelem pour les enfants, qui rapporte six millions de dollars. Au total, on a réussi à collecter quarante millions de dollars pour ma fondation.)

Et puis, dis-je aux journalistes, il m'en reste sous le coude. Je ne sais pas combien, mais il m'en reste. Je pense encore pouvoir gagner.

Comme la dernière fois, ils se figent.

S'ils sont interloqués, c'est peut-être parce que je ne leur raconte pas toute l'histoire, je ne leur expose pas ce qui me motive. Je ne peux pas, parce que je suis moi-même en train de le comprendre progressivement. Je joue, et je continue de jouer, parce que je *choisis* de le faire. Même si ce n'est pas notre vie rêvée, on peut au moins la choisir. Peu importe ce qu'est notre vie, c'est le fait de l'avoir choisie qui change tout.

À l'Open d'Australie 2005, je bats Taylor Dent en trois sets, ce qui me permet d'avancer jusqu'au cinquième tour. Devant la porte des vestiaires, je suis hélé par un présentateur de télé particulièrement sympathique : Courier. C'est étrange de le voir endosser ce nouveau rôle. Je n'arrive pas à le voir autrement qu'en grand champion. Cela dit, la télévision semble lui convenir. Il s'en sort bien, a l'air heureux. J'ai énormément de respect pour lui, et j'espère que je lui en inspire un peu aussi. Nos différences me paraissent lointaines et puériles.

Il me colle son micro devant la bouche et me demande :

— Combien de temps avant que Jaden Agassi joue contre le fils de Pete ?

Je regarde la caméra et réponds :

— Je n'espère qu'une chose pour mon fils, c'est qu'il ait une passion dans la vie.

Et j'ajoute :

— Avec un peu de chance ce sera le tennis, parce que j'aime tellement ce jeu.

Ce vieux, vieux mensonge. Mais il me fait encore plus honte aujourd'hui, parce que j'y implique mon fils. Cette imposture menace de se perpétuer dans l'avenir. Stefanie et moi sommes plus résolus que jamais à ne pas vouloir cette vie de fous pour Jaden et Jaz, alors pourquoi avoir dit cela ? Comme toujours, j'imagine que c'est parce que j'ai tenu à donner ce qu'on voulait entendre. Et puis, tout juste sorti d'une victoire, je me suis dit que le tennis était un beau sport, qui m'a beaucoup apporté, et j'ai voulu lui rendre hommage. Et peut-être, face à un champion que je respecte, me suis-je aussi senti coupable de détester le tennis. Le mensonge a été ma façon de cacher ce sentiment de culpabilité, de l'expier.

Au cours des derniers mois, Gil a durci ma préparation physique. Il m'a fait subir un régime de guerrier spartiate, et je me sens affûté comme une lame de rasoir.

J'ai aussi eu droit à une piqûre de cortisone, ma troisième de l'année. Il est recommandé de ne pas en dépasser quatre par an. Il y a des risques, préviennent les médecins. On ne connaît pas les conséquences à long terme de la cortisone sur la colonne vertébrale et le foie. Mais je m'en fous. Du moment que mon dos se tient à carreau.

En quart de finale, je fais encore face à Federer. Impossible de gagner un seul set. Il me congédie, comme un professeur avec un élève un peu lent. Plus que tous les autre jeunes loups du circuit, il me fait ressentir le poids des années. Quand je le regarde, avec son élégante agilité, ses coups invincibles et sa souplesse de puma, je me souviens que je traîne mes guêtres sur ces courts depuis l'époque où les raquettes étaient en bois. Après tout, mon beau-frère était Pancho Gonzalez, un champion du temps du pont aérien de Berlin, un rival de Fred Perry, et Federer est né la même année où j'ai rencontré mon *ami* Perry.

J'ai trente-cinq ans juste avant le tournoi de Rome. Stefanie et les enfants m'accompagnent en Italie. J'ai envie de me balader avec Stefanie, de voir le Colisée, le Panthéon, mais je ne peux pas. Quand je venais ici enfant, adolescent, j'étais trop rongé par les tourments intérieurs et la timidité pour quitter l'hôtel. Maintenant que j'ai envie de sortir, mon dos ne me le permet pas. Le médecin m'a dit qu'une longue marche sur le trottoir pourrait réduire l'efficacité de la cortisone de trois mois à un seul.

Je gagne mes quatre premiers matchs. Puis je perds contre Coria. Je me dégoûte moi-même, on me fait une véritable ovation et je me sens coupable. Une fois de plus, les journalistes me posent la question de la retraite.

Je réponds : « J'y pense quatorze fois par an, chaque fois que je participe à un tournoi. »

En d'autres termes : chaque fois que je suis contraint d'assister à ces conférences de presse.

Au premier tour des Internationaux de France 2005, je joue contre le Finlandais Jarkko Nieminen. J'ai à peine posé le pied sur le court que j'ai déjà atteint un record. Mon cinquante-huitième tournoi du Grand Chelem. Un de plus que Chang, Connors, Lendl, Ferreira. Plus que quiconque à l'ère Open. Cependant, mon dos n'est pas d'humeur à fêter l'occasion. La cortisone a cessé d'agir. Servir m'est douloureux, il m'est même pénible de rester debout. Respirer me demande un effort. Je songe à m'avancer jusqu'au filet et déclarer forfait. Mais on est à Roland-Garros. Je ne peux pas quitter ce court, pas ici. Ils m'emporteront sur ma raquette.

J'avale huit Advil. Huit. Pendant le changement de côté, je me recouvre le visage d'une serviette tout en mordant dans une autre pour réprimer la douleur. Au troisième set, Gil sait que quelque chose ne va pas. Après avoir frappé la balle, je ne pique pas un sprint jusqu'au centre du court. C'est impensable, comme si lui se rendait aux toilettes pendant un de mes matchs. Après, sur le chemin du restaurant, je suis plié en deux, comme une crevette géante. Gil déclare :

— On ne peut pas continuer à tirer sur la corde comme ça.

Nous nous retirons de Wimbledon dans le but de nous préparer aux courts en dur de l'été. C'est tout à fait nécessaire, mais ça me fait l'effet d'un pari. Je vais désormais consacrer tout mon temps et mon travail à moins de tournois, ce qui implique que la marge d'erreur sera réduite, la pression plus grande. Les défaites plus douloureuses.

Gil s'enterre dans ses carnets « Léonard de Vinci ». Il tire une certaine fierté du fait que je ne me sois jamais fait mal dans sa salle de gym, et maintenant je m'aperçois qu'avec mon corps qui vieillit, Gil est tendu. Il risque gros.

— Il y a des poids que tu ne vas plus pouvoir soulever, m'annonce-t-il. Et d'autres que tu vas devoir soulever deux fois plus.

Nous passons des heures dans la salle de musculation, des heures à discuter de mon cœur. D'ici à la ligne d'arrivée, me dit-il, c'est ton cœur qui va être important.

Parce que je me suis retiré de Wimbledon, les magazines et les journaux se lancent dans une nouvelle série d'éloges funèbres. *À l'âge où la plupart des joueurs de tennis…*

Je tire un trait sur les magazines et les journaux.

À la fin de l'été, je participe à la Coupe Mercedes-Benz, que je remporte. Maintenant, Jaden est assez grand pour me voir jouer, et pendant la cérémonie des trophées il se précipite sur le court, convaincu que le trophée est pour lui. Ce qui est le cas.

Je me rends à Montréal et force mon chemin jusqu'en finale, où j'affronte un gamin espagnol dont tout le monde parle. Rafael Nadal. Impossible de le battre. Je n'arrive pas à pénétrer son jeu. Je n'ai jamais vu quelqu'un se déplacer comme ça sur un court.

À l'US Open 2005, on me considère comme une bizarrerie, un numéro de cirque, un joueur de trente-cinq ans en tournoi du Grand Chelem. C'est la vingtième année d'affilée que je participe à ce tournoi. Cette année, beaucoup de joueurs n'ont même pas vingt ans.

Je me rappelle avoir viré Connors du vingtième US Open. Je ne suis pas du genre à demander : Où sont passées toutes ces années ? Je le sais pertinemment. Chacun de ces sets se répercute dans ma colonne vertébrale.

Au premier tour, j'affronte le Roumain Razvan Sabau. J'ai eu ma quatrième et dernière piqûre de cortisone de l'année, alors je ne sens plus mon dos. Je peux balancer mon coup le plus efficace, ce qui donne du fil à retordre à Sabau. Quand mon coup le plus élémentaire contrarie mon adversaire, quand ce dernier a du mal à rattraper celui que je peux frapper cent fois sur cent, je sais que la journée va bien se passer. Comme si mon direct laissait déjà des marques sur la mâchoire d'un type, alors que je n'ai pas encore balancé le coup de poing ultime. Je le bats en soixante-neuf minutes.

Les journalistes parlent d'un massacre. Ils me demandent si ça me fait de la peine de l'avoir battu.

Je réponds :

— Je ne voudrais jamais priver quelqu'un de cette expérience enrichissante qu'est la défaite.

Ils éclatent de rire.

Je suis on ne peut plus sérieux.

Au deuxième tour, je joue contre le Croate Ivo Karlovic. Il est écrit qu'il fait deux mètres huit, mais il devait se tenir dans un fossé quand ils l'ont mesuré. On dirait un mât de totem, un poteau téléphonique, ce qui donne à son service une trajectoire ignoble. Quand Karlovic sert, le carré de service double de volume. Le filet baisse de trente centimètres. Je n'ai jamais joué contre quelqu'un d'aussi grand. Je ne sais pas comment me préparer à affronter un type de cette taille.

Dans les vestiaires, je salue Karlovic. C'est un gentil garçon au teint frais, tout émerveillé d'être à l'US Open. Je lui demande de lever le bras avec lequel il sert aussi haut que possible, puis j'appelle Darren. Nous tendons le cou, regardons vers le haut, essayant d'apercevoir l'extrémité des doigts de Karlovic. En vain. Je glisse à Darren :

— Maintenant, imagine une raquette dans cette menotte. Visualise-le en train de sauter. Et maintenant, imagine où se trouvera la tête de la raquette, et où atterrira la balle. C'est comme s'il faisait son service d'un ballon dirigeable.

Darren rit. Karlovic se joint à lui. Il lance :

— J'échangerais volontiers la longueur de mes bras contre ton retour.

Heureusement, je sais que le gabarit de Karlovic constituera également un handicap à certains moments du match. Dur pour lui de rattraper des balles basses. Pas facile de plonger en avant. Et puis, Darren me dit qu'il a une façon bizarre de se déplacer. Je me souviens que je ne dois pas dépenser trop d'énergie à me demander combien de fois il me collera des aces. Contente-toi d'attendre qu'il rate un premier service, une fois, deux fois, et jette-toi sur sa deuxième balle. Ce sont elles qui décideront de l'issue du match. Et si Karlovic en est conscient également, je dois faire en sorte que ce soit encore plus présent à son esprit. Il faut qu'il le sente, que je mette la pression sur son second service, et pour cela je ne dois pas laisser passer une seule balle.

Trois sets plus tard, je suis vainqueur.

Au troisième tour, je joue contre Tomas Berdych, un joueur si doué qu'il semble vraiment s'amuser et non se battre contre ses adversaires. Je me suis déjà retrouvé confronté à lui, il y a près de deux ans, au deuxième tour de l'Open d'Australie. Darren m'avait mis en garde :

— Tu vas te mesurer à un gamin de dix-huit ans qui sait vraiment jouer, et tu as intérêt à être à la hauteur. Il peut claquer la balle des deux côtés, son service fait l'effet d'un attentat à la bombe, et dans quelques années il sera dixième mondial.

Darren n'avait pas exagéré. Berdych a été l'un des meilleurs joueurs de tennis qu'il m'a été donné d'affronter de toute l'année. Je l'ai battu en Australie, 6-0, 6-2, 6-4, et je me suis considéré comme chanceux. Je me suis dit : Heureusement que ce n'est que le meilleur des cinq.

Aujourd'hui, bizarrement, Berdych n'a guère évolué depuis cette période. Il doit encore améliorer ses prises de décision. Il me fait penser à moi avant de rencontrer Brad : convaincu de pouvoir marquer tous les points. Il ne sait pas ce que cela peut valoir de laisser l'autre perdre. Quand je le bats, quand je lui serre la main, j'ai envie de lui conseiller de se détendre, de lui dire qu'il faut plus de temps pour certains que pour d'autres pour apprendre. Mais je ne peux pas. Ce n'est pas à moi de le faire.

J'affronte ensuite le Belge Xavier Malisse. Il se déplace remarquablement bien et se sert de son bras comme d'une fronde. Son coup droit est puissant, son service efficace, mais il n'est pas régulier. Et puis, son revers est médiocre : il l'exécute avec une telle facilité qu'on le croirait infaillible, mais il s'intéresse trop à sa valeur esthétique pour s'appliquer suffisamment. Il est tout simplement incapable de frapper un revers long de ligne, et un joueur qui ne sait pas faire ça n'est pas en mesure de me battre. Je couvre trop bien le court. Si vous ne pouvez pas m'envoyer un revers long de ligne, c'est moi qui dicterai chaque point. Mon adversaire doit me faire bouger, m'étirer, me pousser à me défendre, ou alors c'est lui qui devra obéir à mes règles. Et mes règles sont dures. Surtout depuis que j'ai pris de l'âge.

La veille du match, je bois un coup avec Courier à l'hôtel. Il m'avertit que Malisse va m'en faire baver.

— Peut-être, mais l'idée me plaît, je rétorque. Ce n'est pas tous les jours que tu m'entendras dire ça, mais on va s'amuser.

Et c'est vrai qu'on s'amuse, comme dans un spectacle de marionnettes. J'ai l'impression que chaque fois que je tire sur une ficelle, Malisse saute. Une fois de plus, je suis étonné par la connexion entre deux joueurs sur un court. Le filet, censé nous séparer, nous lie comme une toile d'araignée. Après deux heures d'agression, on est convaincu d'être enfermé dans une cage avec son adversaire. On jurerait que sa sueur nous asperge, que son souffle embue nos yeux.

Je mène deux manches à une et je suis en position de domination. Malisse n'a pas confiance en lui. Il ne pense pas avoir sa place ici. Mais avec le début du troisième set, il finit par se lasser d'être baladé d'un côté puis de l'autre. Ainsi va la vie. Il s'énerve, joue avec passion et s'étonne lui-même. Il frappe ce revers long de ligne, vivement, régulièrement. Je lui lance un regard furieux qui signifie : Je n'y croirai que si tu continues.

Il continue.

Je lis un certain soulagement sur son visage, dans son corps. Il ne croit toujours pas qu'il va gagner, mais il est convaincu de donner un beau spectacle, et ça lui suffit. Il remporte le troisième set à l'issue d'un tie-break. À mon tour d'être livide. J'ai mieux à faire que de rester ici avec toi pendant une heure. Juste pour ça, je vais te refiler des crampes.

Mais Malisse ne reçoit d'ordres de personne. Un set, un tout petit set, et son comportement a changé du tout au tout, il a repris confiance en lui. Désormais il n'a plus peur. Tout ce qu'il voulait, c'était faire une belle performance, ce qui est fait. Maintenant, il n'a plus rien à perdre. Au quatrième set nos rôles s'inversent, et c'est lui qui donne le rythme. Il remporte la manche et amène le match à égalité.

Mais au cinquième set il est épuisé, alors que moi je commence tout juste à piocher dans les fonds déposés il y a bien longtemps dans la banque Gil. Ce n'est pas suffisant. Au filet, Malisse sourit, me témoigne un grand respect. Je suis vieux, et il m'a rendu encore plus vieux, mais il sait que je l'ai fait travailler, que je l'ai forcé à creuser profondément et à apprendre sur lui-même.

Dans les vestiaires, Courier m'administre une petite tape sur l'épaule.

Il dit :

— Tu as fais comme tu as dit. Tu disais que tu allais t'amuser, ça s'est vu sur le court.

S'amuser. Si je me suis tant amusé que ça, pourquoi est-ce que j'ai l'impression de m'être fait renverser par un camion ?


Je suis prêt à me plonger dans un bain chaud pendant un bon mois, mais mon prochain match est imminent et mon adversaire joue comme un fou furieux. Blake. La dernière fois qu'on s'est rencontrés, à Washington DC, son jeu particulièrement agressif m'avait mis K-O. On dit qu'il n'a fait que s'améliorer depuis.

J'ai une chance de m'en sortir uniquement s'il joue de manière moins agressive cette fois-ci. D'autant plus qu'il fait plus frais. Quand la température baisse, le court de New York pousse les joueurs à ralentir, ce qui favorise un gars comme Blake, qui se déplace sacrément vite. Sur un court lent, Blake peut tout atteindre, mais pas son adversaire qui se sentira sous pression. On ressent le besoin d'en faire plus que de raison, et à partir de là c'est fichu.

Dès l'instant où nous posons un pied sur le court, mon pire cauchemar prend forme. Blake est monsieur Agressif en personne, il se tient à l'intérieur du court sur mes deuxièmes services, coupe la balle, me met dans l'urgence dès la première minute du match. Il me noie au premier set, 6-3. Et au deuxième il me ressert la même chose : 6-3.

En début de troisième manche, le match prend des allures de l'affrontement avec Malisse. Sauf que

Malisse, c'est moi. Je ne peux pas battre ce type, je le sais, alors autant essayer de livrer une belle performance. Libéré des contraintes de la victoire, mon jeu s'améliore nettement. Je cesse de réfléchir, me mets à ressentir. Mes coups sont plus rapides d'une demi-seconde, mes décisions plus motivées par l'instinct que par la logique. Je vois Blake reculer d'un pas pour prendre en compte le changement. *Qu'est-ce qui vient de se passer ?* Il m'a foutu la raclée pendant sept jeux de suite, et à la fin du huitième je lui balance un coup furtif qui le fait chanceler à l'instant même où la cloche sonne. Alors il rejoint son coin, refusant de croire que son adversaire boitillant et démoralisé bouge encore.

Blake est très suivi à New York, et ce soir on est venu l'encourager en masse. Nike, qui ne me sponsorise plus, distribue des T-shirts à ses fans et les pousse à applaudir. Je mène dans la troisième manche et les applaudissements se tarissent. Quand je gagne le set, le silence s'installe.

D'un bout à l'autre du quatrième set, Blake panique et perd son agressivité. Je le vois réfléchir, j'entends presque ses pensées : Merde, je suis en train de tout faire foirer.

Je remporte le quatrième set.

Maintenant que Blake a constaté ce que l'instinct m'a apporté, il décide de s'y mettre. Avec le cinquième set, il met son cerveau en veilleuse. Enfin, au bout de près de trois heures, nous jouons d'égal à égal. Nous sommes tous les deux animés du même feu, mais chez lui la flamme brille plus fort. Au dixième jeu, il a une chance de servir pour le match.

C'est alors qu'il se remet à réfléchir. La contrariété du cerveau. Il accélère, j'administre trois superbes retours, fais le break, et la foule change d'avis. Elle se met à scander : *An*-dre, *An*-dre.

Je sers. Et tiens. En route pour un tie-break.

J'ai entendu des vieux briscards dire que le cinquième set n'avait rien à voir avec le tennis. C'est vrai. Le cinquième set est une affaire d'émotion et de mise en condition. Lentement, je quitte mon corps. J'ai eu plusieurs expériences de ce type au fil de ma carrière, mais celle-ci est saine. J'ai foi en mes capacités et je les laisse mener la danse. Je me retire de l'équation. Balle de match, 6-5, je fais un service solide. Blake retourne sur mon coup droit. Je relance sur son revers. Il tourne autour, et je le sais, *erreur*. S'il tourne autour de ma balle, c'est qu'il se met la pression. Il n'a pas les idées claires. Il a quitté sa position, laisse la balle le diriger. Il ne se donne pas l'occasion de frapper le meilleur coup possible. Je sais qu'il n'y a plus que deux options : il va se retrouver menotté par ma balle et la frapper faiblement. Ou alors, il va devoir faire une faute.

D'un côté ou d'un autre, j'ai une assez bonne idée de l'endroit où la balle va arriver. Je regarde l'emplacement. Blake tourne, écarte le bras et frappe fort. La balle tombe trois mètres plus loin que l'endroit que j'avais pressenti. Coup gagnant.

J'avais tout faux.

Je fais la seule chose possible. Je reprends position, prêt pour le point suivant.

À six partout, notre échange est meurtrier, revers contre revers, et je ne suis plus qu'une boule de nerfs vibrante. Lors d'un échange de dix revers, on sait bien que quelqu'un va faire monter les enjeux, et neuf fois sur dix l'honneur revient à l'adversaire. J'attends et attends encore. Mais les coups se succèdent et Blake n'a pas l'air de se décider. C'est donc à moi de le faire. Je m'avance comme si j'allais cogner la balle, mais je balance un revers amorti. Elle est bonne.

Parfois, au cours d'un match, on a envie de frapper un bon service comme il faut, mais on a tellement d'adrénaline dans le sang qu'on fait un service canon. C'est souvent ce qui arrive à Blake, pas en termes de frappe mais de rapidité. Il court plus vite qu'il n'en a l'intention. Il a un tel sentiment d'urgence qu'il bondit vers la balle et arrive plus tôt que prévu. C'est exactement ce qui se passe. Il pique un sprint pour rattraper mon revers amorti, raquette en position pour une prise d'élan, mais il arrive si vite qu'il n'en a même pas besoin. La balle arrive sur lui et il ne tient pas la raquette comme il faut. Au lieu de claquer la balle comme il le devrait, il la renvoie comme il peut à cause de sa prise sur la raquette. Puis il garde sa position au filet et je glisse un revers long de ligne. La balle passe largement.

6-7, Blake au service. J'ai encore une balle de match. Il rate son premier service. Je dois décider en une nanoseconde où il va envoyer son second service. Va-t-il opter pour l'agressivité ? La prudence ? Je mise sur la prudence. Il va me la lancer sur le revers. Et moi, quel degré d'agressivité dois-je adopter ? Où me poster ? Dois-je prendre une décision irréversible, me tenir à un endroit où je pourrai cogner la balle si j'ai raison, mais où il me sera impossible de l'atteindre si j'ai tort ? Ou vaut-il mieux couper la poire en deux et rester au centre, où je pourrai renvoyer modérément quel que soit le service, sans toutefois espérer la perfection ?

S'il doit y avoir une décision finale dans ce match, une décision finale parmi les cent mille prises au cours de la soirée, je veux être celui qui la prendra. Je m'engage définitivement. Comme prévu, il sert sur mon revers. La balle se retrouve exactement où je le pensais, comme une bulle de savon dans les airs. Je sens tous les poils de mon corps se hérisser. Je sens les spectateurs se lever. Je me dis : Allez, coupe-la comme il faut, déchire, déchire, *déchire, bordel*. Tandis que la balle quitte ma raquette je suis chaque centimètre de sa course. Je vois son ombre converger avec la balle elle-même. Alors qu'elles ne font plus qu'une, je murmure : Je t'en prie petite balle, trouve-toi un trou.

Et elle obéit.

Quand Blake me prend dans ses bras au filet, nous sommes tous les deux conscients d'avoir vécu quelque chose d'exceptionnel. Mais je le sais encore mieux que lui, parce que j'ai joué huit cents matchs de plus. Et celui-ci est différent des autres. Je n'ai jamais été aussi conscient mentalement, je n'ai jamais autant ressenti le besoin de l'être, et je tire une certaine fierté intellectuelle à contempler le projet fini. J'ai presque envie d'y apposer ma signature.

Une fois qu'on a enlevé les pansements de mes pieds, une fois la conférence de presse terminée, Gil, Perry, Darren et Philly m'accompagnent chez PJ Clarke's pour manger et boire un coup. Le temps de rentrer à l'hôtel, il est déjà quatre heures du matin. Stefanie est endormie. Quand j'entre dans la chambre, elle se redresse et me sourit.

— Tu es complètement fou, me dit-elle.

J'éclate de rire.

— C'était incroyable, poursuit-elle. Tu es vraiment allé loin ce soir.

— C'est vrai, chérie. Je suis allé loin.

Je m'allonge par terre à côté du lit et cherche le sommeil, mais je ne peux pas m'empêcher de rejouer le match dans ma tête.

J'entends sa voix s'élever dans l'obscurité au-dessus de moi, comme celle d'un ange.

— Comment tu te sens ?

— C'était vraiment une soirée sympa.


En demi-finale, je dois faire face à Robby Ginepri, un gamin de Géorgie dont on ne cesse de vanter les mérites. CBS veut que mon match passe plus tard. Je vais voir le directeur du tournoi à genoux. Je le supplie :

— Si j'ai la chance de survivre à ce match, je vais devoir revenir demain. Je vous en prie, ne laissez pas un homme de trente-cinq ans se coucher plus tard que l'adversaire de vingt-deux ans qu'il affrontera en finale.

Il change l'heure de mon match, l'intègre aux premiers de la journée.

Après deux cinq-sets à la suite, on ne donne pas cher de ma peau face à Ginepri. Il est rapide, solide des deux côtés, joue le meilleur tennis de sa vie, et il est jeune. Avant même d'entamer mon match contre lui, je sais que ma première tâche sera de gratter le mur de ma fatigue. Les trois derniers sets contre Blake ont fait partie de mes meilleurs moments de tennis mais ont également été des plus exténuants. Je me dis que je dois frapper un grand coup, fabriquer de l'adrénaline, agir comme si j'étais mené de deux sets, tenter de retrouver cet état au-delà de la réflexion que j'avais trouvé face à Blake.

Ça marche. Je feins l'urgence et remporte le premier set. Désormais, mon but est de garder suffisamment d'énergie pour la finale de demain. Je me mets à jouer un tennis prudent, mon prochain adversaire en tête, et bien sûr Ginepri en profite pour donner de l'élan à sa raquette et prendre des risques. Il gagne la deuxième manche.

Je bannis de mon esprit toute pensée de finale. J'accorde à Ginepri toute mon attention. Il est vanné d'avoir dépensé tant d'énergie pour amener le match à égalité, et je gagne la troisième manche.

Mais il remporte la quatrième.

Je dois absolument me déchaîner dans la cinquième. Je dois aussi accepter que je ne pourrai pas marquer tous les points. Je ne peux pas courir après tout, ni plonger sur chaque balle. Je ne peux pas me précipiter contre un gamin encore en train de se faire les dents. Il pourrait rester ici toute la nuit, mais moi il ne me reste guère plus de quarante-cinq minutes d'énergie, trois quarts d'heure d'un corps en état de fonctionnement. Peut-être même trente-cinq minutes.

Je gagne le set. C'est impossible, mais j'ai trente-cinq ans et je suis en finale de l'US Open. Darren, Gil et Stefanie passent me chercher en trombe et se répartissent les tâches. Darren attrape mes raquettes pour les apporter à Roman, le cordeur. Gil me tend mon Eau de Gil. Stefanie m'aide à atteindre la voiture. Nous fonçons jusqu'à l'hôtel pour voir Federer et Hewitt se disputer le privilège d'affronter ce vieil estropié de Las Vegas.

Regarder l'autre demi-finale doit être l'activité la plus relaxante qu'on puisse avoir la veille d'une finale. On se dit : Peu importe ce que je ressens en ce moment, c'est encore pire pour eux. Et puis Federer gagne, bien sûr. Je m'enfonce dans le divan et il occupe toutes mes pensées, et je sais que, quelque part, j'occupe toutes les siennes. D'ici demain après-midi, je dois tout faire un peu mieux que lui, y compris dormir.

Mais j'ai des enfants. Avant, je dormais jusqu'à onze heures et demie le matin d'un match. Maintenant, il m'est difficile de dépasser sept heures et demie. Stefanie dit aux enfants de ne pas faire de bruit, mais quelque chose dans mon corps sait qu'ils sont levés et qu'ils veulent voir leur père. Qui plus est, leur père veut les voir aussi.

Après le petit déjeuner, je les embrasse pour leur dire au revoir. Dans la voiture qui nous mène au stade, Gil et moi, je me tais. Je sais que je n'ai aucune chance. Je suis un ancien, j'ai joué trois cinq-sets d'affilée. Soyons réalistes. Ma seule chance serait que le match ne dépasse pas trois ou quatre sets. Si c'est rapide, si la mise en condition n'a pas d'importance, je pourrai peut-être miser sur un coup de veine.

Federer arrive sur le court avec des airs de Cary Grant. J'en suis presque à me demander s'il va jouer en haut-de-forme et veste de smoking. Il est toujours d'une élégance folle, moi je suis éternellement mal assuré, même quand je sers à 40-15. Où qu'il se trouve sur le court, il est tout aussi dangereux, il n'y a nulle part où se cacher. Je ne m'en sors pas très bien quand je ne peux pas me cacher. Federer remporte le premier set. Je me lance dans un jeu frénétique, j'essaie de le déséquilibrer. Je mène d'un break dans la deuxième manche. Je breake de nouveau et gagne le set.

Je me dis : Il est *possible* que M. Grant rencontre quelques problèmes aujourd'hui.

Au troisième set, je fais le break et mène 4-2. Je sers avec une brise dans le dos, et Federer ne frappe pas comme il devrait. Je suis sur le point de mener 5-2, et l'espace d'un bref instant nous pensons tous les deux que quelque chose de remarquable va se produire. Nos regards se croisent. Nous partageons un instant. Puis, à 30-0, je fais un service lifté sur son revers, il prend son élan et frappe mal. La balle rend un son affreux en quittant sa raquette, comme lorsque je faisais exprès de rater mes coups quand j'étais gamin. Mais cette balle si mal envoyée réussit malgré tout à vaciller par-dessus le filet et à tomber bonne. Le coup est gagnant. Federer fait le break, et c'est un nouveau service.

Lors du tie-break, il atteint un état que je n'ai jamais vu. Il passe une vitesse que la plupart des joueurs n'ont jamais atteinte. Et gagne, 7-1.

Désormais, toute cette connerie est en roue libre. Mes quadriceps hurlent tout ce qu'ils peuvent. Mon dos ferme le magasin pour la nuit. Mes prises de décision sont mauvaises. Je suis conscient de l'étroitesse des écarts sur un court de tennis, du fait qu'il n'y a qu'un pas entre grandeur et médiocrité, renommée et anonymat, bonheur et désespoir. Nous étions au milieu d'un match serré. Ex æquo. Maintenant, à cause d'un tie-break qui m'a médusé d'admiration, je suis en pleine déroute.

Je m'approche du filet, certain d'avoir perdu contre le meilleur des deux joueurs, contre l'Everest de la nouvelle génération. Je plains les jeunes joueurs qui vont devoir se mesurer à lui. Je compatis avec l'homme voué à jouer Agassi contre son Sampras. J'ai beau ne pas nommer Pete par son nom, c'est lui que j'ai en tête quand je déclare aux journalistes :

— C'est très simple. La plupart des gens ont des faiblesses. Federer n'en a aucune.

## 29

Je me retire de l'Open d'Australie 2006, puis de toute la saison sur terre battue. Cela ne me plaît pas, mais je dois économiser des forces pour le Wimbledon de cette année qui, je le décide silencieusement, sera mon dernier. Je me ménage pour Wimbledon. Je n'aurais jamais cru dire une chose pareille un jour. Je n'aurais jamais imaginé qu'un adieu respectueux et honorable pourrait un jour me paraître si important.

Mais Wimbledon est devenu un lieu saint pour moi. C'est ici que ma femme a brillé. C'est ici que j'ai compris pour la première fois que je pourrais gagner, ici que je me le suis prouvé et que je l'ai prouvé au monde entier. C'est à Wimbledon que j'ai appris à saluer, à fléchir le genou, à faire quelque chose que je n'avais pas envie de faire, à porter ce que je n'avais pas envie de porter, et à survivre. Et puis, peu importe ce que je ressens pour le tennis, ce jeu c'est chez moi. Je détestais rentrer chez moi gamin, et puis je suis parti et j'ai été pris de nostalgie. Dans les dernières heures de ma carrière, ces souvenirs me calment.

Je décrète à Darren que ce Wimbledon sera mon dernier, et que l'US Open à venir sera mon ultime tournoi. Nous l'annonçons juste avant le début de Wimbledon. Je suis stupéfait par la façon dont mes pairs me considèrent juste après. Ils ne me traitent plus en rival, en menace. Je suis à la retraite. Sans intérêt. Un mur se dresse.

Les journalistes me demandent : « Pourquoi maintenant ? Pourquoi faire ce choix maintenant ? » Je leur
dis que je ne l'ai pas choisi. Je ne peux plus jouer, c'est
tout. Je suis face à cette ligne d'arrivée que j'ai cherchée
toute ma carrière, cette ligne avec son irrésistible force
d'attraction. Ce n'est pas que je ne veux plus, c'est que
je ne peux plus. J'ai involontairement cherché cet instant où je n'aurais plus le choix.

Bud Collins, commentateur et historien de tennis
respecté, coauteur de l'autobiographie de Laver,
résume ma carrière en disant que je suis passé du statut
de rebelle à celui de modèle. Cette phrase me hérisse
le poil. À mon avis, Bud a sacrifié la vérité sur l'autel
du bon mot. Je n'ai jamais été un rebelle, pas plus que
je ne suis un modèle aujourd'hui.

De nombreux journalistes glosent sur ma transformation, et le mot me reste en travers de la gorge. Je
trouve qu'il sonne faux. Une transformation, c'est un
passage d'un état à un autre, mais moi je ne suis parti
de rien. Je ne me suis pas transformé, je me suis formé.
Quand je suis arrivé dans le tennis, j'étais comme tous
les autres gamins : je ne savais pas qui j'étais, et je me
rebellais contre les gens plus âgés qui tentaient de me
le dire. Je crois que les adultes commettent toujours ce
genre d'erreur avec les jeunes : ils les traitent comme
des produits finis alors qu'ils sont en pleine évolution.
C'est comme si on jugeait un match avant la fin ; moi,
j'ai eu trop souvent tendance à le faire et j'ai dû en
payer les conséquences, faire face à des adversaires qui
se jetaient sur moi en rugissant.

Ce qu'on voit aujourd'hui, pour le meilleur ou pour
le pire, c'est le résultat de ma toute première formation,
de ma toute première incarnation. Je n'ai pas modifié
mon image, je l'ai découverte. Je n'ai pas changé mon
esprit. Je l'ai ouvert. J.P. m'aide à exprimer cette idée,
à me l'expliquer. Il dit que les gens ont été désorientés
par mon apparence changeante, par mes vêtements,
mes cheveux, qu'ils étaient convaincus que je savais qui

j'étais. Quand je me cherchais, on a cru que je m'exprimais. Il dit que pour un homme avec tant d'identités fugaces, il trouve choquant et symbolique de constater que mes initiales sont A.K.A. – *alias* en anglais.

Malheureusement, au début de l'été 2006, malgré les efforts de J.P. et des autres, je suis incapable de l'expliquer aux journalistes. Même si je le pouvais, la salle de presse de l'All England Club ne serait pas le meilleur endroit.

Je suis incapable de l'expliquer à Stefanie aussi, mais je n'ai pas besoin de le faire. Elle sait tout. Pendant les jours et les heures qui précèdent Wimbledon, elle plonge les yeux au fond des miens, me tapote la joue. Elle me parle de ma carrière. De la sienne. De son dernier Wimbledon. Elle ne savait pas que ce serait son dernier. Elle me dit que c'est mieux comme ça, de le savoir, de partir à ma manière.

Avec un collier fabriqué par Jaden autour du cou – une chaîne de lettres majuscules qui forment les mots *Daddy Rocks* –, j'affronte le Serbe Boris Pashanski au premier tour. Je suis accueilli par une longue salve d'applaudissements. Lors de mon premier service, les yeux embués de larmes, je ne distingue pas le court. J'ai beau avoir l'impression de jouer en corset – mon dos dur comme du béton –, je persévère, j'endure. Et je gagne.

Au deuxième tour, je bats l'Italien Andreas Seppi en trois sets. Je joue bien, ce qui me donne de l'espoir pour mon match de troisième tour contre Nadal. C'est une brute, une aberration, une force de la nature, une alliance de puissance et de grâce digne d'un danseur, que j'ai rarement vue ailleurs. Mais je sens que je vais pouvoir me permettre quelques percées. Ah ! les illusions dont on se berce à la suite d'une victoire ! Je me dis que j'ai mes chances. Je perds le premier set, 7-6, mais le score serré me rassure.

Et puis Nadal m'anéantit. Le match dure soixante-dix minutes. Mon champ de possibilités est de cinquante-cinq. C'est alors que mon dos me relance. Tard dans le match, Nadal au service, je ne peux plus rester sur place.

J'ai besoin de bouger, de taper du pied, de faire circuler le sang. La raideur est si extrême, la douleur si aiguë, que retourner les balles est la dernière chose qui me vient à l'esprit. Je ne pense qu'à rester sur mes jambes.

Par la suite, en un grand instant d'ironie, les officiels de Wimbledon rompent la tradition et organisent une interview sur le court avec Nadal et moi. Cela n'arrive jamais. Je glisse à Gil :

— Tôt ou tard, je savais que je pousserais Wimbledon à rompre avec ses traditions.

Gil ne rit pas. Il ne rit jamais quand une bataille fait rage.

— C'est presque fini, lui dis-je.

Je me rends à Washington DC où j'affronte un joueur italien qualifié, Andrea Stoppini. Il me bat comme si c'était moi le joueur qualifié, et j'ai honte. Je pensais avoir besoin d'une petite remise à niveau avant l'US Open, mais celle-ci m'a sacrément secoué. Je déclare aux journalistes que la fin est plus difficile que je ne l'aurais cru. Je leur dis que la meilleure façon de l'expliquer serait celle-ci : Je suis certain que vous êtes nombreux à ne pas aimer votre boulot. Mais imaginez ce que vous ressentiriez si quelqu'un venait vous dire que cet article sur moi sera votre dernier. Qu'après celui-ci, vous ne pourrez plus jamais écrire un seul mot jusqu'à la fin de vos jours. Vous vous sentiriez comment ?

Tout le monde m'accompagne à New York. Tout l'équipe. Stefanie, les enfants, mes parents, Perry, Gil, Darren, Philly. Nous envahissons l'hôtel Four Seasons, colonisons le Campagnola. Les enfants sourient lorsqu'ils entendent les applaudissements nous accueillir à l'entrée. Mais j'ai l'impression qu'ils ne sonnent pas comme d'habitude. Le timbre a changé. Il y a un sous-entendu. On a compris que je n'étais plus le seul impliqué, que nous tenions à terminer ça ensemble.

Frankie nous installe à la table du coin. Il est aux petits soins avec Stefanie et les enfants. Il sert à mon fils tous mes plats préférés, j'observe Jaden les déguster. Jaz se régale aussi, même si elle insiste pour que chaque entrée soit séparée. Elles ne doivent pas se toucher. Une variation sur le thème du muffin aux myrtilles. Je regarde Stefanie contempler la scène le sourire aux lèvres et je pense à nous quatre, chacun avec sa propre personnalité. Quatre surfaces bien différentes. Réunies en un set commun. Complet. La veille de mon dernier tournoi, je profite de ce sentiment que nous cherchons tous, cette connaissance qui ne nous vient que peu de fois au cours d'une vie, à savoir que les thèmes de notre existence sont connectés, que les semences de notre fin étaient déjà présentes au début, et vice versa.

Au premier tour, je joue contre le Roumain Andrei Pavel. Mon dos m'agrippe à la moitié du match, mais même si je dois me tenir raide comme une baguette, j'arrive à me dégoter une victoire. Je demande à Darren de prendre les dispositions pour une injection de cortisone le lendemain. Malgré cette piqûre, je ne sais pas si j'arriverai à disputer mon prochain match.

En tout cas, une chose est sûre : je ne pourrai pas gagner. Pas contre Marcos Baghdatis. Il est huitième mondial. Un grand gaillard originaire de Chypre, au beau milieu d'une superbe année. Il est arrivé en finale de l'Open d'Australie et en demi-finale de Wimbledon.

Et puis, je ne sais trop comment, je le bats. Le match fini, j'arrive à peine à tituber le long du tunnel et jusqu'aux vestiaires avant que mon dos me lâche. Darren et Gil me soulèvent comme un sac de linge sale et me posent sur la table de massage, pendant qu'on hisse Baghdatis, parcouru de crampes, sur celle d'à côté. Stefanie apparaît et m'embrasse. Gil me force à boire quelque chose. Un soigneur annonce que les médecins arrivent. Il allume la télé au-dessus de la table et tout le monde décampe, nous laissant, Baghdatis et moi, nous tordre et grogner de douleur.

La télévision retransmet les points forts de notre match. SportsCenter. Je détecte un léger mouvement du coin de l'œil. Baghdatis tend la main vers moi. Sur son visage je lis : C'est nous qui avons fait ça. Je tends le bras, lui prends la main, et nous restons ainsi, main dans la main, tandis qu'à l'écran défilent des extraits de notre lutte sauvage.

Nous revivons le match, et puis je revis ma vie.

Enfin les médecins arrivent. Il leur faut, à eux et aux soigneurs, une demi-heure pour nous remettre sur pied. Baghdatis part le premier, le pas hésitant, aidé de son entraîneur. Puis Gil et Darren m'emmènent jusqu'au parking, m'encourageant à faire quelques pas en me faisant miroiter un cheeseburger et un martini chez J.P. Clarke's. Il est deux heures du matin.

— Merde, grommelle Darren quand nous entrons dans le parking. La voiture est à l'autre bout, mec.

Nous devons plisser des yeux pour distinguer la forme de l'unique voiture au milieu du parking. Elle est à une centaine de mètres. Je lui dis que je ne pourrai jamais y arriver.

— Non, bien sûr que non, fait-il. Attends ici, je vais la chercher.

Il part au pas de course.

Je dis à Gil que je ne peux pas rester debout. Je vais devoir m'allonger en attendant. Il installe mon sac de tennis sur le ciment et je m'assois, puis m'allonge, me servant du sac comme oreiller.

Je lève les yeux vers Gil. Je ne vois rien d'autre que son sourire et ses épaules. Au-delà de ses épaules, j'aperçois les étoiles. Si nombreuses. Je contemple les poteaux de lumière qui encerclent le stade. On dirait des étoiles plus grosses, plus proches.

Soudain, une explosion. Le bruit d'une immense boîte de balles de tennis qu'on ouvre. Un poteau s'éteint. Puis un autre, et un autre.

Je ferme les yeux. C'est fini.

Non. Bien sûr que non. Ce ne sera jamais vraiment fini.

Le lendemain, alors que je traverse le hall d'entrée du Four Seasons en boitillant, un homme sort soudain de l'ombre et m'agrippe le bras.

— Abandonne, gronde-t-il.

— Quoi ?

C'est mon père – ou le fantôme de mon père. Il a le teint terreux. On dirait qu'il n'a pas dormi depuis des semaines.

— Papa ? De quoi tu parles ?

— Abandonne, c'est tout. Rentre à la maison. Tu y es arrivé. C'est fini maintenant.

Il me supplie de prendre ma retraite. Il me confie qu'il n'a qu'une hâte, c'est que j'en aie fini avec tout ça, qu'il n'ait plus à me voir souffrir. Qu'il n'ait plus à regarder mes matchs, le cœur battant à cent à l'heure. Qu'il n'ait plus à veiller jusqu'à deux heures du matin à l'autre bout de la planète, pour ensuite chercher le nom du prochain jeune prodige que je vais peut-être affronter. On dirait que – est-ce possible ? Oui, je le lis dans ses yeux. Je connais ce regard. Il déteste le tennis.

Il s'exclame :

— Arrêtons le supplice ! Après la nuit dernière, tu n'as plus rien à prouver. Je ne peux plus te voir comme ça. C'est trop douloureux.

Je lui touche l'épaule. Je suis désolé, papa. Je ne peux pas abandonner. Ça ne peut pas se terminer comme ça.


Trente minutes avant le match, on m'administre une injection anti-inflammatoire, mais l'effet n'est pas celui de la cortisone. Il est moins efficace. Face à mon adversaire du troisième tour, Benjamin Becker, je tiens à peine debout.

Je jette un coup d'œil au tableau d'affichage et secoue la tête. Je me demande, encore et encore : Comment se fait-il que mon dernier adversaire s'appelle B. Becker ? Plus tôt dans l'année, j'ai confié à Darren que je voulais que mon dernier match soit contre quelqu'un que j'aime et que je respecte, ou alors contre un type que je ne connais pas.

J'ai donc droit au dernier des deux.

Becker m'évince en quatre sets. La bande de ligne d'arrivée se casse net sur mon torse.

Les officiels de l'US Open me laissent adresser quelques paroles aux fans dans les gradins et chez eux avant de regagner les vestiaires. Je sais exactement ce que je veux dire.

*En compagnie de Stefanie, Jaden et Jaz,*
*à l'automne 2006.*

Je le sais depuis des années. Mais il me faut malgré tout quelques instants pour retrouver l'usage de la parole.

*Le tableau d'affichage indique que j'ai perdu aujourd'hui, mais il ne dit pas ce que j'ai gagné. Au cours des dernières vingt et une années, j'ai trouvé la loyauté : vous m'avez encouragé sur le court et dans la vie. J'ai trouvé l'inspiration : quand j'étais au plus bas, dans mes moments les plus difficiles, vous m'avez donné la force d'y croire. Et j'ai trouvé la générosité : vous m'avez permis de me reposer sur vos épaules pour que je puisse*

*Marcos Baghdatis me félicite*
*après le second tour de l'US Open 2006.*

*atteindre mes rêves – des rêves que je n'aurais jamais pu*
*accomplir sans vous. Au cours de ces vingt et une*
*années, je vous ai trouvés, vous, et je garderai ce souvenir*
*jusqu'à la fin de ma vie.*

C'est le plus beau compliment que je puisse leur
faire. Je les ai comparés à Gil.

Dans les vestiaires, il règne un silence de mort. J'ai
remarqué que tous les vestiaires se ressemblaient
quand on perd. On franchit la porte – qui s'ouvre en
claquant puisqu'on l'a poussée un peu plus fort qu'on
n'aurait dû – et les types se dispersent de devant
l'écran de télévision où ils vous regardaient vous
faire botter le cul. Ils font toujours semblant de ne
pas avoir regardé, de ne pas avoir parlé de vous. Mais
cette fois-ci, ils restent autour de la télévision. Personne ne bouge. Personne ne fait semblant. Et puis,
lentement, tout le monde s'approche de moi. Ils
applaudissent, accompagnés des soigneurs, des
employés de bureau et de James, le chargé de sécurité.

Un seul homme reste sur le côté et refuse d'applaudir. Je l'aperçois du coin de l'œil. Il est adossé au mur opposé, une expression vide sur le visage, les bras croisés, bien serrés.

Connors.

Maintenant il entraîne Roddick. Pauvre Andy.

Ça me fait rire. Je ne peux qu'admirer le fait que Connors est qui il est, encore et toujours, qu'il ne change jamais. Nous devrions tous être aussi fidèles à nous-mêmes, aussi cohérents.

Je dis aux joueurs :

— Vous en entendrez des applaudissements dans vos vies, les gars, mais aucun ne sera aussi important que ceux-ci – ceux de vos pairs. J'espère que vous y aurez tous droit à la fin. Merci à vous tous. Au revoir. Et prenez soin les uns des autres.

*Sur le court central, Wimbledon 2000.*

# Le début

La pluie tombe par intermittence, toute la journée. Stefanie scrute le ciel :

— Qu'en penses-tu ?

Je réponds :

— Allez, tentons le coup. Si ça te dit, je suis partant aussi.

Partant. Elle fronce les sourcils. En ce qui la concerne elle est toujours partante, mais il n'en est pas de même pour son mollet, qui lui pose problème depuis sa retraite. Surtout ces derniers temps. Elle baisse les yeux. Foutu mollet. Elle a un match de charité prévu la semaine prochaine à Tokyo. Il s'agit de collecter des fonds pour une maternelle qu'elle a ouverte en Érythrée ; ce n'est peut-être qu'un match d'exhibition, mais elle tient à bien jouer. Elle ressent ce vieux stress de bien faire. Et puis, elle ne peut pas s'empêcher de se demander ce qu'elle est encore capable de faire.

Je me pose la même question à mon sujet. Il y a un an de ça, je quittais le court pour la dernière fois à l'US Open. Nous sommes à l'automne 2007.

Cela fait une semaine que nous prévoyons de sortir échanger quelques balles aujourd'hui, mais il pleut comme rarement à Las Vegas.

On ne peut pas faire un feu sous la pluie.

Stefanie regarde de nouveau le ciel sombre. Puis elle jette un coup d'œil à l'horloge. C'est une journée bien remplie, remarque-t-elle. Elle doit passer prendre Jaden à l'école. Nous n'avons que ce petit créneau.


S'il ne s'arrête pas de pleuvoir, si nous ne nous rendons pas sur le court, je vais peut-être passer faire un tour dans mon école, où je me rends dès que l'occasion se présente. Je n'arrive pas à croire ce qu'elle est devenue : un complexe éducatif de 7 920 mètres carrés qui accueille cinq cents élèves et avec une liste d'attente de huit cents autres futurs écoliers.

Ce campus à quarante millions de dollars comporte tout ce que ces gamins pourraient désirer. Un studio de production télévisuelle high-tech. Une salle d'ordinateurs avec des dizaines de PC alignés contre le mur et un gros divan blanc et moelleux. Une remarquable salle de sport avec des machines sophistiquées, qui n'ont rien à envier à celles que l'on trouve dans les clubs sportifs les plus branchés de Las Vegas. Une salle de muscu, un amphi et des toilettes aussi propres et modernes que celles des hôtels les plus en vue de la ville. Mais, le mieux, c'est que partout la peinture est encore neuve et immaculée, aussi resplendissante que le jour de l'ouverture. Les élèves, les parents, le voisinage, tous respectent l'école parce qu'elle appartient à tout le monde. Bien sûr, le quartier n'a pas changé du tout au tout depuis notre arrivée. Il n'y a pas très longtemps, je faisais visiter l'école quand on a tiré sur quelqu'un de l'autre côté de la rue. Mais en huit ans, pas une fenêtre n'a été brisée, pas un seul mur n'a été recouvert de graffitis.

Partout où le regard se porte, il y a des petites touches, des détails subtils qui signifient que cette école est différente, que cet endroit vise l'excellence, de bout en bout. Sur la fenêtre qui donne sur la rue, on a gravé la devise officieuse de notre école : CROIRE. Chaque salle de classe est baignée dans une douce lumière naturelle. Indirecte et australe, elle passe par des lucarnes et rebondit sur des réflecteurs haut de gamme pour produire une lueur diffuse, idéale pour lire et se concentrer. Les professeurs n'ont jamais besoin d'actionner un interrupteur, ce qui est une économie d'énergie et d'argent, mais qui épargne aussi des maux de tête aux élèves ; je ne me rappelle que trop bien l'impression morose qui se dégageait des sempiternels néons.

Notre terrain est conçu comme un campus d'université, avec des cours de récréation à taille humaine et des parties communes accueillantes. Les murs sont en pierre – de la roche de quartz mauve et saumon pâle, extraite des carrières du coin – et les allées sont longées de pruniers délicats qui mènent à un magnifique chêne vert, l'arbre symbolisant l'espoir, planté avant même d'avoir commencé les travaux. Commençons par le début, se sont dit nos architectes, et ils ont planté l'arbre de l'espoir. Puis ils ont demandé aux ouvriers du chantier de l'arroser régulièrement, et de l'exposer à la lumière pendant qu'ils construisaient l'école tout autour.

Le terrain sur lequel s'élève le bâtiment est étroit, guère plus de quatre hectares, mais en fin de compte le manque d'espace a servi le projet des architectes. Ils voulaient que le passage du campus symbolise un court trajet sinueux. Comme la vie. Quel que soit l'endroit où se tiennent les élèves, ils peuvent se tourner d'un côté et avoir un aperçu de leur passé, ou se tourner de l'autre et entrevoir vers où ils se dirigent. Les enfants de maternelle ou de primaire peuvent contempler les hautes constructions du lycée qui les attend, même s'ils n'entendent pas les voix des autres. Le but n'est pas de les effrayer. Les collégiens et les lycéens peuvent jeter un coup d'œil en arrière vers les salles de primaire qu'ils ont quittées il y a peu, même s'ils ne peuvent pas entendre les cris suraigus de la cour de récréation. Le but n'est pas de les déranger.

Les architectes, des types du coin qui s'appellent Mike Del Gatto et Rob Gurdison, se sont jetés corps et âme dans le projet. Ils ont passé des mois à faire des recherches sur le quartier, à étudier les écoles privées hors contrat d'un bout à l'autre du pays, à expérimenter différentes idées. Puis ils ont accumulé les nuits blanches et les brain-stormings autour d'une table de ping-pong, dans le sous-sol de Mike. C'est sur cette même table qu'ils ont érigé la maquette de carton et de contre-plaqué de l'école, sans se rendre compte de la coïncidence ni de l'ironie.

C'était leur idée de laisser les bâtiments dispenser leur propre enseignement. On leur a appris les histoires qu'on voulait qu'ils racontent. En primaire, nous voulions d'immenses photos de Martin Luther King, du Mahatma Gandhi, et bien sûr de Mandela, et leurs paroles stimulantes peintes sur des plaques en verre en dessous de leur portrait. Comme la plupart de nos élèves sont d'origine afro-américaine, nous avons demandé à Mike et à Rob d'insérer des briques de verre marbré dans un mur pour représenter la Grande Ourse, et sur la droite une unique brique de verre : l'étoile polaire. Les esclaves en fuite se fiaient à la Grande Ourse et à l'étoile polaire pour cheminer vers la liberté.

Ma petite contribution à l'esthétique de l'école : dans la partie commune du lycée, j'ai tenu à entreposer un Steinway noir rutilant. Quand j'ai fait livrer le piano, tous les élèves se sont agglutinés, et à la surprise générale j'ai joué *Lean on Me*. Ce qui m'a le plus enchanté, c'est que la plupart d'entre eux ne savaient pas qui j'étais. Et quand leurs enseignants le leur ont dit, ils n'étaient pas plus impressionnés que ça.

J'avais rêvé d'une école qui s'ancrerait le moins possible dans une routine, un endroit plein d'imprévus. Un endroit où l'imprévu deviendrait la norme. Et c'est ce qui est arrivé. Quel que soit le jour, il se passe forcément quelque chose de bien à Agassi Prep. Le président Bill Clinton va peut-être donner un cours d'histoire. Il se peut que Shaquille O'Neal remplace le prof d'éducation physique. Vous risquerez de croiser Lance

Armstrong dans les couloirs, ou Muhammad Ali avec un badge de visiteur, en train de boxer à vide avec un élève. D'un instant à l'autre, vous pourrez lever les yeux et voir Janet Jackson ou Elton John devant la porte d'une salle de classe, ou des membres du groupe Earth, Wind & Fire assister à un cours en auditeur libre. Encore plus d'imprévu : le jour de l'inauguration du gymnase, le match All-Star de la NBA se déroulera à Las Vegas. Nous comptons inviter les nouvelles recrues et les joueurs confirmés des All Stars à venir jouer leur traditionnel match de rencontre sur notre parquet – le tout premier match jamais joué à Agassi Prep. Les gamins vont adorer.

Nos éducateurs sont les meilleurs, tout simplement. Notre but, en les recrutant, était de trouver des hommes et des femmes vifs, passionnés et inspirés, prêts à tout donner et à s'impliquer personnellement. Nous exigeons une chose en particulier de tous les enseignants : ils doivent absolument croire que chaque élève peut apprendre. On pourrait penser que ça coule de source, mais de nos jours, c'est loin d'être le cas.

Bien sûr, comme à Agassi Prep les journées et les années sont plus longues que dans les autres écoles, notre équipe pédagogique a peut-être un salaire horaire moins élevé qu'ailleurs. Mais ici, les professeurs ont accès à davantage de ressources, ils sont donc libres d'évoluer vers l'excellence et de marquer la vie de ces enfants.

Il nous a paru important d'obliger les élèves à porter l'uniforme. Un T-shirt avec un pantalon, un short ou une jupe, aux couleurs officielles de l'école – bordeaux et bleu marine. Nous trouvons que cela leur évite de subir la pression de leurs camarades, et nous savons que cela permet, sur le long terme, de faire économiser un peu d'argent aux parents. Chaque fois que j'entre dans l'école, je suis frappé par cette ironie : c'est moi, désormais, qui fais appliquer une politique d'uniforme. Il me tarde que quelques officiels de Wimbledon de passage à Las Vegas me demandent à visiter l'école. J'ai hâte de voir leur visage quand je mentionnerai le code vestimentaire très strict de l'établissement.

Nous avons un autre code, qui représente peut-être ce que je préfère dans cette école : le code du Respect, prononcé chaque matin. Dès que je fais un tour, je passe la tête par la porte et demande aux enfants de se lever avec moi et de réciter :

*L'essence de la discipline, c'est le respect.*
*Le respect de l'autorité et le respect des autres.*
*Le respect de soi et le respect des règles.*
*C'est une attitude qui commence à la maison,*
*Qu'on renforce à l'école,*
*Et qu'on applique tout au long de sa vie.*

Je leur promets que s'ils apprennent ce code tout simple, qu'ils le gardent tout contre leur cœur, ils iront très loin.

En parcourant les couloirs, en jetant un coup d'œil dans les salles de classe, je peux voir combien les enfants estiment cet endroit. Je l'entends dans leur voix, le discerne dans leur façon de se tenir. Les enseignants et le personnel me racontent leurs histoires, et je sais de quelles nombreuses façons cette école enrichit leur vie. Et puis, nous leur demandons d'écrire des rédactions personnelles, dont nous citons des extraits à l'occasion de la collecte de fonds annuelle. Elles ne parlent pas toutes des épreuves et des difficultés. Pas du tout. Mais ce sont celles-ci qui me sont restées. Comme cette fille qui vivait seule avec sa mère, forcée d'arrêter le travail à cause d'une maladie incurable des poumons. Elles partagent un appartement infesté de cafards dans un quartier dirigé par des gangs, alors l'école est devenue son refuge. Ses notes, dit-elle avec une fierté touchante, sont excellentes, *parce que je me suis dit que si je réussissais bien à l'école, alors personne ne me demanderait ce qui se passait à la maison, et je n'aurais pas à raconter mon histoire. Maintenant que j'ai dix-sept ans, même si je suis contrainte de voir ma mère décliner, même si j'ai dû vivre avec les gangs et les cafards, même si j'ai dû travailler pour faire vivre ma famille, aujourd'hui je suis en route pour l'université.*

Une autre Terminale écrit au sujet de sa douloureuse relation avec son père, sans qui elle a dû vivre pendant la majeure partie de son enfance car il était en prison. Quand il est sorti, il y a peu, elle est allée à sa rencontre et l'a trouvé affreusement maigre, vivant en compagnie d'une femme décharnée *dans une caravane cassée aux relents d'égouts et de came.* Déterminée à ne pas répéter les erreurs de ses parents, la jeune fille a résolu de réussir à Agassi Prep. *Je refuse de me décevoir moi-même, comme ils l'ont tous fait. C'est à moi de changer le cours de mon existence, et je n'abandonnerai jamais.*

Il n'y a pas très longtemps, alors que je traversais le lycée, je me suis fait héler par un jeune garçon. C'était un gaillard timide de quinze ans, avec des yeux mélancoliques et des joues rebondies. Il m'a demandé s'il pouvait me parler en privé.

— Bien sûr, ai-je répondu.

On s'est réfugié dans une alcôve donnant sur le couloir principal.

Il ne savait pas par où commencer. Je lui ai dit de partir du début.

— Il y a un an, ma vie a changé, s'est-il lancé. Mon père est mort. On l'a tué. Assassiné, vous savez.

— Je suis vraiment désolé.

— Après ça, j'ai complètement perdu les pédales. Je ne savais plus quoi faire.

Ses yeux se sont embués de larmes.

— Et puis je suis venu ici, a-t-il repris. Cette école m'a montré la voie à suivre. Elle m'a redonné espoir. Elle m'a donné *une vie.* Alors je tenais à vous parler, monsieur Agassi, et quand je vous ai vu passer j'ai voulu me présenter et vous dire... enfin, vous savez, quoi. Merci.

Je l'ai pris dans mes bras. Je lui ai dit que c'était à moi de le remercier.

Dans les classes supérieures, l'accent est mis sur l'université. On ne cesse de répéter aux élèves que Agassi Prep n'est rien de plus qu'un tremplin. Ne vous reposez pas sur vos lauriers, leur dit-on. L'objectif principal, c'est la fac. S'ils venaient à l'oublier, on est là pour le leur rappeler. Des bannières d'université sont accrochées aux murs. Un des couloirs principaux s'appelle « rue de l'Université ». Le pont métallique qui relie les deux bâtiments principaux n'a encore jamais été emprunté, et il le sera uniquement quand les premières Terminales auront reçu leurs diplômes et qu'ils prendront le chemin de la fac, en 2009. Ils marcheront alors sur ce pont pour pénétrer dans une salle secrète où ils signeront un registre et laisseront des mots pour la classe suivante, et la suivante, et ainsi de suite. Je me vois déjà en train de m'adresser à cette première classe de Terminale. Je suis en train de préparer le discours avec J.P. et Gil.

Je crois que je parlerai des contradictions. Un ami m'a suggéré de m'intéresser à Walt Whitman.

*Je me contredis ? Eh bien, je me contredis.*

Je ne savais pas que ce point de vue pouvait être acceptable. Je ne jure maintenant plus que par lui. C'est devenu mon étoile polaire. Et c'est ce que je vais dire aux élèves. La vie est un match de tennis entre deux pôles opposés. Gagner et perdre, aimer et haïr, ouvert et fermé. Il est utile de reconnaître cette dure réalité suffisamment tôt dans la vie. Puis de reconnaître les opposés en soi, et si on n'arrive pas à les adopter ou à les réconcilier, alors il faut au moins les accepter et poursuivre sa route. La seule chose à éviter, c'est de feindre leur inexistence.

Quel autre message pourrais-je espérer faire passer ? Quel autre message pourraient-ils attendre d'un type qui a abandonné ses études en quatrième et qui considère son école comme son plus grand accomplissement ?

— La pluie s'est arrêtée, constate Stefanie.

— Allez, dis-je. Allons-y !

Elle enfile une jupe de tennis. Je passe un short. Nous prenons la voiture jusqu'au court, au bout de la rue. À l'accueil, l'adolescente assise derrière le comptoir est plongée dans un magazine à scandale. Elle lève la tête, et manque d'avaler son chewinggum.

— Bonjour, dis-je.

*En visite avec un groupe d'élèves*
*à l'Andre Agassi College Preparatory Academy.*

— Salut.

— Vous êtes ouverts ?

— Ouais.

— On peut avoir un court pour une heure ?

— Euh. Ouais.

— Ça coûte combien ?

— Quatorze dollars.

— OK.

Je lui tends l'argent.

— Vous pouvez prendre le court central, nous indique-t-elle.

Nous descendons les marches jusqu'à un petit amphithéâtre, où un court bleu est entouré de gradins métalliques. Nous posons nos sacs au sol, côte à côte, puis nous nous étirons en grognant et en plaisantant sur le temps passé depuis la dernière fois.

Je farfouille dans mon sac, en quête de bandeaux de poignet, de sparadrap, de chewing-gum.

— Quel côté tu veux ? me demande Stefanie.

— Celui-ci.

— Je le savais.

Elle frappe un léger coup droit. Je le relance en grinçant comme l'homme de fer. Nous nous lançons dans un échange de balles timide et hésitant, et puis soudain Stefanie claque un revers long de ligne qui sonne comme un train de marchandises. Je lui lance un regard. Alors c'est comme ça que tu veux jouer ?

Elle administre un slice Stefanie sur mon revers. Je fléchis les jambes et cogne comme un sourd. Je gueule :

— Il en a payé des factures celui-ci, chérie !

Elle sourit et souffle sur une mèche de cheveux qui lui voile les yeux.

Nos épaules se relâchent, nos muscles se réchauffent. Le rythme s'accélère. Je frappe la balle bien fort et ma femme fait de même. Nous passons d'un échange désinvolte à un vif marquage de points. Son coup droit est fatal. Mon revers, impitoyable… et il atterrit dans le filet.

Le premier revers croisé que je rate en vingt ans. Je fixe la balle déchue. L'espace d'un instant, je suis préoccupé. Je lui dis que ça me dérange. Je sens poindre l'irritation.

Puis j'éclate de rire. Stefanie rit avec moi et nous reprenons.

Avec chaque frappe, elle est visiblement de plus en plus heureuse. Son mollet ne lui fait pas mal. Elle pense que ça ira à Tokyo. Maintenant qu'elle ne se soucie plus de sa blessure, on peut jouer, vraiment jouer. Bientôt, on s'amuse tellement qu'on ne se rend même pas compte qu'il a recommencé à pleuvoir. Et on ne remarque pas non plus le premier spectateur.

Un par un, les badauds s'agglutinent. De nouveaux visages apparaissent ; une personne a dû en appeler une autre, qui en a contacté deux autres pour leur dire qu'on était là, sur un court, à jouer pour rien d'autre que pour la fierté. Comme Rocky Balboa et Apollo Creed, une fois les lumières éteintes et la salle de gym fermée à clef.

Il pleut de plus en plus fort. Mais pas question d'arrêter. On perd le sens du temps. Les gens qui arrivent sont maintenant munis d'appareils photo. Des flashes fusent. La lumière des appareils photo est particulièrement éclatante, reflétée et magnifiée par les gouttes de pluie. Je m'en fous, et Stefanie ne le remarque même pas. On n'a guère conscience d'autre chose que de la balle, du filet, et de nous-mêmes.

Un long échange. Dix coups. Quinze. C'est moi qui finis par rater. Le court est recouvert de balles. J'en ramasse trois, en fourre une dans la poche.

Je crie à Stefanie :

— Et si on reprenait du service ? Qu'est-ce que t'en dis ?

Elle ne répond pas.

— Toi et moi, j'insiste. On l'annonce cette semaine !

Toujours pas de réponse. Comme d'habitude, sa concentration est plus grande que la mienne. De la même façon qu'elle ne fait aucun mouvement inutile sur le court, elle ne prononce aucune parole superflue. J.P. me fait remarquer que les trois personnes qui ont eu le plus d'influence sur ma vie – mon père, Gil et Stefanie – ne sont pas de langue maternelle anglaise.

Et que leur mode de communication le plus puissant est peut-être physique.

Elle est absorbée par chacun de ses coups. Chaque frappe est importante. Elle ne fatigue jamais, ne manque jamais. C'est une joie de la regarder faire, mais c'est aussi un privilège. On me demande parfois ce que ça fait et je n'arrive jamais à trouver le mot parfait, mais celui-ci s'en rapproche. Un privilège.

Je rate encore. Elle plisse les yeux, attend.

Je sers. Elle retourne, puis me fais son signe de la main estampillé Stefanie, comme si elle écrasait un moustique, signifiant qu'elle en a fini. Il est l'heure de passer chercher Jaden.

Elle quitte le court.

— Pas encore ! je crie.

— Quoi ?

Elle s'arrête, me regarde. Et éclate de rire.

— OK, dit-elle en faisant marche arrière jusqu'à la ligne de fond.

C'est absurde mais c'est ce que je suis, et elle le comprend. Nous avons des choses à faire, des choses merveilleuses. Elle a hâte de commencer, et moi aussi. Mais je ne peux pas m'en empêcher.

Tout ce que je veux, c'est jouer encore un peu.

# REMERCIEMENTS

Ce livre n'aurait jamais pu voir le jour sans mon ami JR Moehringer.

C'est JR qui m'a insufflé l'idée d'écrire mon histoire, avant même de m'avoir rencontré. Pendant mon dernier US Open, en 2006, dès que j'avais du temps libre, je me plongeais dans sa prodigieuse autobiographie, *The Tender Bar*. Ce livre m'est allé droit au cœur. Il me plaisait tellement que j'ai dû me rationner, me tenir à un nombre limité de pages par soir. Au début, *The Tender Bar* était une échappée de cette période difficile qu'a été la fin de ma carrière, mais petit à petit ce livre a fini par s'ajouter à mon angoisse générale, tant je craignais de l'avoir achevé avant d'en avoir fini avec le tennis.

Juste après mon match de premier tour, j'ai appelé JR pour me présenter. Je lui ai dit combien j'admirais son travail et je l'ai invité à Las Vegas pour dîner. Nous nous sommes tout de suite entendus, ce qui ne m'a pas étonné, et ce premier dîner a été suivi de bien d'autres. J'ai fini par demander à JR s'il serait intéressé par une collaboration, s'il m'aiderait à écrire ma propre autobiographie. Je lui ai demandé de me montrer ma vie à travers les yeux d'un écrivain récompensé du Pulitzer. À ma grande surprise, il a accepté.

JR a déménagé à Las Vegas, et nous nous sommes tout de suite mis à la tâche. Nous avons la même conscience professionnelle, la même approche du

« tout ou rien » quand nos objectifs sont d'importance. Nous nous sommes vus tous les jours et avons développé une routine stricte. Après avoir englouti un ou deux *burritos*, nous parlions pendant des heures dans le magnéto de JR. Aucun sujet n'était tabou, alors nos sessions étaient parfois amusantes, parfois douloureuses. On n'a suivi ni chronologie, ni thème précis ; nous nous sommes contentés de laisser la conversation évoluer d'elle-même, la ponctuant par-ci par-là de coupures de presse recueillies par le jeune et superbe chercheur Ben Cohen, qui ne tarderait pas à être connu.

Après de nombreux mois, JR et moi avions toute une caisse de cassettes : l'histoire de ma vie, pour le meilleur et pour le pire. L'intrépide Kim Wells les a alors transcrites par écrit, et JR s'est servi de ce texte pour en faire une histoire. Jonathan Segal, notre sage et merveilleux éditeur chez Knopf, et Sonny Mehta, le Rod Laver de l'édition, nous ont aidé à améliorer cette première ébauche pour en faire une deuxième, puis une troisième, qui a ensuite été relue attentivement par Eric Mercado, le Sherlock Holmes des temps modernes, qui a vérifié que tous les faits étaient exacts. Je n'ai jamais passé autant de temps à lire et à relire, à débattre et discuter de mots et de passages, de chiffres et de dates. Jamais je n'aurai autant eu l'impression de potasser pour des partiels de fin d'année.

J'ai demandé plus d'une fois à JR de pouvoir le citer en tant qu'auteur. Mais il était d'avis qu'un seul nom devait figurer sur la couverture. Même s'il était fier du travail que nous avions fait ensemble, il ne se voyait pas signer la vie d'un autre homme. Ce sont tes histoires, m'a-t-il dit, tes gens, tes batailles. La même générosité que j'avais discernée dans son autobiographie. Alors je n'ai pas insisté. L'entêtement est une autre qualité que nous partageons. Mais j'ai tenu à profiter de ces pages pour décrire le rôle qu'a tenu JR et pour le remercier publiquement.

Je tiens également à citer l'équipe dévouée des premiers lecteurs à qui JR et moi avons fait passer des copies et des extraits du manuscrit. Chacun d'entre eux a contribué à sa manière. Je remercie chaleureusement Phillip et Marti Agassi, Sloan et Roger Barnett, Ivan Blumberg, Darren Cahill, Wendy Netkin Cohen, Brad Gilbert, David Gilmore, Chris et Varanda Handy, Bill Husted, McGraw Milhaven, Steve Miller, Dorothy Moehringer, John et Joni Parenti, Gil Reyes, Jaimee Rose, Gun Ruder, John Russell, Brooke Shields, Wendi Stewart Goodson et Barbra Streisand.

Un grand merci à Ron Roberta pour avoir été solide comme le roc, pour m'avoir lu avec autant d'attention qu'il a lu ce livre, pour m'avoir donné de précieux conseils sur tout, de la psychologie à la stratégie, et pour m'avoir aidé à repenser et réviser ma vieille définition de l'expression *meilleur ami*.

Par-dessus tout, je veux remercier Stefanie, Jaden et Jaz Agassi. Contraints de se débrouiller sans moi pendant des jours et des jours, forcés de me partager avec ce livre pendant deux ans, ils ne se sont jamais plaints, n'ont fait que me pousser à continuer, ce qui m'a aidé à arriver jusqu'au bout. L'amour inépuisable de Stefanie et ses encouragements ont été ma source d'inspiration, et les sourires quotidiens de Jaden et de Jaz se sont convertis en énergie, aussi rapidement que la nourriture se mue en sucre dans le sang.

Un jour, alors que je travaillais sur la deuxième ébauche, Jaden s'amusait à la maison avec un copain. Les manuscrits s'empilaient sur la table de la cuisine, et son ami a demandé :

— C'est quoi tout ça ?

— C'est le livre de mon papa, a répliqué Jaden d'une voix qu'il n'adopte que pour parler du père Noël ou de Guitar Hero.

J'espère que lui et sa sœur ressentiront cette même fierté dans dix ans, et dans trente, et soixante. C'est pour eux que j'ai écrit, mais aussi à leur intention.

J'espère que ce livre leur permettra d'éviter certains des pièges dans lesquels je suis tombé. Qui plus est, j'espère qu'il fera partie des nombreux ouvrages qui leur procureront réconfort, conseils et plaisirs. Je n'ai découvert la magie des livres que sur le tard. De toutes les erreurs que j'ai commises et que je voudrais éviter à mes enfants, celle-là figurerait en haut de la liste.

9566

*Achevé d'imprimer en France (Espagne)*
*par* BLACK PRINT CPI IBERICA
*le 23 février 2011.*

Dépôt légal : février 2011
EAN 9782290033241

ÉDITIONS J'AI LU
87, quai Panhard-et-Levassor, 75013 Paris

*Diffusion France et étranger : Flammarion*